한국 민담의 여성상

Das Weibliche im Koreanischen Märchen

한국 민담의 여성상

이유경 지음

 분석심리학연구소

차례 •

저자 서문

이 책에 실려 있는 한국 민담의 해석들은 대부분 2008년부터 일본의 **융**학파 정신 분석가 친구인 소노코 토요다 교수와 함께 해마다 진행해 왔던 세미나에서 발표된 것들이다. 토요다 교수는 저자가 스위스 취리히 **융** 연구소 수련 시절(1989~1995)에 같이 공부했던 동료이다. 일본에서 한국 드라마 열풍이 시작될 무렵인 2004년 그녀는 처음 한국을 방문했다. 그 후로 우리는 일 년에 한 번씩 서울이나 교토에서 얼굴을 보곤 했었다. 2006년 경에 자연스럽게 우리는 공동으로 함께 연구를 하면 어떻겠냐는 생각을 하게 되었다. 우리는 만날 때마다 한국과 일본의 문화적 차이, 사회에서의 여성의 역할에 관한 이야기를 서로 나누어 왔기 때문에, 우선적으로 한국과 일본 여성의 삶에 관한 분석심리학적 탐구를 해 보자고 의견을 모았다. 하나의 주제를 정하고 연구하여 일 년에 한 번 서울과 교토에서 세미나를 열어 발표하는 방식으로 정하게 되었다. 2008년 세미나는 한국과 일본 민담 ≪손 없는 색시≫를 분석심리학적으로 해석하여 제각기 발표하는 것으로 정하였다. 첫 세미나는 서울의 분석심리학연구소와 교토의 일본 **융** 연구소에서 각각 개최되었다. 민담 ≪손 없는 색시≫가 선택된 이유는, 이야기를 나누다 보니, 토요다 교수는 일본 민담 ≪손 없는 색시≫와 관련된 책을 썼고, 저자도 한국 민담 ≪손 없는 색시≫를 해석하여 학회지에 실었던 사실을 서로 알게 되었기 때문이다. 그로부터 해마다 우리는 여성의 문제에 관한 답을 주로 민담에서 찾으려 했다. 토요다 교수는 서울에서 일본 민담을 소개하고 해석하였고, 저자도 교토에서 한국 민담을 소개하고 해석하였다. 덕분에 민담에서 드러난 여러 여성상들, 즉 계모, 할머니, 동물 형상의 아내, 누이 등 다양한 여성 인물상의 특성들을 살펴볼 수 있었다. 마지막 세미나는 2016년 3월에 서울에서 이루어졌는데, 이 세미나의 자료들은 2016년 9월 교토에서 열린 국제 **융**학파 정신분석가협회(IAAP) 학술대회에서 기조 강연(plenary lecture)의 하나로 채택되어 각기 발표되었다. 그것은 여성에 관한 한국과 일본의 민담을 나란히 다루는 것이었으므로, 전 세계에서 온 분석가들이 우리의 작업에 큰 관심을 표명하였다. 당시의 발표문은 각국의 언어로 번역 소개되었는데, 이탈리아 **융**학파 정신분석가협회의 학술지에 실리게 되었고, 또한 IAAP 학술지에도 게재되었다. 우리는 그 동안의 세미나 자료들을 모아서 우선 자기 나라의 언어로 책을 내기로 약속하였다. 저자가 교토 세미나에서 발표했던 민담 해석의 영어 원고들은 언제인가 기회가 되면 한 권의 영어 책으로 탄생하게 되리라 기대해 본다.

토요다 교수와 저자는 매번 세미나를 치르면서 서로 비슷한 민담이 한국이나 일본에 있는지 살펴보았지만, ≪손 없는 색시≫, ≪콩쥐 팥쥐≫ 외에 비슷한 것을 발견한 적은 없었다. 결국 이런 이유 등으로 그 동안 한·일 세미나를 해 오면서도 민담의 비교 연구는 시도되지 못하고 말았다. 우리는 하나의 주제를 정하고, 그 주제에 충실하게 민담을 선택하여 각자 여성상의 고유한 특성을 이해하는 해석 작업을 시도하였다. 우리는 **융**학파 정신분석가로서 같은 관점을 갖고 있기도 하지만, 조금은 다른 입장에서 접근하고 있었기 때문에 세미나에서 서로에게 배우는 점이 많았다. 토요다 교수가 제공했던 세미나 자료 중 일부는 분석심리학연구소의 홈페이지(www.jungclub.org)에서 참고할 수 있을 것이다.[1] 무엇보다 세미나를 진행해 보니, 일본 민담과 한국 민담을 나란히 소개하는 것만으로도 의의가 있었다. 그것은 강의자나 청강자 모두를 만족시켜 주는 것이었다. 이는 모두 민담이 가진 힘, 이야기의 힘, 심상의 힘으로 여겨진다. 저자는 개인적으로 세미나를 준비하고 진행하기 위하여 여러 한

---

1 분석심리학연구소 홈페이지의 인터넷 강의 및 e-book을 참고하라.

국 민담들을 자세히 살펴볼 기회를 가졌던 것을 행운으로 생각한다. 또한 이를 위하여 여성 주인공의 민담들을 꾸준히 다룰 수 있었다는 점에 고마워하고 있다. 이런 작업이 아니었다면 여성 주인공의 한국 민담을 제대로 이해할 기회가 없었을 것이다.

여기서 소개된 민담 해석의 반 정도는 세미나에서 다루어졌던 것이기도 하지만, 또한 일부는 분석심리학회 학회지 〈심성 연구〉에 실렸던 것이다. 함께 묶어서 살펴보니 여기저기 보충하고 싶은 부분이 많이 발견되었다. 그래서 원래 원고에서 일부를 수정 및 보충하였기 때문에 〈심성 연구〉에 실렸던 내용과는 조금 다를 것이다. 취리히 **융** 연구소 시절 수련 과정의 과제로서 처음 해석을 시도했던 《우렁 각시》도 여기에 소개되었다. 20년이 넘도록 손대지 않고 있었던 것을 다시 꺼내어 작업하였다. 그럼에도 민담의 구조 때문에 기본적인 내용은 크게 바뀐 것이 없다고 해야 할 것이다. 분명 2000년 《손 없는 색시》의 해석 작업과 2016년 《춘향전》의 해석 작업의 수준은 다르다 할 수 있다. 세월이 지난 만큼 이해도 달라질 수밖에 없는 것이다. 그렇다고 이전에 했던 일련의 해석 작업을 무효화 하고 새삼 완전히 새로운 해석을 시도하지는 않았다. 무의식에 대한 이해가 깊어지면 깊어질수록, 상징에 대한 이해도 커지고, 따라서 민담의 해석도 더 풍부해질 수 있다. 이런 의미에서 정신분석가로서 일해 온지 20년이 넘은 최근의 해석이 더 심도 있고 개별 인간의 심정에 부합하는 이해 작업이 될 수 있다고 여겨진다. 민담의 해석 작업은 결코 한 번에 완성되는 것이 아니다. 물론 아무리 훌륭한 해석을 가한다 하더라도, 여전히 해석의 여지는 남을 것이다. 이 책을 읽는 독자들은 여기서 소개된 일련의 해석을 참고만 하고, 스스로 자신의 삶을 돌아보며 민담을 새로운 심리학적 언어로 옮기는 해석 작업을 하길 바란다. 참고로 꽤 여러 곳에서 반복 혹은 중복으로 간주될 분석심리학적 설명 및 해명이 드물지 않게 있을 것이다. 이는 각각의 민담 해석에 필요한 설명이므로 어쩔 수 없는 일이다. 독자들은 이를 감수해야 될 것 같다.

여기에서 다루어진 민담의 해석을 읽는 독자들은 기본적으로 분석심리학에 관한 어느 정도의 지식을 갖추고 있어야 할 것이다. 용어의 사용이나 해석의 전개 방식은 모두 분석심리학적 전제에서 비롯된 것이기 때문이다. 특별히 본 저자의 민담 해석 작업이 난해하다는 지적을 자주 받아 왔음을 밝혀 둔다. 꾸준히 분석심리학연구소에서 진행하고 있는 〈민담해석 연습 세미나〉를 참석해 온 수강자들은 저자의 해석 작업에 익숙해서인지 비교적 이해하는 데 어려워하지 않았으나, 교토 세미나와 다른 곳의 강좌나 세미나에서는 난해하다는 표정의 수강자를 자주 보아 왔다. 때로는 보충 설명이나 토론을 통해서도 이해시키는 데 한계가 있었다. 심상의 상징적 이해를 위해서 어느 정도의 훈련은 필요하다. 또한 독자마다 분석심리학의 이해 정도와 의식 수준이 다르기 때문에 수용의 정도가 다르리라 생각한다. 이 점은 어쩔 수 없이 개별 독자들의 이해력 및 의식의 수준에 맡겨야 하겠다.

저자는 분석심리학연구소에서 〈민담해석 연습 세미나〉를 꾸준히 진행하고 있다. 수강생을 위한 수업이라기보다는 저자 자신을 위한 지속적인 해석 작업의 훈련을 위해서이다. 그림 형제가 모은 독일 민담의 해석 작업은 상징을 이해하는데 좋은 훈련 과정에 해당한다.[2] 민담을 상징적으로 이해할 수 있어야 개인적으로 꾸게 되는 꿈과 같은 자발적 정신의 산물을 제대로 이해할 수 있다. 저자는 정신분석가로서 민담을 상징적으로 이해하지 못한다면, 꿈을 제대로 다룰 수 없다고 강조해 왔다. 민담에는 무의식적 정신이 표상할 수 있는 심상들이 거의 대부분 나타나 있기 때문이다. 민담을 많이 다루면 다룰수록 보다 꿈의 이해가 더 쉬워진다. 꿈은 보편적, 원형적인 것을 대부분 개별 인격의 특성과 관련하여 표상하고 있는 것이다. 민담을 많이 다루어 보면 심상 자체가 목적으로 하는 방향성이 있음을 인정하게 된다. 이는 꿈의 이해에서도 마찬가지로 적용된다. 꿈 자아 앞에 등장하는 무의식적 정신의 형상들이 궁극적으로 무엇을 요구하는지, 어떤 보상적인 내용을 제시하려는지 알 수 있다. 결국 민담의 이해는 무의식적 정신의 언어를 이해하는 첫 걸음이자 마지막 걸음이 될 것이다.

민담을 하나하나 풀어 보면 인간 삶에 대한 여러 가지를 배울 수 있다. 특별히 여

---

2 일련의 그림 형제 모음 독일 민담을 해석하는 작업은 분석심리학연구소의 〈민담해석 연습 세미나〉 수업에 직접 참여하거나, 간접적으로 인터넷 강좌를 통하여 접할 수 있다.

성 주인공 중심의 민담을 이해해 보면, 여성으로서 어디에 뿌리를 두어야 하고, 무엇을 궁극적으로 개인의 삶에서 실현해야 하는지 알 수 있게 된다. 또한 집단사회적으로 요구하고 있는 여성의 역할에 거리를 두고 자신의 고유한 개별적 가치에 집중할 수 있게 만든다. 어떤 식으로든 민담을 이해할 수 있는 기회가 주어지는 것은 큰 행운에 해당한다. 이것은 잃어버린 자신의 언어를 되찾는 것이고, 심혼의 고향으로 돌아가는 길을 안내받는 것이기 때문이다. 이러한 특별한 심혼의 여행에 독자들도 함께 했으면 한다.

2018년 4월 25일
분석심리학연구소
李 裕 瓊

들어가는 말

1. 민담과 무의식

여기서 소개하고 있는 민담들은 C.G. 융(1875~1961)의 분석심리학을 적용하여 해석될 것이다. 분석심리학은 '심층심리학(Tiefenpsychologie, Depth-Psychology)'의 하나이다.[3] 심층심리학자들은 정신이 의식으로만 이루어진 것이 아니라, 의식과 나란히 또 다른 정신 영역의 활동이 있음을 증명해 왔다. 마침내 의식과 함께 하는 정신 영역은 '무의식'으로 명명되었다. 무의식적 정신 영역은 현상적으로 가시화 되어야 알려질 수 있으므로 심층심리학자들은 정신의 현상에 주목하게 된다. 심층심리학자들이 주목하게 된 정신의 현상들은 주로 꿈, 공상, 환영, 신비 체험들, 임상 증상들 그리고 신화와 민담들이다. 이들은 모두 의식의 산물이라 할 수 없는 무의식적 정신의 자발적 산물이다.

심층심리학자들이 꿈 다음으로 신화나 민담에 주목하게 된 것은, 꿈에 드러나는 모티브가 고스란히 신화나 민담에서도 나타나기 때문이다. 이에 대해 정신분석학에서 주로 '외디푸스 콤플렉스(Ödipus-Komplex)'라는 현상으로 논의되어 왔다. 오늘날 신

---

3 심층심리학에는 S. 프로이트의 정신분석학(Psychoanalysis), A. 아들러의 개인심리학(Individual Psychology), C.G. 융의 분석심리학(Analytical Psychology)이 있다.

화나 민담의 연구에 심층심리학이 적용되는 것은 당연한 듯이 보인다. **융**이 『리비도의 변환과 상징(1912)에서 정신의 현상을 신화와 관련시켜 심리학적으로 해명했을 때, 사람들은 그가 신화에 관한 연구를 한 것으로 보았다. **융**은 인간의 보편적 심성에 관한 탐구를 하면 저절로 신화나 민담과 연결된다고 설명하였다.[4]

신화와 민담으로 드러나는 정신의 현상은 개별 인격의 기초가 되는 정신 영역에서 비롯된 것이다. **융**은 이처럼 개별 인격의 기초가 되는 정신 영역을 '집단무의식'이라 부르고, 인류 공동의 집단적 보편적 특성이 있다고 하였다. 이에 반해 인격의 개별적 특성으로 드러나는 무의식은 '개인무의식'이라 부르며 '집단무의식'과 구분하였다.

> 어느 정도 표면에 있는 무의식 층은 명백하게 개인적이다. 이를 우리는 개인무의식(das persönliche Unbewußte)이라고 부른다. 그러나 개인무의식은 개인의 경험이나 습득에 의하지 않고 태어날 때부터 있는 더 깊은 층의 토대 위에 있다. 나는 '집단적'이라는 표현을 선택했는데, 그 이유는 이 무의식이 개인적이지 않고 보편적 특성을 갖고 있기 때문이다. 즉 그것은 개인적 정신과는 달리 모든 개인에게 어디서나 똑같은 내용과 행동 양식을 나타내도록 만든다. 달리 표현하자면, 그것은 모든 인간에게 동일한 것이며, 모든 사람에게 존재하는, 초개인적 성질을 지닌 보편적 정신의 토대를 이루고 있다.
>
> 심혼적 존재는 오직 의식될 수 있는 내용으로 드러남으로써 인식된다. 그러므로 우리는 내용을 증명할 수 있는 한에서만 무의식에 대해서 말할 수 있을 뿐이다. 개인무의식의 내용은 주로 감정이 강조된 콤플렉스인데, 이것은 정신 생활에서 개인적으로 친숙한 내용들로 이루어져 있다. 이와는 반대로 집단무의식(das kollektive Unbewußte)의 내용은 소위 원형들(die Archetypen)이다.[5]

신화나 민담의 이해를 위하여 '집단무의식' 및 '집단무의식'의 '원형'에 대해 좀 더 설명해 보겠다. 개별 인간은 모두 인간이라는 종(種)의 특징이 개별적으로 드러나도록 이미 정해져 태어난다. 인간이라는 종의 특징을 구현하고 있는 정신 영역이 '집단무의식'이다. '집단무의식'은 내용적으로 '본능(Instinkt)'과 '원형들(Archetypen)'로 구분하여 이해해 볼 수 있다. '본능'은 주로 전형적인 인간의 행동 양식으로 드러난다. '원형'은 "집단적 표상들(représentations collectives)" 6 에 해당하는 것으로, 심상들을 생산하는 기관이라 할 수 있다. 말하자면 개별 인간은 개인적으로 학습하지 않아도 이미 어떤 식으로 말하고, 생각하고, 행동하도록 준비되어져 있음을 의미한다. '집단무의식'의 '본능'과 '원형'은 모든 사람에게 보편적으로 존재하는 선험적 조건이 되는데, 서로 다른 것으로 구분되기보다는 동전의 양면처럼 통한다. 특별히 '집단무의식'의 '원형'은 심층심리학자들에 의해 선천적으로 내재하는 정신의 구성 요소로서 간주되었다. '집단무의식'은 프로이트가 억압된 정신의 내용으로 이루어졌다고 간주한 '개인무의식'과는 근본적으로 다르다. '집단무의식'의 '원형들'은 억압될 수도 없고, 억압되어서도 안 된다.

'집단무의식'의 '원형'의 실제성은 전 세계적으로 같은 주제의 정신 현상으로 수렴되는 것에서 확인할 수 있다. 각 민족마다 신화를 갖고 있고, 그것으로 그 민족성을 특징짓는다. 그럼에도 각기 다른 민족의 신화나 민담 등 옛 이야기들에서 유사한 주제들이 등장하는 것을 그리 어렵지 않게 발견할 수 있다. 이로써 서로 민족성은 달라도 모두들 공통적으로 보편적 정신, 즉 집단 정신에 기초하고 있다는 사실이 그 자체로 증명된다.

'집단무의식'의 '본능'은 인간으로 하여금 인간답게 행동하도록 만든다. 말하자면 '본능'은 우리로 하여금 어떤 식으로 행위하지 않으면 안 되게끔 강제하는 힘으로 작용한다. 이것에 의하여 우리는 저절로 다른 존재가 아닌, 바로 인간이 되는 것이다. 마찬가지로 '원형'은 저절로 심상들을 표상하는데, 우리는 바로 그 심상들과 더불어

---

4 C.G. 융의 전집 제5권 Symbole der Wandlung의 서문을 참고하라.

5 C.G. Jung(1954), "Über die Archetypen des Kollektiven Unbewußten", G.W. Bd. 9/I, Par. 3~4.

6 이는 레비-브륄(Lévy-Bruhl)이 원시적 세계관을 나타냈던 표현이다.

개별적 정신 활동을 시작하게 된다. 또한 그 심상들에 의하여 인간으로서 이념을 실현하게 된다. 우리는 개인적으로 다양한 정신 활동을 하기 때문에, 서로 다른 정신의 내용을 갖고 있는 듯하지만, '집단무의식'의 '원형'이 제공하는 전형적인 특성에서 크게 벗어나지 못한다. 개인 인격의 특성도 자세히 비교해 보면, 오히려 대부분 집단 정신의 특징을 갖고 있다는 사실을 확인할 수 있다.

우리가 '본능'보다 '원형'에 더 주목하는 것은 당연하다. '원형'은 일종의 충동의 상(像)으로, 충동의 의미를 나타내기 때문에 의식하는 데 더 용이하다.[7] 다르게 표현하면, 충동이 본능적 행동 유형이라서 알아차리기 어렵다면, '원형'은 이러한 충동의 형상화, 정신의 이념으로 표상될 수 있는 것이어서 인식할 수 있다.

> … 원형은 조절하며, 수정하고, 동기를 유발하면서 의식 내용의 형성 과정에 개입하는데, 취하는 태도는 본능과 똑같다. 그러므로 이러한 원형적 요소들이 충동과 연관되어 있다고 가정하고, 집단적 형식 원리를 표현하는 전형적인 상황의 상들이 결국에는 충동의 형상, 즉 행동 유형과 같은 것이 아닌가 의문을 제기하는 것은 당연하다. 나는 이 가능성을 분명하게 반박할 논거를 지금까지 보지 못했다.[8]

일반적으로 심상들을 의식적으로 의도하여 생산한다고 여기고 있지만, 창조적 작업을 하는 예술가들은 예술 창조의 원천이 자신이 아님을 잘 알고 있다. 오히려 창조적 충동에 의해 예술가는 무엇인가 하도록 요구당하는 것이다. 원시인이나 아이들도 스스로 생각한다고 하지 않고 '생각이 난다'고 한다. 오늘날의 성인들은 자신이 '생각을 한다'고 말한다. 하지만 '원형'은 일부 주관 정신인 자아의식을 둔화시키거나 활성화 시킬 수 있다. 그래서 자아의식이 갑자기 고양되어 폭넓은 시야를 갖게 되거나 어떤 이념에 사로잡히기도 한다. 또한 '원형'이 자아의식에 직접 영향을 미치지 못할 경우 독자적으로 작용하므로 외부에서 일어나는 신비 현상으로 나타날 수 있는데, 주로 종교 체험에서의 누미노제(Numinose)[9] 현상으로 알려진다. 이처럼 '원형'의 활동으로 일어나는 정신의 현상은 자아의식도 놀라움으로 경험할 수밖에 없는 객관 정신의 활동이다. 그것은 도저히 개인이라고 할 수 없는 인격 상태로 만들거나, 심지어는 정신병리적 현상을 야기한다.

E. 노이만은 자아의식을 무의식과 외부 세계를 심상으로 이해하는 기관이라고 표현하였다. 무의식적 정신이 심상으로 형상화 되는 것은, 모두 자아의식으로 하여금 대상으로 인식하게 만들려는 것이라고 설명하였다.[10] 본능적 충동들에 대해 흔히 '억압한다'고 표현하듯이, 그것도 '원형'과 같이 객관적인 것으로 취급될 수 있다. 본능적 충동들을 심상으로 전환하도록 한다면, 자아의식이 객관적으로 다룰 수 있게 될 것이다. 심리치료 작업에서 신체화 된 증상들을 이미지로 전환(Imigination) 하도록 유도하는 이유가 여기에 있다. 심상들은 내면 세계의 실제성으로서, 시각과 같은 감각 기관을 통해 감지한 외부 세계의 대상들과 마찬가지로 자아의식에 의해 인식되는 것이다. 다만 외부 세계의 대상들은 이미 확정된 오성의 개념에 따라 '무엇'으로 인식이 가능하지만, '집단무의식'의 '원형'에서 비롯된 심상들은 확정된 개념에 따른 인식을 할 수 없다. 가장 근접한 개념들을 환기함으로써 대략적인 인식에 도달할 수는 있으나, 완전히 이해하기는 어렵다. 이렇게 개념적으로 규정할 수 없는 내면 세계의 산물들(심상들)을 우리는 '상징(象徵)'이라고 부른다.

말하자면 '상징'은 정신의 자발적 산물로서 원형에서 비롯되는 것이다. 원형에서 비롯된 심상들은 인과적 산물이 아니다. 그것은 심혼적 존재를 그대로 드러내는 정신의 현상이다.

… 심혼은 상징들을 창조한다. 상징의 기호는 무의식적 원형이고, 이런 상징이 표현되는

---

7   C.G. Jung(1954), "Theoretische Überlegungen zum Wesen des Psychischen", G.W. Bd. 8, Par. 398~399.

8   C.G. Jung(1954), 같은 책, Par. 404.

9   das Numinose, 즉 누미노스한 것, 이는 누멘(Numen, 神性)을 형용사화 한 것으로, 정신의 자발적 활성화로 인해 이성적, 합리적 해명이 어려운 경험을 총칭한다.

10   Erich Neumann(2004), Ursprungsgeschichte des Bewuβtseins, S. 298.

현상은 의식이 획득한 표상들에서 나온다. 원형들은 누미노제를 지닌 정신의 구성 요소들이며 일종의 독립성과 특수한 에너지를 갖추고 있다. 이 힘으로 원형은 그에 어울리는 의식의 내용을 끌어당길 수 있다. 상징들은 변환자(Unformer)의 기능을 한다. (…) 상징에는 암시하고 확신하게 만드는 힘이 있고, 상징은 동시에 그 확신의 내용을 표현한다. 상징이 확신을 주도록 작용하는 것은 누멘, 즉 원형에 속해 있는 특별한 에너지의 힘 때문이다. 원형 체험은 사람들에게 깊은 인상을 줄 뿐 아니라, 심지어는 '충격적'이다. 이런 원형 체험은 당연히 신앙을 낳는다."[11]

'집단무의식'의 영향력은 우리가 의식하든 안 하든 상관없이 작용하고 있다. 식물이 성장하여 꽃을 피우고 열매를 맺듯이, 그것은 의식의 삶에서 개별적 존재의 가치를 실현하도록 요구하고 있다. 고대인들에게는 신화와 민담이 매일의 삶을 인도하는 실제적 삶의 지침이자 조상의 가르침 및 자연의 지혜였다. 어느새 신화와 민담은 우리에게 낯선, 잃어버린 언어, 인류의 아동기의 산물로 간주되어 버렸다. 그러나 조금만 눈여겨보면, 여전히 살아있는 신화와 민담을 만날 수 있다. 그것은 현대적 옷을 입고 TV 속, 인터넷 속, 서적들에서 이야기, 드라마, 문학작품 등은 물론이고 심지어 루머들에서도 작용하고 있다. '원형'은 심리 내적 요소로서 기능하고 있으며, 계속 그에 상응하는 현상을 형성하고 있다. 이런 의미에서 우리는 한 번도 신화나 민담에서 벗어난 적이 없다.

2. 민담의 형성에 관하여

신화 및 민담은 정신의 자발적 활동에 의해 형성된다. 오늘날 우리는 이야기를 문자로 접하지만, 원래 이야기는 모두 심상들로 이루어진 것이다. 이야기는 일종의 경험담처럼 전달되는데, 이때 화자는 단순히 기억하고 있는 사실을 전달하는 것이 아니다. 이야기를 하는 동안 자신도 모르게 활성화 되는 심상적 특성을 향유하게 된다. 실제로 이야기를 하면서 저절로 미처 생각하지 못했던 것들을 묘사하고 있다는 것을 발견할 것이다. 여러 심상들이 연상의 조직망을 연결하면서 자유로운 유희(Spiel)를 하는 것이다. 오늘날 우리는 신화나 민담을 생생하게 살아있는 심상들로서 경험하지 못한다. 주로 활자화 된 상태, 즉 언어로 이루어진 문서를 통해 신화와 민담을 접한다. 이로써 원래 이야기가 가진 풍부한 심상의 세계를 자유롭게 누리지 못하고 제약을 받는다.

대다수의 신화학자들은 신화와 민담이 과거의 산물이고, 현대에는 더 이상 형성되지 않는다고 한다. 그것들은 아득한 과거, 인류가 언어를 갖기 전에 생산된 것이어서 이해하기가 어려운 것으로 간주된다. 그러나 신화와 민담은 고대의 산물이라고만 할 수 없다. 개별 정신의 기초에는 언제나 신화적 표상들을 생산할 능력을 갖추고 있다. 현대에도 이야기는 여전히 매일 세계 곳곳에서 생성되고 있다. '집단무의식'의 '원형'들은 매 순간 원형상들을 생산하고 있고, 우리는 그것을 경험하지 않을 수 없는 것이다. 그것은 우리가 매일 꾸는 꿈, 공상, 감당하기 어려운 심적 사건들, 어떤 사회적 현상들, 심지어 UFO 사건 등으로 나타난다. 다만 이를 수용하는 현대인의 의식 수준이 고대적 수준하고 다르다. 현대인들은 무의식의 자발적 산물들을 충동이나 공상으로 치부하며 억압하거나 무시하기 때문에, 이야기의 형태로 구체화될 수 없다. 신화와 민담 등으로 알려지기 위해서는 기본적으로 심상들을 수용하는 집단의식의 태도가 요구된다.

민담과 같은 이야기가 어떻게 형성되는지 구체적으로 설명해 보겠다. 첫 시작은 주로 원형적 사건과 관련된다. '집단무의식'의 '원형'의 활성화는 한 개인에게 외부의 여러 놀라운 현상으로 경험될 수 있다. 설명하기 어려운 신성, 귀신의 등장 혹은 비전 등 일종의 누미노제의 경험이 된다. 시인이나 예술가의 감당하기 어려운 창조적 충동의 착상처럼 무엇인가로 표현하지 않으면 안 되는 상태와도 같다. 때로는 자신을 사로잡는 심상들, 소위 '큰 꿈'이라고 부르는 아주 인상 깊은 꿈을 보고하

---

11 C.G. Jung(1952), Symbole der Wandlung, G.W. Bd. 5, Par. 344.

는 것이 될 수 있다. 결과적으로 여러 자발적으로 일어난 원형적 정신 현상에서 이야기는 형성된다.

 이야기의 첫 출발은 주로 경험 당사자가 얼마나 충격적으로 경험했는가를 알리거나, 마주친 대상이 얼마나 놀라운 것이었는지를 기술하려고 하는 데서 비롯된다. 여기서는 아직 이야기를 구성하는 여러 요소들이 충분히 드러나지 않는다. 누미노제의 체험자가 직접 여기저기 알리는 것과, 그것을 전해 들은 사람이 그 이야기에 강한 인상을 받아 다시 다른 사람에게 전달할 때, 그 이야기는 점차 구체화 된다. 여러 번의 전달 과정에서 이미 3인칭의 관점으로 바뀌어 기술된다. 계속 전달되면서 자연히 여러 실제적 정황은 생략되고, 이야기의 구성에 필요한 요소들만 선택적으로 남게 되면서, 더욱 구조를 발전시킬 요소들이 점차 보충된다. 여러 단계의 전달 과정에서 첫 체험자의 이름 등의 개별적 사항은 차츰 사라지고, 뇌리에 각인된 주제 중심으로 이야기가 구조화 된다. 마침내 민담의 시작에서 보듯이, 대부분 '옛날 옛날에 어떤 총각이 (…)' 등으로 가장 보편적이자, 익명의 주인공이 이야기의 중심 인물이 된다.[12]

 분석심리학적으로 이야기의 '주제(Motiv, motif)'는 원형상을 의미할 것이다. 이야기가 전달되면서 주인공은 활성화 된 원형상과의 관계로서 구체화 되어 드러난다. 주인공은 마녀, 괴물, 동물 등과 같이 어떤 영향력을 갖는 객체 혹은 대상과 마주치게 되고, 이로 인해 주인공은 무엇인가 하지 않으면 안 되는 상황으로 전개된다. 여러 화자들이 저절로 그 상황에 처한 주인공과 무의식적으로 동일시 하면서 감당하기 어려운 대상들에 대한 반응 및 처치의 내용들을 보충하기 때문에 이야기가 계속 발전적 변화를 하는 것이다. 오랜 시간 동안 이야기를 나눈 여러 사람들이 함께 심상화에 참여함으로써 이야기는 하나의 완성된 구조를 갖추게 된다.

 좀 더 심층심리학적으로 설명하자면, 이야기의 전달 과정에서 화자들은 자신도 모르게 무의식적 정신의 활성화 된 현상, 즉 누미노제 현상에 대한 자신의 이해를 조금씩 보태게 된다. 화자들의 역할은 저절로 무의식적 정신과 관계하고 이해하려는 의식의 태도에 동참하게 되는 것이다. 이는 우선 무의식적 정신(원형)이 표명하려는 것을 가능한 허용하여 형상화 하도록 돕는 것에 해당한다. 이야기를 한다는 것 자체가 바로 그런 형상화를 허용하는 태도이다. 이런 화자의 의식적 참여가 있게 되면 일종의 의식과 무의식적 정신과의 통합이 일어난다. 저절로 의식과 무의식적 정신과의 합성(Synthese) 상태가 되는데,[13] 이것이 이야기를 내용적으로나 구조적으로 더욱 발전시킨다. 민담은 바로 그러한 합성 과정을 통해 원형적 현상의 의식적 수용 및 이해에 해당하는 결말을 갖추게 된다. 그래서 민담은 결말에서 왕과 왕비의 결혼과 같은 형태로서 의식과 무의식적 정신과의 '대극적 합일'을 나타내는 것이다.

민담이 구조적으로 이야기의 시작과 끝이 제대로 있는 것처럼 드러나는 이유는, 위와 같이 화자들이 이야기를 전달하면서 조금씩 다양한 구성 요소들을 골고루 갖추게 하여 통합적 이야기 구조를 완성시키기 때문이다. 이런 이야기의 전체 구조는 전형적인 양상으로 구체화 된다. 잘 마무리된 결말에 대해 어떤 학자들은 민담 등의 채록 과정에서 이야기 구조를 일부 짜 맞춘 것으로 지적하기도 한다. 하지만 민담의 이야기 구조는 근본적으로 콤플렉스 및 원형상들이 의식과의 관계에서 변화하고 통합하는 정신 현상의 과정이 반영된 것이라고 할 수 있다.

한국 민담의 일부는 실제로 누미노제 경험에서 비롯된 것임을 확인할 수 있다. 한국 샤먼들의 누미노제 경험이 무가(巫歌)로서 무속 제의에서 재현되는데, 그것의 일부가 민담으로 알려지게 된 경우들을 그 예로 들 수 있다. 여기서 소개된 ≪바리 공주≫도 그 중의 하나이다. 예를 들면 한 사람이 원인을 알 수 없는 병을 얻어 앓아 눕게 된다. 이 상태는 무속인의 관점에서 보면 어떤 신성이 특정의 개인을 찾아 온 것에 해당한다. 이를 '무병(巫病)' 혹은 '신병(神病)'이라고 한다. 분석심리학적으로 '신병'은 특정의 원형이 활성화 되어 자아가 심하게 영향을 받게 된 상태를 의미한다. 병을 앓는 당사자는 신체적 질병이 아닌데도, 일상생활이 어려울 정도로 자아의식이 무력화 되고 만다. 무의식적 정신의 영향력이 너무 막강하여 인격이 붕괴될 위기

12　예를 들면, '김 ○○라는 사람이 □□ 고개를 넘어오다가 △△을 보았는데 (⋯)' 라는 표현에서, 차츰 이름은 잊혀지거나 생략되고, '어떤 총각이 험한 고개를 넘다가 무시무시한 괴물을 만났는데 (⋯)' 등으로 바뀔 수 있다.

13　C.G. Jung(1954), "Theoretische Überlegungen zum Wesen des Psychischen", G.W. Bd. 8, Par. 403.

상황에 이른 것이다. 이때 무의식적 정신의 활성화에 의해 병을 앓는 이는 '큰 꿈' 혹은 환영을 보게 된다. 이것이 이야기가 될 누미노제 체험이다.

한국의 샤먼들은 오랜 경험을 바탕으로 그러한 신병을 어떻게 처리해야 하는지 잘 알고 있다. 가족 중에 한 사람이 '신병'을 앓으면, 가족들은 수소문하여 영험한 샤먼을 찾는다. 그 샤먼은 가족의 요청에 의해 병자를 방문하여 '신병'임을 확인하면, 날을 정하고 제의를 준비한다. 샤먼과 함께 치러지는 제의에서, '신병'을 앓던 당사자는 자신의 상태를 실질적으로 인식하게 된다. 일종의 병식을 갖게 되는 것이다. 샤먼은 제의를 통하여 '신병'을 앓는 이에게 찾아 온 신성을 객관적으로 인정하게 만들고, 신성의 특성을 반영하여 이름을 부여할 수 있게 한다. 경험자로서 샤먼이 '신병'의 원인이 되는 존재를 특정의 신성으로 명명하는 작업은 자아를 원형상에서 떼어 내어 구분되게 하는 것이다. 이런 구분은 자아의식의 붕괴를 막는 치유적 처방이다. 이로써 자아는 무의식적 정신(원형상)과 동일시 되거나 사로잡힌 상태에서 벗어나 의식의 주체로서의 위치를 회복할 수 있게 되는 것이다. 또한 활성화 된 무의식적 정신은 신성으로 객관적으로 인정된다. '신병'의 경험자는 회복된 후에 신성과 지속적인 관계를 유지하면서 샤먼이 되는 경우가 대부분이다.

무가(巫歌)는 바로 '신병'을 앓는 사람의 실제적 경험 및 환영이나 '큰 꿈'을 묘사한 것이다. 그것은 주로 신성의 등장, 그 신성의 특성, 신성과 인간의 관계, 경험 당사자의 변화 등을 다루고 있다. 이는 종종 경험 당사자가 죽음의 세계를 다녀옴으로써 죽음을 극복한 내용이 될 수 있으며, 또한 당사자가 만난 신성이 인간 세계에 알려지는 내용이 될 수도 있다. 왜냐하면 신병을 앓고 있던 당사자로부터 신성을 구분해 내고, 그 신성에 명명함으로써 저절로 신성이 드러나는 묘사가 되기 때문이다. 그래서 무가는 하나의 신성의 탄생을 알리는 이야기가 될 수 있다. 신의 기원을 알린다는 점에서 무가는 우선 민담이 되기보다는 무속 신화가 된다.

이상과 같이 샤먼의 실질적인 누미노제의 경험은 무속적 제의에서 재현되고, 일부는 그런 가운데 사람들의 입으로 전해지면서 점차 민담으로 알려진다. 신성을 경험했던 샤먼이 제의에서 자신의 경험적 사실을 직접 재현하지만, 시간이 지나면 제의를 실행하는 다른 샤먼에 의해 암송되어 재현되는 경우가 많다. 세습무에 의해 암송되어 재현되는 것은 마치 신화가 문자적으로 정착된 것과 같은 효과를 갖는다. 그래서 제의에서 거듭 재현되더라도 거의 구조적 변화 없이 그대로 반복된다. 제의에서 재현된 것과 당사자의 체험 등이 사람들과 공유되고 거듭 다른 장(場)에서 이야기됨으로써 차츰 민담으로 알려지게 된다.

일반적으로 누미노제 경험 그 자체의 전달에서는 신성의 모습만 강조될 뿐, 신성과 인간의 관계가 어떻게 성립되는지는 잘 다루어질 수가 없다. 앞서 언급한 것처럼 민담의 형성이라는 관점에서 보면, 이야기의 전달 과정에서 신성과 인간의 관계가 구체화 되고, 심지어 공동의 작업의 결과가 드러난다. 무가의 경우는 오랜 이야기의 전달 과정이 없는데도 비교적 전체적인 구조가 완성된 결말을 갖고 있다. '신병'에서 회복되는 과정 자체가 결말의 내용이 되는 것이다. '신병'을 앓았던 이가 무의식적 정신의 영향력에서 벗어나 새로운 의식의 태도를 획득하게 되기 때문이다. ≪바리 공주≫ 민담에서도 구조적으로 잘 짜여진 이야기임을 확인할 수 있을 것이다.

여기서 신화와 민담의 차이를 좀 더 지적해 보자. 신화의 경우는 여러 사람들의 입을 거치게 되는 민담과 달리 일찍부터 이야기가 문자로 기록된다. 우리에게 널리 알려진 ≪외디푸스 왕≫ 신화, ≪길가메쉬≫ 신화, ≪헤라클레스≫ 신화 등에서 보면 결론이 성공적이지 않다. 외디푸스는 아버지를 죽이고 어머니와 결혼하게 됨으로써 저주를 받은 듯이 보이고, 길가메쉬는 불사의 약을 구했지만 돌아오는 길에 잠이 든 사이 물뱀이 그것을 훔쳐 가서 모든 것이 허사가 되고, 헤라클레스는 12번의 괴물 퇴치의 과제를 완수하였지만 히드라의 독에 의해 죽게 된다. 이처럼 민담과 달리 신화에서는 성공적 결말에 이르지 못한다는 사실을 알 수 있다. 이는 문자로 기록되어 정형화 됨으로써, 이야기를 자유롭게 전달하는 과정에서 생기는 의식과 무의식적 정신의 합성적 관계를 다룰 수 있는 여지가 제한되었기 때문이다. 그럼에도 위의 신화들이 그토록 강렬하게 뇌리에 남는 것은, 신화의 주제들이 가장 보편적인 인간의 문제를 다루고 있기 때문이다. 이야기가 계속 전달되어질 수 있는 민담의 경우는 상대적으로 여러 사람을 거치는 동안 점점 완성된 구조를 갖추게 되어 전형적인 결말을 제시한다. 그래서 민담은 '왕과 왕비가 행복하게 잘 살았다'로 끝날 수 있다. 언제나 민담에는 신화보다 더 성공적인 결말이 돋보인다.

신화는 신성의 탄생, 성장 및 신성의 특성이 드러나므로, 문자 그대로 신의 이야기로 알려진다. 신화에서 영웅도 등장하는데, 영웅 또한 신성에 해당하는 인물이다. 그래서 영웅의 탄생, 성장 및 영웅의 행위 등도 다루어진다. 특별히 영웅에 의하여 국가의 탄생이 있게 되므로, 영웅은 종종 한 민족의 시조(始祖)로 간주된다. 영웅이 결과적으로 한 민족이나 국가의 탄생과 연결되듯이, 영웅 신화는 모두 인간 집단, 민족 집단의 의식화와 관계됨을 시사한다. 다시 강조하면, 신화는 주로 남성신 및 영웅이라는 남성적 인물상을 내세운다. 이는 인간 집단 및 집단 정신의 의식화가 언제나 남성화이자 정신화(Vergeistigung) 및 영성화(Spiritualisierung)에 해당하기 때문이다. 이런 의미에서 신화에서는 여성 주인공의 이야기가 드물다. 만약 신화에서 여성 주인공이 등장한다면, 그것은 모성신의 모습이 대부분이다. 모든 것을 둘러싸고 있는 기운들, 대양으로 묘사되는 모성신은 아들신에 의하여 극복되고 만다. 여기서 모성신은 근원적인 무의식적 정신의 조건을 나타내며, 아들신은 원초적 무의식성을 극복하여 집단의 의식성을 획득하는 정신 영역을 나타낸다. 신화적 세계관의 궁극 목적은 인간 집단의 의식성 및 인간성에 이르는 하나의 전형을 제시하는 것이다.

이에 반하여 민담의 경우는 신성이 강조되지 않고 왕가(王家)의 이야기, 혹은 아주 하위의 인물, 예를 들면 시골뜨기, 방앗간 주인, 나그네, 농부, 나무꾼, 바보 등 인간이 주인공인 경우가 대부분이다. 왕이나 왕자, 공주 등이 주인공으로 등장하는 경우는 원형상이 보다 인간 의식에 부합하는 모습으로 변화된 것을 의미한다. 아주 일반화 된 인물이 주인공이 되기도 하는데, 이 또한 원형상이 인간성을 가장 보편적으로 나타낼 수 있는 인물상으로 형상화 된 것이다. 이것은 이야기를 전달하는 과정에서 개별 의식이 보다 더 적극적으로 참여함으로써 의식과 무의식 사이의 간격이 좁혀지고, 무의식적 정신이 보다 더 개별적 인간적인 모습을 반영하면서, 공동의 목적에 이른 것으로 볼 수 있다. 이런 의미에서 민담의 세계는 인간의 정신 활동이 의식의 삶에서 실현하려는 목적의미를 보다 구체적으로 제시하는 것이라고 할 수 있다.

민담은 신화와 달리 개인의 누미노제의 경험에 기초함으로써 남녀 주인공 모두가 등장한다. 남성 주인공의 민담은 주로 여성들의 누미노제 체험에서, 여성 주인공의 민담은 남성들의 누미노제 체험에서 비롯되었다고 할 수 있다. 다르게 표현하면, 민담의 남성 주인공은 여성의 아니무스로서, 여성 주인공은 남성의 아니마로서 간주될 수 있는 것이다. 예를 들어 각자 공상을 시작해 보라. 남성의 경우 아름다운 여성(소녀나 공주)이, 여성의 경우는 늠름하고 용기 있는 남성(영웅이나 왕자)이 공상의 주인공으로 등장한다. 샤먼들의 '신병'에서도 '큰 꿈'의 주인공은 거의 아니마, 아니무스에 상응하는 인물일 경우가 많다. 실제로 여성 샤먼은 남성신을, 남성 샤먼은 여성신을 모시는 경우가 대부분이다. 이런 점에서 무가에서 비롯된 ≪바리공주≫의 여성 주인공 바리 공주도 남성 샤먼의 아니마일 가능성이 크다. **융**은 〈전이의 심리학(Psychologie der Übertragung)〉에서 연금술사들의 텍스트에서 도입된 이야기의 인물상이 민담의 왕과 왕비와 같은 형상임에 주목하였다. 말하자면 왕은 연금술사의 누이의 아니무스로, 왕비는 연금술사의 아니마에 상응한다는 것이다. **융**은 이를 의식의 일방적인 태도에 의하여 무의식적 정신이 심혼적 심급으로서, 즉 자율적인 심혼적 콤플렉스가 되어 투사되거나 심혼적 현실로 나타나는 것이라고 해명하였다.[14] 마찬가지로 누미노제 체험의 당사자나 화자의 자아의식이 민담의 주인공이 되는 것이 아니라 자율적인 심혼적 콤플렉스들이 각기 민담의 남녀 주인공들로 구체화 되는 것이다.

　　신화는 처음에 주로 우주 천체 및 기상 변화를 반영하거나 신들의 세계를 묘사하다가, 보다 더 인간적 특성을 반영하면서 영웅 신화가 된 것으로 볼 수 있다. 그리스 로마 신화에서 신들이 보편적인 신성의 특성보다 개별적 신성을 특징적으로 드러내고 있듯이, 영웅 신화에서 영웅은 개별 인간과 거의 유사한 면의 개별적 특성이 두드러진다. 그래서 영웅을 개별 인간과 혼돈할 정도가 된다. 하지만 영웅은 원형상이며 신성의 또 다른 모습일 뿐이다. 신화에서도 원형상이 인간성에 가까운 인

14　C.G. Jung(1946), "Psychologie der Übertragung", G.W. Bd. 16, Par. 438.

물상으로 변화하는 것처럼, 정신의 활동은 모두 인간 의식에서의 실현을 궁극 목적으로 삼고 있다. 민담에서는 누미노제의 현상이 이야기로 전달되는 과정에서 자연히 경험하는 개별 인간의 의식적 반응을 반영하게 된다. 그래서 민담의 주인공은 개별 인간이 동일시 할 수 있을 정도의 수준으로 일반화 되고 보편화 된다. 민담의 주인공은 집단 정신이나 민족 정신을 대표하지 않으며, 오히려 가장 보편적 인간의 삶을 전제하는 것이다.

무엇보다 민담에서는 남성 주인공은 물론이고 여성 주인공의 등장을 쉽게 볼 수 있다. 덕분에 우리는 신화와 달리 여성 주인공이 등장하는 여러 이야기들을 접하게 된다. 이로써 민담에서 여성 인물상들이 제공하는 다양한 정신 활동의 특성을 경험할 수 있다. 그것은 민담을 읽는 여성들에게 제시하는 삶의 전형이 된다. 이것은 남성의 아니마가 실제 여성들에게 투사되어, 암묵적으로 원형적 내용을 요구하는 효과와 비교할 수 있을 것이다. 민담의 주인공은 보다 더 일반화 되고 구체적인 인간의 모습으로 형상화 됨으로써, 개별적 인간성을 실현하는 전형으로 작용한다.

참고로 여기서 민담이 전설과 동화와 구분되는 점을 지적해 보자. 전설은 여러 면에서 민담과 비슷하다. 누미노제의 경험이 특정의 지역과 연관되어 있으면 전설에 해당한다. 신화가 특정의 민족이나 집단의 특징을 그대로 갖고 있듯이, 전설은 특정 지역이나 집단적 특징을 고스란히 반영하고 있다. 그래서 전설은 종종 그 지역의 특정 지형이 생겨나게 된 기원을 나타내는 이야기가 된다. 예를 들면 '서로를 너무 아끼던 형제가 있었는데, (…) 그래서 ○○ 마을에는 형제 봉이 생겨난 것이다.' 심리학적으로 보면, 오히려 그 지형은 형제의 형상을 환기시키고, 그것이 우리의 내면의 원형상, 즉 신화적 주제를 활성화 시켜서 이야기를 형성하도록 만든다. 만약 이 전설이 매우 인상적이어서 지역의 특성에서 벗어나게 된다면 그것은 민담이 될 수 있다. 일단 지역을 벗어나면 자연스럽게 등장 인물들은 일반화 되고, 주제에 상응하는 결말 부분이 보완되면서 하나의 민담으로 발전할 수 있다.

흔히 민담을 동화로 간주한다. 오랫동안 우리나라에서는 구분 없이 그림 형제가 수집한 독일 메르헨(Märchen)을 동화라고 번역하였다. 민담을 아이들에게 들려줄 이야기로 간주하여 안데르센이 쓴 동화처럼 여겨 왔다. 안데르센 동화는 안데르센이 창작한 이야기이므로 여러 사람들의 입으로 전해지면서 만들어진 이야기와는 근본적으로 다르다. 일부 사람들은 그림 형제가 이야기를 수집할 때 어린 아이들이 즐거워할 수 있게 이야기를 재단하고 각색했다고 한다. 오늘날에도 여전히 동화 작가들은 이야기를 생산하고 있다. 동화에는 아동에게 들려줄 것을 고려하여 주로 상상력을 자극하는 내용이나, 교훈적인 내용이 들어가도록 작가의 개별적 의도와 결론이 포함될 수 있다. 이에 반하여 이미 지적하였듯이 민담은 정신의 자발적 산물이므로 심상 자체가 갖는 고유한 흐름에 의식의 참여가 있고, 그에 따른 의식과 무의식의 통합적 결론이 반영된다. 이런 의미에서 작가의 개인적 의도 및 문화 사회적 요구에 따른 도덕적 결말의 내용과는 근본적으로 다르다. 동화는 여러 측면에서 작가의 개별적 성향에서 비롯된 개인적 요소가 반영된다. 그러나 민담에서 주제의 등장, 그에 따른 의식의 개입 및 이야기의 전개 방식은 개인적 의도와는 상관없이 전형적 방식으로 제시된다. 이런 점에서 민담은 개인적 산물이 아니라 종족의 산물, 인간 종의 산물이라고 할 수 있다. 동화는 아동들에게 들려줄 이야기일 수 있으나, 민담은 전(全)인류가 항상 옆에 두고 생활해야 할 이야기이다.

일부 동화는 민담만큼이나 널리 알려진 경우가 있으며, 우리가 기억하는 이야기가 민담이 아니라 동화인 경우도 드물지 않다. 이것은 동화가 여러 사람의 입을 거치면서 민담처럼 되어 버린 것이거나, 그 반대로 동화 작가가 신화나 민담 등에서 알려진 모티브를 이용하여 작품을 생산한 것일 수도 있다. 혹은 보다 심층심리학적으로 말하자면 작가에게 착상된 창조적 이념이 원형상에서 비롯된 것일 수도 있다고 하겠다. 말하자면 작가나 예술가의 창조적 생산이 '집단무의식'의 '원형'에 기인한 것일 경우는 누미노제 경험과 동일한 것이 된다. 작가나 예술가는 자신의 개인적 의도나 의식적 고안에서 예술작품을 탄생시키는 것이 아니라, 저절로 생겨난 이념, 이미지 등을 형상화 하여 외부에 제시하는 것이다. 이런 점에서 동화 작가가 이야기 속에서 묘사하는 주제 자체는 신화적, 즉 원형적 특성을 갖게 될 수 있다. 그 주제가 전체 이야기의 전개 과정에서 작가 개인의 의식적 정신과의 관계를 통하여 어떤 결말에 이르게 되는 것이다. 그래서 민담과는 다른 양상으로 마무리된다. 이미 지적하였듯이, 동화는 소설, 극 등 다른 문학작품과 마찬가지로 작가의 개별적 의향이나 의도, 개인적 이해에 의해 결말을 맺게 된다. 이에 반해 민담은 여러 사람의 의식적 참여 과정들을 통하여 보편적 이념이 실현될 수 있는 방식으로 결말을 맺는다. 안데르센 같이 위대한 동화 작가가 창작한 동화에서 종종 일반 민담에서 결코 볼 수 없는 결말을 발견하게 되는 것은 어쩌면 당연한 것이다.

다시 강조하면, 민담의 형성이 누미노제의 체험에서 비롯된다고 할 때, 신화나 민담을 과거의 산물로만 간주할 수 없다. 개별 인격이 기초하고 있는 '집단무의식'의 '원형'들에 의한 누미노제의 체험은 언제나 가능하며, 따라서 민담도 언제 어디서든 생산될 수 있다. 하지만 현대인은 정신의 산물이 모두 의식의 활동에서 비롯된다고 믿거나, 의식적 정신 활동에 주력하기 때문에 '원형'에서 비롯된 정신 현상을 제대로 객관적으로 인식할 수 없다. 근대 이전의 세계관에서 보면 집안에 나쁜 일이 생기거나, 몸에 병이 나면 어떤 외부의 보이지 않는 신성을 고려하고, 그것에 의해 영향을 받아서 그렇게 되었다고 믿었다. 그러나 현대의 관점에서는 집안의 나쁜 일을 외부의 객관적 사실에서 비롯된 것으로 인식하며, 질병에 대해서는 박테리아 혹은 바이러스의 공격과 같은 실질적 원인을 찾는다. 심지어 매일 꾸는 꿈도 그냥 의미 없는 '개 꿈'일 뿐이다. 그럼에도 우리는 기본적으로 이야기를 듣는 것을 좋아한다. 뜻밖의 이야기를 듣게 될 때 어느새 저절로 상상력이 동원되고, 여러 가지를 연상하여 생각하게 된다. 우리는 여전히 이야기에 자극을 받고, 또한 그것에 동참하면서 민담을 생산하고 있다. 어쩌면 민담은 과학 시대에 살고 있는 우리에게 아득한 우주의 행성에서 찾아온 생명체의 이야기가 될 수도 있다.[15] 민담은 지금도 지구 곳곳에서 생성되고 있다.

3. 민담의 구조

민담을 구조적으로 살펴보면, 중심 인물상과 주변의 인물상들의 관계로서 드러난다. 분석심리학적으로 중심 인물상을 자아(의식)로, 주변 인물상들을 자아(의식)와 관계를 맺으려는 무의식의 태도로 간주하여 읽을 수 있다. 이때 주변 인물상들의 특징은 원형상이 갖는 보상적 태도가 두드러진다. 성향이 다른 두 정신 요소가 관계함으로써 중심 인물상은 물론이고, 주변 인물상들도 함께 변화하게 되는데, 이것이 민담의 구조에서 잘 나타난다.

일반적으로 정신의 자발적 산물들, 즉 꿈이나 신화 및 민담은 모두 극(劇) 혹은 드라마(drama) 구조로 이루어져 있다. 드라마 구조는 사건을 묘사할 때 저절로 나타나는 이야기 형식 혹은 구조에 해당한다. 그것은 기본적으로 도입부, 전개부, 절정부 및 해결부로 나뉘어진다. 이 네 단계의 구조를 자아(의식)과 무의식의 관계로서 설명해 보자. 우선 이야기의 도입부 혹은 제시부(Exposition)에서는 중심 인물상, 즉 주인공의 특징이 구체적으로 묘사된다. 예를 들어 서양 민담이라면 주로 왕이 병이 들어 전혀 회복하지 못하고 있다거나, 왕의 후사가 없어서 왕위를 물려줄 수 없다거나, 왕이 아끼는 소중한 황금사과 나무에서 황금사과가 매일 밤 사라지는 상황 등으로 그려진다. 이것은 개인이든 집단이든 의식의 삶을 이끌어 가는 지배원리에 문제가 있음을 나타낸다. 이로써 전체 의식의 태도의 근본적인 변화가 필요함을 알린다. 왕가의 문제가 아니라면, 어느 고립된 곳에 홀어머니 손에 자라난 소년, 소녀의 이야기로 시작된다. 집단과 동떨어져 살고 있는 소년, 소녀는 기존의 집단적 지배원리에 물들지 않은 신생의 남성 요소, 여성 요소에 해당한다. 이들은 집단의 삶을 치유하게 될 보상적 가치의 인물상이면서, 동시에 개별 인격의 쇄신을 위한 새로운 인물상이다. 이처럼 도입부에는 삶을 이끌어 가고 있는 주체의 문제와 처한 상황이 묘사되고, 새롭게 부상하는 정신 요소를 주인공으로 제시하고 있다. 이야기를 접하는 사람들은 주인공과 저절로 동일시를 하거나 감정 이입이 된다. 이런 점에서 주인공은 의식을 대변하거나 의식성을 획득하게 될 정신 영역에 해당한다.

이제 이야기는 사건의 전개, 즉 사건의 연루됨(Verwicklung)의 단계에 이른다. 민담

---

15 C.G. 융의 <현대의 신화(Ein moderner Mythus)>(1958)를 참고하라.

에서 주인공 혹은 중심 인물상과 관계하는 주변 인물상들은 다양한 모습으로 등장한다. 그들은 주로 마녀처럼 마술적인 영향력을 갖는 경우가 대부분이다. 그들은 왕과 같은 주인공 혹은 중심 인물상이 어려움에 처하거나, 더 이상 주도력을 갖지 못하는 상태가 되면 나타난다. 이렇게 등장하는 주변 인물상들은 주인공을 돕기도 하지만, 때로는 더욱더 치명적인 어려움에 빠뜨린다. 주인공 혹은 중심 인물상 앞에 나타난 인물상들은 의식의 태도에 반응하는 무의식적 정신 요소들의 배열(Konstellation)로 이루어진 것이다. 말하자면 그들은 주인공과 관계를 맺기 위해 등장한 것이다. 이런 배열, 즉 활성화 된 '원형'에 의하여 주인공은 새로운 국면을 맞게 된다. 이처럼 전개부에서는 자아(의식)의 태도에 상응하는 무의식의 반응 및 무의식적 정신의 태도 표명이 구체화 된다. 이에 대해 아직 중심 인물상 혹은 주인공은 어떤 반응을 할지 드러나지 않는다.

다음은 절정(Peripetie, Kulmination) 단계인데, 소위 주인공 혹은 중심 인물상이 주변 인물상들과 실제적인 관계를 맺음으로써 생기는 서로의 반응이 반영된다. 그것은 만남 및 관계에 의하여 발생된 일종의 충격, 갈등, 불균형, 알력 등이 나타나는 상황으로 묘사된다. 절정은 정서적 반응이 고조되는 시기로 알려져 있다. 주로 예측할 수 없는 상황, 반전이 있고, 그에 따른 주인공의 다양한 심적 반응도 함께 묘사된다. 주인공 혹은 중심 인물상과 주변 인물상들과의 관계, 즉 자아의식과 무의식의 실질적 관계에서 비롯되는 현상이다. 절정에서 둘의 관계가 이루어지고, 그로 인한 힘의 재분배가 일어나도록 서로 조정된다. 주인공은 물론이고 전체 상황은 변화를 맞이한다.

마지막 해결부(Lysis)는 주인공 혹은 중심 인물상이 주변 인물상들과의 관계에서 문제가 해결되는 단계이다. 주인공 혹은 중심 인물상은 주변 인물상들의 영향으로 변화를 맞이하여 새로운 의식 수준에 이르게 된다. 이러한 결말은 둘의 조화로운 관계 및 결합으로 간주된다. 분석심리학적으로 이를 '대극의 합일(coniunctio oppositorum)'이라고 부른다. 민담에서는 주인공 혹은 중심 인물상이 배우자를 만나 행복한 결혼생활을 하는 것으로 묘사된다. 때로는 주인공이 왕위에 올라 새로운 집단의 대표로서 통치 이념을 실현하게 된다. 둘의 관계에서 갈등이 해소되고, 조화와 균형을 이루는 새로운 정신의 지평, 새로운 의식의 수준에 도달하게 된 것이다.

이상의 민담의 구조는 전형적인 심상의 전개 방식에 따른 것이라 할 수 있다. 비단 이야기뿐 아니라, 노래를 한 곡 부르거나 악기를 연주할 때, 혹은 시(詩)를 쓸 때도 같은 방식으로 전개된다. 예를 들어 음악이나 시에서도 언제나 주제가 드러나기 전 예비적 분위기를 마련하는 도입부가 있고, 그 다음 본격적으로 주제가 드러나는 전개부가 있다. 주제가 구체적으로 묘사되면서 점차 정서적으로 고양되어 정점에 이르는 절정부에서, 서서히 극적으로 드러난 정서를 거두어들이고 정화된 의식 수준으로 마무리되는 해결부가 있다. 이러한 전개의 이면에는 원형상 및 콤플렉스가 갖고 있는 정서적 측면이 큰 역할을 한다. 콤플렉스나 '원형'이 자신의 존재를 완전히 형상적으로 혹은 외형적으로 드러내어 폭로하는 전형적 방식에 따른 것이다. 정서적 묘사가 충분히 이루어짐으로써 의식이 무의식적 정신에 영향을 받게 된다. 의식은 고양된 분위기, 고조된 감정들, 이전까지 의식하지 못했던 기분 등에 젖게 되어서, 의식의 경계를 넘어선 어떤 정신 영역으로 이끌린다. 해결부에서 다시 정상의 의식 상태로 마무리되지만, 무엇인가 이전과 다른 분위기와 의식의 수준을 갖는 것이다. 이것이 우리가 예술을 삶 속에 끌어들이는 이유이다. 자아의식은 이전까지 알지 못했던 어떤 것을 환기하거나, 정서적 동화에 의하여 의식성이 더 고양되거나, 정화된 심적 상태에 이르게 될 수 있기 때문이다.

매일 우리가 꾸는 꿈도 민담과 마찬가지로 드라마 구조를 갖고 있다. 낮의 활동을 담당한 자아에게 무의식적 정신이 반응하면서, 전체 정신의 목적에 부합하는 내용을 제시한다. 이에 자아 혹은 의식이 참여할 수 있느냐 아니냐의 문제는 언제나 또 하나의 이슈로 남는다. 자아 혹은 의식의 참여가 없더라도 '원형'은 자신의 존재를 꿈의 여러 인물상으로 드러낸다. 다만 자아 혹은 의식의 참여가 없으면 해결부가 제대로 제시되지 못한다. 종종 해결부가 없는 꿈들의 경우 악몽이 될 수 있다. 의식과 무의식이 서로 관계하지 않으면, 무의식적 정신이 일방적으로 작용하게 된다. 그래서 꿈 자아는 무엇인가 침범해 오거나 위협하는 것처럼 경험하게 되고, 그것에 전혀 대처할 수 없어 놀라워 하면서 해결부 없이 잠에서 깨고 만다. 이것은 누미노제 현상을 맞이하여 놀라움과 충격에 빠져 있는 상태 그대로 머물고 있는 것과 같다. 자아 혹은 의식이 그것을 받아들이고 이해한 상태이면 그 태도가 반영되어 해결부에서 드러난다. 실제로 꿈에서 자아가 적극적으로 개입해서 상황을 잘 처리하여 마무리가 되면 깨어나서도 자아는 스스로 이전과 다른 분위기를 맛볼 수 있게 된다. 이처럼 민담은 물론이고 꿈에서도 의식과 무의식의 통합적 관계에 따른 결과가 반영되어 제시된다.

4. 민담의 해석 작업

신화와 민담과 같은 옛 이야기들은 그대로 이해되어질 수 없다. 이런 점에서 옛 이야기들은 이해할 수 없는 원시적 산물, 인류의 유아기적 산물로 간주되어 왔다. 신화는 이미 문자로 정착되어져 있었기 때문에 가장 손쉽게 접근할 수 있는 텍스트였다. 이에 반하여 민담은 우선 채록되어야 했고, 비로소 모티브의 분류가 이루어졌으며, 마침내는 해석을 위한 텍스트로 주목받았다. 신화에 비해 민담은 상대적으로 관심의 대상이 아니었으므로, 오랫동안 제대로 이해되지 못하였다. 주로 어린 아이들에게 들려줄 수 있는 이야기, 즉 동화로 알려져 있었다. 20세기에 이르러 심층심리학자들에 의해 민담도 신화에 상응하는 관심을 받게 되면서, 비로소 다양한 해석 작업이 이루어졌다. 특히 분석심리학자들은 일찍부터 민담이 보편적 심성에서 비롯된 것이라는 점에 주목하였으며, 그것을 신화와 함께 중요한 정신의 현상으로 다루어 왔다. 오늘날 전 세계의 **융** 연구소에서는 교육 수련 과정 중 반드시 민담을 이해 및 해석 할 수 있도록 훈련시킨다. 그래서 20세기 후반부에 시도된 민담 해석은 대부분 분석심리학자들에 의해 이루어진 것이라고 할 수 있다.

물론 민담을 읽으면서 그 자체로 심상들이 제시하는 방식대로 따라가노라면 나름대로 이해되는 부분들이 있다. 심지어 아이들도 이야기를 들으면서 마음껏 상상하며 아이들의 수준에서 이해하고 받아들인다. 하지만 민담에는 이해할 수 없는 상징적 형상들이 펼쳐져 있다. 이야기의 이해를 위해서는 상징을 해석하는 작업이 요구되는 것이다. 그래서 어느 정도 상징을 이해할 수 있는 심층심리학적 해석의 방법론이 필요하다.

융은 상징의 이해를 위하여 언제나 '확충(Amplifikation, amplificato)'을 제안하였다. 쉽게 말하면, 비교를 통하여 상징을 풀어 보려는 태도이다. 비슷한 것 및 연관된 것들을 나열하여 그것이 공통적으로 지시하는 의미를 찾아보는 것이다. 이것은 모르는 문자를 해독할 때 그 문자의 적용의 예들을 여러 개 나열해 놓고 하나의 의미를 규정해 보는 방식에 해당한다. 그래서 **융**은 확충을 '역사적 유비'라고도 표현하였는데,[16] 상징적 현상들을 종교, 문화적 사건들의 비슷한 예들을 모아서 역사적 맥락에서 비교하여 의미를 파악하는 작업이 되기 때문이다. 무의식적 정신의 형상화에서도 '확충'을 확인할 수 있다. 어떤 주제를 의식에 전달하기 위해서 그 주제에 상응하는 전형적인 형상적 특징을 제시하는 것이다. 하룻밤에 꾸는 꿈들은 여러 장면이 되더라도 같은 주제를 다루고 있는 경우가 대부분이다. 이는 무의식이 의식에 접근하기 위해 다양한 형상적 시도를 하기 때문이다. 이를 '자발적 확충(spontane Amplifikation)'이라고 한다. 이러한 확충의 작업은 민담의 해석에서 특별히 유용하다. 예를 들면 첫 꿈에 개가 아픈 모습으로 묘사되고, 이어서 꾼 꿈에 어머니가 아프다면 개와 어머니는 같은 것을 지칭하는 것이다. 이런 중복된 묘사에 의하여 아픈 어머니는 외부의 개인 어머니가 아님을 알 수 있다.(상징 사전에서 '개'에 대해 찾아보면 모성신에 속하는 동물이거나, 모성신 자신의 모습으로 묘사되어 있다.) 개와 모성의 형상은 꿈꾸는 당사자의 신체적 상황을 환기시키는 것이 될 수 있다. 이처럼 한 주제의 다양한 표현들이 보다 용이하게 내용을 이해할 수 있게 한다.

상징은 의식과 무의식의 공동 작업에 의해 이루어진 것이므로 비합리적 요소가 언제나 함께 한다. 무의식이 실제적으로 심상의 생산 주체이지만, 의식이 이를 감지하

---

16 C.G. Jung(1940), "Zur Psychologie des Kindarchetypus", G.W. Bd. 9/I, Par. 266~267.

고 최종적으로 형상화를 허용하지 않으면 알려질 수 없기 때문에 공동 작업이라고 하는 것이다. 예를 들어 예술가의 작업에서 창조적 충동 및 착상이 생겨나면 예술가는 숙련된 기술을 동원하여 작품이 되도록 형상화를 의식적으로 꾀하게 된다. 상징은 언제나 생산하는 사람의 의식적 의도를 넘어서 무엇인가로 향하도록 이끄는 것이고, 그 너머의 무엇인가를 가리키고 있다. 예술가는 작품의 생산에 참여하지만, 자신이 생산한 것이 무엇을 의미하는지를 제대로 해명할 수 없는 경우가 많다. 자신도 감상하는 사람의 입장에서 힘을 빌어 작품의 이해를 도모해야 한다. 이런 점에서 작품의 생산과 이해는 서로 다른 작업이라는 것을 알 수 있다.

민담의 형상들을 이해하기 위해서는 예술작품의 이해와 마찬가지로 상징의 해석이 필요하다. 심층심리학적 해석 작업에는 무의식을 해명하는 견해의 차이에 의하여 대략 두 가지의 방법론이 두드러진다. 이는 '인과적(환원적)−분석적 해석' 방법과 '목적적(종합적)−구성적 해석' 방법으로 나누어 볼 수 있다.[17]

전자의 작업은 가장 일반적으로 상징 해석을 시도하는 태도이다. 특별한 심층심리학적 훈련이 없이 심상들을 상징으로 간주하면서, 그것의 감추어진 의미를 찾으려 한다. 이는 심상의 감추어진 의미를 알아내기 위해, 주로 원인이 되는 정신적 요소를 찾는 작업이 된다. 흔히 어떤 형상의 상징이 있으면, 그것을 이해하려고 저절로 '이 형상이 어떻게 생겨났지?'라고 떠올리며, 원인을 찾는 질문을 하게 된다. 이처럼 상징 형성의 원인이 되는 요소를 찾아내는 작업이 분석적 해석 작업이다. 예를 들어 무서운 동물 형상이 표현되어 나왔다면, 이를 내면의 상태로 환원하여 상상하면서 그에 상응하는 본능적 요소를 원인으로 고려하는 것이다. 심지어 그 원인을 내면에서 찾는 것이 아니라, '어제 동물원에서 ○○를 보았기 때문이다'라는 식으로 외부의 사실을 환기한다.

프로이트의 정신분석학적 해석 작업은 주로 '인과적(환원적)−분석적 해석'을 적용한다. 말하자면 심상들, 즉 상징들을 감추어진 성애적 욕망, 혹은 근친상간적 욕망을 표명하려는 다양한 형상화로 해명하는 것이다. 신화와 민담의 이해에서도 인과적(환원적)−분석적 방법이 적용되면 같은 결론에 도달한다. 신화 ≪외디푸스 왕(Rex

Ödipus)≫은 가장 모범적 해석의 예에 해당할 것이다. 환원적-분석적 작업은 심상들, 상징들에 의미를 규정해 줄 소위 개념이 없으므로, 형상의 원인이 되는 정신 요소를 밝혀 내어 그것을 해석으로 제시하는 것이다. 이는 심상의 해석적 이해가 되기보다는 심상의 형성에 관한 이야기가 된다.

융은 무의식적 정신 활동의 이해, 상징의 해석에서 '인과적(환원적)-분석적 해석'을 가능한 지양한다. 무엇보다 형상화를 시도한 정신 요소, 즉 원인을 찾는 인과적(환원적) 해석 작업은 언제나 성애적 욕망을 감추고 있다고 밝힘으로써, 형상은 더 이상 상징이 아니라 기호(Zeichen, sign)가 되기 때문이다. 이미 성애적 욕망이라는 의도를 숨기고 의식의 장에 허용될 수 있게 다양한 형상화를 시도한다는 해명이므로, 이는 모든 심상들이 이미 내포된 의미를 확정하고 있는 것이다. 상징은 기호와 다르다. 상징은 기호처럼 의미가 정해져 있지 않다. 오히려 새로운 의미를 생산하기 위하여 형상을 취한다. 그런 형상적 시도로서 의식이 알고 있는 것을 넘어선 어떤 것을 제시한다. 이를 위하여 해석이 필요한 것이다. 심상을 기호로 간주하고 환원적으로 이해하면, 해석 작업은 이미 알고 있거나 추론 가능한 것들만 밝히게 된다. 그러나 상징은 반드시 의식을 환기시키는 제3의 요소를 드러낸다.

그 밖에 '인과적(환원적)-분석적 해석'은 주로 원인이 되는 정신의 요소를 찾는 과정에서 대부분 개인이나 집단의 과거사로 환원하게 된다. 심상을 형성한 원인이 되는 정신 요소로서 주로 과거의 기억을 제시한다. 어쩌면 개인의 문제를 다루는 심리치료 현장에서 개인의 과거사를 환기하는 것은 필요한 일이다. 그럼에도 개인이 표상하는 정신의 산물들, 증상들에 대해 모두 과거사에서 그 원인을 찾아야 하는 것은 아니다. 정신 활동은 의식의 삶에서 실현하려는 목적을 가진 정신의 기초(집단무의식)에서 비롯된다. 이런 의미에서 개인에서든 집단에서든 과거 환원적 이해는 부분적으로만 유효하다고 할 수 있다. 무엇보다 신화와 민담의 제작자는 개인이 아니므로, 소급하거나 환원할 개인의 과거사가 없다. 그럼에도 정신분석학적으로 신화나

---

17 C.G. Jung(1916), "Die transzendente Funktion", G.W. Bd. 8, Par. 147~148.

민담을 해석할 때 인류의 아동기로 환원하여 일반화 하고, 아동기의 근친상간적 주제를 강조하여 해석한다. 신화와 민담을 생산하는 주체가 아동이거나, 신화와 민담이 인류의 아동기의 산물이라고 볼 수는 없는 것이다.

신화와 민담은 인과적 산물이 아니다. 오히려 정신의 활동은 무엇인가 되려는 생명 활동처럼 의식화 되거나 실현하려는 목적을 갖고 있다. '목적적(종합적)-구성적 해석'의 방법론은 원인보다는 심상의 의도와 목적을 고려하여 이해하는 작업이다. 민담에서 주인공을 괴롭히거나 목숨을 앗아가려고 하는 주변의 마녀나 괴물들조차도 그들의 고유한 목적과 의도에 따른 것이다. 그들의 추적과 위협이 동인이 되어 주인공은 무엇인가 하지 않으면 안 된다. 그들과 갈등하고 투쟁하면서 주인공들은 성장적 변화를 하게 된다. 계모가 전실 딸에 대해 행하는 악덕적인 행위도 모두 성장과 성숙을 촉진하려는 목적과 의도가 있다고 이해할 수 있다. 주인공의 여러 반응 또한 심상을 이해하는 의식의 태도에 해당한다. 우리는 때로는 해석을 가하지 않아도 주인공이 다양한 방식으로 주변 인물상과 관계하는 것 자체를 일종의 의식적 정신의 반응 및 이해로서 간주할 수 있다.

다시 정리하면, '목적적(종합적)-구성적 해석'의 입장에서는 심상들의 생성 원인보다는, 심상들이 궁극적으로 무엇을 목적으로 하는지 목적의미(Zwecksinn)를 묻는 해석을 시도한다. 이런 작업에는 심상의 원인이 되는 과거사로 환원할 필요가 없다. 이미 지적했듯이, 정신의 현상들은 무엇인가 의식에서 실현하기 위하여 형상화 된 것이고, 자아의식에 이해되기를 바라고 있다. '인과적(환원적)-분석적 해석' 작업이 정신의 구성 요소들의 원인을 밝히는 것이라면, '목적적(종합적)-구성적 해석' 작업에서는 각 구성 요소들이 무엇을 목적으로 기능하는지를 밝히는 것이다. 따라서 민담의 해석은 원형상들이 실제로 의식(자아)에 어떤 영향을 미치는지, 어떤 효과를 갖는지를 살펴보는 작업이다. 또한 민담을 목적적-종합적 방법으로 해석을 하면 무의식적 정신이 궁극적으로 무엇을 실현하려는 것인지 잘 드러난다.

일반적으로 심층심리학자들의 작업은 크게 두 가지로 구분된다. 하나는 무의식적 정신 과정을 해명하는 것으로, 주로 무의식적 정신이 형상화가 되어 모습을 드러낼 때까지의 과정을 밝히는 작업이다. 또 다른 하나는 마침내 심상으로 드러나게 된 형상들을 상징이라고 부르고, 그 상징을 해석하는 작업이다. 그래서 심상 혹은 상징의 해석 및 이해 작업은 전자의 무의식적 정신 과정을 해명하는 작업과는 다르다. 해석 작업은 상징의 이해 및 궁극적으로 도달하려는 목적의미를 찾아야 한다.

'인과적(환원적)-분석적 해석' 작업은 두 가지 작업이 구분 없이 이루어진다. 어떤 형상이 상징적으로 나타나면 무의식적 정신 요소가 원인이 되어 그런 형상이 나타난 것이라고 형상화 과정을 해명한다. 그러고서는 해석 작업에서도 정신의 현상을 환원적으로 적용하여 원인이 되는 요소를 찾아내고, 그것을 심상의 의미로 제시한다. 이와 같이 환원적 작업에서는 두 작업이 서로 구분되지 못한다. 그래서 실제 분석적 해석 작업에서는 새로운 사실이나 의미를 발견하기 어렵다. 거의 이미 알고 있는 것들을 원인으로 밝히게 될 뿐이다. 또한 원인을 찾는 작업은 실제의 현상에 대한 것이라기보다는 추론이거나 가정이 될 가능성이 크다. 그래서 심적 요소로 환원하는 해석은 특정의 이론으로 귀결된다. 상징들을 정신의 실제적 현상으로서 이해하기보다는 내면에 자리잡고 있는 것을 '본능적 욕망'으로 간주하여 그에 대한 이론적 해명을 시도하게 되는 것이다.

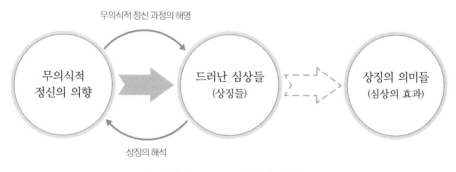

무의식적 정신 과정의 해명

무의식적
정신의 의향

드러난 심상들
(상징들)

상징의 의미들
(심상의 효과)

상징의 해석

[인과적(환원적)-분석적 해석]

심층심리학적 작업으로서 무의식적 정신 과정을 해명하는 것과 상징의 해석 작업은 서로 다르다. 상징 해석 작업은 실제로 무의식적 정신이 형상화를 시도하여 의식(자아)에게 미치려는 영향력을 고려해야 한다. 그러기 위해서는 반드시 무슨 목적으로 그런 형상화를 시도했으며, 그것이 의식(자아)에게 어떤 의미를 전달하려 하는지 찾아야 할 것이다. 실제로 전혀 해석을 가하지 않고 순수하게 민담을 들어 보면, 이야기를 듣는 동안에도 일부는 의미 및 의도를 알아차리게 된다. 이렇게 직관적으로 알아차려진 것들은 환원적인 것이 아니다. 오히려 그 형상들 자체가 강한 정서 반응을 야기하여 의식을 끌어들이고 동화하게 만든 것이다. '목적적(종합적)-구성적 해석'은 그런 심상의 효과를 현대 심리학의 언어로 옮기는 작업에 해당한다. 목적론적 관점은 가능한 심상이 궁극적으로 도달하려는 의도가 무엇인지 알아차리는 시도를 하는 것이다.

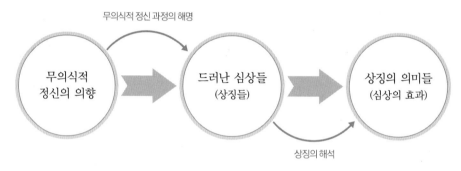

[목적적(종합적)-구성적 해석]

그 밖에 민담의 해석을 위하여 한 가지 더 첨가해야 할 사항이 있다. 해석 작업은 '주관 단계(subjektive Stufe)의 해석'과 '객관 단계(objektive Stufe)의 해석'으로 구분될 수 있다. '주관 단계의 해석'은 민담에 등장하는 인물들을 모두 내면의 정신 요소에 상응하는 형상으로 이해하는 것이다. 이로써 외부 대상들을 환기하지 않고 정신의 구성 요소들을 고려한다. 예를 들면 마녀, 심지어 동물들도 모두 우리의 내면에 살아 있는 심혼적 요소들에서 비롯된 원형상들로 이해하는 것이다. 이에 반해 '객관 단계의 해석'은 민담의 등장 인물들을 모두 외부의 대상들로 환원하여 이해하는 것을 의미한다. 예를 들어 계모를 실제의 계모로 이해하는 것과 같다. 민담에는 마녀와 같이 현실에 없는 형상들도 등장하며, 심지어 가장 잘 알려져 있는 나무꾼, 사냥꾼, 이발사 등도 실제의 외부의 인물들과 일치하지 않음을 발견하게 된다. 이런 의미에서 '객관 단계의 해석'은 그리 용이하지 않다. 민담은 외부의 실제의 세계가 아니라, 심상의 실제 세계이므로, 심적 사실로서 체험되고 이해되어야 하는 것이다. '주관 단계의 해석'은 단순히 정신 요소를 찾는 환원적 작업이 아니다. 오히려 각 구성 요소들이 어떻게 기능하고 작용하는지를 살펴보는 것이다. 여기서 다루게 될 민담들은 주로 '주관 단계의 해석'으로 이해될 것이다.

5. 민담의 목적의미

분석심리학자들이 신화와 민담에 주목을 하는 것은 당연한 일이다. 신화와 민담에는 무의식적 정신의 활동이 잘 드러나 있기 때문이다. 인간 정신의 활동, 특히 무의식적 정신의 활동은 그 자체 고유한 내재적 법칙에 따르며, 또한 그 활동성은 하나의 목적의미를 지향하고 있다. 인간의 집단무의식은 정신 활동뿐 아니라 신체의 움직임까지 만들어 내는 일종의 생명력 같은 것이다. 그것은 인간 집단에서 인간성을 꽃피우게 만들며, 개별 인간에서는 전(全)인격적 실현으로 이끄는 원동력이 된다. 당연히 그것의 목적은 개별 인간에서 실현되어야 할 정신의 이념인 것이다. 이런 의미에서 우리의 삶의 목적은 인위적으로 정해지는 것이 아니라, 정신의 이념으로 제시된 바로 그것이어야 할 것이다. 신화나 민담의 목적의미도 같은 맥락에서 이해되어야 할 것이다.

일반적으로 민담을 아동에게 들려주는 이야기, 즉 동화로 간주하고 있다. 민담에 대해 주로 권선징악을 다루고 있으면서, 선량하고 도덕적 인간이 되도록 가르치는 이야기로 알고 있다. 아득한 시절부터 어른들이 아이들에게 들려주었던 이야기는 단순히 도덕적인 가르침을 위한 것이 아니다. 민담은 조상 대대로 인간이 인간됨을 어떻게 실현해 왔는지 들려주어 전체 인간성을 환기시키고, 직접 또는 간접으로 개별 인간의 가치 및 인간 집단의 이념을 실현하도록 가르쳐 온 것이다. 비록 합리적인 이해에 도달하지 못하더라도 이야기를 들으면서 자신도 모르게 인간으로서 무엇을 극복하고, 어떤 것을 추구해야 하는지 알아차리게 된다. 민담은 권선징악을 다루고 있는 것이 아니다. 또한 민담은 아동들에게 들려주어야 할 이야기라기보다는 오히려 성인에게 더 필요한 것이다.

매일 밤 꾸는 꿈은 신화나 민담의 개별적 표현에 해당한다. 꿈의 상당한 부분이 개인적 특성에 의하여 채색되지만, 그 형상들의 기초에는 언제나 '집단무의식'의 '원형'이 작용하고 있다. 매일의 꿈은 형상적으로나 구조적으로 신화나 민담처럼 잘 갖추어지지 않은 상태이다. 이것은 의식이 꿈의 심상들을 상대적으로 선택적으로 감지하고 단편적이거나 파편적으로 기억하기 때문이다. 그럼에도 무의식적 정신의 의도가 강하게 반영되면 인상 깊은 꿈의 상들이 등장한다. 이때의 심상들은 대부분 원형적 특성이 두드러져서 저절로 신화적이라고 표현하게 된다. 이런 신화적 심상들은 언제나 꿈 꾼 사람의 뇌리에 남아서, 의식적 정신의 이해를 요구하고, 나아가서는 그에 상응하는 것들을 실행에 옮기도록 만든다.

그러면 민담에서 실질적으로 다루고 있는 것을 살펴보자. 의식적 정신이 주도하지 않는 경우에 무의식적 정신은 스스로 의식적 정신을 유도하는 기능을 발휘한다.[18] 말하자면 의식에 미리 가능성을 이끌어 내기 위하여 방향이나 목표를 제시하는 것이다. 신화와 민담의 경우에서 이를 쉽게 살펴볼 수 있다. 예를 들어 주인공이 아주 시골에서 고립되어 있는 시골뜨기, 아무 것도 모르는 순진한 바보 등인 경우, 주변 인물들이 주인공을 부추겨서 사건에 끌어들이고 어떤 역할을 하게 만든다. 마침내는 그것을 수행하면서 겪어 내는 과정에서 자신의 존재감을 드러낼 수 있게 한다. 기본적으로 무의식적 정신은 형상화와 의식화를 꾀하고 있는 것이다.

민담은 정신의 쇄신과 분화를 목적으로 하고 있다. 예를 들어 민담이 왕가에 관한 이야기로 시작하는 경우가 있다. 언제부터인가 왕이 병이 들거나 혹은 왕의 권위를 보증하는 왕가의 보물이 사라지고 만다. 그런데 가장 어리석은 바보, 시골뜨기 등이 생명수를 찾거나 왕가의 보물을 되찾는다. 이때의 바보, 시골뜨기는 주도하고 있는 지배원리에서 벗어나 있던 존재로서 집단에서든 개인에서든 새로운 요소로서 기능하며 삶의 활력을 되찾게 한다. 바보, 시골뜨기는 심지어 왕위를 물려받고 새로운 지배원리로서 부상한다. 바보, 시골뜨기가 새로운 왕이 되는 왕위의 교체가 일어나 낡은 정신의 쇄신 및 갱신이 이루어진다. 민담의 시작에서 비록 왕이 문제가 있는 상태로 그려지더라도, 그 왕은 그러니까 한때 통합된 인격 전체를 보증하던 상징이었다. 그러나 시간이 흘러 주도하는 지배원리가 의미와 영향력을 상실하게 되자, 새로운 상징이 생겨나야 했던 것이다. 이러한 민담의 묘사에서 보면 인간의 정신은 결코 정지한 상태가 아니라 의식과 무의식의 관계로서 끊임없이 변화와 쇄신을 거듭한다는 사실을 확인할 수 있다.

민담에서 바보, 시골뜨기가 새로운 왕으로 등극하게 될 때 반드시 여성 요소를 함께 끌어들여 왕과 왕비의 한 쌍이 된다. 이처럼 정신은 언제나 소위 '대극의 합일'을 추구하고 있음을 형상적으로 보여준다. '대극의 합일'은 개별 인간에서든 집단에서든 서로 분열되어 있던 요소들을 하나로 통합하여 전체성을 실현하는 것을 의미한다. 이러한 통합의 요구는 의식을 주도하는 정신이 일방적으로 인간의 삶을 좌우하는 것이 아님을 나타낸다. 오히려 전체 정신은 무의식적 정신의 흐름에 의식적 참여를 요구하는 것이다. 무의식적 정신이 의식화를 촉구하는 것도 모두 전체 정신의 공동 목적을 의식에서 실현하려고 하기 때문이다.

민담에 등장하는 인물상들은 각자 자신의 고유한 기능과 역할을 담당한다. 사약한 마녀는 마녀로서 역할을 다해야 하고, 심지어 동물도 고유한 형상적 특성으로 드러나야만 한다. 민담의 모든 인물상들은 그 자체로 합목적적인 것이다. 어떤 경우든 무의식적 정신은 결코 지리멸렬하지 않으며, 억압되어야 할 본능적 충동도 아니다. 오히려 의식이 이에 참여할 수 없는 수준으로 동떨어져 있을 때 일방적으로 그렇게 부정적으로 간주할 수 있다. 민담에 등장하는 모든 주변의 인물상들은 어떤 식

---

18 C.G. Jung(1928), "Allgemeine Gesichtspunkte zur Psychologie des Traumes", G.W. Bd. 8, Par. 492.
이를 '예시적 기능(prospektive Funktion)'이라고 부른다.

으로든 주인공에 접근하고자 하고, 영향력을 가지려 한다. 이것은 무의식적 정신이 끊임없이 의식의 빛에 접근하여 의식과 더불어 인간성을 실현하려 하기 때문이다.

　여기서 민담의 목적의미를 현대적 관점에서 강조해 보자. 근대 이후 우리의 개별적 자아의식은 스스로 전체 정신을 대변한다고 믿고 있다. 또한 시민 사회가 발전하면서 개인적 가치가 매우 부각되므로, 집단 사회에서 직업적 역할이 곧 한 개인의 인격을 대신하는 것이 되었다. 대부분 인격의 성장과 발달을 지적 능력을 향상시키거나 유능함을 발휘하는 것과 동일시 한다. 하지만 정신은 학습된 내용만으로 이루어진 것이 아니며, 인간의 인격적 성숙은 지적 능력과 상관이 없다. 분명 우리 모두는 사회적 존재임에는 틀림이 없다. 더구나 현대의 집단 사회는 권력을 휘두르는 기관처럼 개인에게 엄청난 요구를 한다. 한 개인이 그 요구에 부응하여, 특정의 어떤 직업을 가지려면 막대한 시간을 들여 배우고 익혀야 한다. 이런 엄청난 노력 때문에 사회적 존재가 되는 것이 바로 자기 자신이 되는 것이라고 착각하기에 이른 것이다. 매일 밤 우리는 꿈에서 그것이 아니라고 일깨우는 무의식적 정신의 메시지를 단편적으로 경험하게 된다. 낮 동안 의식의 활동 사이에 잠깐씩 '이건 아닌데 …'라고 중얼거릴 수 있으나, 이것도 스스로 쓸데없는 생각이라며 지나쳐 버린다. 그래서 심층 심리학자들은 이런 상황을 현대인들의 의식적 정신이 자신의 뿌리와 단절된 상태라고 진단해 왔다. 이제 우리의 누미노제 체험은 아주 낯선 것이 될 수 있다. 더 이상 과거의 선조들이 제시하던 종교적 환상, 비전들이 아니다. 그것은 그저 사소한 공상들, 혹은 외부의 사건들, 우연히 나타난 낯선 것, 하찮은 것들이다. 그럼에도 이상의 사소하고 낯선 것들에 귀를 기울이는 태도는 현대인의 의식에 새로운 전망을 열어줄 수 있는 첫 걸음이 될 것이다. 그것은 사회적 요구와는 다른, 원래의 인간성 속에 숨겨진 삶의 비밀을 환기시키는 작은 단서가 될 수 있다.

　마찬가지로 민담의 세계에 발을 들여 놓으면, 자연스럽게 각 개별 인간은 사회적 존재로서 인간성을 완성하는 것이 아님을 깨닫게 된다. 우리는 민담을 통하여 오히려 사회적 존재로서의 '나' 혹은 '우리'와 구분하게 된다. 인간의 삶은 개인적이든, 집단적이든 이미 정신에 내재하고 있는 인간 정신의 궁극 목적을 실현해야 하는 것이다. 민담에 의해서 보다 총체적인 인간의 모습을 그려볼 수 있다. 민담의 세계에서 제시하는 인간은 분명 우리가 사회적으로 이상화 하는 모습은 아니다. 오히려 민담의 세계에서 우리가 생각하고 기대하는 이상의 인간을 만나게 될 수도 있다. 현대에 이르러 신화와 민담에 대한 관심이 커져 가는 것은 결코 우연한 반응이 아니다.

6. 여성 주인공의 한국 민담

기독교적 세계관이나 동양의 유교적 세계관 모두에서 남성성, 남성 요소가 주류로 강조됨으로써 여성성, 여성 요소는 억압되어 배경으로 물러나게 되었다. 기독교적 세계관에서 여성 요소를 악마적 요소에 포함시키듯이, 동양의 유교적 가부장적 세계관에 의해서도 여성 요소는 폄하되거나 부정적으로 취급되어 왔다. 그러한 여성적 요소가 서양에서는 마녀, 마귀할멈 등 부정적 마술적 힘을 가진 여성 인물상으로, 동양에서는 혼을 빼앗는 여우와 같은 동물의 형상으로 나타났다. 이런 여성 요소는 의식의 입장에서는 위협을 가하는 파괴적이자 부정적인 힘이겠지만, 무의식적 정신을 고려하면 보상적이자 치유적인 힘을 제공하는 내용일 수 있다. 주도하는 의식적 정신과 무의식적 정신 간의 간격이 크면 클수록 보상적 내용은 의식에 치명적인 것처럼 보인다. 어쩌면 민담에서 여성 요소를 주목하는 것 자체가 무의식적 정신을 이해하게 되는 것과 같다.

'여성적'이라는 표현은 암묵적으로 '남성적'이라는 표현의 상대적 가치로서 평가절하 된다. 그것은 비합리적, 반지성적, 모호한, 막연한, 연약한, 취약한 등의 형용어들과 함께 한다. 그러나 그것은 모성-자연(본성), 자연-모성의 특징으로 모든 것이 하나였던 근원적 상태를 반영한다. 여성-모성과 관련된 상징들은 단절된 관계들을 연결하게 만든다. 그것은 혼합과 혼돈을 야기하는 듯 보이지만, 분열된 것을 하나로 봉합하고 통합하고자 하는 무의식적 정신의 의향이 반영된 것이다. 의식 및 자아에서 무의식이 나온 것이 아니라, 무의식에서 의식 및 자아가 생겨났다고 하듯이, 모성성, 여성 요소는 항상 근원적 정신의 특성으로 드러난다. 이는 의식적 정신으로 설명될 수 없는 생명력, 본성 및 '집단무의식'의 활동성을 의미한다. 어두움, 모호함, 알 수 없음, 이해할 수 없는 생명력이 가진 신비 그 자체의 특성이다. 그래서 언제나 근원을 환기시키고, 그것과의 관계를 요구하는 것이다.

현대 사회는 매우 다양화 된 가치를 허용하지만, 점점 양극화 되어 가는 성향이 두드러진다. 예를 들어 극(極)추상주의와 극(極)사실주의가 나란히 있으며, 또한 한편에서는 사회 문화적으로 최첨단 과학적 문명을 향유하는가 하면, 다른 한편에서는 가능한 그 문명으로부터 벗어나 원시적 생활 방식을 재현하는 시도를 한다. 혹은 모든 것을 공유해야 하는 대중의 시대에 완전히 고립된 개인주의를 추구하는 현상이 동시에 나타난다. 이러한 양극화 현상은 무의식의 보상적 기능이 작용하여 드러난 것으로 이해될 수도 있다. 이것은 의식의 장에서 추구하는 합리적 세계관이 강조되면 될수록, 그러한 첨예화를 완화하거나 무효화 하기 위한 정신의 대극적 활동이 무의식적으로 생겨나기 때문이다. 후자의 활동들은 자연히 의식이 고수하고 있는 태도를 방해하거나, 낯선 것에 이끌리게 하거나 심지어 그것에 사로잡히게 하여 변화하게 만든다. 그것은 바로 모성성과 여성 요소를 통하여 이루어진다. 여성성의 강조는 남성화 되어 온 사회 문화적 가치에 보상성이 두드러진 것을 의미할 수도 있다. 이런 의미에서 여성성의 이해는 집단의식의 치유적 처방을 위해 꼭 필요한 것이다.

한국 사회는 지난 100년 동안 다른 어떤 민족보다 급격한 변화를 겪어 왔다. 그 변화는 외압과 같은 상황에 이끌려 근대화 및 시민 사회를 형성하는 등 갑작스럽게 새로운 가치의 세계관을 형성하게 되었다. 게다가 눈앞에 펼쳐진 것을 제대로 수용하고 이해하기도 전에 최첨단 과학 시대를 맞이하였다. 이런 모든 급격한 변화들은 겉보기와 달리 내면의 보수적 성향의 가치관과 갈등을 야기하게 된다. 외부의 요구에 의해 이루어진 의식의 태도 변화는 내면의 요구들과 조화를 이룰 수 없는 것이다. 진정한 변화 및 적응은 그 갈등을 인식하고 이해하게 될 때 가능하다. 집단 사회에서 일어나는 여러 불일치의 현상들은 사실상 우리의 내면에서 해결하지 못한 것이 외현적으로 드러난 것일 수 있다. 무엇보다 여성은 이런 불일치를 더 심하게 겪을 것이다. 일부 여성들은 스스로 과거적 의미의 여성성에 대한 거부감을 토로하며, 여성성을 논하는 것 자체가 전(前)근대적인 사고라고 비판한다. 우리 사회에 결혼을 꺼려하거나 출산, 육아를 원하지 않는 여성들이 늘어 가는 것도 같은 맥락에서 이해할 수 있다. 집단의 변화에 따른 본능성의 거부의 문제는 여성 자신의 모성성의 이슈로서 다루어질 수 있다.

여성의 경우 여성성의 뿌리가 모성이므로, 의식 및 자아의 분화에도 언제나 모성상과의 관계를 상실하지 않는다. 그래서 전적으로 각성된 의식성을 고수하지 않는 것이 여성 의식의 특징이다. 여성 의식의 상태는 남성 의식의 상태와는 분명 다르다. 여성 의식은 기본적으로 인간 본성이 구하고 지지하는 것을 반영하는 것이다. 이로써 상대적으로 개별 인격적 특성을 실현하기 어려운 듯이 보인다. 그럼에도 여성 고유의 방식으로 개별 인격의 특성을 실현해야 한다. 민담에서는 여성 주인공을 내세워 여성의 인격이 어떻게 주체가 되고 의식화 되는지 보여주고 있다. 여성 주인공의 민담을 이해함으로써 여성의 개별 인격의 분화 및 성숙에 관한 내용을 살펴볼 수 있을 것이다. 적어도 여성 스스로가 남성의 의식 분화와 비교하면서 열등감을 느끼지 않을 것이다. 어떤 경우든 개인의 열등감은 자기 자신의 소중한 것을 잃어버린 상태를 나타낸다. 민담의 이해를 통하여 혼란스러운 여성의 정체성이나, 분열된 인격에 대한 치유적 회복의 가능성을 발견할 수 있을 것이다.

이제 한국 민담 중에서 여성 주인공이 등장하는 민담 중심으로 살펴볼 것이다. 특별히 여성 주인공 중심의 민담에 주목한 것은 저자가 여성이기 때문에 여성 심리학적 입장을 더 강조하여 살펴보려는 개인적 의도가 반영된 것이다. 실제로 일반적으로 심리학의 설명들은 남녀의 구분이 없거나 남성 심리학 중심으로 다루어져 있다. 신화적 전개가 그러하듯이 정신의 발달사 자체가 남성화로 드러나기 때문이다. 여성 주인공의 민담을 다루게 됨으로써 저절로 여성 인격의 발달사를 제시할 수 있게 된 것 같다. 어디에서도 제대로 제시되어 있지 않은 여성 인격의 분화 발전에 관한 소중한 가이드라인이 될 것으로 믿는다.

제1장

여성의 모성상

≪손 없는 색시≫, ≪콩쥐 팥쥐≫

다음의 두 민담은 공통적으로 계모가 등장하는 민담이다. 계모가 전실 딸을 괴롭히는 내용의 민담이 전 세계적으로 널리 퍼져 있다. 같은 주제의 이야기가 도처에서 발견된다는 사실은 한 이야기가 널리 퍼졌다고 하는 '전파설'에 기인한 것이 아니다. 또한 이 세상에 그토록 많은 계모가 있다는 사실을 의미하는 것도 아니다. 이는 심상들, 이야기들, 즉 민담이 인간의 보편적 심성에서 저절로 생겨난다는 사실을 나타낸다.

민담에 등장하는 인물들은 실제 외부의 개별 인간을 나타내는 듯 보이지만 원형적 심상을 말한다. 계모는 여러 민담의 인물상 중 가장 보편적으로 나타나는 모성상의 하나이다. 민담에서 계모는 주인공 전실 딸에게 매우 파괴적이고 부정적으로 대하는 것처럼 보인다. 이런 부정적 모성상도 그 자체 고유한 기능과 목적이 있다. 전체 민담의 흐름에서 보면 전적으로 합목적적(zweckmäßig)이다. 이런 부정적 모성상에 의하여 여성 주인공은 개별적 인격의 가치를 추구할 수 있게 된다. 어떤 경우든 모성상은 여성 인격의 발전에 중요한 역할을 한다. 이를 다음의 두 민담에서 확인할 수 있을 것이다.

부정적 모성상: ≪손 없는 색시≫[19]

≪손 없는 색시≫는 비교적 많이 거론된 민담 중의 하나일 것이다. 이 민담은 1971년 임석재의 『옛날이야기 선집』에서 ≪손이 잘린 처녀≫라는 제목으로 알려지기 시작했고, 그 이후에도 평안북도와 경상도 등에서 유사한 이야기가 수집되었다. 1983년 조희웅은 『한국 설화의 유형』에서 ≪손이 잘린 처녀≫ 혹은 ≪팔 잘린 아내≫로 알려진 이 민담을 ≪손 없는 색시≫로 부르자고 제안하였다. 그때부터 연구자들은 이 민담을 ≪손 없는 색시≫라고 부르고 있다. 손이 잘린 소녀 혹은 색시에 관한 이야기는 세계 곳곳에 널리 퍼져 있는 것으로 확인된다. 예를 들면 독일의 그림 형제가 수집한 민담 ≪손 없는 소녀(Das Mädchen ohne Hände)≫, 러시아 민담 ≪손 없는 소녀≫, 이웃 일본 민담 ≪테나시무스메(手無し娘)≫ 등이 있다.

민담의 유형을 연구하는 학자들은 대체로 ≪손 없는 색시≫를 악한 '계모'가 '전실 딸'을 나쁘게 다룬 이야기로 분류하여, 계모 설화의 하나로 간주하고 있다. 그래서 톰슨(Stith Thompson: 1885-1976, 미국의 민속학자)의 분류에 따라 ≪손 없는 색시≫의 민담은 '쫓겨난 아내 혹은 처녀'의 유형으로 간주된다. 조희웅도 톰슨의 분류에 따라 ≪손 없는 색시≫의 내용이 주로 부왕이 결혼 강요 → 공주의 가출 → 어떤 왕과의 결혼 → 왕의 출정 → 왕비의 아기 낳음 → 대비의 편지 바꿔치기 등의 음모 → 왕비 다시 쫓겨남 → 은인에 의한 모자 정착 → 귀국한 왕의 왕비 찾기 여행 → 재결합의 순으로 진행된다고 보았다.[20]

≪손 없는 색시≫에 관한 국내의 선행 연구를 살펴보면, 다른 민담에 비해 비교적 관심을 많이 받았고, 몇 번의 해석 작업도 되어져 있다.[21] 이는 일부 해외에서 선행되었던 융 심리학자들의 해석 작업에 영향을 받았을 것으로 짐작된다. 그럼에도 실제로 ≪손 없는 색시≫에 대해 해석된 내용을 살펴보면, 대부분 정신분석학적 접근

---

19 저자가 2006년 〈심성 연구(心性硏究)〉에 발표한 것을 수정 보완하였다.

20 조희웅 지음(1996), 앞의 책, 284쪽.

이 이루어졌음을 확인할 수 있다. 더 나아가서 ≪손 없는 색시≫에서 다루고 있는 주제를 여성의 통과 의례 및 입문 의례와 관련지어 이해하고 있다. 민담에 나오는 여러 내용들이 여성의 성장과 성숙을 위하여 반드시 겪어 내고 극복해야 할 사실로서 다루어져 있다는 것이다. 이와 더불어 여성의 성(性) 의식도 함께 다루어졌는데, 주로 프로이트의 성애론을 적용하고 있다.

국내의 민담 연구에서 자주 언급된 통과 의례 및 입문 의례는 문화인류학적, 민속학적 개념으로, 심리학적 민담 해석과는 차이가 있다. 심리학적으로 해석하려면 통과 의례 및 입문 의례의 심리학적 의미와 가치를 밝혀야 할 것이다. 민담이 통과 의례를 목적으로 하고 있다는 사실로서 해석을 대신할 수 없는 것이다. 무엇보다 통과 의례와 성 의식 등으로 해명하려는 해석에서 결정적인 문제는 주인공을 실제적인 개별 인간으로 간주하고 있다는 점이다. 그래서 민담을 실제 개별 여성의 사례처럼 다루면서 입문 의례나 성 의식의 변화를 고려하고 있다. 분명 민담의 여성 주인공들은 모든 여성 인격의 전형이 될 수 있지만, 그 인물상들을 바로 실제적 개인 인물로 간주해서는 안 될 것이다. 그렇게 된다면, 여성 주인공이나 계모 모두 심상이 아니라 실제의 개별 인물로 이해하려는 시도가 되고 만다. 민담의 인물상들은 결코 실재하는 개인 인격으로 소급될 수 없는 특징을 갖고 있다. 손이 잘려도 피가 나지 않고, 없어졌던 손이 다시 생겨나는 등 모든 장면은 실제적 사실과는 다른, 정신의 현상적 측면을 나타내는 것이다.

이제 ≪손 없는 색시≫를 여성 주인공 중심의 민담으로 해석해 볼 것이다. 계모는 여성 인격의 내면에서 작용하는 모성상 중 하나로 이해할 수 있다. 모성상은 심리 내적으로 작용할 때 두 모습, 즉 하나는 긍정적 모성상으로, 또 다른 하나는 부정적 모성상으로 드러난다. 긍정적이든 부정적이든 모성상은 여성 자아에 기본적으로 큰 영향력을 갖는다. 우선 부정적 모성상이 여성의 자아의식과 어떻게 관계하는지 살펴보자.

민담 요약

≪손 없는 색시≫[22]

친어머니가 죽고 계모가 들어왔는데, 전실 딸을 미워하였다. 계모는 껍질 벗긴 쥐를 의붓 딸의 이불 속에 집어넣고 처녀가 낙태를 했다고 모함하였다. 계모의 요청으로 친아버지가 딸의 양손을 자르고 집에서 쫓아내었다. 쫓겨난 딸은 헤매다가 배가 고파 부잣집 배나무 위로 올라가 배를 따 먹었다. 부잣집 아들이 배를 따 먹는 처녀를 발견하고, 데려가서 자기의 다락방에 숨기며 보살폈다. 결국 식구들이 그 사실을 알아차리게 되었고, 마침내 부잣집 아들은 전실 딸과 결혼을 하게 되었다. 남편이 과거를 보러 멀리 떠나 있는 동안 색시는 아기를 낳았다. 그 소식을 남편에게 알려주었으나, 계모의 조작으로 색시가 괴물을 낳은 것으로 전해졌다. 그런 소식을 접한 남편은 자신이 귀향할 때까지 그대로 데리고 있으라고 식구들에게 당부하였다. 그럼에도 계모의 조작에 의하여 색시와 아기를 내쫓으라는 사실로 전해졌다. 결국 색시는 아기와 함께 집에서 쫓겨나게 되었다. 색시는 아기를 업고 길을 가다가 목이 말랐고, 샘물에 엎드려 물을 마시려다가 그만 등에 업힌 아기가 물속으로 떨어지려 하였다. 그러자 색시가 아기를 붙잡으려고 손을 내밀었고, 그 순간 색시의 양손이 다시 생겨났다. 이후 색시는 아기를 돌보며 어느 할머니 집에 머물고 있었다. 남편

---

21 1995년 주종현은 그림 형제가 모은 민담 ≪손 없는 소녀≫와 이야기 구성의 비교를 시도했고, 2000년에 김헌선의 미발표 논고 「≪손 없는 색시≫ 설화의 문제와 의의」는 무속인의 강신 체험과 관련시켜 처음으로 해석적 시도를 하였다. 2000년 노근근은 「이야기 문학에 나타난 가족 탐색연구」라는 제목으로 박사 논문을 썼으며, 이인경은 2001년 「≪손 없는 색시≫ 설화의 소설화 양상과 그 의미」(미발표 논고)로 시작하여 2001년 「≪손 없는 색시≫ 설화의 신화적 성격과 심리학적 접근」이라는 연구를 발표했고, 비슷한 시기에 신연우는 「≪손 없는 색시≫ 설화와 여성 성 의식의 성장」이라는 제목으로 심리학적 해석을 시도하였다.

22 조희웅 지음(1996), 『한국 설화의 유형』, 287쪽.
    이 민담의 줄거리는 조희웅이 『한국 설화의 유형』에서 제시한 이야기 주제 중에서 가장 보편적인 주제를 모은 것이다.

이 귀향하여 모자를 찾아 나서게 되었고, 마침내 두 부부가 다시 만나게 되었다. 계모는 처벌받았고 그들은 행복하게 잘 살았다.

이미 언급했듯이 손이 잘린 소녀에 관한 이야기가 전 세계적으로 발견된다. 예를 들어 그림 형제가 수집한 독일 민담 《손 없는 소녀》에서는 아버지와 딸의 관계에서 손이 잘린 소녀의 이야기를 다루고 있다.

가난한 방앗간 주인이 숲 속에서 나무를 하다가 한 낯선 노인으로부터 방앗간 뒤뜰에 있는 것을 주면 부자로 만들어 주겠다는 제안을 받아들이게 되었다. 그 노인이 요구한 것은 뒤뜰에 있는 사과나무가 아니라, 그 나뭇잎을 쓸고 있었던 딸이었다. 3년 뒤에 그 노인이 딸을 데리러 왔으나 그녀가 너무도 순결하게 물로 씻어 도무지 접근하지 못하게 되자, 악마인 노인은 딸의 손을 자르도록 아버지에게 명령하였다. 방앗간 주인이 시키는 대로 하였으나, 이번에는 딸이 눈물로 온몸을 씻어 악마가 접근하지 못하게 하였다. 마침내 악마는 그녀를 데려가기를 포기하고 말았다. 그 후 딸은 집을 떠나서 방황하다가 아름다운 왕의 정원이 있는 곳에 이르렀다. 천사의 도움을 받아 왕의 정원에 들어가 과일을 따 먹었다. 왕이 과일을 따 먹는 처녀를 발견하였고, 왕은 그녀에게 은으로 손을 만들어 준 다음 아내로 삼았다. 왕이 전쟁을 치르기 위하여 출정한 사이 왕비는 아기를 낳았고, 이 소식을 알리는 과정에서 악마가 개입하여 왕비와 아기가 처치되기에 이르렀다. 시모의 자비로 멀리 길을 떠난 왕비와 아기는 천사의 도움으로 손이 생겨났고, 숲 속에서 안전하게 보호를 받으며 살고 있었다. 귀국한 왕이 모든 사실을 알게 되어 왕비를 찾아 나섰다. 결국 왕비가 살고 있는 숲 속의 집으로 찾아갔고, 식구의 상봉이 이루어져 행복하게 살게 되었다.

러시아 민담 《손 없는 소녀》에서는 오누이의 관계에서 손이 잘린 소녀의 이야기를 다루고 있다.

부유한 상인이었던 부모가 죽고 오누이만 남게 되었다. 성장한 오라버니가 결혼하려고 데려온 여성이 있었는데, 그녀는 마녀였다. 마녀는 남편이 누이동생을 아낀다는 사실을 알고서 자신이 가구를 망가뜨려 놓고, 남편에게 누이가 그랬다고 일렀다. 남편이 누이를 나무라지 않자, 이번에는 남편이 아끼는 말의 목을 베고 누이가 그랬다고 하였다. 그래도 남편은 누이를 용서하며, 오히려 누이에게 아내가 아기를 낳으면 잘해 주라고 부탁하였다. 그 후에 마녀는 아기를 낳았는데, 자신의 아기의 목을 베고서 슬피 울며 누이가 그랬다고 남편에게 알렸다. 드디어 화가 난 오라버니는 누이를 숲 속에 데리고 가서 손을 자른 다음 버려두고 가 버렸다. 한 상인의 아들이 길을 헤매던 누이를 보자 첫눈에 반해 결혼을 하게 되었다. 상인의 아들이 아내의 오라버니가 사는 지방으로 장사를 하러 떠난 사이, 아내는 팔꿈치까지 황금빛이고, 옆구리에는 별들이 있고, 이마에는 밝은 달, 심장에는 태양이 빛나는 아기를 낳았다. 이 사실을 마녀가 조작하여 결국 엄마와 아기가 쫓겨나게 되었다. 아기를 업고 가던 누이는 목이 말라서 우물에서 몸을 구부리고 물을 마시다가 그만 아기를 우물에 빠뜨리고 말았다. 아기를 구하지 못하고 우물 주위를 맴돌고 있을 때, 한 노인이 나타나서 몸을 숙여 아기를 꺼내라고 하였다. 손이 없어 주저하던 색시가 우물에 몸을 숙여 팔을 뻗으려 하자, 손이 생겨나서 아기를 구할 수 있었다. 아기를 구한 색시는 오라버니와 남편이 있는 집으로 찾아가서 하룻밤을 재워 달라고 청하였다. 그 집에 묵게 되자 자신의 지난 이야기를 오라버니와 남편에게 고스란히 들려주고 마침내 자신의 신분을 밝혔다. 그러고는 담요를 벗겨 아기를 보여주자 방안이 환하게 밝아졌다. 남편은 그 놀라운 아기를 안으며 행복한 해후를 하였다.

일본의 《테나시무스메》에서는 한국 민담과 매우 유사하게 계모와의 관계에서 손이 잘린 소녀의 이야기를 다루고 있는데, 간단히 요약하면 다음과 같다.

계모가 전실 딸을 죽이도록 시켰는데, 동정심 많은 하인 혹은 아버지가 차마 죽이지 못하여 양손만 자르고 숲 속의 나무에 묶어서 버려두었다. 한 마리의 원숭이가 그 딸을 돌봤고, 친모가 족제비로 변하여 묶여 있던 전실 딸을 풀어 주었다. 손 없는 딸은 부잣집 정원에서 과일을 따 먹었는데, 부잣집 아들이 그녀를 발견하여 아내로 맞이하였다. 남편의 출타 중에 색시는 아기를 낳아서 남편에게 알리려는데, 편지 내용을 계모가 조작하여, 결국 색시는 아기와 함께 집에서 쫓겨나게 되었다. 그런 색시를 한 부인이 도와주었다. 색시가 목이 말라 시냇물을 마시려는데 아기가 물속으로 떨어지려 하자, 이를 잡으려 손을 내밀었다. 손을 내민 순간 부처님의 도움으로 양손이 생겨났다. 귀향한 남편이 아내를 찾아 나섰고, 성장한 아이가 아버지를 한눈에 알아보면서 재회에 성공하였다.

이상에서 보듯이 손이 잘린 소녀에 관한 이야기는 한국의 민담 ≪손 없는 색시≫뿐 아니라, 여러 다른 나라에서도 발견된다. 소녀의 손이 잘린 것, 결혼하여 아기를 낳았으나 모함으로 쫓겨나게 된 것, 아기를 업고 헤매던 중 목이 말라 물을 마시다가 빠지는 아기를 구하려는 순간 손이 다시 생겨나게 된 내용이 공통적으로 나온다. 다른 나라에서는 계모가 강조되지 않았으나 일본과 한국 민담에서는 계모가 전실 딸을 미워하는 내용이 비슷하게 강조되어 있다. 한국과 일본의 경우 대부분 내용이 거의 일치하지만, 물을 마시다가 떨어지는 아기를 구하려고 손을 뻗을 때 한국은 저절로 생겨났고, 일본은 부처님의 도움으로 생겨났다는 차이가 있다.

계모와 전실 딸

계모가 전실 딸을 가혹하게 다루는 주제는 그림(Grimm) 형제가 모은 독일 민담 ≪백설 공주(Schneewittche)≫, ≪재투성이 소녀(Aschenputtel)≫[23], ≪홀레 부인(Frau Holle)≫, ≪오누이(Brüderchen und Schwesterchen)≫ 등이 있으며, 우리나라에서는 ≪콩쥐팥쥐≫, ≪장화 홍련≫ 등 헤아릴 수 없이 많은 민담 속에 나타난다. 심지어 현대의 TV 드라마 혹은 영화에서 계모가 전실 딸을 심하게 학대하는 내용을 다루어 대중적 인기를 얻기도 한다. 이처럼 신화와 민담 속에서 다루는 계모와 전실 딸의 관계는 인류에게 언제, 어디서든 공감을 불러일으키는 원형적 주제 중 하나인 것이다.

앞선 민담 연구자들은 ≪손 없는 색시≫를 실제로 있을 법한 계모와 전실 딸의 갈등의 문제로 이해하고 해석을 시도하고 있다. 거듭 강조했듯이, 분석심리학적으로 보면 민담에 등장하는 인물상들은 실재하는 개인이 아니라, 집단무의식의 원형상들이다. 심지어 우리를 낳고 길러 주신 어머니에 관하여 개별적인 경험을 바탕으로 심상화 한다고 하더라도, 그 모성상이 외부의 실제 개인 어머니의 모습이라고 할 수 없다. 말하자면 각자 개인의 기억 및 추억 등에서 어머니의 모습을 떠올리지만, 그것이 자신을 길러 주던 바로 그 어머니의 모습이라고 할 수 없는 것이다. **융**은 우리가 흔히 자신의 어머니에 대해 회상하고 언급하는 것 같지만, 개인적 어머니에 관한 것이 아님을 다음과 같이 기술하였다.

> … 임상 경험에서 우리는 먼저 개인적인 어머니가 겉보기에 어마어마한 중요성을 갖고 있다는 인상을 받는다. 이런 개인 어머니의 형상이 인격에 많이 등장한다는 주장을 할수록 개인심리학적 견해는 물론이며 이론조차도 개인적 어머니에서 결코 빠져나오지 못하고 만다. 나는 이 문제를 제대로 처리하기 위해서, 정신분석적 이론과 근본적으로 견해를 달리한다. 즉 나는 개인적 어머니에 대해서는 제한된 의미를 부여할 뿐이다. 문헌에서 묘사하고 있는, 아동의 정신에 미치는 어머니의 모든 영향은 개인적인 어머니로부터 나온 것일 뿐 아니라, 또한 어머니에게 투사하고 있는 원형이며, 오히려 원형이 모성에 신화적 배경을 제공하고, 그것에 권위, 심지어 신성을 부여하는 것이다. … [24]

위의 지적처럼 개인적 어머니의 영향력이 매우 크기 때문에 전적으로 배제하지는 못할 것이다. 그러나 자아의식[25]에 작용하는 실제의 모성상은 모성 원형에서 비롯된

---

23 이는 흔히 ≪신데렐라(Cinderella)≫로 알려져 있다.

24 C.G. Jung(1939), "Die psychologischen Aspekte des Mutterarchetypus", G.W. Bd. 9/I, Par. 159.

25 여기서 '자아'라는 표현은 개별적 인격의 특성을 나타내는 의식의 정신 영역을 의미한다.

심상이다. 이 모성상은 '집단무의식'의 '원형' 중 자아(의식)을 돌보고 지지하고 기르는 모성적 기능의 원형이 활성화 됨으로써 등장한 것이다. 오히려 우리는 외부의 실제 어머니에게서 모성 원형(Mutter Archetypus)에서 비롯된 것들을 경험하게 된다. 대부분 모성 원형의 특성이 외부의 어머니에게 투사되고, 그것을 개인적 어머니의 특성으로 간주하기 때문이다. 외부의 개인 어머니의 역할이 아동의 생존을 위해서 매우 중요하지만, 아동기의 아동은 어머니의 개별적 특성을 잘 알지 못한 채 보살핌을 받는다. 아직 개인 인격적 특성을 갖추지 못한 아동기에 경험하는 모성상은 주로 원형적 내용으로 이루어진다. 이에 반하여 성인기에 개인이 표상하거나 경험하는 모성상은 외부에 실재하는 어머니에 관한 내용이 훨씬 더 많이 반영될 수 있다. 그럼에도 성인이 묘사하는 모성상에서도 원형적 특성을 발견하는 것은 그리 어렵지 않다. 더욱이 성인기에 자신을 보살펴 줄 개인 어머니가 더 이상 필요하지 않는데도 모성에 관한 의존적 내용을 자주 언급하고 있다면, 이는 자아의식에 영향을 미치고 있는 모성 콤플렉스에 해당한다고 할 수 있다.

흔히 아동의 심리치료 사례에서 실제의 어머니와 아동과의 관계를 문제로 삼는다. 왜냐하면 대체로 아동의 심적 문제는 양육자인 어머니의 영향에 의한 것으로 보기 때문이다. 그러나 분석심리학적으로 아동의 증상은 모성 원형의 활성화에 의해 생기는 경우가 거의 대부분이다. 프로이트도 "진정한 신경증의 원인은 외상적 작용에 있는 것이 아니라, 오히려 유아기 환상의 특이한 진전에 있다"고 하였다. 실제로 아동이 어머니에 대해 보고하는 내용을 참고해 보면, 실제적 인간의 모습보다는 신화적으로 채색된 모습의 어머니상이 특징적이다. 신화적으로 채색된 모습이란, 모성이 주로 "동물, 마녀, 유령, 사람을 잡아먹는 여자, 자웅동체적 인간 등"으로 등장하는 것을 의미한다.[26] 이처럼 아동기의 심리적 증상은 거의 모성상의 원형적 활성화에 대해 상대적으로 취약한 아동기 자아의 반응에서 비롯된 것이다.

이미 언급했듯이, 신화나 민담의 모성상은 외부의 실재하는 개인적 어머니에서 기인한 것이 아니라, 모성 원형에 기초하는 것이라고 하겠다. 마찬가지로 민담에 나타난 계모 혹은 전실 딸도 모두 실재의 인물을 의미할 수 없다. 그럼에도 민담의 인물상이 개별 인간의 특성을 가진 것처럼 보이는 이유는, 하나의 심상이 그러한 개별적 특성으로 구체화 되어야 형상으로 드러날 수 있기 때문이다. 그러면 계모와 전실 딸의 관계로 드러나는 심상의 의미는 무엇인가? 우선적으로 이는 모성상과 딸로 간주되는 여성 인물상과의 관계를 나타낸다. 여기서 딸은 분화하여 여성 인격의 주체가 될 정신 영역에 해당한다. 계모는 모성상이긴 하되 새로운 관계를 지향하는 모성상이다. 또한 전실 딸은 새로운 특성의 모성상이 등장하기 전(前), 그러니까 기존의 모성상에 속하는 인물상을 나타낸다. 그러므로 전실 딸과 계모의 관계는 모성상의 교체에 따른 여러 사실들을 현상적으로 반영하고 있는 것이다. 모성상의 교체를 이해하기 위하여 모성상에 관하여 좀 더 살펴보도록 하자.

모성상은 원래 자녀로 표명되는 심상들과의 관계를 특징적으로 나타내는 심상이다. 더 구체적으로 말하면, 모성상은 딸 혹은 아들을 낳아 기르고, 보호하는 역할을 하는 모성적 영향력이 형상화 된 것이다. 모성상은 긍정적 의미든 부정적 의미든 딸 혹은 아들에 대해 절대적 영향력을 갖는다. 심층심리학적으로, 특히 '주관 단계(subjektive Stufe)'로 이해해 본다면, 모성-자녀로 그려지는 심상의 관계는 우리의 내면을 구성하고 있는 정신 요소들 간의 관계를 나타낸 것이다. 모성 원형에 기초하는 모성상은 반드시 자녀에 해당하는 심상과 더불어 등장한다. 그래서 계모가 등장할 때 자신의 딸을 동반하게 된다. 계모의 형상은 딸에 대해 부정적인 영향력을 행사하는 모성상에 관한 것이다. 부정적 모성상으로서 계모는 딸을 더 이상 보호하고 지지하는 역할을 하지 않으며, 심지어는 딸에게 위협적인 존재가 된다. 계모와 같은 부정적 모성상에는 딸이 모성에게 가까이 다가가지 못하는 불편한 상태의 거리감도 반영되어 있다. 실제로 부정적 모성상을 가진 여성의 경우 외부의 개인 어머니와 긴밀한 유대 관계를 갖기가 어렵다. 심지어 인간 관계 전반에 걸쳐 어려움을 호소할 수도 있다.

여기서 전실 딸은 민담의 주인공이므로 여성의 자아 영역으로 간주될 수 있다. 실

---

26 C.G. Jung(1939), 앞의 책, Par. 159.

제로 민담을 읽을 때 여성이라면, 여성 주인공과 저절로 동일시 하게 된다. 민담에서 모성상은 새로운 여성 자아를 생산하고, 보호하고 기르는 입장에 있다. 낳아 준 친모는 새로운 여성 자아를 생성한 근원적 무의식에 해당한다. 딸로서의 자아 영역은 근원적 무의식을 모성적 기반으로 삼아 자신의 영역을 펼쳐 낸다. 자아는 모성적 영역으로부터 지지와 보호를 받아 성장하고 성숙할 기회를 얻기도 하지만, 한편으로는 그 영향력에 의하여 자신의 존립이 흔들릴 정도로 심각한 어려움을 겪을 수도 있다. 모성상은 자아에게 삶을 제공하지만, 경우에 따라서는 죽음을 야기하는 치명적인 파괴력을 제공하기도 한다. 이처럼 모성상은 긍정적으로 작용할 때는 도움을 주는 심상이지만, 부정적으로 작용할 때는 삼켜 버리고 파괴하려는 어두움, 사자(死者)의 세계와도 같고, 벗어날 수 없는 운명적인 힘이 된다.[27]

분석심리학적으로 한 개인의 인격 형성 과정은 근원적 무의식으로부터 자아의식의 형성, 정립 그리고 독립적 분화 및 성숙 등으로 이루어져 있다. 비록 자아가 모성에 해당하는 근원적 무의식의 도움으로 성장을 하지만, 어느 시기가 지나면 스스로 독자적인 발전을 할 수 있도록 도약이 있어야 한다. 자아는 한 개인의 인격적인 면모를 갖추기 위해 '집단무의식'으로부터 떨어져 나와 독립된 콤플렉스로 분화해야 하는 것이다. 개인마다 차이가 있겠지만, 자아가 '집단무의식'에서 분리되어 의식성을 획득하면서 독자적으로 분화 발전한다는 것은 그리 쉽지 않다. 자아의 독립적 분화 발전은 필수적이므로, 신화에서는 전형적으로 이를 다루어 왔다. 예를 들어 신화에서 영웅은 자신을 위협하는 거대한 괴물을 물리쳐야 한다. 이때 괴물은 자아를 낳아 기르던 근원적 무의식이 형상화 된 것이고, 괴물을 퇴치하는 영웅은 그것에서 벗어나는 아들이자 자아에 해당한다.

신화에서 괴물을 극복하는 영웅은 실제의 남성이 아니라 집단 정신으로부터 분리를 시도해야 할 남성과 여성 모두의 자아에 해당한다. 실제로 남성 심리학적으로 남성은 근원적 무의식인 모성에서 적극적 분리를 하여 자아의식이 강화되고, 그러면서 남성적 특성을 획득할 수 있다. 만약 남성이 모성상과의 분리를 상대적으로 유보한다면 자아의식이 유약하게 됨은 물론이고, 성적 정체성마저 획득하기 어려울 수 있다. 여성에서든 남성에서든 자아의 분화 및 성장과 더불어 차츰 모성상의 영향력은 상대적으로 약화된다. 그러나 제대로 자아의 분화가 이루어지지 않은 경우 모성상은 자아에 위협을 가하는 강력한 힘으로 작용한다. 이때의 모성상은 더 이상 자비와 사랑이 넘치는 것이 아니라, 무서운 파괴력을 가진 모습으로 나타난다. 파괴적 성향의 모성상은 자주 삼키는 동물 및 괴물의 형상으로 나타난다. 민담에서 어머니가 집을 떠난 사이에 어머니의 모습으로 나타나 새끼들을 잡아먹으려는 늑대, 이리 혹은 호랑이 등이 그 예가 된다. 이런 파괴적 성향의 무서운 모성상이 전형적으로 계모의 형상으로 묘사된다. 민담에서 계모는 전실 딸이나 아들을 괴롭히거나 쫓아낸다. ≪한스와 그레텔(Hans und Gretel)≫에서 계모는 어린 오누이를 숲에 내다 버렸고, 숲 속의 마녀는 아이를 잡아먹으려 하였다. 이처럼 '삼켜 버리는 어머니(verschlingende Mutter)' 혹은 '무서운 어머니(terrible Mother)'는 상대적으로 분화를 꺼리고 있는 자아에 대해 가하는 강한 영향력을 반영하는 심상이다. 모성상의 이러한 위협적 태도는 자아(의식)으로 하여금 저항하게 만들고, 그로부터 벗어나게 하거나 극복하도록 유도한다.

계모도 자아의 성장 및 분화를 요구하기 위해 등장한 모성상이다. 민담에서는 대략 선량한 어머니가 죽은 다음에 사악한 계모의 등장을 알리고 있다. 말하자면 긍정적 모성상에서 부정적 모성상으로 바뀐 것을 의미한다. 실제로 인격 발달사를 고려해 보면 아동이 어느 시기까지는 선량하고 자비로운 모성상을 경험할 수 있지만, 그 시기가 지나면 오히려 아동을 지나치게 간섭하고 압박하는 모성상을 경험하게 된다. 아동기에 아동이 부모에게 계속 의존하고 보호를 요구하면서 홀로서기를 미루고 있을 경우에 무서운 모성상에 관한 꿈을 꿀 수 있다. 때가 되면 지지와 보호를 아끼지 않았던 근원적 무의식은 성장을 촉구하기 위하여 모습을 바꾸어 등장한다. 민담에서 주인공을 전실 딸이라고 한 것은 여전히 낳아 준 어머니, 즉 근원적 보호 장치의 모성상에 매달려 있는 어린 여성 자아를 표현한 것이다. 상대적으로 계모는 이전과

---

27 C.G. Jung(1939), 앞의 책, Par. 158.

는 다른 영향력을 가진 모성상을 나타낸다. 모성상의 냉담한 태도는 자아로 하여금 상응하는 반응을 끌어 내게 만든다. 이처럼 부정적 모성상은 성장을 지연하는 여성 자아를 강력하게 밀어붙이는 모성 원형의 영향력이 된다. 결국 계모는 여성 자아의 태도 변화를 촉구하는 모성상인데, 겉보기에는 유약한 자아를 위협하고 목숨을 위태롭게 하는 모성상으로 나타난다. 실제로 사춘기의 청소년들은 외부의 개인 어머니에게 짜증을 많이 낸다. 이것은 내면에서 성장을 종용하며 압력을 가하는 모성상을 외부의 어머니에게 투사하여 정서적으로 과민하게 반응하는 것이다.

남성과 여성 모두에게 모성상은 크게 영향을 미치지만, 유독 민담에서 전실 딸과 계모와의 갈등을 많이 다루는 데에는 여성 심리의 어떤 전형적 특성과 관계가 있다. 융은 심리학적으로 '여성은 어머니로 먼저 살고, 나중에 딸로 산다'고 하였다. 이것은 여성이 전반부의 삶의 기간 동안에는 주로 모성상과 동일시 되어 살아가다가, 후반부의 삶이 시작되면 그 동일시에서 벗어나 비로소 개인 인격의 삶을 영위할 수 있다는 의미이다.[28] 발달사적으로 보면, 남성의 경우는 전반부에 가능한 빨리 모성상과의 결별을 시도하지만, 여성은 상대적으로 나중에 모성상과 분리하게 된다. 여성이 남성처럼 너무 일찍 모성상과 분리하게 되면 상대적으로 여성성의 획득에 문제가 생길 수 있다. 여성 자아는 어느 정도 모성상과 동일시를 유지함으로써 여성성을 획득하기 때문에 모성상과의 동일시는 필수적이다.

모성상과 동일시 된 상태에서는 정서적 반응의 친화력에서 비롯된 감정의 분화 및 신체 감각의 발달이 이루어진다. 이것이 분화된 여성 의식의 특징이 된다. 긍정적 모성상의 여성들은 저절로 자신의 신체에 대해 긍정적인 태도를 갖는다. 자신의 신체에 대하여 이러저러한 이유로 불편감을 호소하는 여성들이 많다. 심지어 일부 여성들은 자녀를 낳거나 양육하는 것을 기피하고, 여성으로서의 생리 현상도 고통스럽게 경험한다. 이는 모성상과의 동일시를 거부하는 여성 자아의 반응이다. 하지만 여성이 상대적으로 너무 오랫동안 모성상과 동일시 하는 경우, 개별 인격의 발전이 지연된다. 계모 주제의 민담은 바로 이러한 여성의 보편적 문제를 다루고 있는 것이다. 민담은 전실 딸과 계모의 관계를 통하여 여성 자아가 분화해야 할 시기에 이르

한국 민담의 여성상

렀으나, 모성상과의 동일시로 인하여 개별 인격의 발전을 유보하고 있는 경우, 모성상에 의해 분화를 요구받게 됨을 전형적으로 보여주고 있다.

여성에서 모성상은 자기 자신의 기초이므로, 사실은 그 동일시에 대해 아무리 강조해도 지나치다고 할 수 없다. **융**은 여성 자아가 모성 원형의 영향에 의하여 전형적인 여성 인격의 특징을 갖게 된다고 하였다. 그 전형적인 특성을 대략 네 유형으로 나누어 설명하고 있다.[29] 첫 번째 유형은 모성 원형이 여성으로 하여금 전적으로 모성 본능을 강화하도록 작용하는 경우이다. 이 유형의 경우 모성 원형의 생물학적 특성을 그대로 넘겨받아서 아기를 낳고 기르는 역할이 강화된다. 남편과의 관계는 자식을 생산하기 위한 것이고, 파트너로서의 개별적 의미를 갖지 않는다. 낳은 아이들은 물론이고, 주변의 친인척들까지 모두 먹이고, 돌보며, 심지어 남편을 큰 아들처럼 보살펴 주는데, 이것은 모성 본능의 강화에 의하여 그렇게 하는 것이다. 두 번째 유형은 모성 원형이 여성에게 모성 본능을 자극하는 것이 아니라, 에로스(Eros)의 과도한 증가를 가져오는 경우이다. (여기서 에로스는 성애적 욕망에 관한 것이 아니라, 관계를 형성하는 역동을 말한다.) 이 유형의 여성은 어릴 때부터 성숙한 여성성을 내세우며 가족 내에서 어머니와 경쟁하듯이 아버지를 끌어들여 근친상간적 관계에 빠지게 유도한다. 이 유형의 여성은 종종 주변의 기혼 남성을 유혹하여 가정 파탄에 이르도록 하지만, 결혼하여 아이를 낳고 기르는 어머니로서 혹은 아내로서 살기를 원하지 않는다. 이는 모성 본능의 활성화가 아니기 때문이다. 세 번째의 유형은 모성 원형을 자신의 개인 어머니에게 투사하고, 그 개인 어머니에게 의존하며 순진한 딸로서 살아간다. 의미 있는 모성적 가치를 모두 개인 어머니에게 넘겨 놓고, 자신은 모성적인 것, 여성적인 것에 대한 열등감을 갖는다. 네 번째의 유형은 모성상에 대해 근본적인 거부와 부정을 하는 여성이다. 이 경우 어쩌면 부정적 모성 콤플렉

---

28 **융**은 대략 35세 전후로 전반부와 후반부로 삶의 시기를 나누고, 각 시기마다 실현해야 할 삶의 목적이 다르다고 보았다. 전반부는 자아의식이 분화되고 외향화 하여 외부 환경에 적응을 해야 하고, 후반부는 내향화 하여 내면 세계에 적응하면서 인격의 성숙을 꾀해야 하는 것이다.

29 C.G. Jung(1939), "Die psychologischen Aspekte des Mutterarchetypus", G.W. Bd. 9/I를 참고하라.

스를 가진 여성의 전형이 될 수도 있다. 이 유형의 여성은 모든 모성적 특질을 부정함으로써 자신의 본능 및 여성성을 희생시킬 수 있다. 일찍부터 남성처럼 모성상에서 분리하는 발달사를 하게 된다. 이로써 남성들과는 남다른 유대 관계를 구축한다.

　전자의 두 유형은 모성 원형에 의하여 모성성의 강화가 있는 경우이고, 후자의 두 유형은 모성 원형에 의하여 모성성의 저하가 있는 경우이다. 이상에서 네 유형의 구분이 중요한 것이 아니라, 네 유형 모두 모성 원형의 영향력으로 인하여 개별 인격의 고유한 특성을 발휘하기 힘들다는 사실에 주목해야 한다. 첫 번째 유형의 여성은 생물학적 모성 본능과 동일시 함으로써 전혀 개인적 인격 발전을 이룰 수 없다. 그녀는 자녀들에게 긍정적으로든 부정적으로든 막강한 모성적 지배력을 발휘하여 그로부터 벗어나지 못하게 만든다. 자기 자신을 모성상과 전적으로 동일시 하는 것이다. 두 번째 유형의 여성은 주변 남성과의 관계에 매달려 자신의 고유한 삶을 살지 못한다. 자신도 모르게 남성을 끌어들이는데, 모성적 영향력으로 그렇게 하는 것이다. 이런 여성은 언제나 관계를 지향하지만, 개인적 관심을 가져서가 아니라, 자신도 모르게 그렇게 되고 마는 것이다. 이 유형의 여성에 빠져 드는 남성은 소위 모성-콤플렉스가 있는 남성들인데, 그들 중 일부는 혹독한 대가를 치르고 모성상으로부터 벗어날 기회를 갖는다. 세 번째 유형의 여성은 개인 어머니에게 절대적 가치의 모성상을 투사하고, 그에 내맡김으로써 정작 자신에게 무슨 일이 일어나는지 인식하지 못하게 되어 개인 인격의 발전이 저지된다. 또한 자신의 인격 발전에 필요한 요소를 남편이나 자녀에게 투사하여 그들을 발전시킨다. 이 유형의 여성은 현모양처로 간주되지만, 자기 자신에 대해서는 무의식적이다. 네 번째 유형의 여성은 심지어 자신의 여성적 토대까지 부정하면서 모든 모성적인 것에 대해 저항을 하느라 자신의 고유한 삶을 살아가지 못한다. 결국 이 유형의 여성은 본능적 기초를 부정함으로써 자기 자신에 대한 신뢰가 제대로 형성되지 않는다. 우연히 늦게 하게 된 결혼, 출산 및 육아에서 모성 및 여성의 역할에 대해 긍정적으로 경험할 수 있다. 그러한 실제적 경험이 모성적 여성성을 개별 의식의 수준으로 끌어올려 자기 인격으로 통합하는 기회가 될 것이다.

거의 모든 여성들이 위의 네 유형 중 하나에 속하는데, 이는 여성들이 대부분 모성 상과의 동일시에서 벗어나지 못한다는 사실을 의미한다. 모성상은 한편으로는 여성 자아를 사로잡거나 동일시 하게 만들지만, 또 다른 한편으로는 자아를 밀어 내고 제 거하려 함으로써 그런 동일시 상태에 머물지 못하게 한다. 이런 맥락에서 보면, 긍 정적 모성상은 동일시를 유도하는 심상이고, 부정적 모성상은 동일시에서 벗어나게 하는 심상이다. 민담에서 계모는 부정적 모성상으로서 유아기적 의존 상태에 있는 전실 딸에게 모성상에서 벗어나도록 종용한다. 우리는 이에 대해 민담 해석을 통하 여 보다 구체적으로 살펴볼 수 있을 것이다.

참고로 모성상과의 동일시로 인해 초기 아동기부터 여아들은 남아들과는 다른 특 성을 나타낸다. 아동기의 여아들은 모성상과의 동일시에 의하여 남아들보다 훨씬 성숙하게 보인다. 아동기의 여아들이 거울을 보면서 루즈를 바르는 등, 성인 여성 혹은 어머니를 흉내 내는 것도 모두 모성상과의 동일시에서 나오는 행동이다. 모성 원형의 영향력이 취약한 개별 자아를 어른스럽게 만드는 것이다. 아이는 자신도 모 르게 조숙한 여성의 특성을 드러내는데, 주로 주변의 양육자인 어머니나 교사를 모 방하는 것처럼 보일 수 있다. 이는 모방이 아니라 아동의 내면에서 작용하는 모성적 특징이 그렇게 하도록 만드는 것이다. 여성은 모성상과 동일시 함으로써 무의식의 정서 및 정동에 길들여져 본능적으로 다양한 색채의 감정 분화가 이루어지고, 섬세 한 정서적 표현이 가능하게 된다. 그래서 여성은 일생 동안 합리적, 이성적 측면보 다는 분화된 감정과 직관 기능을 의식의 능력으로 활용한다. 모성상과의 오랜 동일 시로 인해 남성과 달리 여성의 자아는 사춘기까지 오성(Verstand, 悟性)의 발달이 상대 적으로 유보되고, 외부 세계와의 관계에서도 입장을 구체화 하기 어려운 상태에 있 다. 사춘기 이후 아니무스의 형성 및 발전과 더불어 일부 여성은 차츰 오성의 능력 을 갖추게 된다. 이로써 개별적 인격의 특성이 구체화 될 수 있다. 그때까지 여성은 대체로 애매모호한 개인 인격의 정체성을 갖고 있다.

그 밖에 부정적 모성상의 영향을 받는 여성 심리의 내용은 종종 민담에서 전실 딸 과 계모 와의 갈등 대신 고부 간의 갈등으로 드러날 수 있다. 실제로 같은 유형의 민담에서 시어머니가 며느리를 모함하여 고초를 겪게 하는 내용이 그려져 있다. 시어머니는 며느리에게 절대적인 권위를 내세우고 행사할 수 있는 모성상이다. 며느리는 상대적으로 강력한 모성상의 영향력에 내맡겨야 하는 수동적 입장의 딸이 되고 만다. 하지만 계모나 시어머니의 경우로 드러나는 심상은 두 어머니 주제에 해당하는 것이다. **융**은 두 어머니 주제가 언제나 정신적 탄생과 관련이 있다고 강조하였다.

> 두 어머니의 주제는 이중 출생에 대한 관념을 시사하고 있다. 그 중 한 어머니는 실재하는 외부의 어머니이지만, 또 다른 어머니는 상징적 어머니로서 신적이고 초자연적이며 어떤 경우에는 비범한 특질을 갖고 있다. 이 경우에 어머니는 동물의 형상으로 묘사되기도 한다. 많은 경우 그녀는 인간적 면모를 더 많이 드러낸다: 그럴 때는 원형적 관념이 어떤 특정의 주변 인물들에게 투사되어 드러나는 경우가 많은데, 대개는 이로 인해 매우 복잡한 문제들이 야기된다. 그래서 재탄생의 상징은 즐겨 계모 혹은 시어머니로 나타나고, 실질적으로 그런 인물에게 투사된다.[30]

여성에서든 남성에서든 두 어머니, 이중 부모의 주제는 두 번째의 탄생, 정신적 탄생을 유도하기 위한 것이다. 남성의 경우 두 어머니, 이중 부모의 주제는 주로 버려지거나 입양되는 것으로 묘사되고, 여성의 경우 계모와 전실 딸의 관계나 시어머니와 며느리의 관계로서 묘사된다. 결과적으로 계모 주제의 수많은 민담들, 예를 들면 우리나라의 ≪콩쥐 팥쥐≫, 서양의 ≪신데렐라≫, ≪백설 공주≫ 등도 모성상의 부정적 특성을 폭로하는 것이 아니라, 여성 인격의 탄생 및 개별 인격의 성숙 과정을 다루고 있는 것이다. 말하자면 긍정적 모성상에서 부정적 모성상으로의 이행은 여성 인격의 변화와 성장을 유도하는 것이다. 여기서 다루게 될 민담 ≪손 없는 색시≫에서도 모성의 부정적 영향력이 여성 자아에 치명적인 손상을 가져오는 듯하지만, 그것이 궁극적으로는 여성의 전(全)인격적 실현에 이르게 한다는 사실을 보여준다.

민담 ≪손 없는 색시≫를 해석하기 전에 앞서 다른 나라의 ≪손 없는 소녀≫를 잠시 언급할 필요가 있겠다. 독일 민담 ≪손 없는 소녀≫는 한국의 민담과는 달리 계모가 등장하는 부분이 없고, 방앗간 주인이 의도하지 않았지만 딸을 악마에게 넘겨야 할 상황에 몰렸다가, 마침내는 딸의 손까지 자르게 되었다. 그래서 이 민담은 두 가지 관점에서 해석이 가능하다. 하나는 남성 심리의 관점에서 방앗간 주인의 딸을 남성의 아니마(Anima)로 간주하여 해석할 수 있다. 방앗간 주인으로 나타난 중심 인물상이 자신의 영혼을 팔 정도로 빈곤하게 된 부분을 핵심 문제로 보고, 아니마를 통하여 어떻게 치유하고 회복되어야 하는지 살펴보는 해석 작업이 될 것이다. 또 다른 하나는 여성 심리의 관점에서 방앗간 주인의 딸을 민담의 중심 인물상으로 간주하여, 이야기 전체를 여성의 부성 콤플렉스의 문제로 이해해 볼 수 있을 것이다. 러시아 민담 ≪손 없는 소녀≫는 오누이에 관한 이야기이므로, 이 또한 계모와 전실 딸의 관계로 드러나는 주제와는 다르다. 이 민담을 남성 심리학의 관점에서 보면, 중심 인물상인 오라버니가 마녀인 아내와 결혼을 하였는데, 그 아내가 심지어 자신의 아기를 죽이고 여동생을 모함하여 쫓아낸다는 이야기이다. 이것은 남성 자아가 부정적 모성상에서 기인한 아니마에 의하여 자신의 진정한 아니마와 관계를 맺지 못하게 된 문제를 폭로하고, 이를 어떻게 치유하게 되는가를 다루는 민담이 될 것이다. 여성 심리학의 관점에서 본다면, 여성의 그림자 및 아니무스(Animus)의 문제로서 민담을 이해할 수 있을 것이다. 위의 두 민담은 모두 손이 잘려 나가는 내용이긴 하지만, 두 어머니의 주제에 속하는 것이 아니다. 그래서 여성에서 모상상이 가진 고유한 기능과 궁극 목적은 드러나지 않는다.

　이제 해석하게 될 한국 민담 ≪손 없는 색시≫는 여성 심리학의 관점에서 해석을 시도하고자 한다. 앞서 지적했듯이 계모와 전실 딸의 관계는 모성상과의 동일시에서 벗어나 여성 자아의 독립적 분화를 다루는 내용으로 제시될 수 있을 것이다. 이와 같이 여성의 인격 발전에 모성상이 갖는 의미와 궁극 목적을 살펴보도록 하자.

30　C.G. Jung(1952), Symbole der Wandlung, G.W. Bd. 5, Par. 495.

민담의 해석

(1) 계모는 아기를 낙태했다고 전실 딸을 모함하였다.

이야기의 첫 부분에서 전실 딸은 계모의 모함에 의하여 아기를 낙태한 것으로 알려진다. 민담의 주인공이 실제 개인을 의미하지 않듯이, 주인공의 임신 및 출산 등도 모두 정신적 사건으로 이해할 수 있다. 낙태를 했다고 모함한 상황은 주인공이 자기 자신에 대해 무의식적 수준에 있지만, 인격의 성장을 위해 무엇인가를 해야 할 때가 되었음을 알리는 것이다. 여기서 전실 딸은 이제 막 근원적 무의식으로부터 벗어나 의식의 분화를 준비하는 아동기의 자아가 아니라, 정신적 탄생의 문제에 직면한 어느 정도 성숙한 여성 자아로 간주할 수 있다. 이미 살펴보았듯이, 여성 발달사의 특징상 모성상과의 행복한 동일시가 있다가 어느 시기에 이르면 모성상과의 갈등이 야기된다. 한 여성이 실질적으로 부정적 모성상을 경험하게 되는 경우는 사춘기 이후 구체적으로 자신의 개별 인격의 발전이 요구되는 시기에 두드러진다.

악덕한 계모의 모함에 의하여 드러난 사실은 오히려 전실 딸이 수태할 수 있는 여성이라는 점이다. 혹은 더 나아가서 전실 딸은 임신을 하도록 종용되었다고 말할 수 있다. 이처럼 계모가 부정적인 방식으로 전실 딸에게 제시하는 것들은 여성 인격에 이미 내재되어 있는 목적의미(Zwecksinn)를 위한 어떤 방향성을 환기하는 것이다. 민담을 윤리적으로 훈육하려는 목적으로 만들어진 이야기라고 생각한다면, 악덕한 계모의 도덕성이 크게 문제가 될 것이다. 민담은 그런 도덕적 가치보다는 정신의 고유한 현상이 가진 내재적 목적에 따른 어떤 의향성을 반영하는 것이다. 이야기는 듣는 사람으로 하여금 다분히 도덕적인 판단이 내려지도록 '감히 처녀가 아기를 임신하다니 …' 등으로 묘사하지만, 이를 심리적인 것으로 받아들이면, 계모는 전실 딸로 하여금 자신에 대하여 인식하도록 요구한 것으로 볼 수 있다.

보다 구체적으로 묘사된 민담의 장면을 참고해 보면, 전실 딸은 주로 공부에만 전념했다고 한다. 계모는 밤에 공부할 때 메밀묵을 만들어 먹게 하여 전실 딸의 얼굴에 기미가 생기게 하였다. 그러고 나서 밤에 서방질을 한다고 모함하며 결정적인 증거로 '쥐'를 잡아 껍질을 벗겨서, 자고 있는 전실 딸의 다리 밑에 던져 넣어 낙태한 것처럼 꾸몄다. 여기서 계모가 잡은 '쥐'는 전실 딸이 부엌에서 강아지만큼 크게 키운 것이었다. 전실 딸이 공부를 열심히 한다는 것은, 실제적 삶의 현장보다는 비현실적, 정신적인 것에만 관심을 두고 있음을 의미한다. 같은 유형의 다른 민담에서는 여성 주인공이 시궁창의 '쥐'에게 남은 음식물을 먹여 크게 키우는 이야기가 나온다. 때로는 그렇게 키운 동물들이 중심 인물상을 돕는 존재가 되기도 하는데,[31] 이 민담에서는 전혀 그런 장면으로 구체화 되지 않았다. 여기서는 전실 딸이 키우던 '쥐'가 오히려 계모의 모함에 유용하게 사용되었다.

일반적으로 전실 딸이 '쥐'를 키우고 있었다는 부분에 대해 몇몇 연구자들은 성적인 것과 관련지어 해석한다.[32] 정신분석학적으로 그것은 성적 환상이나 혹은 의식에 영향을 미치려는 강박적인 관념을 의미한다고 할 것이다. 분석심리학적으로 볼 때, '쥐'는 어두운 공간에 살면서 밤이 되면 기어 나와 활동을 하는 동물로 무의식의 활동성을 반영하는 심상이다. '쥐'가 집안의 여기저기 곳곳에서 갉아대듯이, 그것은 의식에 영향을 주는 괴로운 생각, 충동 및 환상과 같은 것이 될 것이다. '쥐'에 대하여 좀 더 확충(Amplifikation)을 해 보자. '쥐'는 밤에 나타나기 때문에 죽은 자의 영혼으로 알려지기도 하고, 때로는 마법사나 마녀 같은 사악한 인물이 변신한 것으로 간주된다. '쥐'는 많은 민담에서 혼령을 대변하는 것으로도 묘사되어져 있다. 그래서 민담에서는 '쥐'가 사람으로 변신하는 내용을 많이 다룬다. 예를 들어, '쥐'가 사람의 손톱과 발톱을 먹고 사람으로 변신하거나, 또는 며느리가 준 밥을 먹고 시아버지로 변신하여 진짜 시아버지를 몰아내는 등, 이처럼 '쥐'는 인간의 형상이 될 가능성을 가

---

31 이에 대하여 제IV장에서 다루게 될 ≪지네 장터≫를 참고하라.

32 예를 들면, 신연우는 쥐가 성(性)에 대한 부정적 인식을 의미한다고 하였고, 이인경은 "물을 내다 버리는 수채 구멍을 드나들면서 점점 커지는 쥐는 성 행위를 하는 남근의 이미지를 보여주고 있음을 쉽게 짐작할 수 있다"고 한다. 물론 성욕이 본능적 충동의 일부가 될 수는 있다. 그러나 본능적 충동이 전적으로 성애적 욕구일 수는 없다. 본능은 한 종(種)의 특징을 유지하게 하는 그 종의 고유한 행동 양식으로 정의됨을 참고하라.

진 심상이다. '쥐'가 즐겨 사람으로 변하는 것은 의식에 통합되고자 하는 목적이 있음을 나타낸다. '쥐'는 단순히 성애적 환상이나 강박적 관념이 되려는 성향의 충동을 넘어서, 의식에 인식되고 통합되기 위하여, 의식의 언저리에서 활동하는 무의식적 충동들에 해당한다. 음식물 찌꺼기로 '쥐'가 강아지 크기로 커졌다면, 여성 자아의 의식에 제대로 수용되지 못한 잉여의 리비도가 그 자체로 독립적으로 활동하여 세력을 갖게 된 것을 의미한다. 어떤 면에서든 '쥐'는 의식의 언저리에서 활동하고 있는 자율적 콤플렉스라 할 수 있다.

민담에서 비록 모함의 내용이긴 하지만 계모는 그 '쥐'가 말하자면 전실 딸이 생산할 아기가 될 수 있다는 점을 폭로하였다. 전실 딸이 키우던 '쥐'는 그녀가 잉태할 아기에 상응하는 것이다. 전실 딸은 그때까지 자신의 리비도를 의식의 구체적인 삶에 전혀 반영하지 못하며 살아가고 있었던 것이다. 계모는 그러한 딸의 상태가 지속되지 않도록 '쥐'의 껍질을 벗기고 낙태한 아기라고 주장을 하였다. 껍질을 벗긴다 함은 '쥐'의 실체를 밝히는 것으로, 그것의 실체는 아기인 것이다. '쥐'가 아기가 되려면 그 자율적 콤플렉스가 자아에 수용되어 자아의식의 일부가 되어야 할 것이다. 계모는 궁극적으로 아기의 출산을 예고하면서, 여성 인격의 주체가 될 의식의 탄생을 기다리고 있다.

전실 딸이 '쥐'를 키우면서, 공부에 전념하고 있었다고 했듯이, 여성 자아는 외부 환경에 구체적으로 적응한 상태가 아니라, 공상이나 자신의 관념 속에 머무는 막연한 생활을 해 왔던 것이다. 이런 전실 딸의 태도는 두 측면에서 이해해 볼 수 있다. 하나는 전실 딸이 독립적 분화를 시도해야 하는데, 실제적으로 실행에 옮기지 않고 이런 저런 생각만 갖고 있는 상태를 의미할 수 있다. 이것은 자아의식의 독립적 분화를 유보하고 모성상에 의존하고 있는 여성 자아의 특성이 될 수 있을 것이다. 다른 하나는 부정적 모성 콤플렉스의 여성의 특성으로서, 집안 살림 등 일상생활에서 여성의 활동에 관심이 없고, 심지어 또래 여자 아이들과 어울리지 않고, 전혀 주변과 소통하려 들지도 않는 상태일 수도 있다. 오히려 개인적으로 관심 분야를 개발하고, 남성들과 같은 지적 호기심, 심지어는 동적인 활동을 좋아하여 매우 적극적이고 진취적인 태도를 취할 수 있다.[33] 이는 모성상과의 동일시 상태에 머물러 있지 않기 때문에 유사 남성 발달사를 하는 것처럼 보일 것이다. 어쩌면 계모는 전실 딸이 모성상과 전혀 관계하지 않고 혼자 고립되어 자기 생각이나 공상 등에 빠져 있다는 사실을 폭로한 것일지도 모른다.

계모의 모함 및 폭로는 결국 전실 딸의 현재 상태를 확인시키고, 전실 딸에게 하나의 방향감을 제시하였다. 그것은 정신적으로든, 육체적으로든 여성 자아가 생산적 주체가 되어야 한다는 것이다. 여성 인격이 생산적 주체가 되는 것이야말로 개별 인격의 특성을 획득하는 것이라 할 수 있다. 여기서 생산적이 된다는 것은 스스로, 자발적으로 활동하고 의지력을 발휘할 수 있는 주체가 된다는 것이다. 이는 저절로 다른 사람에게 의존하거나 동일시 하는 상태에서 벗어나는 것을 의미한다.

한국의 전통적 여성상을 살펴보면, 어느 면에서 여성은 결혼하기 전까지 모성상과 동일시 된 상태를 유지하도록 요구받는다. 결혼을 하면 여성은 바로 모성적 역할을 해야 한다. 심지어 아이를 낳기도 전에 아내로서도 남편을 보살펴 오던 시어머니의 역할을 물려받아 모성적 역할을 하게 된다. 그러나 실제로 여성이 결혼을 하여 임신, 출산 및 육아를 해 보면, 그것은 모성적 역할이 강조되어야 하는 내용이기도 하지만, 또한 그 어느 때보다 개별적 인격의 분화의 과정이 되는 것임을 확인할 수 있다. 여성에서 임신 및 출산은 육체적 사건일 뿐 아니라, 상징적으로 정신적 탄생에 해당하는 체험이다. 스스로 객체를 생산하는 임신, 출산 및 육아라는 체험적 사실을 통하여, 여성 자아는 매우 구체적인 개별적 인격의 특성을 인식할 수 있다. 한편으로는 아이를 낳고 기르면서, 어느새 그 아이와 동일시 하여 자신의 성장 과정으로 착각할 수 있다. 또 다른 한편으로는 아이를 낳고 기르면서 책임져야 할 여러 상황들이 자신을 변화하게 만드는 실제적인 경험이 된다. 이런 의미에서 결혼과 출산 및 육아 등의 가정생활은 아내로서, 어머니로서, 딸로서 살아가는 여성이 개별 인격의

---

33 우리는 이를 아마도 앞서 살펴본 네 유형 중 네 번째로 간주할 수 있을 것이다.

분화를 시도하는 순간들이다. 결국 이는 여성 자아가 주체가 되어 여러 현실적 삶의 과제를 혼자 감내함으로써 얻어지는 개별적 삶의 내용이 된다.

하지만 여성이 모성상과 동일시를 하고 있는 경우, 언제나 모성상에 의존하려는 태도가 함께 한다. 심지어 자신이 모성의 역할을 하는 순간에도 의존적 성향은 여전히 작용한다. 그러나 부정적 모성상은 모성에 전혀 의존하지 못하도록 하는 영향력을 갖는다. 많은 경우 여성들은 아동기에 부모가 자신을 따뜻하게 돌보아 주지 않았고, 전적으로 지지하며 응원해 주지 않았음을 보고한다. 이러한 원망 사고는 부모상에서 벗어나 홀로서기를 해야 하는데, 아직 제대로 독립적인 힘을 갖추지 못한 것을 나타낸다. 실제적으로 더 이상 의존할 수 없는 성인기에 이르렀는데도 아직도 그와 같은 원망 사고를 갖는 경우가 드물지 않다. 부모에 대해 여전히 자신을 전적으로 보호하고 지지해 줄 마술적 영향력을 갖는 존재로 여기며, 의존하려 하면서 스스로 주체적인 힘을 발휘해 볼 시도조차 하지 않는다. 이에 대해 모성상의 냉담하고 목적 있는 반격이 시작된다.

(2) 전실 딸은 손이 잘려 집에서 쫓겨났다.

민담에서 전실 딸은 모함을 받아 집에서 쫓겨나게 되었는데, 그냥 내쫓긴 것이 아니라 '손'이 잘린 채 쫓겨났다. 같은 유형의 민담들에서 일부 '손'이 아버지나 계모가 데려온 아들에 의해서 잘려지는 것으로 묘사된 경우도 있다. 어쩌면 공부를 즐겨 하던 딸의 특성과 아버지가 손을 자르는 것을 연결한다면, 부성 콤플렉스의 여성으로 부각하는 해석이 가능할 수도 있다. 여기서는 '손'을 자르도록 시킨 사람이 계모이기 때문에, 계속 모성상과의 관계에서 이해를 시도해 보자.

계모는 왜 전실 딸의 '손'을 자르고 집에서 내쫓는 것일까? 선행 연구자들은 이 내용을 원시인들의 통과 의례에서 지원자들이 신체의 손상을 당하고 추방되는 것과 같은 맥락으로 이해하였다. 이런 해석에서 다른 신체 부위도 아니고, 왜 '손'이 입문 의례에서 희생되는지에 대한 설명이 있어야 할 것이다. '손'은 다른 어떤 부분보다

의식적 정신 활동을 실행하는 가장 중요한 신체 부위이다. 그래서 일찍이 아리스토 텔레스(Aristoteles)는 '손'을 '도구 중의 도구'라고 하였다. 우리는 '손'으로 무엇인가를 쥐고, 만져서 알아내고, 또한 어떤 것을 만들어 내기도 하고, 때로는 의사소통을 위하여 어떤 손동작을 취하기도 한다. 이와 같이 인간의 활동의 대부분이 '손'에 의하여 이루어진다고 해도 과언이 아니므로, '손'은 인간성의 만능적 측면을 반영한다. '손'의 정교한 움직임은 의식의 의도된 목적을 수행하므로 이성적, 합리적 뇌의 활동과 연결된다. 그런가 하면 '손이 알아서 한다'고 하듯이 의식의 의도나 의지와 무관하게 자발적으로 수행하게 되는 신체 부위가 될 수도 있다. 아동기의 자아 콤플렉스(Ego-Komplex)[34]는 처음부터 신체를 전부 지배할 수 있는 정도의 의식 수준이 아니다. 이는 자아의식의 의지력이 본능적인 힘을 어느 정도 통제할 수 있게 될 때부터 가능해진다. 성인기에 이르면 '손'은 자아의식의 실행에 있어서 그 의도를 가장 잘 반영할 수 있는 유능한 도구가 된다. 결국 '손'이 없는 상태는 한 개인으로서 의식의 의도든, 무의식적 의도든 어떤 것도 구체화 할 수 없다. '손'이 없으면 외부의 것을 취하여 자신의 소유로 만들지 못하고, 또한 내면에서 생겨나는 무언가를 외부에 표현할 수도 없다. '손'의 상실은 내면 세계 및 외부 세계 모두와 소통할 도구를 상실한 것에 해당한다. 계모가 전실 딸을 모함하여 내쫓으면서 자아의식의 가장 유력한 도구인 '손'을 제거한 것은, 가장 잔인하고 무정한 처사임에는 틀림이 없다.

여기서 전실 딸이 쫓겨나는 의미를 좀 더 고려해 보자. 신화와 민담에서 중심 인물 상이 쫓겨나거나 버려지는 주제는 널리 알려진 것이다. 모세처럼 갓난아기가 강보에 싸인 채 강물에 버려지거나, 외디푸스처럼 발목에 상처를 입은 채 숲 속에 버려지는 등, 신화와 민담에서 중심 인물상들은 모두 전혀 상황에 대처할 수 없는 절망적 상태로 버려지거나 쫓겨난다. 이 민담에서도 전실 딸은 '손'이 잘려서 혼자 도저

---

34 자아를 '자아 콤플렉스'라고 하는데, 자아도 정신의 구성 요소인 수많은 콤플렉스 중 하나이기 때문이다. 특히 자아를 콤플렉스로 강조하는 것은 전체 정신에서 따로 떨어져서 독립적인 개별적 특성을 자유롭게 발휘할 수 있는 부분 인격임을 나타내기 위해서이다.

히 살아갈 수 없는 최악의 상태로 쫓겨났다. 이제 전실 딸도 영웅 신화의 영웅들과 다를 바 없는 극한 상황에 처한 것이다. **융**은 이러한 중심 인물상의 '버림받음'이 정신의 경이로운 탄생에 대한 표현이라고 설명하였다.

> … 버림받음, 내다 버림, 위험에의 노출 등은 한편으로 보잘 것 없는 출발점의 전형적인 형식이 되지만, 다른 한편으로는 신비로운 영웅의 경이로운 탄생에 관한 내용이다. 이런 표현들은 창조적인 특성을 정신적 체험으로 묘사한 것이다. 그 체험은 아직 인식되지 않은 새로운 내용의 현상들을 대상으로 삼고 있다. 이런 경우 개인 심리학에서는 항상 고통스러운 갈등 상황으로 여겨져 문제시 되어도, 의식에서는 이 상황에 대하여 외관상 아무런 해결책도 없는 것처럼 보인다. … [35]

이 민담에서 전실 딸이 전혀 대처할 수 없는 극한 상황으로 내몰린 상태는 다름이 아니라 정신의 탄생, 즉 인격의 독립적 분화를 위한 것이다. 이런 맥락에서 '손'을 자른 것은 '손'을 뻗어 모성에 매달리거나, 붙잡지 못하도록 하려는 처치일 수 있다. 전실 딸의 '손'은 모성에 의존하려는 도구가 될 수 있는 것이다. 심지어 모성상과의 결별 자체가 마치 '손'이 잘린 상태가 된 것이라고 할 수 있다. 전실 딸이 오랫동안 모성상과의 동일시에 의하여 자신이 누구인지도 제대로 인식하지 못하는 의식 수준에서, 모성상과 분리가 된 것은 마치 자신의 전부를 상실한 상태가 될 것이다. 실제로 여성이 성장기에 모성상에서 분리되면, 자신의 정체성을 상실할 정도로 치명적인 상태에 이른다. 의존하고 있던 모성상은 이전까지의 여성 자아를 대신하는 삶의 내용 전부이기 때문이다. 그래서 '손'의 상실은 모든 것을 잃은 여성 자아의 공허하고 무기력한 상태를 반영한다. 모성상으로부터 분리되기 전(前)의 여성의 '손'은 자기 보존이나 창조적 작업을 위한 도구가 아니라, 모성을 붙잡고 매달리고 끌어당기는 도구이다. '손'의 상실은 매달리며 의존할 수 있는 대상을 잃은 모습을 묘사한 것이다.

위의 내용과 관련지어 저자의 개인적 경험이 생각난다. 저자는 나름대로 부모님에 대해 독립적이라고 자부를 하고 있었는데, 실제적으로 얼마나 의존적이었나 하는 사실을 깨달았던 순간이 있었다. 아기를 출산하자 친정 어머니께서 집에 오셔서 함께 지내며 한동안 아기를 돌보아 주셨다. 산후 조리가 끝나고 어머니께서 안 계시는데도 무심히 어머니를 크게 부르며 찾은 적이 여러 번 있었다. 지금도 어머니와 반나절만 함께 보내도 어느새 저절로 긴장이 풀어지고 모든 것을 내맡기려 하는 성향이 저절로 올라온다는 사실을 확인하게 된다. 이처럼 어머니는 우리로 하여금 늘 '손'을 뻗으며 매달리게 만드는 존재인 것이다. 이러한 의존감은 비단 실제의 어머니에 관한 것만이 아니다. 의존감의 기저에는 언제나 근원적인 것으로 되돌아가려는 강력한 퇴행적 성향이 작용한다. 언제든지 기회가 되면 의식은 더 이상 긴장하거나 각성하지 않고, 피곤한 개별 인격적 의식화를 포기하려는 경향이 있다.

여기서 여성의 혼인에 대해서도 전실 딸의 내쫓김과 관련하여 이해해 볼 수 있을 것이다. 여성은 결혼하면 '시집을 간다'고 한다. 전통적으로 여성은 혼인 후에 자신이 태어나 자라던 집을 떠나 완전히 시댁의 식구로 거듭나야 하는 과제가 주어진다. 이것이 '시집을 가는 것'이다. 남성의 경우는 오히려 아내가 될 여성을 집으로 데려오면서 자신의 소속을 벗어나지 않는다. 이에 반해 여성은 부모는 물론이고, 자신을 길러 주던 환경에서 벗어나게 되면서, 비로소 독립적인 성인의 삶을 시작한다. 이와 같이 결혼을 통하여 여성으로 하여금 자신의 근원지에서 벗어나 새로운 삶의 터전에 적응하라는 요구는 곧 자아의식의 독립적 분화에 관한 요구가 된다.

새로운 환경에 대한 적응의 요구는 한편으로는 여성에게 모성상과의 동일시에서 벗어나 성장할 수 있게 하는 기회가 되지만, 또 다른 한편으로는 자신도 모르게 자신의 뿌리를 잃어버리게 만들 수도 있다. 아직 제대로 성장하지 못한 미숙한 여성 자아가 주어진 새로운 환경에 지나치게 맞추어 적응하려 한다면, 단지 기능적으로 역할만을 강조하는 인격으로 변할 것이다. 그러므로 여성은 어느 시기까지는 가능한 모성상과 동일시를 하면서 자아의식을 강화하는 것이 필수적이다. 예를 들어 유목민들은 특정의 카펫을 항상 들고 다니다가 낯선 장소에서도 그 카펫을 깔아서 늘

---

35 C.G. Jung(1940), "Zur Psychologie des Kindarchetypus", G.W. Bd. 9/I, Par. 285.

같은 장소에 머무는 효과를 낸다. 유랑 생활을 하는 유목민들에게 카펫은 모성적 보호 장치와 같은 상징적 공간에 해당하기 때문이다. 특히 이런 방식은 여성에게 자신의 뿌리를 잃지 않게 해 주는 심적 안정감을 제공한다. 성인기에 이르도록 대부분의 여성은 매우 수동적이고, 외부 환경에 구체적으로 적응할 준비가 제대로 되어 있지 않는 경우가 많다. 어느 정도 강제성이 깔려 있는 여성의 시집가기는 그만큼 근원적 상태에서 벗어나려 하지 않는 여성의 전형적 문제를 해결하는 상징적 처치인 것이다. 일반적으로 널리 알려진 여성의 서러움과 한(恨)은 자신이 속했던 가족 집단에서 벗어나 스스로 홀로서기를 해야 했던 어려움에 관한 것이다. 그만큼 여성에게는 모성상과의 분리가 어렵고도 힘든 과제임을 알 수 있다. 민담에서 전실 딸의 쫓겨남은 여성의 시집가기와 마찬가지로 새로운 의식성의 획득을 위한 처방이다.

이야기로 돌아가서, 전실 딸은 '손'이 잘리고 쫓겨나 이제 누구의 도움도 얻지 못한 채 온전히 자신의 처지를 스스로 감당해야 하는 상태에 이르렀다. 시집갈 때 '출가외인'이므로 친정에 의지하지 말고 무던히 인고의 세월을 견뎌 내라는 당부는 마치 '손'이 없이 살아 보라는 것과 같다. 전실 딸에게 있어 '손'이 없음은 외부와의 관계에서 전혀 도움을 받을 수 없는 처지를 나타내기도 하지만, 스스로도 자발적으로 어떤 것을 청할 의욕이 상실된 것을 의미할 수 있다. 이처럼 모성과의 결별은 마치 자신의 정체성의 상실 및 능동적 참여의 부재를 나타내는 심적 사건이 된다. 이때의 여성 자아는 아무것도 혼자 할 수 없다는 느낌, 우울감, 무기력 등을 겪을 수 있다. 이런 의미에서 전실 딸의 '손'의 상실은 여성 자아가 전혀 능동적으로 적응하지 못하고 수동적으로만 머물러 있는 상태를 의미할 것이다.

좀 더 보태어, 실제 삶의 현장에서 부정적 모성 콤플렉스의 여성은 여러 장면에서 어려움에 처하게 된다. 부정적 모성 콤플렉스의 여성은 집안일에 관심도 없지만, 또한 손을 사용하여 하는 일 – 대부분 집안일이겠지만 – 을 제대로 못하는 경우가 많다. 말하자면 실제적인 구체적 삶의 현장에 참여하는 데 미숙하고, 흥미를 갖지 못한다. 이런 상황에서는 자신이 주변과의 관계에서도 고립되어 있다고 느낄 것이다. 원래 모성적 요소는 언제나 관계를 형성하는 역동이 되지만, 부정적 모성상은 편안한 인간 관계를 할 수 없게 만든다. 부정적 모성 콤플렉스의 여성은 관계에서 고립 감을 느끼는데, 특별히 같은 여성들과의 관계에서 상당한 불편감을 호소한다. 종종 자신의 특이성을 의식하지 않을 수 없을 것이다. 이것은 외형적으로 타인과의 관계에서의 불편감에 해당하는 것처럼 보이지만, 자기 자신에 대한 불편감이다. 자기 자신을 편안하게 내버려 둘 수 없는 다양한 역동이 일어난다. 무엇보다 신체적인 안정감이 확보되지 않아서 가만히 있을 수 없다. 모성 원형은 신체 영역에 해당하는데, 이에 대한 근본적인 부정으로 인해 항상 신체의 불편감이 동반된다. 민담에서도 부정적 모성상에 의해 주인공이 손이 잘려 나가고 홀로 고립되는 상태가 되었다. 관계의 부재 및 단절로 인해 아무것도 할 수 없다고 느끼는 무능력 상태가 된 것이다.

민담에서는 잘린 '손'이 죽은 친어머니의 도움으로 하늘로 날아가거나, 새가 잘린 손을 물로 가져가거나, 강물에 띄워 보내지는 것으로 묘사되었다. 잘려 나간 '손'이 그렇게 처리되는 것은, 모두 '손'이 파괴되는 것이 아니라, 당분간 정신의 다른 영역, 즉 무의식에 보관될 것임을 나타낸다. 모성에 의해 거절되고 손상된 것은 고스란히 모성 영역에서 보존된다.

(3) 전실 딸이 배를 따 먹다가 부잣집 도령에게 들켰으나, 도령의 보살핌을 받게 되었고, 마침내는 도령과 혼인하였다.

쫓겨난 전실 딸은 정처 없이 떠돌다가 목마르고 배가 고파 어느 부잣집의 배나무에 달린 배를 따 먹기에 이르렀다. 일부 같은 유형의 다른 민담에서는 배가 아니라 감이지만, 대부분은 배를 따 먹었다고 묘사하고 있다. 배를 따 먹는 행위는 정신분석학자들 사이에서 전형적으로 성애적 욕망의 충족으로 이해되어져 왔다. '손'이 없는 주인공이 열매를 입으로 깨물어 먹는 장면은 어린 아기가 엄마의 젖가슴을 찾아 젖을 빠는 모습으로 볼 수 있다. 그래서 손이 없는 상태는 모태로 회귀한 어린 아기의 모습이 된 것이고, 주인공이 나무인 어머니의 젖을 먹고 기운을 차리는 것으로 해석될 수 있다.[36] 여기서는 앞서 밝혔듯이 '손'이 잘려 쫓겨난 것을 정신적 탄생으로 보기 때문에, 과일을 먹는 모습을 어머니의 젖가슴을 찾는 퇴행으로 간주하지는 않겠다. 과일을 따 먹음으로써 배고픔이나 두려움에서 벗어날 수 있었다는 점에서 보면, 과일나무는 모성적 특성이 있음은 틀림이 없다. 어쩌면 모성상이 비록 계모의 형상으로 전실 딸을 쫓아냈지만, 과일나무라는 또 다른 자연 모성의 모습으로 지지와 보호를 아끼지 않는 것이라고 볼 수 있다. 이때의 과일나무 형상은 일종의 여성의 내면 깊숙한 곳에서 믿음과 신뢰로서 지켜주는 본능적 저력과 같은 것이다.

폰 프란츠(Von Franz) 여사는 사과가 남성성과 관계된 상징물이고, 배는 여성성과 관계된 상징물이라고 하였다.[37] 흔히들 사과를 애욕의 상징이나, 선악과 등으로 이해한다. 그러나 에덴동산에서 사과는 원래 지혜의 나무의 열매였다. 당연히 아담이 먹어야 하는 열매였던 것이다. 그 열매를 먹음으로써 아담은 고통과 갈등을 알게 되고, 심지어 자신이 벌거벗고 있는 상태에 있음을 알아차리게 되었다. 이런 의미에서 과실이나 열매를 취하는 것은 의식적 인식에 이르는 행위가 된다. 스스로 대가를 치러야 하는 행위를 함으로써, 아담은 무의식적 상태에서 벗어나 의식성을 획득하는 존재가 된 것이다. 또한 신의 뜻을 거스르며 과일을 먹게 된 행위 그 자체가 인간이 자유의지를 가진 독립적 존재임을 나타낸다. 사과를 먹은 사건을 통하여 인간은 낙원에서 추방이 되었는데, 이렇게 쫓겨나는 것도 경이로운 인간 의식의 탄생에 해당한다. 모든 것이 대가 없이 주어지는 유아기적 지복감에서 벗어나 인간이 자신의 모습을 객관적으로 인식하게 되는 심적 사건이다. 결과적으로 사과든 배든 과일을 따 먹는 행위는 과일나무가 오랫동안 자라나 결실로서 맺어진 열매를 먹게 되는 것이므로, 무의식적으로 진행되던 것이 드디어 의식에 수용되고 인식되는 것을 의미한다. 이 민담에서도 전실 딸의 배를 따 먹는 행위는 구체적으로 무엇인가를 의식적으로 획득하려는 적극적 행위가 되었다.

오랫동안 정처 없이 헤매는 장면 역시 민담에서 자주 묘사되는 것이다. 이것은 자아가 더 이상 자신의 의지대로 행하는 것이 아니라, 모든 것을 포기하고 무의식의 의향에 내맡긴 상태에 있음을 의미한다. 이 상황은 자아가 거의 주도할 수 없는, 어쩌면 무기력, 침체감, 우울 수준에 있는 것과 같다. 그러다 전실 딸이 목마름과 배고픔을 느끼게 된 것은 비로소 여성 자아가 어떤 욕구를 갖게 되었음을 의미한다. 목마름과 배고픔은 가장 원초적이자 기본적인 욕구이다. 실제로 우울감, 의욕 상실 및 무기력 상태에 있으면, 몸의 감각이 사라지고, 배고픔도 잘 모르고 지내게 된다. 목마름이나 배고픔을 느꼈다면, 의식 영역에서 후퇴했던 정신 에너지가 다시 의식 영역으로 흘러 들어올 조짐을 반영한 것이다. 의식을 활력적이게 만들 어떤 충동이 활발하게 일어나기 시작한 것이다. 이로써 의식은 다시 생동감을 되찾게 된다. 여기서 전실 딸이 느끼는 배고픔과 목마름은 유아기에 느끼는 것과는 다르다. 유아기의 목마름과 배고픔은 어머니 및 주변 양육자에 의해 제공된 것으로 해결해야 한다. 유아기의 욕구는 생명 유지에 기본적으로 필요한 것이다. 전실 딸도 '손'이 없어서 어쩌면 어린 아이처럼 수동적이자 의존적 상태로 목마름과 배고픔을 해결해야 했을 것이다. 그러나 집에서 쫓겨나자 더 이상 그러한 유아적인 방식으로 문제를 해결할 수 없을 뿐 아니라, 그녀가 구하고 있는 것도 더 이상 유아기의 음식물이 아니다.

민담에서 '손'이 없는 전실 딸은 자신의 목마름과 배고픔을 위하여 먹을 것을 구걸한 것이 아니었다. 오히려 그녀의 목마름과 배고픔은 나무에서 자연적으로 자라나서 열린 과실로 충족되었다. 왜 그녀의 목마름과 배고픔과 같은 욕구들이 과실나무의 열매로 해결되어야 하는가? 과실나무의 열매는 우리의 본성적 기초에서 자라나 저절로 성숙하게 된 어떤 것을 의미한다. 배는 전실 딸이 다가와서 그렇게 따 먹게 되도록 기다리고 있었던 것이다. 말하자면, 그녀의 내면에서는 이미 필요한 것들을 준비하고 있었고, 이제야 여성 자아가 그것을 원하게 된 것이다. 전실 딸이 과일을 따 먹은 것은 단순히 갈증과 기아의 해결이 아니라, 새로운 의식의 태도에 필요한 요소를 충족시키려는 행위인 것이다.

다시 말해 여기서 과일은 배를 채우는 일차적인 욕구 충족의 음식이 아니다. 과일은 주식과 상관없이 적당한 당도의 수분과 과일 향을 음미하면서 즐기는 부식이다.

---

36 이인경 지음(2001), 「≪손 없는 색시≫ 설화의 신화적 성격과 심리학적 접근」, 구비문학연구 제13집, 177쪽.

37 M.L. von Franz(1972), *The Feminine in Fairy Tales*, pp. 81.

밥과 같은 기본 식사에서 얻을 수 없는 수분과 당분이 보충될 수 있다. 또한 꽃의 향기를 더하듯이 과일의 풍미는 삶의 활력을 촉진시키는 무엇이 되는 것이다. 이런 의미에서 과일은 개인의 정서적 생활을 풍부하게 만드는 요소들을 상징한다. 특히 배는 달고 향긋한 수분이 가득한 과일이다. 배를 섭취하여 여성 주인공은 새로운 활기를 찾게 된다. 전실 딸은 감정 및 정서의 회복으로 의식의 활력을 얻게 되는 것이다.

'손'이 잘려 전혀 의욕도 느끼지 못하는 고립되고 단절된 상태에서 무엇인가 의욕할 수 있게 되자, 그것은 여성 자아가 개인적 인격을 구체화 할 원동력이 되었다. 전실 딸은 모성상과의 분리로 인해 모든 것을 상실한 듯한 무기력 상태에서 벗어나, 점차 자신의 내면에서 올라오는 새로운 욕구를 의식하게 된다. 모성상과 동일시 되어 있던 상태에서의 욕구는 진정한 개인 인격적 욕구가 아닐 수 있다. 모성상과의 분리가 있고 나서 생겨난 내적 요구는 온전히 자기 자신을 위한 것이다. 배고픔과 목마름을 충족하려는 움직임으로 인해 여성 자아는 전적으로 자발적, 능동적 태도를 갖게 된다. 결국 전실 딸이 배를 따 먹게 된 것은 여성 주인공이 수동적인 상태에서 능동적 태도로 전환함으로써 가능한 일이다. 여성 주인공은 새로운 것을 경험할 수준에 이른다.

전실 딸은 배를 따 먹다가 우연히 부잣집 도령에게 발견되었다. 여성 주인공이 적극적이고 능동적인 태도로 반응을 시작하자 자연스럽게 내면에서 정신의 구성 요소들 간에 새로운 배열이 이루어졌다. 점차 몸의 감각이 살아나고, 정서적으로도 제대로 경험할 수 있게 되면서, 여성 자아는 주변의 정신 요소와 새롭게 관계하게 된 것이다. 부잣집 도령은 심리학적으로 무엇을 의미하는가? 부잣집 도령을 '주관 단계의 해석'으로 적용해 본다면, 여성의 아니무스가 될 것이다. 여성이 모성상과의 동일시에 머물러 있는 동안에는 아니무스의 형성뿐 아니라, 아니무스와의 관계도 불가능하다. 모성상과의 분리가 있고, 자아의식의 능동적 태도가 생겨나자, 비로소 아니무스와 관계를 맺게 된 것이다. 여성이 모성상과 동일시 되어 있는 경우, 대부분 보수적 태도를 취하고, 외부 세계에 대해 관심을 갖지 않기 때문에 사회에서 자신이 어떤 존재가 되어야 하는지 알지 못한다. 아니무스의 등장으로 외부 세계에 대해 능동적으로 관심을 표명하고, 사회적으로도 어떤 역할을 완수할 수 있는 정신 활동을 시작하게 된다. 원래 아니무스와 관계 맺는 것은 궁극적으로 내면 세계와 연결되기 위함이지만, 우선은 여성 인격의 개별적 가치를 실현할 수 있는 정신 활동을 개시하는 특징으로 나타난다. 아니무스의 활동은 자아가 콤플렉스로서의 자율성과 독립성이 생겨날 때, 상대적으로 작용하는 무의식의 반응에서 비롯된다. 아니무스는 자아의 의지력 등이 일방적이 될 때, 이를 보완 및 보충하면서 의식의 변화를 요구하는 무의식의 요청이 된다. 그러나 아직 완전히 힘을 갖추지 못한 여성 자아에게 아니무스는 우선 개별적 의식의 활동을 강화하도록 돕는다. 아니무스와의 관계를 통하여 여성은 이전의 모성상이 제공하던 것과는 다른 정신의 내용을 습득할 수 있게 된다. 아니무스는 이제 여성으로 하여금 분별력을 갖추고 사리 판단을 할 수 있게 하는 원동력이 되므로, 새로운 인식에 도달할 수 있게 된다. 이로써 여성은 대상에 대한 이해와 더불어 의견 내기, 어떤 것에 대한 선택 및 결단의 주체로 구체화된다. 아니무스의 도움으로 여성은 주체적 입장에서 합리적이고 조직적으로 자신의 능력을 펼칠 수 있으며, 개인적으로나 사회적으로 어떤 역할을 맡아 수행할 때 확신을 갖고 완수할 수 있다.

부잣집 도령과의 만남으로 전실 딸은 이전과는 다른 의식의 수준을 유지할 수 있게 된다. 전실 딸은 부잣집 도령이 거처하는 장소로 인도되었는데, 이는 여성 자아의 태도 변화로 인하여 전체적으로 새롭게 조성된 삶의 터전으로 편입되는 것을 의미한다. 독일 민담 ≪손 없는 소녀≫에서는 딸이 왕의 정원에 몰래 들어가 배를 따 먹다가 정원지기에게 알려져서 왕에게 보고가 된다. 왕은 배를 따 먹은 소녀를 발견하고 성으로 데리고 가서 은으로 된 '손'을 달아 주고 결혼을 하였다. 소녀는 왕과의 만남으로 새로운 삶의 터전을 얻게 되었을 뿐 아니라, 진짜 '손'은 아니지만 은으로 된 '손'도 갖게 된다. 한국 민담 ≪손 없는 색시≫에서는 도령이 처음에는 전실 딸을 숨겨둔 채 보살펴 주지만, 곧 도령의 부모에게 전실 딸의 존재가 알려지고, 마침내는 도령과 전실 딸은 결혼하기에 이른다.

도령에 의해 발견되어 처음에는 숨어 지내야 했지만, 전실 딸은 점차 주체로서의 자리를 찾아 간다. 이에 따라 주변의 구성 요소들이 재배열되고, 새로운 가족을 형성하게 된 것이다. 이제 여성 인격은 외부 세계와 관계를 맺으며 살아갈 수 있는 실제적인 여성 의식의 삶을 시작한다.

(4) 남편이 과거를 보러 간 사이 색시는 출산을 하였으나 음모로 인해 아기와 함께 시댁에서 쫓겨났다.

혼인이 있은 후에, 전실 딸의 남편은 과거를 보러 떠나게 되었다. 남편이 없는 사이 색시가 아기를 낳았는데, 그 소식을 전하는 과정에서 계모의 음모에 의하여 낳은 아기가 불구라는 내용으로 전달되고 만다. 여기서는 계모가 음모의 주체이지만, 다른 민담에서는 시어머니가 며느리를 모함하는 경우도 있다. 여기서 무슨 이유로 다시 전실 딸에게 고난이 주어지는가? 전실 딸이 결혼하여 얻게 된 새로운 삶의 보금자리는 시부모의 집이다. 전실 딸은 분명히 새로운 의식의 삶을 시작했으나, 여전히 부모상이 살아 있는 구조 속에 편승된 것이다. 이미 언급했듯이 계모와 시어머니는 어떤 의미에서 같은 모성상이다. 결혼을 통하여 어머니 슬하에서 다시 시어머니의 슬하로 옮겨지는 것이라면, 고부 간의 갈등은 전실 딸이 계모와 겪던 갈등 상태와 다를 바 없는 것이 된다. 남편은 분명히 여성 의식에 힘, 용기 및 활력을 불어넣어 주는 아니무스이다. 그러나 남편의 부모와 함께 살게 되어 다시 의존적 관계에 이르게 된 것이다. 특히 아니무스에 의존하는 것이 되므로, 모성상에서 벗어나는 듯했으나 아니무스가 주도함으로써, 여성 자아는 다시 의존적, 수동적인 태도에서 벗어나지 못하게 된 것이다. 다르게 표현하면, 전실 딸이 모성상에서 벗어나 새로운 가족을 갖게 되었듯이, 여성 자아가 이전과는 다른 입장을 취하고는 있지만, 여전히 여성 인격이 주체가 되지 못한 상태에 있는 것이다.

남편이 자리를 비운 사이에 아기를 낳게 되자, 여성 자아는 본격적으로 전면에 드러나게 된다. 여기서 남편의 출타는 이중적 의미를 갖는다. 그 하나는 전실 딸이 새로운 의식 수준에 이르게 되었지만, 시부모의 영향력 하에서 아니무스와의 관계가 더 이상 의미를 갖지 않음을 반영한 것이다. 여성 의식의 분화와 더불어 그에 상응하는 아니무스와의 관계도 새롭게 개진되어야 할 것이다. 그런가 하면 남편이 과거를 보러 갔다는 것은, 사회적인 요구에 대하여 책임 있는 주체로서 여성 자아가 제대로 기능할 수 있다는 가능성을 제시하려는 것으로 볼 수 있다.

계모에 의해서든 시어머니에 의해서든 전실 딸은 다시 한 번 집에서 쫓겨나게 되었다. 이 장면에 해당하는 민담의 묘사를 참고해 보면, 색시는 건강하고 잘 생긴 아기를 낳았으나, 잘못된 아기 혹은 괴물을 낳은 것으로 모함을 받아 내쫓긴다. 전실 딸이 이야기 전반부에서는 아기를 낙태했다는 모함을 받았고, 후반부에서는 괴물과 같은 아기를 낳았다고 모함을 받는다는 사실로 보아, 이 민담에서 여성 주인공은 제대로 된 아기를 낳아야 하는 것이 핵심적인 주제임에는 틀림이 없다. 정상적으로 낳은 아기는 현실의 삶에서 독립적으로 기능하는 여성 자아의 의식성에 해당한다. 전실 딸이 정상적인 아기를 낳았으나 아기가 괴물이라고 하는 것은 여전히 다른 원형상의 영향력에 의하여 새로워진 여성 의식의 내용이 왜곡되었을 가능성을 시사한다. 주체가 될 의식의 탄생과 더불어, 전실 딸은 더 이상 기존의 체제에 머물 수 없고, 그에 상응하는 삶의 장을 마련해야 한다.

다시 강조하면, 전실 딸이 아기를 출산하고서 아기와 함께 쫓겨나는 내용도 역시 새로워진 의식성의 획득에 상응하는 묘사이다. 다시 시집에서 쫓겨남으로써 전실 딸은 비로소 개별 경험과 행위의 실질적 주체가 된다. 이제 여성 자아는 개별 인격의 주체로서 반드시 사회적인 가치를 획득하여 얻어지는 성취가 아니더라도, 어떤 삶의 현장에서 무엇을 하든지 자신의 개별 인격적 특성을 갖고 능동적으로 주변과 관계할 수 있다. 여성 자아가 모성상과의 관계에서 벗어나 개체로서 독립된 자아의식의 수준에 이르지 못하면, 평생 동안 자신에 대한 구체적, 개별적인 정체감을 갖지 못하고 열등감과 불확실성으로 방황하게 된다. 실제로 대다수의 여성들은 무의식적으로 모성상이든 부성상이든 주변 인물에 투사하면서, 그들과 의존적인 관계를 맺으며 일생을 의지하며 살아가려 한다. 사회적으로 매우 확고한 직업을 갖고 있는 여성들과 결혼한 남성들이 자신의 아내가 매우 독립적인 사람인 줄 알았으나, 결혼하여 가까이서 보니 너무도 의존적이어서 놀라웠다고 보고하는 경우가 드물지 않다. 이것은 지적 능력이나 맡은 역할을 뛰어나게 수행하는 것이 곧 개인 인격의 독립적 분화를 의미한다고 보았기 때문이다. 민담에서처럼 두 번씩 출산과 관련하여 내쫓기는 것은 여성이 의존성, 보수성 및 수동성 등에서 벗어나 독립적 주체 의식을 갖추는 것이 얼마나 중요한 것인지를 강조한 것이다. 더욱이 부정적 모성상을 경험한 여성의 경우 자기 자신에 대한 신뢰는 필수적이다. 새롭게 생성된 의식성은 다름이 아니라 상징적으로 그녀가 낳은 아기이다. 이 아기는 등에 업혀 있다. 여전히 제대로 인식하지 못하고 있는 것이다.

(5) 물속으로 빠지는 아기를 잡으려 팔을 뻗다가 색시의 손이 생겨났다.

시집에서 쫓겨난 색시는 아기를 등에 업고 이번에도 정처 없이 길을 떠났다. 색시가 아기를 등에 업고 있는 모습은 전형적인 모성 특성을 나타낸다. 전실 딸은 어머니가 된 것이다. 스스로 어머니가 되었다 함은 전실 딸이 누구의 도움과 보호를 받는 상태가 아니라, 오히려 자신이 누군가를 돌보아 줄 수 있는 존재가 된 것을 의미한다. 실제의 아기이든 혹은 상징적 의미의 아기이든, 아기는 온전히 여성 자아가 의식적으로 책임을 갖고 돌보며 키워 내야 하는 대상이다. 여기서 상징적으로 아기는 그녀가 스스로 돌보고 성장시켜야 하는 총체적 개별 인격을 의미한다.

현실의 삶에서 실제적으로 여성은 출산을 하고 나서 크게 인격적 변화를 경험하게 된다. 여성 자아는 출산과 더불어 그전까지 막연하게 의존하고 있던 수동적인 입장이 아니라, 책임과 의무를 다해야 하는 능동적 입장을 취해야 할 것이다. 전실 딸이 아기를 낳았으나 돌볼 수 있는 '손'도 없이 아기를 등에 업고 쫓겨났다는 것은, 여전히 모든 상황을 수동적으로 겪는 상태를 나타낸다. 또한 등 뒤에 아기가 업혀 있는 모습은 자신의 변화를 전적으로 의식화 하지 못하거나 인식하지 못함을 의미한다. 등 뒤의 것은 모두 아직 알려지지 않은 배경, 배후의 영역에 속하기 때문이다. 혹은 개인 인격의 성장과 성숙에 대한 책임을 지려고 하나 아직 구체화 할 수 없는 상태를 나타낼 수도 있다.

정처 없이 길을 가다가 목이 마른 색시는 자연히 샘이 있는 물가에 다다랐다. 이때의 목마름도 무엇인가 색시의 내면에서 리비도가 다시 의식으로 향하려는 요구가 생겨났음을 의미한다. 이를 충족하기 위하여 색시는 어떤 적극적인 태도를 취해야 했다. 이때의 색시의 목마름은 의식의 삶에 대한 열망에서 비롯된 것이다. 그 열망을 구체적으로 실현하려는 과정에서 등에 있던 아기가 떨어지려 하였고, 떨어지는 순간 아기의 모습이 눈앞에 드러나게 되었다. 앞서 지적했듯이, 아기를 등에 업은 모습은 아기를 돌보는 모성의 모습이기도 하지만, 등 뒤에 있기 때문에 모처럼 획득한 새로운 정신의 요소를 의식적으로 알아차리지 못한 채 무의식의 측면에 머물러 있는 상태를 말한다. 등을 구부리는 동작은 물을 마시기 위한 것이지만, 몸을 앞으로 숙임으로써 무엇인가 의식으로 끌어들이는 적극적인 자세가 되었다. 아기가 물속에 떨어져 무의식에 영영 잠길 수도 있었으나, 색시는 눈앞에 아기가 등장하자 매우 적극적으로 아기를 자신의 품으로 끌어당겨 안았다.

'손'은 바로 아기를 구하려는 그녀의 적극적 모성적 수용성에 의하여 다시 생겨났다. 앞서 '손'이 잘렸을 때, 그것은 의존하려고 뻗히는 도구로서 지적한 바 있다. 이제 '손'은 더 이상 의존적인 관계를 위해서가 아니라, 진정으로 자신을 돌보기 위하여 사용하게 된다. 다시 생겨난 '손'은 여성 자아의 의도와 목적에 부합하는 도구가 된다. '손'은 온전히 자신의 인격 발전을 위하여, 구체적인 개인 인격의 실현을 위한 도구가 된 것이다.

러시아 민담 《손 없는 소녀》에서 색시는 목이 말라도 아기가 물에 빠질까봐 물을 마시지 못하는데, 그러자 물의 수면이 천천히 올라와서 목이 마른 색시를 참지 못하게 만든다. 색시가 물을 마시려 몸을 앞으로 구부리다가 아기를 빠뜨리게 되었다. 색시가 한없이 울며 주변을 맴돌고만 있으니, 한 노인이 나타나 아기를 꺼내라고 말하였다. 색시는 손이 없다고 하자, 노인이 그래도 아기를 구해 내라고 종용한다. 그래서 색시가 두 팔을 뻗어 물속에 집어넣었더니, 그러자마자 '손'이 자라났다. 여기서도 색시로 하여금 적극적으로 샘물을 마시게 하고, 또한 아기를 적극적으로 구출하도록 이끈다. 색시에게 진정한 행위의 주체가 되도록 요구한 것이고, 그렇게 하자 색시의 '손'이 살아난 것이다.

'손'의 재생과 관련해서 좀 더 내용을 보충해 보자. 전통적으로 친정 어머니는 딸이 시집갈 때 '벙어리 3년, 장님 3년, 귀머거리 3년을 살도록 하라'는 옛 말씀으로 충고한다. 이는 단순히 인고의 세월을 견디라는 것만은 아니다. 새색시는 시집에 와서 대부분 부모상을 시부모 및 남편에게 투사하고, 그들을 의지하려 할 것이다. 그러나 그런 의존적 관계에서의 새색시는 오히려 기대와 실망으로 이어지는 어려움을 겪을 뿐이다. 친정 어머니의 충고는 그런 외부에 대해서 어떤 의존적 기대를 하지 말고 혼자 독립적으로 견뎌 보라는 것이다. 심리학적으로는 외부의 주변 인물들에게 의존하지 말라는 지혜로운 모성적 처방이다. 모든 우리의 어머니들이 그런 세월을 겪어 내셨던 것이다! 딸들은 시집가서 자신의 본성에 귀를 기울이면서 부지런히 '손'을 움직여 음식도 하고, 집안일을 해내면서 스스로 성장해 가는 법을 터득해야 한다는 의미이다. 종종 여성들은 마음이 산란하면 집안 전체를 둘러보고, 침구와 커튼들을 세탁하는 등, 온통 바쁘게 '손'을 움직여 집안일을 하면서 어려운 시기를 견뎌 낸다. 바로 '손'으로 삶의 어려움을 적극적으로 수용하고 극복해 내는 것이다. 자신이 처한 상황에서 여성은 '손'이 이끄는 대로 열심히 일을 하다 보면, 어느새 불안했던 마음이 사라지고, 어려움을 이겨낼 수 있는 여유가 생기기도 한다. 다르게 표현하면, '손'을 움직이는 동안 자신도 모르게 의식의 주체가 되어서 삶의 문제를 감당하게 되는 것이다. 이렇게 '손'은 여성의 능동적 주체감을 수행하는 도구인 것이다. '손'은 더 이상 매달리고 조르는 도구가 아니다. 오히려 그것은 자신을 보호하고, 자신을 주체적이게 하는 도구이다. 이처럼 '손'을 되찾게 된 것은 여성 자아가 온전히 자신의 것을 지킬 수 있고, 자신의 의도대로 실현할 수 있음을 의미한다. 또한 '손'은 자신뿐 아니라 다른 사람을 수용하고 돌보아 줄 수 있는 모성적 도구가 된다. 마침내 '손'은 모성적 영향력을 발휘할 수 있는 도구가 된 것이다.

민담에서 전실 딸의 어려운 여정은 결국 출산 후 아기를 제대로 돌볼 수 있는 주체가 되었을 때 끝나게 된다. 실제로 여성은 결혼 후 출산 및 육아를 하면서 저절로 모성으로서 책임 있는 인격으로 변모한다. 원시 부족에서는 아기를 많이 낳은 여성일수록 더 고귀한 모성의 권위를 갖춘다. 이로써 여성은 성인기에 자신의 내면에서 비롯된 모성상을 의식적 수준으로 이끌어 내어 실현하게 된다. 여성은 아동기를 지나면서 벗어났던 모성상을 성인기에 다시 환기하고 의식에서 구체화 하면서, 개인 인격의 특성으로 동화할 수 있게 된다. 이때 여성 자아는 모성상에 무의식적으로 동화되는 것이 아니라, 개별 인격에 연결시켜 의식의 지평을 넓히는 것이다. 말하자면 여성은 자아의식에 모성의 특성을 개별적으로 실현함으로써, 비로소 독립적인 인격으로 성숙하는 것이다. 이런 의미에서 민담에서 '손'을 거두어 간 것도 모성상이고, 다시 되돌려 주는 것도 모성상이다. 흥미롭게도 민담에서 '손'이 재생된 후에 색시와 아기는 어느 할머니의 집에 정착한다. 모성상은 더 이상 부정적인 영향력을 발휘하지 않고 색시를 보호하고 인도한다. 할머니로 표현된 모성상은 이제 뒤로 물러나 지지와 보호를 아끼지 않는 여성 자아의 진정한 배후로서 기능한다. 모성상은 언제나 여성의 전(全)인격적 실현에 있어서 가장 중요한 역할을 한다.

맺는 말

여성들은 자신도 모르게 주변의 인물들에게 모성상을 투사하고, 그들과 의존적인 관계를 하고 있다. 그런가 하면 여성은 어떤 식으로든 자신을 낳아 준 어머니 혹은 시어머니와 심한 갈등을 겪기도 한다. 여성은 개별 인격의 성장을 위하여 반드시 한 번은 부정적 모성상을 경험할 가능성이 있다. 어떤 경우든 모성상에서 벗어나 독립된 인격이 되어야 하기 때문이다. 그래서 여성이 개인적으로 어머니, 혹은 시어머니와의 관계에서 겪는 갈등을 상징적으로 이해한다면, 개인 인격의 성숙에 의미 있는 사건이 될 것이다.

여기서 특별히 부정적 모성상을 강조했으나, 부정적 모성상은 여성의 경우 개별적 운명을 좌우할 정도의 치명적인 부정적 의미를 갖지는 않는다. 물론 부정적 모성상의 영향력이 손이 잘려 나가게 할 정도로 강력하다는 것을 확인하게 된다. 하지만 부정적 모성상은 언제나 선한 어머니, 보호와 지지를 아끼지 않았던 어머니를 대신하는 것이다. 이런 의미에서 여성의 모성상은 처음부터 부정적이 아님을 의미한다. 오히려 여성의 부정적 모성상은 여성 인격의 개별적 분화 발전을 위해 등장하는 것이다. 그래서 여성 자아는 임의대로 모성상과의 분리를 시도하는 것이 아니라, 민담에서처럼 모성상이 적극적으로 자아를 밀쳐 내면, 그때서야 떨어져 나와 독립함으로써 개인 인격으로 분화 발전할 수 있다. 민담에서 보듯이, 모성상과의 분리가 있은 후에도 여성이 자신의 내면에서 능동적인 힘 혹은 의식의 삶을 끌어 낼 추진력을 갖기란 그리 쉽지 않다. 모성상과의 분리 후 그 유약한 시기를 잘 견뎌 내고 자발적, 능동적 태도를 갖출 수 있는 여성 자아라면 보다 성숙한 인격의 단계로 인도될 수 있을 것이다.

대다수의 여성은 모성상과의 분리의 문제가 해결되지 않은 채, 결혼을 하고 아기 엄마가 되어 모성의 역할을 그냥 넘겨받게 된다. 이로 인해 여성은 일상 속에서 전혀 개인 인격적 의미를 인식하지 못하고 모성의 역할 수행만 하게 된다. 이러한 모성상이 의식의 삶에서 개인적인 의미로 인식되기 위해서는 반드시 자아와 모성상과의 동일시가 해소되어야 한다. 여성이 무의식적인 모성상과의 동일시를 깨닫지 못하면, 자신의 고유한 개인적 가치를 남편이나 아이들에게 투사하여, 그들로 하여금 인격의 성장을 요구하고 있을 것이다. 이것은 우리 사회의 많은 어머니들이 자신의 인격적 발전을 등한시 하면서, 오히려 자녀들에게 매달려 성장을 종용하는 데 열중하는 현상에 대한 해명이 된다. 여성 자아가 자신을 오로지 모성적 역할의 주체로서만 인식한다면, 자녀 및 주변 사람들에게 매우 어른스럽고 성숙하게 모성적 역할을 할 수 있다. 그렇지만 실제적으로는 모성 역할의 가면 뒤에 있는 미숙한 인격이 종종 모습을 드러낼 것이다. 이 때문에 자신은 물론이고, 가족을 힘들게 하며 생의 마지막 순간까지 인간 관계에서 자기 자신을 착각한다. 그러므로 여성은 자신의 모성상으로 자기 자신을 자녀처럼 길러 내어야 한다. 이런 내용은 꿈에서 자주 모성과 딸이라는 이중 구조의 심상으로 드러난다. 꿈에서 딸을 키워 내는 것은 바로 자신을 성장시키는 것을 의미한다.

일찍부터 부성상의 영향을 받으며 성장한 여성의 경우, 모성상과의 분리를 시도하면서 자신도 모르게 남성과 같은 의식성을 획득하게 된다. 이런 유형의 여성에게는 꿈에서 자주 부정적으로 작용하는 모성상이 등장한다. 이런 경우 실제의 어머니를 부정적으로 경험하기 때문에 자연히 꿈을 이해하는 데 있어서도 주로 부정적인 개인 연상의 자료를 적용하려 한다. 심층적 정신분석치료 작업 과정에서 부정적 모성상에 진정으로 귀를 기울여야 하는 순간이 주어진다. 여성 자아가 태도를 바꾸어 진정성을 갖고 그 모성상에 귀를 기울이면, 부정적 모성상은 차츰 도움을 주는 긍정적 모성상으로 변해 간다. 이 모성상의 도움으로 이제껏 전혀 알지 못했던 자신의 다른 인격의 면모를 발견하고 새롭게 발전시키게 된다. 어떤 부정적 모성상이든 그것은 합목적적 의미를 갖고 있다. 여성에서 모성상은 한 개인 인격의 기초이며, 언제나 여성의 전(全)인격적 실현을 이끌어 내는 안내자인 것이다.

긍정적 모성상: ≪콩쥐 팥쥐≫

한국 민담 ≪콩쥐 팥쥐≫는 그림 형제가 모은 독일 민담 ≪잿더미 소녀(Aschenputtel)≫ 혹은 프랑스 동화 ≪신데렐라≫[38] 와 매우 유사하다. 이들 민담은 계모가 등장하는 이야기의 전형으로 알려져 있다. ≪콩쥐 팥쥐≫는 계모와 전실 딸과의 관계를 다루는 민담으로 앞서 살펴본 ≪손 없는 색시≫보다 더 잘 알려져 있다. 계모와 전실 딸의 관계에 관한 심리학적 이해는 앞에서 비교적 자세하게 다루었으므로 더 이상 논의하지 않겠다. 흔히 계모가 등장하는 경우 계모를 부정적 모성상으로 이해하는 경우가 많다. 그러나 ≪콩쥐 팥쥐≫의 주인공 콩쥐의 경우는 긍정적 모성상의

---

38 ≪신데렐라≫는 샤를르 페로(Charles Perrault)의 창작 동화로 알려져 있다.

관계로서 이해할 수 있다. 이제 민담에 나타난 긍정적 모성상에 대하여 살펴보자.

민담 요약

한국 민담 《콩쥐 팥쥐》는 대략 유사한 두 유형이 알려져 있다.

유형 (1)[39]

옛날에 어떤 사람이 있었는데, 부인이 낳은 딸을 콩쥐라 하였다. 그 부인이 죽자 후처를 들였는데, 후처가 데려 온 딸을 팥쥐라 하였다. 콩쥐가 커서 혼인도 하기 전에 아버지가 죽었으므로, 콩쥐는 계모의 손에서 자라게 되었다. 계모가 심하게 학대하였으나 콩쥐는 계모를 친어머니와 다를 바 없이 섬기고 있었다. 한번은 팥쥐 엄마가 혼인 잔치를 구경 가면서 콩쥐와 팥쥐에게 각각 빈 가마솥과 빈 독에 물을 길어서 채우도록 하였다. 콩쥐는 솥과 독에 구멍이 나서(밑이 빠져 있어) 물을 채울 수가 없었다. 콩쥐가 도저히 물을 채울 수 없어 울고 있는데, 난데없이 큰 자라 한 마리가 나타나 구멍 난 곳을 막아 주어 물을 채울 수 있었다. 어느 날 콩쥐와 팥쥐는 밭일을 해야 했다. 팥쥐 엄마는 팥쥐에게는 쉬운 밭일을 시키면서 쇠 호미를 주었고, 콩쥐에게는 나무 호미를 주며 아무도 매기 힘든 자갈 밭을 매라고 하였다. 콩쥐가 도저히 할 수 없게 되자 이번에는 검은 암소 한 마리가 나타나 순식간에 밭을 매 주었다. 그리고 맛있는 과일을 가져와 먹게 하였다. 그 사실을 알게 된 팥쥐 엄마는 팥쥐를 보내 일하는 시늉을 하게 하고 과일을 얻어 오게 했으나, 검은 암소에게 물똥 세례를 받았다. 그래서 팥쥐 엄마는 더욱 콩쥐를 미워하게 되었다. 어느 날 팥쥐를 데리고 나가면서 팥쥐 엄마는 콩쥐에게 이틀 동안 곳간에 있는 벼 열 섬을 찧어서 백미로 만들어 놓도록 시켰다. 멍석을 펴고 벼를 널자 참새들이 날아와 벼 열 섬을 백미로 만들어 놓았다. 다음 번에는 팥쥐 엄마가 콩쥐를 불러 수수밭을 갈아 놓으라고 하였는데 힘겨워하고 있을 때, 하늘에서 음악 소리가 나면서 동아줄을 하나 내려 보내어 콩쥐를 하늘로 데려갔다. 이른 본 팥쥐도 동아줄을 내려 달라고 하였는데, 썩은 동아줄인 줄 모르고 그것을 타고 올라가다가 그만 수수밭에 떨어져 수수마다 불긋불긋한 점이 생겨났다.

이야기의 마지막에 콩쥐와 팥쥐가 동아줄을 타고 하늘로 올라가는 장면은 뒷장에서 다루게 될 ≪해와 달이 된 오누이≫와 비슷하다. 이야기의 앞부분은 ≪신데렐라≫ 혹은 ≪재투성이 소녀≫와 매우 유사하지만, 여성 주인공이 신발 혹은 유리 구두를 잃어버리고, 그것을 되찾는 내용은 들어 있지 않다. 다음의 이야기는 또 다른 유형의 ≪콩쥐 팥쥐≫인데, 콩쥐가 비단 신을 잃어버렸다가 되찾는 내용을 다루고 있다. 이야기를 요약하면 다음과 같다.

유형 (2)[40]

글을 읽고 지내던 최씨라는 남성이 있었는데, 그의 아내 조씨는 콩쥐를 낳자 죽고 말았다. 그는 딸을 콩쥐라고 부르며 키웠다. 콩쥐는 자라서 아버지를 잘 모시는 딸이 되었다. 세월이 흘러 최씨는 팥쥐라는 딸을 가진 배씨 과부와 재혼을 하였다. 계모는 콩쥐를 부려먹기 시작하였다. 콩쥐 아버지가 멀리 길을 떠나서 집을 비우면, 계모는 콩쥐를 더욱 심하게 들볶았다. 어느 날 계모는 팥쥐에게는 쇠 호미를 주어 밭을 매게 하고, 콩쥐에게는 나무 호미를 주고 자갈 밭을 매게 하였다. 그러자 검은 암소가 나타나 자갈 밭을 대신 일구어 주었다. 검은 암소는 콩쥐에게 과일까지 선사하였다. 계모와 팥쥐의 이간질로 콩쥐는 아버지와 점점 사이가 나빠졌다. 그러자 계모는 콩쥐 아버지의 눈치를 보지 않고 어려운 일을 시켰다. 하루는 빈 독에 물을 채

39 최인학 · 엄용희 엮음(2003), 『옛날이야기꾸러미 2』, 408~413쪽.

40 구활자본(태화서관본, 1928)을 기준으로 재구성한 황혜진의 『콩쥐팥쥐전』(계림, 2007)의 요약이다.

우라고 하였으나 물이 채워지지 않았다. 그 독에는 구멍이 나 있었던 것이다. 그러자 두꺼비가 나타나 그 구멍을 막아 주었다. 어느 날 외갓집에 혼인 잔치가 있었다. 계모는 팥쥐를 데리고 가면서 콩쥐에게는 베를 짜 놓고, 벼 석 섬을 모두 백미로 만들고서 잔치에 오라고 하였다. 콩쥐가 도무지 그런 일들을 해내지 못하고 있을 때, 아름다운 귀부인이 나타나 베를 대신 짜 주고 새로운 옷가지와 비단 신을 내주며 외가에 다녀오라고 하였다. 집을 나서려고 보니 참새들이 모여 볍씨의 껍질을 모두 벗겨 주었다. 콩쥐는 길을 가다가 감사의 행차를 피해 시냇가를 건너가려다 비단 신을 물속에 빠뜨리고 말았다. 그런데 감사가 그 비단 신을 발견하였다. 비단 신이 특별히 고와서 그 주인을 찾아 주려 하였다. 감사는 잔칫집에 이르러 차례로 신발을 신어 보게 하였다. 계모와 팥쥐가 시도하였으나 맞지 않았다. 마침내 콩쥐가 비단 신을 신자 잘 맞았다. 그렇게 하여 감사는 콩쥐를 아내로 삼았다. 어느 날 팥쥐는 콩쥐를 방문했다. 팥쥐는 콩쥐에게 함께 목욕을 하자고 꾀어내어 물속에 밀어 넣어 익사하게 만들었다. 그러고는 팥쥐는 콩쥐처럼 행세하였다. 며칠이 지나 감사는 연못을 지나가다가 아름다운 연꽃이 피어 있는 것을 보았다. 그 꽃을 꺾어다가 방에 꽂아 두었다. 팥쥐가 그것을 발견하고서 불 아궁이 속에 던져 버렸다. 불씨를 얻으러 왔던 이웃 할머니가 아궁이에서 오색 구슬이 가득한 것을 보고 치맛자락에 담아 갔다. 그것을 반닫이 안에 넣어 놓으니, 콩쥐의 몸이 작아진 채 나타나 사정을 알렸다. 할머니는 감사를 초대하여 식사 대접을 하면서 수저에 짝이 다른 젓가락을 내어 놓았다. 이를 이상하게 여긴 감사가 그 연유를 물어 보자, 할머니는 젓가락의 짝이 다른 것을 비유하여 콩쥐와 팥쥐가 바뀐 것을 알려주었다. 집으로 돌아온 감사가 연못의 물을 빼고 콩쥐를 찾아내자 시신이 잠에서 깨듯이 되살아났다. 계모가 내쫓은 아버지를 되찾은 콩쥐는 행복하게 살았다.

위의 두 유형의 ≪콩쥐 팥쥐≫를 비교해 보면, 친어머니가 죽고 계모가 등장하자 콩쥐를 힘들게 부려 먹는다는 내용이 공통적이다. 두 번째 유형에서는 콩쥐가 비단 신을 잃어버렸다가 감사가 찾아 주는 내용이 포함되어 있다. 두 번째 유형의 ≪콩쥐

한국 민담의 여성상

팥쥐≫와 유사한 독일 민담 ≪재투성이 소녀≫를 간단히 살펴보자.

병든 어머니가 자신의 죽음을 앞두고 딸에게 언제나 하늘에서도 내려다보며 보살펴 줄 것을 약속하였다. 어머니가 죽자 계모가 두 딸을 데리고 들어왔다. 전실 딸은 온 갖 허드레 일을 도맡아 해야 했다. 어느 날 아버지가 장에 가면서 세 딸에게 무엇을 사다줄까 하고 물었다. 첫째는 아름다운 옷이었고, 둘째는 진주와 보석이었다. 셋째 전실 딸은 그저 집에 돌아올 때 모자에 닿는 나뭇가지를 꺾어다 달라고 하였다. 셋째가 그것을 어머니 무덤가에 심었더니, 그것이 자라서 큰 개암나무가 되었다. 그 나무에 찾아온 새가 셋째의 소원을 둘어주었다. 왕이 나라 안의 모든 아름다운 처녀를 초대하여 왕자의 신부감을 고르기 위한 잔치를 하였다. 전실 딸도 잔치에 참여하려 했으나, 먼저 아궁이의 잿더미에 뒤섞인 콩을 따로 분리하는 과제를 받았다. 이를 비둘기, 산 버들 및 여러 새들이 도와주었고, 나무로부터 무도회에 갈 수 있는 아름다운 옷을 공급받게 되었다. 왕의 아들이 무도회에서 소녀를 보고 사랑에 빠졌으나 매번 소녀가 사라지고 구두만 남게 되자, 왕자는 구두의 주인을 찾기 위해 딸들을 찾아왔다. 신발에 맞도록 계모는 첫째 딸의 발가락을 잘라 냈고, 둘째 딸에게는 뒤꿈치를 잘라 내어 신발에 맞게 했으나 비둘기가 거짓임을 폭로하였다. 마침내 구두는 전실 딸의 발에 꼭 맞았으므로 왕자는 소녀와 결혼을 하게 되었다.

≪재투성이 소녀≫에서는 친어머니가 딸에게 죽어서도 언제나 지켜줄 것이라고 약속을 하였다. 이런 측면에서 긍정적 모성상이 이미 주인공에게 각인되어 있음을 알 수 있다. 앞서 살펴본 ≪손 없는 색시≫와 달리 계모는 두 딸을 데리고 있다. 이 딸들이 전실 딸의 자리를 차지하려고 한다. 이 점에서 한국 민담 ≪콩쥐 팥쥐≫와 유사하다. 두 번째 유형의 ≪콩쥐 팥쥐≫에서 계모가 데려온 딸이 전실 딸의 자리를 대신하게 되는 것과, 감사가 진짜 콩쥐를 살려 내야 하는 내용은 독일 민담 ≪오누이≫와 유사한 점이 있다. 그 이야기는 다음과 같다.

사악한 마녀인 계모에 쫓겨 오누이가 도망을 가다가 숲으로 들어갔다. 마법에 걸린 숲이었으므로 목이 말라 샘물을 마시면 야생 동물이 되어야 했다. 누이는 물의 소리를 알아듣고 매번 목마른 남동생에게 물을 마시지 말라고 하였다. 그러나 너무도 목이 마른 동생은 결국 물을 마시고 노루가 되었다. 왕의 사냥 대회에서 노루가 추적을 당했으나, 매번 누이가 살고 있는 오막살이로 도망을 쳤다. 마침내 노루를 쫓아서 소녀가 머물고 있는 곳으로 왕이 찾아왔다. 그 왕과 결혼하게 된 소녀는 노루와 함께 성에 들어가서 살게 되었다. 왕비가 된 소녀가 아기를 낳자 계모가 방물장수로 변장하여 성에 들어와 왕비를 욕조에 밀어 넣어 죽여 버렸다. 그러고는 자신의 외눈박이 딸을 대신 데려다 놓았다. 밤마다 죽은 왕비가 돌아와 아기와 노루를 돌보는 것을 본 유모가 왕에게 보고를 하였고, 마침내 왕이 왕비를 구해 내고 가짜 왕비와 계모를 처리하였다.

　위의 ≪오누이≫에서도 ≪콩쥐 팥쥐≫처럼 주인공 대신 계모의 딸을 내세우고 있다는 사실에 주목할 수 있다. 이런 가짜의 인물을 모두 모성상이 제공한다. 그래서 모성상이 주인공인 여성 자아를 위협하는 '그림자(Schatten, shadow)'[41] 와 관련된다는 것을 알 수 있다. 말하자면 모성상은 여성 자아의 곁에서 영향력을 행사하는데, 다른 여성상을 제시하면서, 자아로 하여금 구체적이고도 다양한 실제적인 인격적 면모를 통합하도록 요구한다. 이는 민담의 해석에서 잘 드러날 것이다.
　여기서는 해석을 위해 두 유형의 ≪콩쥐 팥쥐≫의 공통된 주제 중심으로 살펴볼 것이다. 앞부분은 첫 번째 민담 중심으로, 뒷부분은 두 번째 민담 중심으로 다루어 볼 것이다. 앞서 ≪손 없는 색시≫의 해석에서 계모와 전실 딸의 관계를 살펴보았다. 계모의 모습이 부정적으로 작용하는 모성상일 수 있으나, 실제 의붓 딸의 태도에 따라 전혀 부정적으로 경험되지 않는 경우가 있다. 삶의 현장에서도 같은 현상을 확인할 수 있다. 한 어머니에 대해서 형제 자매들 사이에는 서로 다른 관계 반응이 나타난다. 제각기 어머니를 긍정적으로 경험하는 경우나 부정적으로 경험하는 경우로 나뉘어지는 것이다. 아무리 어머니가 혹독하게 대해도 자신을 사랑하기 때문에

　　　　　　　　　　　　　　　　　　　　　　한국 민담의 여성상

그렇게 대하는 것이라고 믿고 있다면, 이는 부정적 모성상이 아니라 긍정적 모성상에 해당한다. 물론 긍정적 모성상과 부정적 모성상 모두는 제각기 목적 있는 영향력을 갖고 있다. 긍정적이냐 부정적이냐의 내용은 모두 모성상과 관계하는 자아의 태도와 상황에 의해 정해지게 된다. 민담 ≪콩쥐 팥쥐≫에서 여성 주인공은 한결같이 모성의 요구를 긍정적으로 수용하는 여성 유형으로 간주될 수 있다.

민담의 해석

(1) 한 남성의 부인이 딸을 낳아 콩쥐라고 하였다. 부인이 죽자, 그 남성은 팥쥐라는 딸을 가진 여인을 후처로 삼았다. 아버지마저 죽게 되자 콩쥐는 계모의 손에 자라나게 되었다. 계모가 심하게 학대를 하였으나, 콩쥐는 계모를 친어머니처럼 섬겼다.

민담의 시작에서 딸이 태어났고, 콩쥐라는 이름이 주어졌다. 이로써 민담은 새로운 여성 인물상의 탄생을 알리고, 장차 이 요소가 여성 인격의 주체가 될 것임을 시사한다. 콩쥐를 낳은 모성상이 사라지고, 새로운 모성상이 팥쥐라는 이름의 딸을 데리고 등장하였다. 다른 모성상이 콩쥐와 유사한 이름을 가진 딸을 데리고 나타난 것인데, 새롭게 탄생한 여성 인물상을 중심에 두고, 주변의 원형들도 그에 따라 다시 배열된다는 것을 확인할 수 있다.[42]

콩쥐는 부성상과 연결될 수 있었으나, 이내 부성상마저 제외됨으로써 고아와 같은 처지에 놓인다. 부모상에 의지할 수 없이 고아가 되는 것 역시 앞서 살펴보았듯이,

---

41 '그림자'는 자아와 쌍둥이처럼 나란히 등장하며, 주로 '개인무의식' 및 무의식적 인격 전체를 표상하는 원형상이다. 이 그림자는 자기(Selbst)에서 비롯된다. 그림자는 자기 인식을 위해 필수적으로 갖추어야 할 개인 인격적 가치를 제시하는 인물상이다.

42 여성 자아의 의식적 분화의 내용은 주로 여성 삼위체, 즉 여성 3인조로 묘사된다.

'버려짐'의 주제와 마찬가지로 정신적 탄생으로 이끈다. 계모의 등장으로 주인공의 상황은 저절로 이중 부모, 두 어머니의 주제에 이르게 된다. 이제 여성 주인공 콩쥐는 유아기적 의존 상태에서 벗어나 개별 인격으로 분화 발전해야 하는 것이다. 이런 의미에서 계모와 의붓 딸도 주인공이 실현해야 할 과제를 위하여, 즉 새로운 여성 요소의 독립적 성장을 지원하려고 등장한 것으로 볼 수 있다.

계모는 친딸인 팥쥐를 데리고 있는데, 이는 기본적으로 딸을 보호하고 성장시키려는 모성적 특성이 강조된 것이다. 아버지가 죽자, 콩쥐는 전적으로 계모라는 모성상에 편승된다. 이로써 모성상은 콩쥐를 움직이게 하는 실제적인 힘이다. 콩쥐는 모성상이 더 이상 보호와 지지를 하지 않게 되었지만 여전히 모성상에서 벗어나지 못하고 있는 상황이다. 그렇지만 콩쥐를 부정적 모성상을 경험하는 여성으로, 팥쥐를 긍정적 모성상을 경험하는 여성으로 간주하지는 않을 것이다.[43] 앞서 ≪손 없는 색시≫에서 전실 딸은 모성상에 의해 배척을 당했다. 그러나 콩쥐의 경우는 결코 배척을 당하지 않는다. 오히려 콩쥐는 모성상에 소속되면서, 그 모성상의 요구를 받아들인다. 부정적 모성상의 여성 유형은 전적으로 모성상에 속할 수 없다. 콩쥐처럼 모성상의 요구에 충실하게 따를 수도 없다. 여기서는 콩쥐와 팥쥐를 모두 긍정적 모성상과 관계하는 여성 인물상으로 살펴볼 수 있다. 다만 콩쥐는 모성상과 동일시가 이루어지지 않은 여성 유형으로, 팥쥐는 모성상과 전적으로 동일시 된 여성 유형으로 구분될 수 있을 것이다.

콩쥐와 팥쥐로 표현된 의붓 자매의 관계를 좀 더 살펴보자. 우선 이름에서 둘은 마치 쌍둥이 자매와 같다고 할 수 있다. 콩과 팥은 콩류의 작물을 가리킨다. 콩과 유사한 모양의 장기 좌우를 합쳐 '콩팥'이라고 하지 않는가. 그들은 이럭저럭 한 쌍의 닮은꼴이라는 의미를 갖고 있다. 그럼에도 '콩밭에서 콩 나고, 팥밭에서 팥 난다'고 하듯이, 그 둘은 결코 서로 혼돈될 수 없음을 나타낸다.

일반적으로 콩은 아주 작은 것을 지칭할 때 쓴다. 크기가 작은 것을 '콩알만 하다'고 하거나, 두렵고 긴장되고 위축되면 '간이 콩알만 해졌다'고 표현한다. 작은 것을 지칭하는 '콩'에 '쥐'라는 어미를 붙여 콩쥐, 팥쥐라고 부름으로써, 의붓 자매들이 어리고 귀여운 쌍둥이 여아들임을 나타낸다. 이들이 쥐로 불리는 데에는, 어린 동물같이 보살펴 주어야 하는 작고 연약한 존재임을 반영한 것이다. 이런 호칭들은 보살펴주는 모성상의 입장에서 주어진 것이다. 생명체를 돌보는 모성상 주변에는 수많은 동물들이 모여 있지 않은가. 쥐는 어둠 속에서만 활동하는 동물이므로, 아직 개별적 의식을 갖추지 못한 여성 자아의 무의식성을 나타낸다. 모성상은 돌보거나 보호한다는 명분으로 딸들을 애완동물처럼 귀여워하며 영원히 자신에게 속하도록 만들 수 있는 것이다. 그래서 콩쥐, 팥쥐는 아직 독립적 인격체로서 의식화 되지 못한, 모성상에 속하거나 의존되어 있는 여성 인격의 수준을 반영하고 있다.

콩쥐, 팥쥐는 의붓 자매인데도 비슷한 이름을 갖고 있어서 쌍둥이와 같은 효과를 갖는다. 신화나 민담에서 쌍둥이 형제나 자매가 나온다면, 이들 간의 관계는 서로 적대적이거나, 혹은 서로 우애가 남다르게 돈독한 것으로 묘사된다. 이것은 무의식적 정신이 의식화 되고자, 의식의 문턱을 넘어서려고 할 때 생겨나는 현상을 나타낸다. 정신이 둘로 나뉘어져 일부는 의식화 되고자 하고, 나머지는 무의식으로 남아 있으려 함으로써 서로 대립적 갈등을 일으키는 상태가 된다. 이것은 일부의 정신 영역이 의식화 될 때 나타나는 전형적인 특징이다. 무의식으로 남아 있으려는 정신의 활동이 상대적으로 더 강화되어 의식성을 획득하지 못하게 되거나, 혹은 그 반대로 의식화 되고자 하는 활동에 힘을 실어줌으로써 의식성을 보다 손쉽게 획득하게 될 수 있다. 이러한 정신 영역의 조정적 활동에는 기본적으로 긴장과 알력이 작용하는 것이다. 적대적이든 우호적이든 둘이 함께 함으로써 저절로 활동의 보완, 중첩 및 강조의 역동성이 생겨나 의식 수준의 변화를 야기하면서, 결국 의식화에 이르게 된다. 이야기의 전개에서 쌍둥이 형제나 자매는 서로의 역할을 대신하는 경우가 많다. 그들은 둘이면서 동시에 하나의 인격으로서 기능할 것이다. 이 민담에서도 콩쥐와 팥쥐가 나란히 등장하여, 둘이 함께 여성 인격을 대변하고 있다.

---

43 흔히 계모를 부정적 모성상으로 간주하여, 콩쥐를 부정적 모성상의 여성 유형으로 이해하려는 해석도 가능할 것이다.

쌍둥이 형제 자매 중 어느 하나가 주도적 역할을 담당함으로써, 나머지는 그의 '그림자'가 된다. 말하자면 어느 한쪽이 의식성을 획득하여 자아의식이 되면, 무의식적으로 남아 있는 정신 영역은 저절로 '그림자'가 된다. 그림자가 되는 쪽은 의식성을 획득한 쪽을 방해하거나, 상대적으로 저항하는 힘을 발휘한다. 이 민담에서도 콩쥐를 여성 주인공으로 이해하면, 자연히 팥쥐는 콩쥐의 '그림자'에 해당한다. '그림자'로서의 팥쥐는 콩쥐와 나란히 경쟁 상대가 된다. 특히 팥쥐는 전적으로 계모의 지지를 받고 있기 때문에, 더욱 유리한 입장에 있다. 이에 반하여 콩쥐는 모성의 지지를 전혀 받지 못하고, 심지어는 모성상으로부터 위협을 당한다. 이런 측면에서 모성상이 여성 주인공의 '그림자'를 제공한다고 할 수 있다.

여기서 여성 심리학적으로 여성 자아의 '그림자'가 모성상에서 비롯된다는 사실을 좀 더 살펴보자. 팥쥐는 처음부터 모성상에 속한 인물상으로, 모성상이 표방하고자 하는 것을 그대로 반영한다. 또한 이러한 팥쥐의 모습은 대부분의 여성들이 모성상과 동일시 되어 있듯이 전혀 개별 인격의 자아 분화가 안 된 상태에 해당한다. 팥쥐의 유형은 콩쥐와 같이 모성상과 동일시 되지 않는 여성, 또는 모성의 지지를 전혀 받지 못한 여성과는 비교가 된다. 어쩌면 팥쥐와 같은 여성은 관계적으로 실제의 모성과 훨씬 밀착되어 있고, 사이도 좋아 보일 것이다. 모성이 모든 것을 제공하고 있으므로 사실상 모성과 구분이 전혀 되지 않는다는 점으로 보아, 콩쥐의 '그림자'는 모성상에서 기인한 팥쥐이자, 모성 그 자신이다. 이러한 팥쥐의 유형에서 모성의 영향력은 가장 지지적이지만, 동시에 가장 파괴적이다. 팥쥐와 같은 여성은 거의 모성상과 동일시 된 채, 개별 인격이 무의식적인 상태에 머물러 있어서, 스스로 어머니의 '그림자'로서 살게 된다. 이 경우 어머니가 딸의 인격을 좌우하므로, 딸은 어머니가 시키는 대로 하거나, 어머니의 기대에 부응하려 함으로써 자신의 고유한 삶을 살지 못하는 경우가 대부분이다. 이에 반하여 콩쥐는 어떤 경우든 계모의 친딸이 아니므로, 모성상과 동일시 될 수 없다. 모성상이 의존을 허락하지 않는 것이다. 콩쥐는 모성상에서 떨어져 나와 고유한 자신의 입장을 가질 수 있는 유력한 위치에 있으므로, 여성의 개별 의식을 발전시키게 될 잠재적 인물상이다. 그래서 콩쥐는 자연히 팥쥐와 달리 여성 인격의 주체가 될 수 있다.

(2) 계모는 팥쥐에게 쇠 호미를 주어 밭을 매게 하고, 콩쥐에게는 나무 호미를 주고서 자갈 밭을 매게 하였다. 검은 암소가 나타나 콩쥐를 도와주고 과일을 선물하였다.

민담에서 콩쥐는 비록 부모를 잃었지만 계모를 친어머니처럼 대한다. 이러한 콩쥐의 특성을 고려한다면, 콩쥐는 모성상과의 관계를 긍정적으로 경험하는 여성 자아에 해당한다. 그래서 콩쥐가 어려움에 처할 때마다, 모두 모성 자연에서 비롯된 동물들이 나타나 돕는다. 이런 동물들의 도움은 본능적 저력에서 저절로 발휘되는 처리 능력에 해당한다. 부정적 모성상의 여성은 결코 본능적 저력을 긍정적으로 경험하지 못한다. 여성 자아가 진정한 인격의 주체가 되려면, 근본적으로 모성상의 긍정적 지지를 얻어야 한다. 특히 콩쥐는 모성상과 동일시가 안 된 여성 유형이므로 이런 경험은 필수적이다. 매번의 어려운 상황에서 자신을 지지하고 돕고 있는 힘들이 있다는 사실을 알게 됨으로써, 본성에 대한 근본적인 신뢰를 갖게 되는 것이다.

신화나 민담에서 모성이 가장 총애하는 인물은 언제나 영웅이다. 영웅은 모성의 사랑을 받는 만큼, 동시에 모성에 의해 가장 강력하게 괴롭힘을 당한다. 그에게 도무지 감당하기 어려운 과제가 주어지는데, 그것은 인격의 성장을 요구하는 내면의 요청이 된다. 계모는 팥쥐에게 쇠 호미를 주어 밭을 매게 하고, 콩쥐에게는 나무 호미로 자갈 밭을 매게 하였다. 팥쥐에게는 본인이 감당할 만한 수준의 일을 시키고, 콩쥐에게는 도무지 혼자의 힘으로 해낼 수 없는 일을 시켰다. 이런 차별화 된 과제는 겉보기에 콩쥐를 미워하고, 팥쥐를 사랑하기 때문인 것처럼 보인다. 팥쥐의 경우 모성의 요구는 상대적으로 특별한 것이 아니다. 개인적인 한계를 넘지 않고 무난하게 해낼 수 있는 과제가 주어졌다. 그래서 팥쥐의 경우 개별적 인격의 가치를 구체화 할 기회가 없는 것이다. 콩쥐의 경우는 자신이 해낼 수 없는 어려운 과제를 받았으나, 그것을 어떻게든 완수하려고 애쓰면서 다양한 경험을 쌓을 기회를 갖는다. 모성은 누구를 총애하는 것일까? 옛말에 '미운 아이 떡 하나 더 주고, 예쁜 아이 매 한 대 더 준다'라는 표현이 있다. 예쁜 아이에게 더욱 성장할 수 있는 사랑의 매를 제공하는 것이다. 성장을 위해서는 어떤 식으로든 대가를 치러야 하는 것이다. 민담에서 모성상은 개별적이고 구체적인 양상으로 각각의 수준에 맞추어 과제를 부여하였다. 콩쥐에게 주어진 과제가 개인이 감당할 수준을 능가함으로써, 어느새 여성 자아는 개별 인격의 발전을 위한 노정에 들어선다.[44]

밭농사는 원래 자연이 스스로 뿌리를 내리고 열매를 맺었던 것을, 인간의 목적에 맞게 대지를 일구어, 거기서 원하는 작물을 키워 수확하는 작업이다. 이러한 작업은 무의식의 창조적 생산력에 자아가 적극적으로 동참하여 의식의 삶에 유용한 결실을 거두어들이는 것을 의미한다. 쇠 호미를 주고 비교적 쉽게 밭을 매게 한 팥쥐의 경우, 이미 앞선 사람들이 일구어 둔 것을 그대로 물려받는 작업이므로, 팥쥐는 전혀 생산적 작업을 하는 것이 아니다. 이에 비하여 콩쥐의 과제는 이미 알려져 있는 것을 답습하는 것이 아니라, 새로운 영역을 개척해야 하는 작업이다. 그래서 콩쥐의 과제는 차세대의 여성 주인공이 반드시 해내야 할 본질적인 작업이 된다.

계모의 요구를 콩쥐는 그대로 받아들여서 실행에 옮겼다. 이러한 콩쥐의 태도는 계모에 대해 신뢰하는 관계로서 반응한 것이다. 말하자면 모성의 요구에 전혀 거부하는 입장을 취하지 않는다. 실제로 이런 경우를 다음과 같이 예를 들어 볼 수 있다. 부모의 요구, 간섭, 야단 등에 대해 모두 자신을 미워해서 그렇게 한다고 여기고 부정적으로 거부하는 태도를 보이는 아이들이 있다. 이에 반해 그러한 외부의 요구나 간섭에 대해 모두 자신을 아끼고 지지하는 것이라고 간주하여 가능한 수용하고 따르려는 태도를 보이는 아이들이 있다. 콩쥐는 후자의 경우에 해당한다. 심지어 자신이 감당하기 어려운 과제임에도 주어진다면, 자신을 위한 특별한 목적이 있는 것처럼 경험하는 것이다. 경험 당사자는 그 과제를 수용하게 됨으로써 개별적 인격의 가치를 획득할 기회를 갖는다.

콩쥐가 자신에게 주어진 과제를 감당하지 못하자, 검은 암소가 나타나서 도움을 주었다. 소는 인간의 삶에 가장 유익한 도움을 주는 동물이다. 암소는 어머니처럼 인간에게 젖, 즉 우유를 제공하고, 살코기는 요리되어 식탁에 오른다. 소는 밭농사에도 깊이 관여하므로, 실제적으로 인간을 먹이고 키우는 모성적 역할을 한다. 신화에서 이시스, 하토르, 이쉬타르, 헤라, 이오 등 모성신들은 암소의 형상으로 나타난다. 암소의 형상은 모성신의 전형인 것이다. 또한 검은 색은 동양에서 음(陰)을 지칭하는 색이다. 중국 연금술에서는 검을 현(玄)을 사용하여 모성신을 현녀(玄女) 혹은 현곡(玄谷) 등으로 표현한다. 검은 암소는 비가시적 영향력으로 언제나 작용하는 모성적, 여성적 신비, 마력 등을 상징한다. 민담에서 검은 암소에 대해 죽은 친모가 도움을 주려고 변신한 것으로 이해할 수도 있다. 하지만 암소는 콩쥐를 지지하고 보호하는 원초적 무의식의 힘, 기본적으로 갖춰져 있는 본성적인 힘, 본능적 저력 등에 해당한다. 콩쥐는 전혀 혼자 해낼 수 없는 과제를 수행하기 위하여, 본능적 저력을 활용하지 않을 수 없게 된 것이다. 이로써 콩쥐는 모성적 본능과 저절로 연결된다.

신화 및 민담의 영웅들은 원형적인 힘을 개별적인, 의식의 삶으로 끌어들여 보편적인 가치를 실현하는 존재이다. 그들은 정신적 탄생을 위해 내몰리고, 과제를 완수하는 과정에서 인류가 간직해 온 삶의 지혜를 활용한다. 이때의 삶의 지혜는 암소처럼 영웅을 돕는 힘으로 작용한다. 영웅은 원형적인 힘을 집단적이든, 개인적이든 의식의 삶으로 끌어들이고 구체화 한다. 영웅의 특성은 비록 개인이 감당하기 어려운 과제일지라도 피하지 않고 겪어 내는 불굴의 용기가 있다는 것이다. 당면한 과제를 기꺼이 감내하는 영웅들의 수용적 태도에서 어떤 식으로든 해결할 힘이 생겨나는 것이다. 콩쥐도 모성의 요구나 명령을 그대로 수용하고 따르는 태도를 취하였다. 그러자 검은 암소가 밭을 갈아 주고, 게다가 콩쥐에게 과일까지 선사한다. 여기

---

44 실제로 우리는 살아가면서 뜻밖의 고난에 처하여 자신의 처지에 힘겨워하고 괴로워하며, '누가 나에게 이런 과제를 넘겼는가'라고 한탄할 수 있다. 그럼에도 그런 순간을 피하지 않고 감수하며 이겨내려고 노력하는 과정에서 자신도 모르게 성장할 기회를 갖는다. 한 개인에게 주어지는 가혹한 현실의 문제들은 그 사람의 의식적 의지력을 강화시키고, 의식을 확장시키는 결과를 가져오는 것이다. 그러한 요구에 의하여 개별적 한계를 넘어서 보편적인 것들을 의식하게 되기 때문이다.

서 과일[45]은 어려운 상황에서도 자신의 정서적 가치를 잃지 않도록 지지하는 모성 본능의 배려에 해당한다. 모성상은 여성 주인공이 자기 자신을 전적으로 신뢰하고 그 자리를 지키도록 격려하는 것이다.

어쩌면 계모에 의하여 어려움에 처한 콩쥐는 부정적 모성상을 경험하고 있는 것처럼 보인다. 그러나 실제적으로 콩쥐는 긍정적 모성상과 강하게 연관되어 있다. 콩쥐가 어려움에 처할 때마다 도와주는 동물들이 모두 근원적 모성상에서 비롯된 것이기 때문이다. 말하자면 어려운 과제를 주는 쪽도 모성상이고, 과제를 받은 영웅에게 지지와 도움을 아끼지 않는 쪽도 모성상이다. 이러한 어려운 과제를 감당하는 여성은 저절로 개별적 인격의 특성이 강조될 뿐 아니라, 나아가서 보다 보편적 가치의 면모를 일깨우게 된다. 오히려 이런 보편적 가치의 인식이 생겨남으로써 외부의 개인적 어머니와는 갈등을 겪을 수 있다. 종종 이런 유형의 여성은 자신도 모르게 개인의 어머니에게 보편적 가치의 모성상을 요구하는 태도를 취한다. 물론 어떤 개인적 어머니인가에 따라 다르겠지만, 대부분 그녀는 외부의 개인적 어머니의 모습에 실망하게 된다. 그녀는 개인적 어머니뿐 아니라, 어디서든 모성상의 위대하고 이상적인 모습을 기대하지만, 그렇지 않은 개별 인간적 특성을 발견하고 실망한다. 이런 콩쥐 유형의 여성은 내면에서 보편적 가치를 실현하도록 요구를 받는 것이고, 그에 상응하는 여러 외적 상황에서 자신도 모르게 과제를 완수할 수 있게 동원된다. 이 유형의 여성은 실제 개인 어머니와 갈등이 있더라도 모성상 자체에 대해서 부정적 경험이 되지 않는다. 오히려 개인 어머니의 가장 유력한 조력자가 되어, 외부의 개인 어머니가 가장 의지하는 딸이 될 수 있다. 무엇보다 가장 두드러지는 특징은 이 유형의 여성이 갖는 절대적 수용력이다. 긍정적 모성상이 이 유형의 여성에게 모든 것을 감내하는 수용력을 발휘하게 만드는 것이다. 이것은 결국 자기 자신에 대한 근본적인 신뢰를 갖게 한다.

별 어려움 없이 쇠 호미로 밭일을 하는 팥쥐의 경우 역시 긍정적 모성상의 여성일 수 있으나, 어쩌면 부정적 모성 원형의 영향력을 경험하고 있는 여성 유형이 될 수도 있다. **융**은 이런 유형의 여성들이 실제의 개인 어머니에게 원형적 내용을 투사하여 그녀를 거의 신적으로 높이고, 그에 의존하고 있음을 지적하였다.[46] 이들 유형의 여성들은 사실상 어머니가 마음대로 자신을 휘두르게 내버려 두거나, 혹은 그녀가 어머니를 끌어들여 그렇게 하도록 하는 것이다. 자신은 주관적으로 모성적 여성성이 부족하거나 열등하다고 전제하고 있기 때문에, 가능한 어머니에 의존하려 한다. 그녀가 행하는 것은 모두 어머니의 가치관에 따른 것이다. 때로는 개인 어머니보다 자신이 더 유능할 수도 있으나, 제대로 그러한 사실을 경험할 기회를 갖지 못한다. 언제나 뒤로 물러나서 겨우 주어진 것을 해낼 뿐이다. 이 유형의 여성들은 자신에게 주어진 개별적 과제에 관해서도 특별한 의미를 부여하지 못한다. 가능한 과제를 최소화 하여 부담 없이 해내려 할 뿐이다. 모성상과의 전적인 동일시에 의하여 개별적 인격의 가치를 전혀 주장할 수 없는 것이다.

(3) 계모는 콩쥐에게 구멍이 난 물독에 물을 가득 채우라고 시켰다. 콩쥐가 어려움에 처하자, 이번에는 두꺼비가 나타나서 구멍을 막아 주어 독에 물을 가득 채우게 되었다.

계모는 콩쥐가 자갈 밭을 갈아 놓는 과제를 해내자, 이번에는 구멍이 난 물독에 물을 채우라고 시켰다. 여기서 다시 한 번 계모의 요구를 여성 심리학적으로 이해해 보도록 하자. 모성상을 객관 단계로 이해하지 않는다면, 모성상의 요구는 자발적으로 일어나는 내면적 욕구가 될 것이다. 이를 완수하는 것은 바로 자신의 욕구를 충족하는 것이 된다. 그러나 이 민담에서의 콩쥐처럼 계모의 요구는 결코 편안한 내면의 욕구로서 경험되지 않는다. 그것은 여성 자아에게 어떤 강제하는 힘으로 작용하게 된다. 그래서 자신이 원하지 않는데도 어쩔 수 없이 상황을 책임져야 하는 입장

---

45 앞의 ≪손 없는 색시≫에서 '배'와 관련된 과일의 확충을 참고하라.

46 C.G. 융의 "Die Psychologischen Aspekte des Mutterarchetypus"(G.W. 9/I)를 참고하라.
앞서 소개한 네 유형 중 세 번째에 해당한다.

에 처하기도 한다. 혹은 스스로 여러 상황에서 그냥 방관만 하지 않고 참여하게 되면서 남들이 겪지 못하는 것을 다양하게 경험할 가능성이 있다. 위의 민담 요약에서 자세하게 나오지 않았지만, 팥쥐는 콩쥐와 달리 깨지지 않은 물독에 물을 채우는 과제를 부여받았다. 이 경우 모성의 요구는 어떤 것도 개별적으로 시도하도록 작용하지 않는다. 이때의 여성 자아는 그에 대해 스스로 감당할 책임 있는 태도를 취할 필요가 없다. 이로써 여성 자아의 무의식성은 그대로 유지된다.

독에 물을 채우는 과제에 대해 살펴보자. 독은 무엇인가를 담거나 보관하는 용기이다. 그것은 상징적으로 무엇인가 품어 내는 모성 자궁에 해당한다. 과제는 독에 물을 가득 채우는 것이므로, 콩쥐가 여성적 모성적 수용력을 제대로 갖추고 있는가를 시험하는 것이다. 그런데 콩쥐는 물을 물독에 제대로 채울 수가 없었다. 물독에는 구멍이 나 있었기 때문이다. 물을 채울 수 없게 구멍이 난 독은 여성 자아의 개별적 수용력에 문제가 있음을 나타내는 것처럼 보인다. 그러나 이미 오래되어 구멍이 난 독에 관한 것이라면, 콩쥐와 같은 새로운 여성 주인공의 개인적 문제가 아니다. 오히려 새로운 여성 자아는 기존의 여성성에 근본적 문제가 있음을 인식할 필요가 있는 것이고, 나아가서는 이를 회복해야 하는 과제를 부여받은 것이다. 혹은 앞의 과제에서 콩쥐가 긍정적 모성적 본능과 연결된 상태가 되었으므로, 그런 본능적 저력으로 여성의 수용력을 근본적으로 치유하도록 요구된 것이다.

두꺼비가 구멍을 메우면서 문제가 해결되었다. 두꺼비도 검은 암소와 같이 주인공을 도와주는 모성적 본능의 하나이다. 두꺼비는 온혈 동물인 암소와는 달리 더 하위의 영역에 속하는 변온 동물이다. 진정한 여성적 수용력을 갖기 위해서 더 낮은 단계의 본능적 정신 영역의 힘에 기초해야 하는 것이다. 서양에서는 두꺼비 자체가 자궁을 상징하기도 한다. 이런 고태적인 모성적 상징으로 구멍 난 항아리를 메움으로써, 콩쥐는 오랜 여성 의식의 문제점을 치유적으로 해결할 수 있게 된다. 또한 독에 물을 가득 채움으로써 콩쥐는 근원적인 모성적 생명력, 본성적 힘을 인격의 기초로서 갖추게 된다. 고태적 모성적 본능이 여성 인격의 기초와 연결된 것이다. 이러한 과제를 통하여 콩쥐는 점차 보편적인 인간의 심성에 접근할 수 있는 여성 인격으로 발전하게 된다. 동시에 이는 개인 인격의 구체화를 위한 기초가 마련된 것을 의미한다. 본격적으로 여성 주인공의 개별 인격적 특성이 드러날 수 있게 주변 상황이 발전한다.

(4) 계모는 팥쥐를 데리고 외갓집 혼인 잔치에 가면서 콩쥐에게 베를 짜 놓고 벼 석 섬을 백미로 만들고서 잔치에 오라고 하였다. 귀부인이 나타나 대신 베를 짜 주고 참새들이 볍씨의 껍질을 벗겨 주었다. 그 부인은 콩쥐에게 옷가지와 비단 신을 주며 혼인 잔치에 다녀오라고 하였다.

이제 주인공 콩쥐가 외부 세계로 나아갈 수 있게 환경이 조성된다. 계모가 팥쥐를 데리고 혼인 잔치에 참석을 하러 가게 된 것이다. 혼인 잔치의 참석은 잠정적으로 콩쥐와 팥쥐 역시 혼사를 치르게 될 것임을 미리 제시하는 것이다. 혼인 잔치는 남녀의 결합을 축하하는 행사이다. 말하자면 여성 주인공으로 하여금 남성 요소와 관계를 맺도록 방향이 정해진 것을 의미한다. 이것은 남성 인물상과 만나게 됨은 물론이고, 주변의 다른 것들과 관계를 맺으면서 관심 및 활동의 범위가 확대되는 것을 예고한다. 계모는 팥쥐를 데리고 혼인 잔치에 먼저 참석하러 가면서 그러한 방향을 구체적으로 지시한다. 하지만 콩쥐에게는 혼인 잔치에 참석하기 위해 필요한 사항이 있음을 알려주었다. 그것은 개별적 인격의 특성이 드러날 수 있게 준비하라는 요구이다. 콩쥐는 개별적 특성을 제대로 경험할 수 있도록 어느 정도의 의식 수준을 갖추어야 하는 것이다. 이를 위한 새로운 과제가 주어졌다.

베를 짜는 과제는 여성에게 주어지는 전형적인 과제이다. 민담에서 여성 주인공의 베를 짜는 작업은, 운명의 여신이 실을 잣고 베를 짜서 개별 인간의 삶에 펼쳐질 내용을 미리 제시하는 것과 비교할 수 있다. 여성 자아가 인격의 기본이 되는 요소들을 갖추게 되자, 계모는 콩쥐에게 의식의 삶에서 펼치게 될 내용을 형상화 하도록 요구한 것이다. 콩쥐는 의식의 삶을 구체화 할 청사진을 구상해야 한다. 이와 더불어 콩쥐는 벼 석 섬을 백미로 만드는 과제를 받았다. 벼의 껍질을 벗겨 내어 쌀알로 만드는 작업은 의식의 삶을 구체화 할 실제적 준비에 해당한다. 백미는 매일 일상적으로 먹는 밥을 짓는 재료이므로, 의식의 삶에 실제적으로 참여하기 위한 기본적 태도를 갖추는 것이다. 베를 짜는 일은 귀부인이 나타나 도와주었다. 여기서 귀부인은 말 그대로 운명의 여신일 수 있다. 바야흐로 개별적인 삶의 여정을 위한 총체적 전망을 가져야 할 순간이다. 이를 위하여 보다 더 상위의 여성 인격이 참여하게 된 것이다.

여기서 우리는 여성에서는 모성상과 자기(Selbst), 남성에서는 부성상과 자기의 형상이 서로 구분되기 어렵다는 사실을 확인하게 된다. 여성에게서 노현녀(老賢女), 남성에게서 노현자(老賢者)는 자기 상징과도 통한다. 민담에서 베 짜는 일을 돕는 귀부인은 노현녀이자 자기 상징으로 간주될 수 있다. 의존적 유아적 자아를 지지하거나 보호하는 데에는 모성상의 역할이 주도적이므로, 이 경우는 확실히 모성상으로 지칭되어야 할 것이다. 이제 모성상은 보다 성숙한 의식의 삶을 위해 방향을 제시하고 이끄는 노현녀로서 등장하게 된 것이다. 민담에서 귀부인은 콩쥐 대신 베를 짜 주고 심지어 혼인 잔치에 참여할 수 있게 옷을 제공하면서 여성 주인공의 전(全)인격적 실현을 위한 예비적 소묘를 제시하고 있다. 말하자면 여성 주인공, 즉 여성 자아의 의식적 분화가 어느 정도 이루어지게 되자, 모성상도 그에 상응하는 변화된 내용의 형상으로 반응한다는 사실을 확인할 수 있다.

참새는 그리스 신화에서 모성신 아프로디테와 관련된 상징으로 알려져 있다. 콩쥐를 돕는 참새들도 모성적 본성에서 비롯된 것이다. 참새는 공중을 나는 생명체이므로, 자연스럽게 정신의 활동과 연결된다. 마치 작은 참새들이 여럿이 모여서 짹짹거리는 것과 같이 무의식적 정신의 활동이 조금씩 지속적으로 활성화 된 상태에서, 참새가 볍씨를 까서 쌀알이 되게 하듯이, 점차 의식의 정신 활동으로 변하게 되는 것이다. 실제로 여성들이 모여서 지지배배 수다를 떠는 것도 아직 의식화 되지 못한 무의식적 정신의 내용을 언어적으로 표현하는 것에 해당한다. 심상을 언어적 표현으로 옮기노라면, 언젠가는 구체적인 의식적 정신 활동으로 전환된다. 벼의 껍질이 모두 제거된다면, 비로소 의식의 삶을 위한 본격적인 정신 활동이 시작될 것이다. 결국 계모가 콩쥐에게 요구한 것들은 바로 여성 주인공이 주체가 되기 위해 기본적으로 갖추어야 할 요건이었다. 그것은 콩쥐의 개별적 관심 및 노력과 모성에서 제공한 본능적 저력으로 완수된 것이다. 여성 인격의 의식의 삶을 위한 청사진이 그려지고, 실제적인 활동이 될 에너지로서 곡식이 마련되자, 콩쥐에게 아름다운 옷과 비단 신이 주어진다.

(5) 콩쥐는 잔칫집으로 가는 길에 감사의 행차를 피해 시냇가를 건너다가 신고 있던 비단 신을 잃어버렸다. 비단 신을 발견한 감사가 잔칫집에서 비단 신의 주인인 콩쥐를 찾아내어 아내로 삼았다.

앞서 콩쥐는 귀부인으로부터 아름다운 옷과 비단 신을 받았다. 이것을 갖추고 집을 나선 콩쥐는 감사의 행차와 마주치게 된다. 궁극적으로 혼인을 목적으로 하고 있기 때문에 남성 요소와 마주치게 된 것이다. 콩쥐는 감사의 행차를 피해 시냇가를 건너다가 신을 잃어버렸다. 시냇가를 건너가는 콩쥐의 모습은 외부 세계 및 대상 세계로 나아가려는 이행의 단계에 있음을 나타낸다. 이 단계에서 신발을 잃어버린 것은 여성 주인공의 입장이 아직 구체화 되지 않아 이행이 순조롭지 않음을 의미한다.

신발을 잃어버리는 모티브는 ≪재투성이 소녀≫나 ≪신데렐라≫에서도 다루고 있다. ≪재투성이 소녀≫에서는 황금 신, ≪신데렐라≫에서는 유리 구두, ≪콩쥐팥쥐≫에서는 비단 신으로 각각 묘사되어 있다. ≪손 없는 색시≫에서는 공통적으로 손이 잘리는 내용이었는데, 여기서는 신발을 잃어버리는 것으로 나타난다. 아마도 '신발을 잃어버린다'는 것도 여성 심리에서 매우 중요한 주제의 하나일 것이다. 신발은 상징적인 의미를 부여하지 않더라도 우리가 바깥 활동을 할 때 반드시 필요한 것이다. 특히 대지를 밟고 서는 두 발은 개인의 확고한 위치와 입장을 정하여 밝히는 신체의 부위이다. 그 발을 감싸는 신은 실질적인 의식의 적응적 태도를 반영한다. '신발을 잃는다'는 것은 기본적으로 개인의 주체적 입장이 사라지는 것에 해당한다. 실제로 꿈에 신발이 바뀌거나 사라져서 찾아야 하는 주제가 드물지 않게 등장한다. 이것은 대개 현실감의 상실, 삶의 현장에서 자아의 주체적 입장이나 정체성이 제대로 유지되지 못함을 나타내는 것이다.

　신발은 개별적 존재의 기본 입장을 나타내는 상징이기도 하지만, 어떤 신발을 신느냐에 따라서 의식의 태도 변화를 말해 주므로, 신발은 인격의 변화를 나타내는 상징이 될 수 있다. 예를 들어 그것은 꿈에 아주 잘 맞는 훌륭한 신발이 주어지거나, 아니면 그 반대로 크기가 작거나, 낡고 형편없는 신발이 주어지는 경우로 표현된다. 발에 신는 신발은 실제적인 삶의 현장에 자신을 어떤 방식으로 등장시킬 수 있게 하는 도구인 것이다. 무엇을 신느냐는 것은 실제적으로 어떤 자아의식의 입장을 갖고 있는지를 나타낸다. 또한 신발은 한 개인의 구체적인 발 크기에 맞추어져야 제대로 기능한다. ≪재투성이 소녀≫에서 소녀의 황금 신은 그 자체 모든 사람이 신고자 하는 보편적인 가치에 상응하는 고귀함을 나타낸다. ≪신데렐라≫의 유리 구두도 보석처럼 투명하고 영롱한 유리 결정으로 이루어져 있어서, 차마 대지의 흙이나 먼지에 닿을 것 같지 않은 고귀한, 천상적인, 초개인적 가치를 반영한다. 그래서 유리 구두의 주인공은 고귀한 신분이지만, 아직 현실에 발을 딛지 못한 인물상임을 짐작하게 된다. 콩쥐의 비단 신도 주로 중국이나 먼 서역에서 가져온 비단으로 만든 것이다. 콩쥐의 비단 신도 마찬가지로 고귀한 신분을 나타내지만, 실제 삶의 현장에 참여하지 못하고 있는 것을 의미한다. 결국 콩쥐가 신을 잃어버린 것은 제대로 자신의 입장을 갖지 못한 상태에 머물러 있음을 나타낸 것이다.

　여성 주인공 민담에서 손이 잘리거나 신발을 잃어버리는 주제가 가장 널리 알려져 있다는 것은 결코 우연이 아닐 것이다. 여성 특유의 의존성, 수동성, 모호성 등이 반영된 것이다. 무엇보다 모두 계모에 의해, 모성상과의 분리가 일어난 후에 생긴 현상이라는 점에 주목할 필요가 있다. 모성상과의 동일시가 더 이상 불가능한 상태에서 손을 잃거나 신발을 잃는 것은, 다른 것을 끌어들이지 말고 오로지 자신의 입장을 회복하여 독립된 주체가 되라는 것이다. 우선은 신을 잃는 것은 자신의 인격 전체를 상실한 것 같은 상태가 된 것을 의미한다. 강한 모성상의 요구가 없다면 자신의 존재를 전체적으로 어떤 것도 구체화 할 수 없는 수준에 있음을 나타내는 것이다.

　민담에서는 신발이 없다가 고귀한 신발이 주어지는 것이 아니라, 신발을 이미 신고 있었다가 잃어버리는 것으로 그려진다. 더욱이 그 신발은 보통 사람의 신발이 아니라 고귀한 신분을 나타내는 징표이다. 신을 이미 가진 후에 다시 잃어버리는 것은, 일종의 선취(Vornehmen)에 해당하는 내용이다. 여성 자아에게 의식의 방향감을 제시하는 것이다. 모든 고난과 노력은 고귀한 신분으로서의 의식성을 획득하기 위한 것임을 미리 알려주는 것이다. 여기서의 고귀한 신분이란, 진정한 개별적 인격의 가치에 관한 것이다. 이 세상에서 유일한 개별 존재의 의미를 그렇게 표현할 수 있다. 왕이나 감사가 그 신발의 주인을 찾아 결혼을 하려 하듯이, 진정한 개별적 존재로서 보편적 인간의 가치를 획득하는 것임을 의미한다.

여기서 감사는 여성의 아니무스에 해당한다. 감사의 등장은 콩쥐가 마침 제대로 옷을 입고 신발을 갖추고 길을 나섰을 때였다. 말하자면 여성 자아가 비로소 자신의 개별적 특성을 나타내기 시작할 즈음인 것이다. 아니무스인 감사는 자신이 관리하는 세계를 여성 자아에게 제시할 것이다. 아니무스가 제시하는 세계는 더 이상 모성상이 주도하지 않는다. 이는 외부 세계와 내면 세계 모두에 해당한다. 콩쥐는 그 두 세계에 참여하는 실질적 주체가 되어야 할 것이다. 감사가 콩쥐의 비단 신을 발견하고, 그것을 되찾게 해 준다는 사실에서 아니무스도 여성 자아가 개별적 특성을 갖추는 데 기여한다는 것을 확인할 수 있다.

민담을 남성 주인공 중심으로 본다면, 감사가 비단 신의 주인을 찾아내어 아내로 맞이하는 내용은, 아니마를 찾는 것에 해당할 수 있다. 이 민담을 여성 주인공 중심으로 이해하고 있으므로, 감사의 행위는 다르게 이해되어야 할 것이다. 콩쥐는 옷과 신을 갖추고 길을 나섰으나, 신을 잃었고, 그 신을 아니무스인 감사가 주워 소유하였다가 되돌려 주었다. 감사가 콩쥐를 아내로 맞이하여 데리고 가자, 여성 인격은 새로운 국면에 이르게 된다. 이것은 콩쥐가 강력한 모성상의 영향력에서 벗어나게 되었지만, 어느새 아니무스의 영향력 하에 놓이게 된 경우에 해당한다. 긍정적 모성상의 여성은 기본적으로 주변의 요구나 제안을 전적으로 수용함으로써, 스스로 수동적 입장을 취한다. 한편으로는 주변 사람들이 자신을 지배하도록 내버려 두는 것이고, 다른 한편으로는 그것을 온전히 수용함으로써 사실상 개별적 경험이 증폭된다. 하지만 아직 여성 인격의 주체가 구체화 되어 있지 않은 상태이므로, 아니무스가 전체적으로 주도하게 된다.

(6) 콩쥐를 찾아온 계모와 팥쥐가 연못에서 목욕을 하자고 꾀어서, 콩쥐를 익사하게 만들었다. 팥쥐는 콩쥐의 자리를 대신하게 되었다. 감사가 연못에서 아름다운 연꽃을 발견하고 방에다 두었으나 팥쥐가 불 아궁이에 던져 버렸다.

감사와의 결혼으로 행복한 생활이 시작되었으나, 계모와 팥쥐가 찾아와 콩쥐를 제거하는 상황이 벌어졌다. 모성상의 지배력은 사라졌지만, 어느새 감사인 아니무스가 주도하는 상태가 된 것이다. 이는 비단 긍정적 모성상의 여성에서 나타나는 현상이라고 할 수 없을 것이다. 일반적으로 부모님의 집을 떠나 시집 온 여성들은 부모상에서 벗어나 독립적인 인격체가 되어야 하는데, 남편에게 의존하면서 상당히 수동적인 자아의 태도를 갖는다. 이 때문에 부부 갈등이 생겨난다. 그 갈등의 원인을 살펴보면, 남성은 여성에게 모성상을, 여성은 남성에게 부성상을 투사하여 제각기 실망하는 데서 비롯된다. 여성은 남편에게 부성상을 투사하여 사회적 입문을 위한 안전 장치나 보호막이 되어 주기를 바라며 기대한다. 이러한 투사는 여성 자신이 사회적 활동을 위한 기초를 마련하는 것이 아니라, 오히려 투사 받는 남성이 대신 사회적 실현을 하도록 만드는 요인으로 작용한다. 여성이 남편에게 부성상을 투사하고, 남편에게 의존하려 하기 때문이다. 일부의 여성들은 결혼을 하고 나서 자신도 모르게 남편을 엄마로 부른 적이 있다고 고백하였다. 대부분의 여성들은 남편이 자신을 따뜻하게 보살펴 주기를 바라는데, 그것은 남편으로 하여금 모성성을 끌어내도록 요구하는 것과 같다. 만약 남편이 모성성을 발휘하기를 바라고 있다면, 결국 남편으로부터 남성의 아니마를 경험하게 될 뿐이다. 남성에게든 여성에게든 결혼은 부모상에서 벗어나는 것이고, 독립된 개별 인격의 남녀가 되어 새로운 가정을 이루는 것이다. 서로에게 의존하려는 것 자체가 부모상을 환기하는 아동기로 돌아가게 한다. 결혼과 더불어 부모가 되는 것은 배우자를 보호하거나 보살피기 위한 것

한국 민담의 여성상

이 아니라, 자녀를 위한 것이다.

민담에서 결혼한 콩쥐에게 계모와 팥쥐가 나타났다. 이미 지적하였듯이 콩쥐가 신발을 되찾고 감사와 결혼하게 되자, 이제는 감사의 주도적 영향력 하에 놓이게 된 것이다. 계모와 팥쥐가 목욕을 하자고 꾀어서 콩쥐를 연못에 빠뜨려 죽이는 상황이 연출되었다. 콩쥐가 물속에 익사한 상태에 이른 것은 개별적인 인격의 특성이 여전히 무의식적 수준에서 벗어나지 못하고 있음을 나타낸다. 콩쥐는 감사와의 결혼으로 의식의 새로운 지평을 열어야 했던 것이다. 그러나 감사가 주도하면서 전체 여성의식 수준은 상대적으로 불리한 입장에 놓인 것이다. 이를 해결하기 위하여 계모와 팥쥐가 등장하였다. 어떤 경우든 계모와 팥쥐의 등장은 콩쥐에게 불리한 것이 아니라, 오히려 합목적적이라고 볼 수 있다. 말하자면 콩쥐가 사라지고 팥쥐가 그 자리를 대신하는 것은 전적으로 모성상의 의도로 이루어진 것이다. 다르게 표현하면, 감사와의 관계에서 여성 인격의 변화 및 의식의 확대가 이루어지면, 모성상과 그림자가 등장하여 여성 자아의 입장을 새롭게 고취시킨다. 여성 인격의 특성은 언제나 이 둘의 형상에서 비롯된다. 감사의 영향 하에 있는 콩쥐에게 계모와 팥쥐는 여성 인격의 특성을 환기시키는 중요한 역할을 한다. 이로써 콩쥐는 감사와의 관계에서도 여성 고유의 개별적 가치를 상실하지 않으며, 오히려 그것을 바탕으로 여성 인격의 실제적 경험을 개진할 수 있다. 그림자는 언제나 여성 자아로 하여금 현실에 적응하는 데 필요한 개별적 요소를 제공한다. 콩쥐는 모성의 지지를 받으며 새로운 삶의 상황에 적응하도록 조정되어야 한다. 우리는 여기서 다시 한 번 쌍둥이 자매가 등장하는 이유를 확인하게 된다.

감사는 콩쥐와 팥쥐가 바뀐 것을 모르고 있었다. 말하자면 콩쥐와 혼인했으나, 어느새 감사는 팥쥐를 부인으로 맞이한 것처럼 된 것이다. 이 관계는 아니무스와 그림자의 결합을 나타낸다. 이것은 실제적으로 여성의 꿈에서 종종 볼 수 있는 장면이다. 성인 여성의 꿈에 주인공이 어디를 갔다 돌아오니 남편이 다른 여성과 사랑에 빠졌거나, 결혼하여 가정을 꾸리고 있어서 당황하게 되는 경우가 자주 있다. 이러한 삼각관계는 사실상 꿈꾸는 여성의 자아가 의식의 장에서 전혀 주체적이지 않은 상태를 나타낸다. 이때의 여성 자아는 아니무스에 사로잡혀 있어서(Besessenheit), 자신을 다른 인물로 착각하고 있는 것이다. 이 경우 꿈 자아가 남편과 함께 하고 있는 여성을 자기 자신의 한 측면으로 받아들여야 한다. 그것은 민담에서 콩쥐가 팥쥐와 바뀌게 되고, 감사와 팥쥐가 함께 살고 있는 장면에 해당한다. 팥쥐는 개별적 인격의 특성이 없는 인물상이다. 그렇지만 모성에서 비롯된 여성 요소로서 주어진 것이다. 그래서 아니무스에 사로잡히지 않게 중재할 수 있다. 따라서 팥쥐, 즉 그림자는 반드시 여성 자아에 통합시켜야 할 중요한 여성 요소가 된다. 이는 자기 자신에 대한 인식이 필요함을 의미한다. 그림자를 통합함으로써 자신의 개별적 인격의 특성을 알아차리게 되는 것이다.

마침내 감사는 콩쥐와 팥쥐, 진짜와 가짜의 아내를 구분해야 했다. 여기서 아니무스가 분별력을 발휘한다는 사실에 주목해 보자. 아니무스의 분별력은 사실 콩쥐가 가졌어야 할 능력일 것이다. 콩쥐는 계모(모성상)와의 관계, 팥쥐(그림자)와의 관계, 나아가서는 감사(아니무스)와의 관계에서 모두 구분이 필요하다. 이 과제를 감사가 해야 한다는 것으로 보아, 아니무스가 전면에서 여성 인격을 대신하고 있음을 나타낸다. 팥쥐가 콩쥐를 대신하고 있듯이, 감사 또한 콩쥐를 대신하여 진짜를 되찾는 작업을 해야 한다. 결국 팥쥐와 감사가 시도하는 것은 모두 여성 주인공의 개별적 인격의 특성을 구체화 하기 위한 것이다.

콩쥐가 계모와 팥쥐에 의해 죽임을 당했으나, 연꽃으로 변한 것은 부정적인 변환이나 퇴행적 변환이 아니다. 연꽃은 잠정적인 여성 인격을 보유하고 있는 모성적 보호 장치이자 자궁과 같은 곳이다. 그곳에서 여성 인격의 모든 요소들을 통합하면서 주체 의식의 탄생을 기다리는 것이다. 자아가 팥쥐의 모습으로, 모성상에 의존한 채 일상을 감당하고 있는 듯하지만, 내밀한 심층부에서는 진정한 개별적 인격의 탄생을 준비하고 있는 것이다.[47] 이러한 콩쥐의 잠정적인 모습은 모두 긍정적 모성상과의 관계에서 가능하다. 이 시점에서 팥쥐와 함께 등장한 계모는 팥쥐를 지원한다기보다는, 여성의 전(全) 인격적 실현을 위해 모성 자궁, 본성적 저력이 되는 것이라고 할 수 있다. 모성과 두 딸은 여성 삼위체로서 감사와 함께 인격의 전체성을 상징하는 숫자 넷을 형성한다.

콩쥐는 연꽃의 모습으로 연못의 수면에 떠올랐다. 그 연꽃을 감사가 발견하고 방으로 옮겼지만, 이를 알아차린 팥쥐가 다시 그것을 불속에 던져 버렸다. 콩쥐가 연꽃이 되어 수면 위로 올라온 것은, 여성 인격의 개별적 가치가 가시화 되기 위해 의식에 접근한 상태를 의미한다. 말하자면 감사가 연꽃을 꺾어서 방으로 가져가거나, 팥쥐가 연꽃을 불속에 던진 것은 모두 인격의 계속적인 변환을 위한 조치가 된다. 팥쥐는 겉보기에 콩쥐를 해치는 것 같지만, 모성상의 주도에 의해 이루어지는, 여성 인격의 의식화를 위한 합목적적 행위가 된다. 이처럼 감사든 팥쥐든 모두 콩쥐가 개별적 인격의 주체가 되도록 노력하고 있는 것이다.

(7) 불 아궁이에 던져지자 연꽃은 타서 오색 구슬들이 되었다. 불씨를 얻으려 온 이웃 할머니가 오색 구슬들을 가져갔고, 그 구슬로 인하여 콩쥐와 팥쥐가 바뀐 사실을 알게 되었다. 할머니는 감사를 식사에 초대하여 지혜롭게 모든 사실을 폭로하였다. 감사는 연못의 물을 빼서 익사한 콩쥐를 살려 내고, 팥쥐와 계모를 징치하였다.

팥쥐가 연꽃이 타 버리도록 던진 아궁이 또한 연금술사들이 이용하는 열탕 기구, 화로 등에 해당한다. 모든 재료들이 함께 용해되어 새로운 물질로 태어나는 변환의 장소인 것이다. 여러 민담에서 마녀는 아궁이의 불속으로 주인공들을 밀어 넣으려 한다. 그곳에서 분해와 해체를 통하여 주인공들은 죽음을 맞이하기도 하지만, 새로운 인격체로 다시 태어날 기회를 갖는다. 이런 의미에서 아궁이, 용광로, 난로 등도 인격을 탄생시키는 모성 자궁으로 간주될 수 있다. 아궁이의 불은 소위 맹렬하게 작용하는 정서적 활력으로서, 자아를 어떤 식으로든 변환하게 만든다. 때로는 충동으로, 때로는 분노로, 혹은 불안이나 불편감 등으로, 그것은 저절로 총체적 인격의 반

---

47 앞으로도 꽃이 중요한 역할을 한다는 것을 확인하게 될 것이다. 꽃은 언제나 전체성을 환기하는 모성-여성의 상징이다.

응을 야기하는데, 이것이 의식에서 새로운 경험적 사실을 알아차릴 수 있게 한다. 이처럼 강력한 정서적 반응은 언제나 의식의 이해 및 인식을 목적으로 한다. 이제 여성 자아는 내면에서 올라오는 본능적 충동들, 여러 정서 반응 등을 실제적인 심적 사실들로 경험하는 주체가 된다.

구슬은 둥근 형상 때문에 심혼을 담은 도구로 알려져 있다. 또한 투명하고 영롱한 질료의 특성 때문에 구슬은 인격의 결정체를 상징하기도 한다. 앞에서 연꽃은 생명력 전체를 하나로 담아서 의식의 수면으로 끌어올리는 그릇(용기)으로서의 특징이 두드러졌는데, 구슬들은 보다 개별 의식의 다양성을 구체화 할 수 있는 형상에 해당한다. 여러 개의 구슬로 드러났듯이, 여성 자아는 삶의 여러 현장에서 다양하게 반응할 수 있는 주체가 될 준비가 되었다.

이웃의 할머니는 또 다른 모성상의 모습이다. 할머니는 모성적 권위를 더욱 강조한 모습에 해당한다. 할머니의 모습은 콩쥐에게 생명력을 불어넣어 줄 신성의 모성상이다. 구슬이 고태적 모성상의 손에 넘어감으로써, 비로소 생기를 획득하여 인간적 모습을 되찾을 수 있게 된 것이다. 이런 할머니의 모습은 노현녀 및 자기(Selbst)의 상징이기도 하다. 오색 구슬이었던 콩쥐는 작은 몸으로 나타나 모든 사실을 폭로하였다. 작은 몸의 콩쥐는 연금술적 과정에서 나타나는 호문쿨루스(homunculus, 少人)에 해당한다. 호문쿨루스는 연금술에서 전체 작업이 성공적으로 진행되어 작업의 결말로서 하나의 통합된 인격이 탄생되기 직전의 상태를 나타낸다. 이때의 소형의 존재는 모든 요소를 하나로 응집한 인격의 정수로서, 전체성에 이르게 될 전조이다. 동시에 이 상태는 여성 자아가 의식성을 회복할 수준에 이르렀음을 의미한다. 말하자면 콩쥐가 자신의 원래의 자리를 되찾게 될 것임을 나타낸다. 콩쥐가 자신의 자리를 되찾는 것은 단순히 여성 자아가 개별 의식의 수준을 회복하는 데 그치는 것이 아니다. 이제 여성 주인공의 전(全)인격적 실현을 눈앞에 둔 것이기도 하다.

이웃 할머니는 감사를 초대하여 모든 사실을 알려주었다. 감사는 연못의 물을 전부 빼내고 콩쥐를 살려 낸다. 감사가 팥쥐가 가짜임을 알게 되고, 드디어 콩쥐를 구해 내는데, 아니무스가 더 이상 그림자가 아니라, 여성 자아와 제대로 관계할 수 있게 된 것을 의미한다. 다르게 표현하면 여성 자아가 제자리를 찾음으로써 아니무스는 내향적으로 적용되는 것이다. 이로써 아니무스는 인간의 내면 세계를 매개하는 본래의 역할로 되돌아간다. 아니무스와의 관계를 회복하여 여성 자아는 보편적 인간성을 실현하는 인격으로 변화한다. 민담에서 콩쥐는 자신의 비단 신을 제대로 신을 수 있게 된 것이다. 감사 부인으로서 고귀한 신분의 인격을 회복한 것이다. 여성 주인공은 진정한 자기 인식(Selbst-Erkenntnis)에 이른다.

다시 강조하면, 팥쥐가 콩쥐의 자리를 대신하게 된 것은 모성상이 지지하는 여성 자신의 고유한 모습을 상실하지 않도록 조치한 것이다. 심지어 아니무스와의 관계에서도 모성상은 콩쥐와 팥쥐를 나란히 관계하게 함으로써 결코 아니무스와 동일시될 수 없는 여성 요소의 고유함을 환기시킨다. 아니무스를 통하여 가짜와 진짜를 구분하게 됨으로써, 여성 주인공은 더 이상 다른 인격의 요소들과 혼돈되지 않는다. 팥쥐가 콩쥐의 자리를 대신하고 있었듯이, 콩쥐가 인격의 주체로서 회복되면, 팥쥐는 개별 인격의 특성에 통합된다. 이는 모두 모성상의 의도에 따른 것이다. 이상의 인격의 변환에 관하여 우리는 스스로 경험할 수 있다. '아, 내가 이전에는 (…) 상태에 있었구나'라고 인식하게 된다. 한동안 자신이 어디엔가 사로잡혀 있어서 자기답지 못했다는 것을 알아차린다. 콩쥐와 나란히 경쟁하는 팥쥐는 여성 자아의 그림자이면서 동시에 모성 그 자신이다. 콩쥐가 자신의 모습을 되찾을 수 있게 도운 이웃 할머니도 여성 자아를 근본적으로 보호하는 모성상인 것이다. 모성상은 이웃에 머물면서, 언제나 자아와 나란히, 혹은 그의 저력으로서 함께 하며 여성 자아의 전(全)인격적 실현을 돕는다.

맺는 말

≪콩쥐 팥쥐≫에서도 모성상은 여성이 개별 인격을 갖추어 나가는 데 중요한 역할을 한다는 사실을 확인할 수 있었다. 무엇보다 콩쥐는 모성상의 요구에 모두 수용적

으로 응하는 긍정적 모성상의 여성 유형이다. 콩쥐는 여러 어려운 처지에 내몰려도 그것을 고스란히 겪어 낸다. 이런 과정은 오히려 모성상이 제공하는 본능적 저력을 끌어들이게 된다. 어떤 경우든 모성 본능에 기초하고 있다면, 여성 자아는 기꺼이 감내하며, 새로운 경험에 내맡기는 힘이 저절로 생겨날 것이다. 다시 말해 주어진 상황에 따르고, 자신을 내맡기는 것, 그리고 이를 능동적으로 경험하는 것이야말로 모성 본능의 지지가 있어야 한다. 이러한 본능적 지지가 여성 의식의 분화 및 발전을 가져온다. 민담에서 검은 암소, 두꺼비, 귀부인, 참새들, 이웃 할머니는 모두 여성 자아를 지지하는 긍정적 모성적 형상으로서 간주될 수 있다.

대부분의 여성은 콩쥐와 팥쥐의 두 면모를 모두 갖고 있다고 할 수 있다. 어느 측면에서는 팥쥐처럼 거의 모성상에서 벗어나지 못하고 고스란히 주어진 상황을 수용함으로써 수동적 태도를 갖게 될 수 있다. 다른 한 측면에서는 콩쥐의 입장이 될 수 있는데, 이는 모성의 요구가 자신이 감당하기 어려울 정도의 욕구나 외부의 요구로서 경험되는 것이다. 그것은 오히려 자신의 개인적 한계를 극복하도록 강요당하는 것이 될 것이다. 감당하기 어려운 상황에 처하여, 이를 감내하려 애쓰는 순간은 여성 특유의 보수성에서 벗어나게 만든다. 이로써 모성적 동일시에서 벗어나 개별적 인격의 가치를 획득하게 된다. 심지어 개인적인 것을 넘어서 보편적 가치에 이르게 한다. 여성의 신발 찾기는 여러 상황의 동일시에서 벗어나서 개별적 인격의 주체로서 인식하는 것을 나타낸다. 신발 찾기 모티브가 전형적인 것은, 여성들이 너무나 쉽게 주변 인물들과 동화되어 모호한 개별 인격의 정체성을 갖고 있기 때문이다.

진정한 신발 찾기는 실제적으로 삶의 현장에서 개별적 인격을 구체화 하는 것과 관계한다. 더 나아가서 그 신발이 고귀한 신분을 나타내었던 것처럼, 그렇게 실현된 개별적 인격은 보편적 인간성을 인식할 수 있는 수준에 상응하는 것이기도 하다. 현대의 어머니들은 양육이란 이름으로 민담의 계모처럼 강한 영향력을 발휘하여 이중의 메시지를 보내게 된다. 한편으로는 사회적 요구를 일깨우기 위해 감당하기 어려운 것을 종용하면서도, 또 다른 한편으로는 자신의 본성을 잃지 않도록 주의를 주게 될 것이다. 그래서 현대의 여성은 어머니를 계모로서 경험하며 살고 있다.

한국 민담의 여성상

때로는 이러한 모성상의 요구가 여성 자아로 하여금 부성상에 도움을 청하게 만들기도 한다. 이것은 다음 장에서 다루기로 하자. 그러한 사회적 요구를 모성상과 연결시켜서 해결하는 방식이 바로 ≪콩쥐 팥쥐≫에서 다루어진 것이다. 여성 자아는 감당하기 어려운 요구를 받게 되면, 콩쥐처럼 모성상에 안주하려는 상태에서 벗어나 보다 능동적으로 주체적인 활동을 펼쳐야 한다. 비록 팥쥐가 모성상에서 벗어나지 못한 여성상에 해당하는 듯하지만, 언제나 여성 인격의 일부로서 함께 한다. 콩쥐가 외부 세계의 부름을 받아서 무엇인가 해야 하는 측면이라면, 팥쥐는 모성에 뿌리를 두고 있으면서 자신이 누구인지를 언제든 환기시켜 주는 측면이다. 이런 의미에서 팥쥐는 여성 자아의 전형적인 그림자이다. 여성은 어떤 경우에서든 자신의 뿌리인 여성성을 잃으면 안 되는 것이다. 어떤 의미에서든 모성상은 여성 자아의 자기 인식의 기초에 해당한다. 이는 계모가 팥쥐를 자신의 가장 아끼는 딸로 여기는 정당한 이유이기도 하다.

제2장

여성의 부성상 [48]

≪심청전≫, ≪바리 공주≫

앞서 언급했듯이, 여성에게 가해지는 사회적 요구나 외부 환경의 요구들은 대부분 모성상과의 동일시에서 벗어나게 하는 원동력이 된다. 또한 여성에게 그것이 강력한 외압으로 여겨지게 된다면, 주로 부성상과의 관계로 경험될 수 있다. 현대 사회에서 부성 콤플렉스의 여성이 점차 증가하고 있다. 그 이유는 크게 두 가지 관점에서 고려될 수 있다. 우선 사회적 요구가 여성으로 하여금 기존의 여성의 입장에서 벗어나서 새로운 역할을 하도록 강요하고 있다. 이러한 우리 시대의 사회적 요구는 본성을 억압하도록 강요하는 부성적 특성의 외압으로 작용한다. 이로써 현대의 여성은 자연스럽게 부성상의 지배 하에 놓이게 되는 부성 콤플렉스의 여성이 된다. 또 다른 관점에서 보면, 집단의식에 대한 무의식의 보상성에 의하여 부성 콤플렉스의 여성 유형이 증가하고 있다고 볼 수도 있다. 부성상은 언제나 집단의식과 관련되는 심상이다. 집단의식에 문제가 생기고, 이에 대한 해결을 위하여 소위 부성상의 부름을 받은 여성의 경우도 부성 콤플렉스의 여성이 될 수 있는 것이다. 부성 콤플렉스의 여성이 증가하고 있는 현대의 추세는 그만큼 집단 사회의 문제를 폭로하는 것이고, 그에 대한 해결의 욕구가 절실해진 것으로 이해될 수 있다.

부성상의 영향력은 긍정적이든 부정적이든 병리적 현상을 야기할 정도로 여성 인격에 치명적이다. 그러나 모든 원형상이 그러하듯 영향력의 이면에는 궁극적으로 도달하고자 하는 목적의미(Zwecksinn)가 숨어 있다. 이를 고려하면서 치명적으로 작용하는 부성상의 요구를 제대로 이해하여 성공적으로 의식에서 반영한다면, 부성 콤플렉스의 여성 개인에게는 부성상의 극복이자, 동시에 개별 인격의 회복 및 치유가 되고, 궁극적으로는 집단의식이 가진 문제를 해결하는 것이 된다.

여기서는 부성상의 영향 하에 있는 여성 인물상을 묘사하고 있는 두 민담을 선택하였다. ≪심청전(沈淸傳)≫은 긍정적인 부성상의 여성으로, 그리고 ≪바리 공주≫는 부정적 부성상의 여성으로 고려하게 될 것이다. 두 민담은 분석심리학적 해석 작업을 통하여 크게 세 측면으로 살펴볼 수 있다. 첫째는 민담의 해석을 통해서 부성상의 지배 하에 있는 여성이 겪는 전형적인 문제점이 드러날 수 있다. 특히 부성상이 갖는 긍정적 영향력과 부정적 영향력이 어떻게 개별 여성의 삶에서 발휘되는지를 알 수 있다. 둘째는 민담에서 강력한 부성상의 지배로부터 여성 주인공이 어떻게 벗어나는지를 밝힐 수 있을 것이다. 이는 부성 콤플렉스의 여성 유형이 여성성을 회복하고 전(全)인격적 실현에 이르는 길을 보여주는 내용이 된다. 마지막으로 부성상의 지배 하에 있는 여성은 궁극적으로 집단이 지닌 문제를 해결하고 치유하도록 부름을 받았다는 관점에서 논의하게 될 것이다. 여성 주인공이 성공적으로 부성상에서 벗어난다면, 집단의 삶에 새로운 면모를 가져다 줄 여성상의 전형이 될 것이다.

부성상(Vater Imago, 父性像)의 이해

흔히들 어떤 여성에 대해 '부성 콤플렉스가 있다'고 하는데, 이는 무엇을 의미하는가? 아마도 그녀와 실제 외부의 개인 아버지와의 특별한 관계를 표현하는 듯하

---

48 저자가 2010년 〈심성 연구〉에 발표한 것을 수정 보완하였다.

다. 분석심리학적 입장에서는 이것을 외부의 개인 아버지와의 관계로 고려하기보다는 우리의 내면에 작용하고 있는 부성상과 관련된 내용으로 이해할 수 있다.[49] 이런 관점에서 먼저 외부의 실제적 아버지와 내면 세계의 부성상과의 구분이 있어야하겠다. **융**은 여러 곳에서 외부의 개인적 부모와 내면의 부모상과의 구분을 언급하였다. 오히려 내면의 부모상에 의하여 외부의 부모가 실제와 다르게 경험될 수 있음을 지적해 왔다.

> … 순진한 사람은 가까운 가족 구성원이 직접 영향을 미친다고 믿고 있으나, 그것은 지극히 일부만 실제와 일치하고 대부분은 마음속에서 생산된 상(das Bild, 像)에서 비롯된, 바로 그 자신의 주체에서 나온 자료로 이루어진다는 사실을 모르고 있다. 이마고(Imago)는 부모의 영향과 아동의 특수한 반응으로 생성된다. 따라서 이는 객체를 단지 매우 제한적으로 재현한 상이 된다. 물론 순진한 사람은 부모를 자신이 보는 바로 그 사람이라고 믿는다. 그러나 그 상은 무의식중에 투사되어 왔고 부모가 사망해도 그 투사된 상은 계속 영향을 미친다. 마치 그 상이 그 자체로 존재하는 영혼처럼 작용한다. 원시인들은 이를 부모의 혼령들(Elterngeister)이라고 부른다. 현대인은 이것을 부성 콤플렉스 혹은 모성 콤플렉스라 부른다.[50]

우리가 외부의 부모와 직접적인 관계를 맺으면, 그로 인하여 내면에 이미 준비되어져 있는 심적 요소, 소위 원형을 일깨우게 되고, 거기에 개별적 특수 반응이 함께 보태져 심리 내적으로 그에 상응하는 '콤플렉스(Komplex)'가 형성된다. 이렇게 형성된 콤플렉스는 인격체의 특성을 나타내며, 우리의 내면에서 실제의 부모처럼 영향력을 발휘한다. 이런 의미에서 우리에게는 누구나 외부에 실재의 부모가 있고, 동시에 내면에도 삶에 관여하는 부모상이 있다고 할 것이다. 내면의 부모상은 원형 및 주체의 반응이 주도하므로, 극히 제한적 의미에서만 외부의 실제적 부모와 일치한다. 우리는 자신도 모르게 외부의 부모에게 내면에서 형성된 부모상을 투사한다. 이로써 투사된 내용을 부모의 특성으로 착각한다. 이때 부모 중 특별히 이성 부모에 더 친밀

한국 민담의 여성상

함을 경험하게 된다. 이는 근친상간적 관계와 같은 정서적 유대감으로 경험된다. 이처럼 부모–자녀 관계는 부모 쪽의 투사까지 포함시키면, 겉보기의 인간 관계보다 훨씬 복잡한 관계 양상을 나타낸다.

융은 내면의 부모상이 의식 발달의 초기 단계인 1세에서 4세 사이, 즉 의식이 아직 독자적 연속성을 보이지 못하고, 섬과 같은 특징을 나타내고 있을 때 생긴다고 보았다.[51] 처음에는 부모상이 따로 분리되지 않고 함께 하다가 자아의 분화와 더불어 모성상과 부성상이 구분되어 고유한 특성을 발휘한다. 일반적으로 부성상은 남성성을 대표하는 심상으로서 모성상에 상대적인 가치와 의미를 갖는다. 부성상은 여성이나 남성 모두에게 남성 요소 및 남성성의 기초가 된다. 아동기의 보호 장치인 모성상에서 벗어나는 과정에서 남성 자아는 남성성을 획득하게 되고, 자연스럽게 부성상과 동화되는데, 이로써 남성적 특성이 더욱 구체화 된다.

모든 인간이 어머니로부터 태어나듯이 모성상은 언제나 내면의 본성적 기초로서 작용한다. 이에 반하여 부성상은 언제나 외부에서 작용하는 것처럼 경험되므로 낯설고 타자적인 특성을 갖는다. 남성도 부성상에서 비롯된 권위나 힘을 외적 영향력으로 경험한다. 그러나 남성은 부성상과의 동화에 어려움이 없고, 또한 이러한 동화나 동일시에 있어서 이상화나 마술적 특성이 부여되지 않는다. 이에 반하여 여성은 기본적으로 모성상과의 동일시에 기초하고 있으므로, 상대적으로 부성상을 남성보다는 더욱 낯설고, 외부에서 비롯되는 이질적인 것으로 경험하게 된다. 그래서 여성은 부성상과의 관계에서 부성상을 이상화 시키고, 심지어 신적 혹은 초개인적 특성을 부여하며, 그에 쉽게 매료되고, 사로잡히게 된다.

부성상은 여성에서든 남성에서든 기본적으로 자아의 성장에 있어서 본능적인 요소를 대항하게 만드는 원동력이 된다. 그래서 부성상은 질료적, 물질적, 대지적, 정

---

49 앞서 모성상을 살펴보았을 때 실제의 개인 어머니로 간주하지 않았음을 환기하라.

50 C.G. Jung(1928), "Die Beziehungen zwischen dem Ich und dem Unbewußten", G.W. Bd. 7, Par. 294.

51 C.G. Jung(1936), "Über den Archetypus mit besonderer Berücksichtigung des Animabegriffes", G.W. Bd. 9/I, Par. 135.

서적, 육체적인 면을 적대적으로 여기게 하는 원형상이다. 특히 부성상은 "외부 세계에서 비롯되는 위험에 대한 보호벽"[52]으로 기능하므로, 자아가 유아기의 본능적 태도에서 벗어나, 점차 사회적 존재로서 적응하려 할 때, 또한 정신적 존재로서 거듭나려 할 때 작용을 한다. 자아의식은 부성상에 힘입어 본능을 조절하고 통제하여 정신적인 세계를 형성하고, 사회 문화적 가치를 습득하게 된다.

> … 무엇보다도 눈에 띄는 것은 부성 콤플렉스의 어떤 것들이 '정신적(geistig)' 특성을 갖는다는 사실이었다. 즉 부성상에서 '정신적'이라는 속성을 거의 부인할 수 없는데, 이는 주로 표명, 행동, 성향, 충동, 의견 등에 해당하는 것이다. 긍정적인 부성 콤플렉스는 남성에게는 권위에 대한 일종의 신봉과 모든 정신적 규약과 가치에 절대적으로 복종하는 태도를 갖도록 하는 경우가 대부분이고, 여성에게는 활발한 정신적 관심과 포부를 갖게 만든다. 꿈에서는 결정적인 확신, 긍지와 충고들이 부성상에서 나온다. 그 근원을 쉽게 알아차리지 못하지만, 내면에서 결정적인 판단을 내리게 될 때는 주로 어떤 권위적인 목소리로 드러난다. 그러므로 '정신'의 요소를 상징하는 것은 대개 노인의 형상이다. 때로는 이 역할을 하는 것이 '실제의 인물에 상응하는 혼', 즉 죽은 사람의 넋이 되기도 한다. …[53]

부성상은 여성이나 남성 모두에서 정신적인 것으로 경험되는데, 주로 사고나 지성적 정신 활동, 나아가서는 종교 생활, 어떤 판단이나 행동을 하게 만드는 동기나 원리로 작용한다. 이처럼 부성상은 정신의 역동성을 보증하는 것으로, 사고 활동을 증진시켜 오성 및 이성 능력을 발휘하게 한다. 또한 부성상은 인류의 삶에서 형성해 온 남성성 및 부성적인 것의 집약, 그리고 문화적 가치의 총체이기도 하다. 같은 맥락에서 부성상은 집단의 삶을 책임져 온 지배적 통치력인 것이다. 그래서 부성상은 전통적 가치 규범 및 체제, 규율, 질서 및 교육 정신 등으로 나타난다.

부성상은 개별 인간적 특성을 넘어 '남성적인 것의 마술적인 권위'에 해당하는 것이므로, 신화나 민담 등에서 '노현자(老賢者)'라 불리는 원형적 형상으로 표현되기도 한다. "노현자는 꿈에서 마법사, 사제, 의사, 교사, 교수, 할아버지 또는 어떤 권위의 특징을 지닌 인물"이다. 성숙하고 노련한 노인의 모습으로 등장하는 부성상은 자아가 도저히 해결할 수 없는 극단적 어려움에 처한 상황에서 통찰, 이해, 충고 등을 하고, 어떤 결정, 계획 등을 제공한다.[54] 결국 이러한 부성상의 도움에 의하여 한 개인은 문제를 해결하는 능력을 숙지할 수 있고, 결정적인 행동을 취할 수 있는 결론에 이르게 된다.

융은 여성의 아니무스가 부성상에 기초한다고 하였다. **융**에 따르면, "아니무스는 마치 교부의 집회나 그 밖의 권위자들의 모임과 같은 것으로, 자세히 살펴보면 그러한 까다로운 판단은 주로 말과 의견들인데, 아마도 그것은 무의식적으로 어린 시절부터 주위를 통해 알게 된 보편타당한 진리, 정당성, 그리고 합리성의 전범으로 압축한 것, 즉 많은 전제를 모아 놓은 일종의 사서로서, 언제나 (여성 자아가) 의식적이고 능력 있는 판단을 내릴 수 없을 때 즉시 의견을 내어 거들어 주는 것이다."[55] 당연히 그래야 된다고 믿는, 일종의 보편적 가치를 가진 것들로 간주되는 특성은 부성상에서 기인하는 것이다. 말하자면 부성상은 새로운 가치를 위한 창조적 발상이 아니라, 이미 오랫동안 관습적으로 알아 온 것들을 제시하는 것이므로 보수성에서 벗어나지 못한다. 부성상에 사로잡히면 매우 원칙적이고 권위를 내세우며, 타협하지 않는 특성이 두드러진다. 부성상에서 아니무스로의 이행이 일어나지 않으면 우울 및 여러 신체 증상을 수반하는 증상 콤플렉스가 될 수 있다.

부성 콤플렉스의 여성

앞서 살펴보았듯이 여성의 부성 콤플렉스는 외부의 실재하는 아버지와의 특별한

52 C.G. Jung(1928), "Die Beziehungen zwischen dem Ich und dem Unbewußten", G.W. Bd. 7, Par. 315.

53 C.G. Jung(1946), "Zur Phänomenologie des Geistes in Märchen", G.W. Bd. 9/I, Par. 396.

54 C.G. Jung(1946), 앞의 책, Par. 398.

55 C.G. Jung(1928), "Die Beziehungen zwischen dem Ich und dem Unbewußten", G.W. Bd. 7, Par. 332.

관계가 아니라, 여성 자아가 부성상에 배열(Konstellation)되어 그에 영향을 받고 있는 상태를 나타낸다. 이러한 부성상과의 특별한 관계 양상은 곧 근친상간적 주제에 이른다. 융은 내면의 부모상이 의식 발달의 초기 단계에 형성되기 때문에 여성의 부성 콤플렉스 혹은 남성의 모성 콤플렉스의 이해에서 외부의 실재하는 부모와의 근친상 간적 관계를 배제하고 있다. 오히려 여성의 부성 콤플렉스 혹은 남성의 모성 콤플렉스의 형태로 보이는 근친상간적 특성은 우리의 내면에 선험적으로 주어져 있는 원형적 특성, 즉 신의 쌍들(Syzigien)에서 기인하는 것으로 설명하였다.

> 우리는 무의식 속에 이미 정동적으로 갖춘 내용이 있어서 어떤 순간에 투사하게 된다는 가설을 외면할 수 없을 것이다. 그 내용은 신의 쌍이라는 주제인데, 그것은 남성적이면서 동시에 그에 상응하는 여성성이 항상 부여되어 있음을 의미한다. 이 주제가 널리 퍼져 있고, 정동성을 지니고 있다는 사실은, 그것이 근본적인 것이며, 따라서 실제적으로 매우 중요하다는 것을 증명한다. (…) 위에서 지적한 대로, 신의 쌍에서 부모의 쌍을 추측하는 것은 당연하다. 여성적인 부분, 즉 어머니는 아니마에 해당한다. 그러나 앞에서 논의되었던 것처럼 대상에 대한 의식성은 그 투사에 의해 방해를 받기 때문에 부모 역시 가장 미지의 것이라고 가정하지 않을 수 없다. 그러니까 부모의 쌍의 무의식적 반영상이 있다는 것, 그것은 부모의 쌍과 닮지 않았을 뿐 아니라, 심지어 완전히 낯선 모습이라는 것, 인간과 신의 비교만큼이나 헤아릴 수 없다는 점을 가정해야 한다. 무의식적 반영상은 영유아기에 획득된 것이므로, 과대 평가 되고, 그로 인한 근친상간적 환상 때문에 나중에는 억압된 부모의 상일 것이라 간주되고, 이러한 생각이 주지되어 온 것도 사실이다. 물론 이러한 견해는 그 상(像)이 적어도 한 번은 의식되었음을 전제하고 있다. 그렇지 않다면 그것은 억압될 수가 없기 때문이다. … [56]

위의 구절에서 보듯이 여성의 부성 콤플렉스 혹은 남성의 모성 콤플렉스는 외부의 부모와의 실제적 근친상간적 관계에서가 아니라, 오히려 선험적으로 주어져 있는 신의 쌍의 원형에 기초하는 것이다. 만약 외부의 부모와 실제적인 근친상간적 관계가 있다고 한다면, 내면의 원형상의 영향에 의한 것으로 설명해야 할 것이다. 다시 말해 저절로 자아는 부성상이나 모성상과 짝을 이루게 되는데, 여성의 경우는 주로 부성상과, 남성의 경우는 모성상과 짝이 되어 관계하게 된다. 이러한 내면의 근친상 간적 관계는 성애적이라고 할 수 없다. 그러한 관계가 성애적으로 보이는 것은 결합을 유지하려는 무의식적 정신의 혹은 분리를 원하지 않는 자아의 상대적인 애착적 태도가 반영되기 때문이다. 이것은 절대적 유대감에 대한 묘사이다. 내재적으로 원형상과의 동화에 의해 자아는 초개인적 인격의 특성을 갖기도 한다. 말하자면 자신도 모르게 마나(Mana) 인격을 갖게 되는 것이다.[57]

결국 성인 여성의 부성 콤플렉스는 아동기의 부성상과 분리가 제대로 이루어지지 않았음을 의미한다. 일반적으로 초기 아동기 여아의 경우 선재(先在)하는 남녀 대극 쌍의 원형에 기초하여 어느 정도는 부성상과 짝을 이루는 심적 구조를 갖게 된다. 여성이 부성 원형의 영향력 하에 놓이게 되더라도 어느 시기가 지나면 그러한 원상적 부성상과 분리하여 원형적 영향력으로부터 벗어난다. 초기 아동기에 부모에게 초개인적 내용을 투사하여 그들의 전적인 전능함을 경험하다가, 성장해 가면서 차츰 그들의 인간적 특징을 발견하고 실망하면서 투사를 거두어들이게 되고, 마침내는 그의 영향력에서 벗어나는 양상으로 나타난다. 그런데 부성상의 탈신성화가 제대로 이루어지지 않으면, 부성상은 자아를 끌어들이는 강력한 심상이 된다. 여성의 자아는 부성 원형의 초개인적 특성에 동화되기 쉬운데, 그렇게 되면 자아 콤플렉스의 독자적 성장이 어렵게 된다. 이런 경우 여성의 부성 콤플렉스는 증상 콤플렉스가 되는 것이다.

부성상은 주변의 나이 든 남성들, 예를 들면 아버지, 선생님, 신부님이나 목사님, 유명 인사 등에 쉽게 투사된다. 드물지 않게 남편에게도 투사된다. 여성 자아는 그렇게 투사한 대상들과 아주 남다른 관계, 심적 의존 관계를 맺는다. 이런 유형의 어

---

56 C.G. Jung(1936), "Über den Archetypus mit besonderer Berücksichtigung des Animabegriffes", G.W. Bd. 9/I, Par. 135.

57 C.G. Jung(1936), 앞의 책, Par. 138.

떤 여성은 어린 시절 아버지의 머리 주변에서 오로라를 보았다거나, 그의 눈빛이 전능하여 자신을 모두 알고 있는 것처럼 여겨졌다고 보고한 적이 있다. 이 유형의 또 다른 여성은 아동기에 돌아가신 아버지가 꿈에 아주 젊고 건강한 모습으로 자주 등장하여 자신을 지지하거나 격려했고, 나중에는 돌아가신 시아버지의 모습으로 변했다고 한다.

영향력이 커진 부성상은 종종 아동기 여아의 꿈이나 환상에서 자아의 공간에 위협적으로 침입해 오는 이미지로 형상화 되어 나타난다. 예를 들어 보면, 어느 여아의 꿈 혹은 환상에서 자신의 방에 큰 독수리가 들어와 무서운 눈으로 자신을 지켜보고 있다거나, 나이 든 백발의 노인이 앞길을 제대로 바라볼 수 없도록 막았다거나, 드라큘라와 같은 검은 악마가 자신이나 여동생을 잡아가려 했다는 내용들이 보고된다.

자연스럽게 자아 콤플렉스의 독립적 분화가 가능해지면, 탈신성화 된 부모상은 자아의 배경으로 물러나게 된다. 부모상이 배경으로 물러나야만 영향력이 약화되어 자아 콤플렉스의 고유한 성장이 가능하다. 그렇지만 자아가 원형과의 관계를 완전히 단절하는 것은 아니다. 사춘기에 아니무스의 발달이 있게 됨으로써, 자아는 아동기와는 다른 양상으로 원형과 관계한다. 아니무스는 무의식의 의도를 전달할 수 있는 새로운 대표 주자로서 작용한다. 아니무스는 분화된 자아에게 후반부의 삶을 위한 새로운 지평을 열어주는 원형적 인물상이다. 자아는 아니무스의 보상적 내용에 의하여 내면 세계와 관계 맺을 수 있으며, 이로써 전(全)인격적 실현을 위한 삶의 여정을 계속할 수 있다.

그러나 초기 아동기의 부성상과 제대로 분리가 이루어지지 않은 여성의 경우, 사춘기 이후 아니무스가 아니라, 부성상이 자리를 대신하게 된다. 이는 지배적인 원형적 특성의 부성상이 사춘기 이후에도 계속적으로 영향력을 미치는 상태를 의미한다. 이와 같은 부성-아니무스는 자아 콤플렉스를 사로잡아 인격의 변화나 성장을 어렵게 만든다. 자아는 상대적으로 취약하고 분화가 되지 않은 채, 부성 원형에 전적으로 동화된다. 부성상이 주도하므로 매우 적극적이고 활발한 여성 인격으로 드러나지만, 사실상 자아 콤플렉스는 배경으로 물러나 있기 때문에, 취약하고 의존적인 상태이다.

무엇보다 부성상은 언제나 외부의 세계로 이끄는 원동력이므로, 부성 콤플렉스의 여성은 매우 외향적 성향을 나타낸다. 또한 부성상의 내용은 거의 외부에 투사되어, 직업 활동이나 이성 관계 등에서 전형적인 특성을 나타낸다. 부성 콤플렉스의 여성에서 보이는 이성 관계의 양상은 대략 두 가지가 두드러진다. 그 하나는 대부분 모성상과의 동화가 이루어지지 않아서 여성성이 제대로 발달하지 않은 경우이다. 그럼에도 이 유형의 상당수가 상대적으로 여성성을 강조하고 남성과 매우 긴밀한 관계에 있는 경우도 있다. 이때의 여성성은 본성에 기초했다기보다는 사회 관습적 관계 속에서 형성된 것이거나, 부성상을 투사한 남성과의 관계에서 부성상의 연인으로서 강조된 것이다. 이런 경우에는 주로 관계에서 부각된 암시 혹은 투사된 내용의 여성성이므로, 대체로 아니마의 특성을 무의식적으로 반영한다. 이런 여성들은 모성성을 갖지 않으므로 결코 주부나 어머니, 아줌마가 되지 않는 여성들이다. 결국 이 유형의 여성들은 아버지의 연인이기도 하지만, 늘 그에 의존하는 아버지의 딸인 것이다. 또 다른 하나는 부성상에 의하여 자신의 여성성이 심하게 위축되거나 부정된 경우이다. 이 경우 특정의 여성과 동성애적 관계에 이를 정도로 가까워지지만, 주변의 다른 여성들과는 거의 편안하게 어울리지 못한다. 이처럼 동성애적으로 나타나는 현상은 자신의 여성성을 특정의 여성에게 투사하여 그 여성성을 흠모하고 동일시 하는 데에서 기인한다. 이 유형의 여성은 종종 여성들과의 관계보다 남성들과 더 자연스럽고 친밀한 유대감을 갖는데, 이는 이성으로서가 아니라 동료로서 관계를 맺는 것이다. 결과적으로 위의 두 유형 모두에서 여성성이 위축되거나 희생된다. 두 유형의 여성 모두 자신도 모르게 부성상에서 기인한 내용들을 실현하게 된다.

부성 콤플렉스의 여성은 직업이나 사회적 역할 등에서 비교적 능력을 잘 발휘하여 주변으로부터 긍정적인 평가를 받는다. 부성상과 연결된 여성은 초기 아동기부터 개인적 가치를 강조하여 남성처럼 매우 투쟁적, 경쟁적 입장을 취하며, 남성들과 능력 겨루기를 하면서 성장하게 된다. 이런 여성의 경우 지성적이고, 합리적이며, 신념에 찬 추진력을 갖고 있어서, 매사에 능동적이고 실천적인데다가, 심지어는 매우 독립적인 모습을 보이게 될 것이다. 그녀들이 실행하는 삶의 내용은 하나의 신념, 즉 부성상의 요구에 충실한 것이다. 언제나 사회적 요구, 원칙 및 규범에 전적으로 헌신함으로써 상대적으로 뛰어난 성과를 이룬다. 그녀들은 변호사, 의사, 교사, 정치인 등 사회적으로 어쩌면 같은 직업에 종사하는 남성보다 더 성실하고 집단의 이념에 부합한 사람일 것이다. 부성상의 요구는 자신의 신체적 한계나 개인적 제약적 조건을 거의 무시하고 신념에 부합된 내용들을 실행하게 한다. 그래서 부성 콤플렉스의 여성은 역할 및 능력만을 추구하고, 몸을 고려하지 않고 일을 하다가, 신체적인 질환이 생기고 나서야 비로소 자신이 얼마나 몰두되어 있었는지 알아차리게 된다. 이런 여성들 중에는 남다른 신념이나 성스러운 믿음의 실현을 위하여 온전히 일생을 종교에 헌신하기도 한다.

　여기서 부성 콤플렉스의 여성들이 어느 정도로 부성상의 영향에 놓이는지 아주 극명하게 보여주는 유럽의 이야기를 하나 소개해 보면 다음과 같다.

≪마법에 걸린 공주≫[58]

공주는 산(山)에 있는 혼령의 마법에 걸려서 청혼해 오는 모든 젊은이에게 수수께끼를 내고 맞추지 못하면 목숨을 빼앗는다. 공주는 밤마다 산에 가서 청혼자에게 낼 수수께끼를 산의 혼령에게 받아 온다. 공주가 페터(Peter)라는 남자 주인공에게도 산의 혼령이 지시한 내용을 수수께끼로 내놓았다. 그것은 모두 공주가 무슨 생각을 하고 있는지를 맞추는 것이었다. 첫 번째 수수께끼에서는 공주가 아버지의 백마를 생각하고 있다는 것을, 두 번째 수수께끼에서는 공주가 아버지의 칼을 생각하고 있다는 것을, 마지막 수수께끼에서는 공주가 산의 혼령의 머리를 생각하고 있다는 것을 알아맞혀야 했다.

　부성상에 사로잡힌 상태를 제목에서 보듯이 '마법에 걸린'으로 표현하고 있다. 공주는 전형적으로 머리로 생각하는 여성으로 묘사된다. 공주 스스로 사고하는 것이 아니라, 부성상에 의한 정신 활동을 하고, 그 내용은 온통 부성상에 관한 것이라는 점이 아주 잘 드러나 있다. 부성상은 이처럼 개별 인격으로 제대로 분화하지 못한 여성 자아를 사로잡고 그 자신의 내용을 실현하게 만든다. 그러나 한 여성의 삶을 오로지 부성 원형에 헌신하도록 하는 데에는 어떤 목적의미가 있어야 할 것이다. 내재적으로 어떤 목적의미가 있는지 본격적으로 민담을 해석하면서 알아보도록 하자.

다시 강조하면, 민담에서의 부성상은 한 개인의 부성상에서 비롯된 것이 아니라, 집단무의식에서 형성된 전형적 인물상이다. 민담의 부성상이 개인적 특성을 가진 것처럼 보이나, 이것은 전형적 유형을 나타내기 위하여 저절로 취하게 된 어떤 규정된 모습일 뿐이다. 이처럼 내용적으로 전혀 한 개인의 아버지와 관련되지 않지만, 부성 원형은 부성 콤플렉스를 형성하는 데 있어서 기초가 된다.[59] 그러므로 부성상과 긴밀한 관계에 있는 여성 주인공의 민담은 여성의 부성 콤플렉스를 나타내는 여러 현상들을 표명한다고 할 수 있다. 민담은 부성상의 지배를 받은 여성이 어떻게 그 문제를 해결하여 인격의 성장과 완성에 이르게 되는가를 다루고 있다.

이제 두 개의 민담을 살펴볼 것이다. 그것은 널리 알려진 이야기인 ≪심청전≫과 ≪바리 공주≫이다. 흥미롭게도 일부 연구들에서 ≪심청전≫과 ≪바리 공주≫가 같이 다루어진 경우를 볼 수 있다. 예를 들어 무속적 제의에 관한 연구에서 보면, 두 민담의 여성 주인공들이 모두 저승을 다녀온, 소위 죽음을 맞이했다가 회생하여 돌아온 내용에서 공통점을 찾고 있었다. 이런 관점에서 심청과 바리 공주를 피안의 세

---

58 M.L. von Franz(1986), *Psychologische Märcheninterpretation*, S. 127~128.
이 이야기는 민담이 아니고, 안데르센 동화 중 하나인 ≪길동무≫이다. 이 이야기에서 주인공이 남성(Peter)이라면, 공주의 모습은 아니마에 해당한다. 그러나 이를 여성 인물 중심으로 살펴보면 공주는 부성 콤플렉스가 있는 여성의 전형이 된다.

59 C.G. Jung(1939), "Die Psychologischen Aspekte des Mutterarchetypus", G.W. Bd. 9/I, Par. 161.
"이른바 모성 원형은 모성 콤플렉스의 기초를 이룬다."

계, 지하 세계, 사자(死者)의 세계를 다녀온 여성 샤먼의 특징으로 부각시키고 있다.[60] 그러나 분석심리학적으로 볼 때 민담의 주인공들은 실제의 개인으로 간주될 수 없으므로, 심청과 바리 공주가 여성 샤먼일 수는 없다. 이미 지적하였듯이 민담의 형성을 고려하면, 오히려 바리 공주는 남성 샤먼의 아니마에서 비롯된 인물상이 될 수 있다. 여기서는 두 민담에서 부성상과 관련된 여성 주인공에 주목하여, 이러한 유형의 여성이 갖는 운명적 삶의 형태와 이를 극복하는 내용을 크게 두 방향으로 다루게 될 것이다. ≪심청전≫은 긍정적 부성상의 유형으로서, ≪바리 공주≫는 부정적 부성상의 유형으로 소개하고, 이들 주인공이 어떻게 부성상을 극복하고 개별 인격의 가치를 실현하게 되는지를 살펴볼 것이다.

긍정적 부성상: ≪심청전≫

≪심청전≫은 우리나라에서 널리 알려진 효녀 이야기이다. 이 이야기는 일종의 고대 소설로 알려져 있다. 민담의 형성 과정을 고려해 보면, 구전된 이야기가 문자로 기록되면서 소설이 되었을 가능성이 있다. ≪심청전≫은 판소리 등으로도 재현되고 있어서 아마도 우리에게 가장 잘 알려진 이야기 중의 하나일 것이다. ≪심청전≫은 전형적으로 아버지와 딸의 관계를 나타내는 이야기인데, 해석을 위하여 그 줄거리를 요약해 보면 다음과 같다.

민담 요약

≪심청전≫[61]

심봉사에게 심청이라는 지극한 효심을 가진 딸이 있었다. 하루는 심봉사가 우연히 스님을 만나 공양미 300석을 부처님께 바치면 눈을 뜰 수 있다는 소리를 듣고 공양을 하기로 약속하였다. 심봉사는 너무 가난하여 공양미를 마련할 수 없었으므로, 딸에게 그런 사실을 털어놓았다. 이를 알게 된 심청은 중국 상선의 선원들에게 쌀 300석을 받고 자신을 팔았다. 중국 상선의 선원들은 안전하게 항해를 하기 위하여 심청을 해신에게 제물로 바쳤다. 심청이 바다로 뛰어들었으나 죽지 않고 용궁에 도착하였다. 용왕은 심청의 효심에 감동하여, 심청을 연꽃 속에 담아 다시 세상으로 돌려보내었다. 상선의 선원들이 그 연꽃을 발견하여 임금에게 바쳤다. 연꽃 속에서 심청이 나타났고 임금은 심청과 혼인을 하게 되었다. 심청은 아버지를 만나기 위하여 장님 잔치를 베풀었고, 장님 잔치에 나타난 심봉사는 심청을 만나자 너무 반가워 하다가 눈을 뜨게 되었다.

민담의 해석

(1) 심봉사에게는 효심으로 가득한 딸이 있었다.

이야기는 원래 심청이 태어나자마자 어머니는 돌아가시고 눈먼 아버지가 젖동냥으로 딸을 키우게 된 장면으로 시작한다. 심청이라는 여성 주인공에게는 모성상은 없고, 부성상이 지배적임을 보여준다. 심청과 부성상의 특별한 관계는 효심으로 표현되어져 있다. 효심은 아버지를 정성으로 모시고 따른다는 형태이므로, 이것은 궁

---

60 여기서 논문들의 제목을 제시하지는 않겠다. 구비문학적 연구는 주로 주인공들이 저승 세계를 다녀 온 인물로서 두 민담을 관련시키고 있다면, 여성학적 연구는 효(孝)에 관한 내용을 유교적 가부장제와 관련시켜 두 민담을 함께 다루고 있다.

61 최인학 · 엄용희 엮음(2003), 『옛날이야기꾸러미 3』, 266~267쪽.

정적 부성상을 바탕으로 한 부녀 관계를 의미한다.[62]

심봉사는 딸과 긍정적 관계를 맺는 부성상이긴 하지만, 눈이 멀었기 때문에 제대로 영향력을 발휘하지 못하는 부성상일 수 있다. 앞서 서술한 대로, 부성상은 딸이 외부 세계로 나아가는 데 있어서 어떤 방향이나 지침을 제공해 주는 인물상이다. 말하자면 여성에게 부성상은 외부 세계에 대한 하나의 가치관을 갖게 하는 영향력이 있다. 이런 의미에서 눈먼 부성상은 딸을 전혀 외부의 사회적 삶으로 인도할 수 없거나, 왜곡된 혹은 소외된 세계로 인도하는 안내자가 될 수 있다. 그래서 눈먼 부성상을 가진 심청은 아직 외부 세계에 제대로 입문하지 못한 상태에 있다고 하겠다.

그러나 다른 측면에서 보면, 심청의 눈먼 아버지는 기존의 사회적 가치나 지배적인 집단의식에 편승하지 않는 부성상으로 볼 수 있다. 이는 시대 정신에 부합하지 않지만, 나름대로의 원칙과 가치에 기초한 세계관이 제시되어져 있다는 특징이 될 수도 있다. 앞을 보지 못하는 사람들은 남다른 감지 능력과 직관력이 있어서 다른 세계와 교류할 수 있으므로, 종종 샤먼이나 예언자의 역할을 해 왔다. 그들은 왕에게 신탁을 전하거나, 나라의 미래를 위한 어떤 징후를 읽거나, 운명적 사건들을 예견하는 역할을 담당함으로써, 다른 관점에서 집단의 삶에 기여한다. **융** 심리학적으로 잘 알려져 있듯이, 인간의 내면에는 주관적 요소만 있는 것이 아니라, 객관적 요소, 즉 보편적 정신 구조가 있다.[63] 눈이 먼 상태는 내면을 향하여 응시하거나, 현상 너머 혹은 그 이면에 있는 근원적 사실들로 향하고 있음을 의미한다. 이런 측면에서 눈먼 심봉사는 인간의 내면에 기초한 객관적 정신에 주목하는 부성상이 될 수도 있다. 그러나 이러한 내면의 객관 정신은 외부 세계에서 통용되는 집단의식과는 다른 집단 정신에 해당한다. 심청이 이러한 부성상을 전적으로 믿고 따르면서 정성으로 모신다는 점은 사회적, 집단의식의 가치와 의미에서 고립된 상태가 아니라, 그에 부합하지는 않더라도 다른 삶의 원칙에 기초하여 살아가는 여성임을 의미한다.

심청은 딸이라는 점에서 의식적 분화를 시도하게 될 여성 주인공이다. 말하자면 그녀는 여성 인격의 주체가 되려는 정신 영역이다. 비록 심청이 지배적인 집단의식에서는 소외된 상태이지만, 젖동냥을 통하여 성장했다는 점을 감안하면, 집단 정신의 호응과 지지가 있었음을 알 수 있다. 심청이 여러 어머니들의 젖을 먹으면서 자랐다는 사실은 모성상이 부재하지만, 다른 측면에서 모성상의 지지를 받아 성장할 수 있었음을 나타낸다. 이것은 여성 주인공의 인격 형성에 기본이 되는 본능적 저력이 될 것이다.

(2) 심봉사는 눈을 뜰 수 있다는 말을 듣고 부처님께 공양미 300석을 바치기로 하였다.

심봉사는 우연히 스님을 만나 공양미 300석(石)으로 눈을 뜰 수 있다는 이야기를 듣게 되었다. 여기서 눈을 뜰 수 있다는 것은 부성상이 의식의 삶에 동참할 가능성이 있다는 것이다. 어쩌면 스님은 종교의 지도자로서 인간 내면의 삶과 연관이 있는 인물상이기 때문에 눈먼 심봉사의 입장을 공유할 수 있다. 또한 불교는 이미 사회적으로 통용되는 종교로서 집단의식과도 소통한다는 점에서 볼 때, 스님은 부성상을 집단의식과 연결시키는 매개적 인물상이 된다. 눈을 뜨기 위하여 쌀 300석을 부처님께 바치는 것은 주도적 영향력을 가진 집단의식과 직접 관계를 시도하기보다는 먼저 종교적 이념에 합류한다는 의미이다. 바야흐로 심봉사는 집단의식에 참여하기 위해 먼저 사회적으로 통용되는 종교적 이념에 접근한 것이다.

심봉사에게 요구된 것은 공양미 300석(石)이었다. 석이나 섬은 둘 다 한 가마니 분

62　여기서 심봉사를 부정적 부성상으로 보지 않는 이유는 민담의 전개가 집단의 대표인 왕(王)이 문제가 있는 경우와는 다른 이야기 방식이기 때문이다. 전혀 주목받지 않던 개인을 중심 인물상으로 내세워 시작하는 민담의 경우, 주인공은 집단의식과 관계가 없는, 아주 멀리 동떨어진, 소외된 조건에서 자라나서 집단 정신에 가장 필요한 보상적 내용을 가져오는 인물로 부상한다.

63　C.G. Jung(1921), *Psychologische Typen*, G.W. Bd. 6, Par. 697.
　　"'내향적 태도'는 정상적인 경우에는 유전을 통해 주어진, 주체 안에 존재하는 정신 구조에 방향을 맞춘다. 그러나 내향적 태도를 자아의 주체와 똑같은 것으로 보아서는 안 된다. (…) 내향적 태도란 자아가 발달하기 전 주체의 정신 구조이다. 원래 깊숙이 더 하위에 놓인 주체, 즉 자기는 자아보다 훨씬 광범위하다. 자기는 무의식을 포괄하는데 비해 자아는 본질적으로 의식의 중심이기 때문이다."

량에 해당하거나, 장정 한 사람이 들어 올릴 수 있는 무게로 알려져 있다. 그래서 300석(혹은 섬)은 300명과 관련된 숫자라고 볼 수 있다. 심봉사가 눈을 뜨기 위하여 끌어내어야 할 심적 에너지는 300명에 해당하는 힘이다. 가장 중요한 주식인 밥을 짓는 데 쓰이는 쌀로 공양해야 한다는 사실로 미루어 보아, 심봉사가 지불할 대가는 여러 사람들을 배불리 먹일 수 있는 집단적 가치를 지닌 것임을 보여준다. 이런 맥락에서 보면 심봉사가 눈을 뜨는 것은 개인적 가치를 넘어 집단적 가치를 나타내는 사건임을 의미한다.

심봉사가 스님에게 선뜻 공양을 약속한 것은, 이제 어떤 대가를 지불하더라도 의식의 수준에 이를 것이라고 표명한 것이다. 이러한 심봉사의 노력은 심봉사가 주인공인 민담으로 본다면, 딸을 희생하면서까지 자신의 눈을 뜨려고 하는 것처럼 보인다. 하지만 전체 민담의 주인공이 심청이라는 관점에서 보면 심봉사의 노력은 합목적적인 것이다. 다만 여성 주인공 대신 부성상이 노력하고 있듯이, 이러한 내용은 부성상이 여성 인격을 대신하고 있음을 나타낸다. 눈을 뜨려는 심봉사의 바람은 여성 인격의 의식화를 위한 것이다. 부성상의 바람은 곧바로 부성상의 영향력 하에 있는 딸에게 해결해야 할 과제로 주어진다. 심청이 아버지에게 효도한다는 것은 부성상을 전적으로 믿고 의지하거나, 부성상을 지지하고 따르는 것을 의미한다. 이것은 부성상이 행하고자 하는 바를 고스란히 수행하게 될 인물상임을 나타낸다. 긍정적 부성상의 지배 하에 있는 딸은 완전히 부성상을 대신하거나 부성상의 의도를 실현하는 도구가 된다. 긍정적 부성 콤플렉스가 있는 여성의 문제가 바로 여기에 있다. 부성상이 이런 유형의 여성 자아를 전적으로 지배하기 때문에, 그녀들이 원하는 것은 바로 부성상이 원하는 것이 된다. 혹은 부성상이 실현하고자 하는 바는 그녀가 실현하려는 것이라 할 수 있다. 그녀들에게 부성상은 반드시 그렇게 하지 않으면 안 되는 필연적인 힘으로 작용하는데, 이런 의미에서 공양미 300석은 심봉사 대신 심청에 의하여 지불된다.

실제로 부성상의 요구에 따라 무엇인가 하게 된다면, 언제나 개인적 한계를 넘어선 수행 능력을 발휘하게 된다. 이것이 다른 유형의 여성들보다 유능한 모습으로 부각되는 이유이다. 부성상의 요구에 상응하는 집단사회적 가치를 추구하기 때문에, 외부 세계에 전적으로 부합하는 여성의 페르조나(Persona)가 강조된다.[64] 이로써 부성 콤플렉스의 여성은 대부분 페르조나와 전적으로 동일시 한다. 어떤 경우든 부성상은 집단 사회에서 인정받도록 사회적 역할에 상응하는 인격의 성장을 도모한다.

여기서 보충적으로 긍정적 부성상의 요구에 응하게 되는 여성들에 대해 대략 두 경우로 나누어 보자. 우선 여성 자아에게 외부 환경의 요구가 버겁게 여겨지거나, 자신의 한계를 능가하는 능력을 발휘하도록 요구하는 것처럼 경험될 경우이다. 이때 여성 자아는 자신을 부족하다고 느끼고, 그 열등감을 만회하기 위하여, 혹은 다른 사람보다 더 우월한 능력을 발휘해야 하기 때문에 부성상을 끌어들인다. 이러한 의존성은 의도적으로 그렇게 하는 것이 아니라, 본능적으로 강한 부성상을 끌어들여 자신의 존재감이 주변에 알려질 수 있게 하는 것이다. 부성상의 힘에 의존했음에도 여성 자아는 성공적 성과를 자신의 업적으로 생각하기 쉽다. 초기 아동기부터 그토록 부성상에 긍정적 가치를 부여하고 매료되었던 것도 바로 부성상에서 얻어 낼 힘과 지지 때문이었다. 이 유형의 여성 자아는 특별히 개별적 능력과 성과를 중요하게 생각한다. 자신이 취한 역할과 동일시 하여 주변에 엄청난 영향력을 발휘하면서, 이로써 자아 팽창(Inflation)에 이르게 될 수도 있다. 이는 부성상의 원형적 힘을 개인적인 것으로 인식하고 동화하여 생긴 결과이다. 이처럼 부성상에 의해 고양되어 기능하면, 여성 인격의 개인적 가치는 위기를 맞이할 가능성이 있다. 이런 의미에서 부성상과의 분리는 필수적이다.

이에 반하여 일부의 여성들은 운명적으로 부성 원형의 부름을 받아 요구에 응해야 하는 경우가 있다. 이 경우는 여성 자아가 부성상의 영향력에서 벗어나려 하지만, 결국 어쩔 수 없이 끌려들어 가게 되는 것이다. 말하자면 부성상이 여성 자아를 끌어들인 것인데, 이는 그 여성에게 집단의 삶에 반드시 필요한 요소를 제시하도록 요

---

[64] 잘 알려져 있듯이 페르조나는 가면의 인격으로, 주로 역할과 기능이 강조된다. 이는 주변의 기대에 부응하거나 사회적 요구에 따르는 것인데, 종종 개인성을 대신한다.

구하기 위해서이다. 이때 여성 자아는 이런 요구를 가능한 거절하고 거부하려고 할 것이다. 왜냐하면 그것은 개인이 도무지 감당하기 어려운 집단의 과제이기 때문이다. 이 경우 선택된 여성은 여성 영웅의 전형에 해당한다. 어느 순간 그녀는 부성상의 요구를 차마 거절할 수 없어 따르게 되는데, 이로써 부성상의 실행 도구가 된다. 그렇지만 이때 여성 자아는 실현된 결과에 대해 결코 자신의 것으로 간주하지 않을 것이다. 때로는 여성 자아가 어쩔 수 없이 부성상의 요구를 완수하려 하겠지만, 그 때문에 자신이 희생될 것을 잘 알고 있다. 이 경우에는 부성상에 의한 성공적 수행이 결코 자아 팽창에 이르게 하지 않는다. 어떤 경우라도 원형적 힘에 동화되지 않기 때문이다. 부성상과의 분리는 임무가 완수되면 저절로 이루어진다.

후자의 경우로서 심청전을 살펴본다면, 심봉사가 눈을 뜨겠다고 결정을 하자 심봉사의 바램은 딸인 심청이가 해결해야 하는 상황에 이른 것이다. 이것은 부성상의 의식화를 위해서 여성 요소가 전적으로 도구로서 기능해야 되는 것처럼 보인다. 과연 심봉사가 눈을 뜨려는 것이 부성상을 위한 것인가? 여성 심리학적 입장에서 보면, 부성상의 바램과 딸인 여성 자아의 욕구가 서로 구분이 되지 않는다. 긍정적 부성상의 요구는 일차적으로 여성 자아를 반응하고 움직이게 하는 역동이 된다. 다만 전자의 경우처럼 부성상의 힘을 자신에게 유리하게 끌어들이면, 사건이 진행될수록 부성상이 구체화 된다. 오히려 후자의 경우는 여성 자아가 부성상의 요구에 따르더라도 개별적 인격의 특성이 전면에 드러나는 것이다. 심청은 눈을 뜨려는 심봉사의 바램에 의해 의식화에 참여한다.

(3) 심청은 쌀 300석에 자신을 팔았고, 제물이 되어 바다로 뛰어들었다.

심청은 아버지의 공양미를 마련하기 위해 스스로 제물이 될 것을 자청하였다. 이러한 희생적 선택은 여성의 수용력에서 비롯된 것이다. 딸이지만 아버지를 돌보는 태도가 있는 것처럼 모성적 수용력을 발휘하고 있다. 심청의 모성적 수용력은 집단의 여러 어머니들이 젖을 먹여 키웠다고 했듯이, 이미 갖추어져 있는 것이다. 이것은 특별히 감당하기 어려운 선택과 결정을 할 때, 용기를 내도록 지지하는 힘으로 작용한다. 자신의 욕구가 아니어도 전적으로 책임지며 감수하는 주체가 됨으로써, 심청이 주인공으로 전면에 모습을 드러낼 수 있게 된다. 심청이 아버지를 위해 자신을 희생하여 부성상의 욕구를 충족시켰지만, 동시에 부성상에서 벗어날 기회도 갖게 되었다. 중국 상선이 심청의 몸값을 지불하고 데려감으로써, 자연스럽게 부성상과 결별하게 된 것이다.

심청을 데려 간 중국 상선에 대해 언급해 보자. 중국 상선은 바다를 사이에 두고 육지와 육지를 오가며 거래를 한다. 민담에서 상선의 상인들은 성공적인 거래를 기원하며, 안전한 항해를 위하여 큰 돈을 들여서 제물을 마련하고, 그것을 신성에 바치려 하였다. 상인들은 리비도의 제공이나 재배열을 위해 일하는 매개적 인물상이므로, 의식과 무의식의 연결에 기여한다. 상인들은 의식의 삶이 조화와 균형을 잃게 되면 새로운 질서와 균형을 위하여 중재적 개입을 시도하는 것이다. 말하자면 잉여의 리비도를 옮겨서 부족한 곳에 채우거나, 신성과 관계를 맺도록 연결시킨다. 엄청난 위협적인 힘을 발휘하여 배의 운항을 어렵게 만드는 바다는, 의식의 삶이 집단적으로든 개인적으로든 편파적이 되어 버리자, 무의식이 보상적인 영향력을 발휘하는 것으로 볼 수 있다. 민담에서 상선의 상인들은 전체적인 재조정이 이루어지도록 처녀를 희생제물로 바치려 하였다. 이런 의미에서 효녀 심청은 집단의 삶에 가장 치유적인 보상성에 해당하는 것이다. 이것을 여성 주인공 중심으로 생각해 보면, 부성상이 눈을 뜨려 하는 것과 더불어, 상선의 상인들이 돈을 내고 처녀를 사려는 것은, 모두 여성 자아를 중심에 내세우려는 전체 정신의 방향성을 반영하는 것이라고 하겠다. 결과적으로 상선의 상인들은 여성 주인공을 찾아낸 후, 전체 상황을 여성 인격 중심이 되도록 조정한 것이다.

심봉사가 엄청난 대가를 지불하고서라도 눈을 뜨려 하는 것도 위의 맥락과 연결시킬 수 있다. 이것은 집단의식에 물들지 않은 부성상, 집단의식에 참여하지 않고 있던 부성상이, 문제가 있는 의식의 삶의 개선 및 확대를 위하여, 의식성을 획득하려고(눈을 뜨려는) 노력하는 것과도 같다. 그러나 심봉사가 가난하여 지불할 능력이 없다는 것에서 드러났듯이, 부성상의 어떠한 노력도 사실상 효과적이지 않다고 할 수 있다. 더구나 상선의 상인들이 심청을 데려가자, 부성상이 주도하던 인격은 위기가 될 상태에 이른다.

부성상이 즐겨 딸인 여성 요소를 데리고 있는 것은, 자라나고 있는 여성 요소에 의해 자신의 영향력을 계속 유지할 수 있기 때문이다. 그것은 부성상을 새롭게 변환시킬 수 있는 가능성을 갖고 있다. 많은 민담에서 나이 든 왕이 여성 배우자가 없는 경우, 새로운 남성 주자인 젊은이의 여성 배우자를 빼앗으려 한다.[65] 이때의 여성 요소는 남성상에 생동감을 불어넣을 정서적 측면이 의인화 된 것에 해당한다. 심청이 희생을 자청하여 부성상을 변화시키려 하였으나, 오히려 상선의 상인들이 심청을 부성상에서 벗어날 수 있도록 다른 곳으로 옮겼다.

심청이 바다로 뛰어들게 되면서, 일시적으로 전체 의식 수준은 저하되었다. 부성상과의 분리가 있은 후에 생긴 이러한 현상은, 우선적으로 부성상이 여성 인격을 대신하고 있었기 때문이라고 할 수 있다. 만약 심청의 희생으로 부성상이 눈을 뜨게 된다면 여성 인격은 완전히 배경으로 물러나고 말 것이다. 하지만 민담에서 심봉사가 눈을 뜨지 못한 것처럼, 심청의 개별 인격은 결코 희생될 수 없었다. 심봉사가 눈을 뜨고 싶어 했던 것은 오히려 여성 인격의 의식화를 위한 것이다. 결과적으로 심청이 물에 가라앉은 상황은 일종의 내향화가 이루어진 것과 같다. 이로써 정신의 여러 요소들이 하나로 통합할 수 있게 된다. 내향화에 의한 요소들의 통합은 새로운 인격의 탄생을 준비시키는 인큐베이션 상태로 만든다. 또한 이것은 일종의 자아와 무의식의 관계에 상응하는 것일 수 있다. 다만 이때의 자아가 여성 인격의 고유한 자아의식에 해당하는 것이 아니기 때문에 '대극의 합일'에 상응하는 내용이 될 수는 없다. 그럼에도 의식과 무의식의 관계는 언제든 새로운 인격(제3의 요소)의 탄생을 기대할 수 있는 순간이 된다.

(4) 심청은 죽지 않고 용궁에 도착하였고, 용왕이 연꽃 속에 심청을 담아 돌려보냈다. 상선의 선원들이 연꽃을 임금에게 바쳤다.

심청이 바다에 들어가 죽음을 맞이했으나, 죽음을 맞게 된 인격은 심청의 여성 인격이 아니라, 부성상에 의해 끌어내어진 인격, 즉 부성상에 의해 활성화 된 인격이다. 그래서 희생에 따른 죽음, 즉 인격의 해체는 오히려 여성 인격의 회복이라는 결과를 가져온다. 바다는 또한 생사가 교체되는 근원적 장소, 소위 생명의 근원지에 해당한다. 이곳에서 여성 주인공 심청은 용왕을 만났다. 용왕은 또 다른 긍정적 부성상의 모습으로서, 이제 심청에게 생명을 보증하고 새롭게 태어나도록 연꽃에 태워 세상으로 돌려보낸다. 눈먼 아버지-스님-용왕으로 이어지는 긍정적 부성상은 어느새 개인성을 희생한 여성 자아를 지지하는 힘으로 구체화 된다. 용왕이 연꽃에 태워 심청을 인간 세상으로 돌려보내는 것은 부처님의 자비에서 비롯된 것과 같다. 마침내 여성 주인공이 인격의 주체로 부각되고, 부성상은 배경으로 물러나게 된다. 우리는 지배적인 부성상이 물러남으로써 비로소 아니무스의 등장을 기대해 볼 수 있다.

민담에서 연꽃은 속에 있는 심청이 드러나지 않도록 둥글게 감싼 구(球)와 같다. 이런 연꽃은 완전히 생명이 보호된 공간, 모성의 자궁이다. 소위 연금술에서의 '비밀의 용기(vas hermeticum)', 즉 위대한 창조적 변환이 일어나는 곳이다. 심청은 그 안에서 보호를 받으며 다시 태어날 준비를 하고 있는 것이다. 구의 형상은 모든 것을 하나로 통합하여, 전체성으로 거듭나게 하는 모성적 수용력의 형상화라 할 수 있다. 구의 형상으로 이루어진 자궁의 연꽃이 심청을 수태하고 있으므로, 심청은 개인 인격을 회복할 수 있게 된다. 연꽃은 혼돈, 어두움, 알 수 없음과 같은 진흙 속에서 가장 빛나는 고귀함으로 피어오르는 꽃으로, 오랜 어려움을 거쳐 마침내 도달하게 된, 여성 인격의 의식적 실현을 의미한다. 연꽃 속에 담겨진 심청은 황금의 알(卵) 속에 있는 어린이와 같이 만다라의 중심에 나타난 정수(精髓)에 해당한다. 이러한 형상은 인격

---

65 이는 뒷장에서 다루게 될 《우렁 각시》에서 확인할 수 있다.

의 전체성을 상징한다.[66] 동시에 구와 같은 형상의 연꽃은 전체성의 상징으로서 만다라에 해당한다. 만다라의 등장은 '대극의 합일'을 의미하며, 궁극적으로는 '대극의 합일'에서 비롯된 제3의 것, 즉 새로운 의식성의 창조를 예고한다. 심청이 연꽃에 담겨져 무사히 회생된 것은, 부성상으로 활성화 되어진 인격의 부분이 해체되고, 모든 심적 에너지가 근원으로 되돌려져, 새로운 인격의 탄생이 이루어졌기 때문이다.[67]

심청이 연꽃에 담겨 물 위에 떠오르게 된 순간을 분석심리학적으로 간략하게 묘사한다면 다음과 같다: 자아가 외부로 향하던 모든 관심을 거두어들이고, 심지어 자신의 입장을 전적으로 내려놓게 되면, 자아는 죽음에 이른 것과 같은 상태가 된다. 이것은 자아의 내향적 태도에 따른 자아의 해체 및 무의식과의 통합 및 재조정에 해당한다. 이때 분산되어져 있던 모든 심적 에너지가 총체적으로 축적되면서, 내적으로 완전 포화 상태로 충만했다가, 때가 되자 응집된 리비도의 힘이 폭발하듯이 분출되어 자아로 흘러들어가게 된 순간을 의미한다. 이로써 자아는 무의식이 주도하고 있던 상태에서 벗어나 의식의 수준을 회복하게 된다. 심청은 부성상과의 성공적 결별로 자신의 개별적 가치를 회복할 수 있게 된다. 연꽃이 심청을 감싸고 보호하듯이, 모성 본능의 지지를 받는 진정한 개별 인격의 주체가 된 것이다.

(5) 임금은 연꽃에서 나온 심청과 혼인을 하였다. 그 이후에 심청은 장님 잔치를 열어 심봉사와 상봉하였다. 딸을 만난 심봉사가 마침내 눈을 떴다.

심청을 감싸고 있는 연꽃이 임금에게 전해졌고, 연꽃에서 나오게 된 심청은 임금과 혼인을 하였다. 심청은 새롭게 태어난 여성 인격으로서 임금님의 아내가 된 것이다. 이미 언급하였듯이, 부성상이 극복되자 아니무스와 연결된 것이다. 부성상의 극복이 없으면, 부성상이 아니무스를 대신하면서 여성 자아를 좌우하는 힘을 지속적으로 발휘한다. 부성상에서 벗어난 심청은 독립된 여성 인격으로서 집단의식에 능동적으로 참여할 수 있게 된다. 심지어 심청은 보편적 가치의 여성성을 표방하면서, 집단의식의 남성 대표와 동등한 위치를 차지한다. 여성 심리학적으로 보면, 임금은 여성의 아니무스이다. 이런 의미에서 임금과의 결혼은 비단 여성 인격이 의식의 삶에 직접적으로 참여하는 주체임을 밝히는 것뿐 아니라, 동시에 내면의 세계와의 소통이 가능해진 것을 나타낸다. 바다 속 용왕의 도움으로 여성 인격의 탄생을 맞이한 심청은 임금의 아내로서 인간의 심층적 정신 영역과 소통할 수 있는 여성 원리로서 부상한다. 이제 심청은 외부 세계 및 내면 세계 모두와 연결 가능한 여성 인격의 주체가 된다.

심청은 아버지를 다시 만나기 위해 장님 잔치를 베풀었다. 장님 잔치는 심봉사와 같은 처지의 부성상들을 집단의식의 삶에 동참할 수 있게 하려는 것이다. 심청은 임금의 아내, 즉 집단의 여성 대표 주자로서 적극적으로 의식의 삶에 필요한 집단 정신의 내용을 수용하려 한다. 더구나 장님들은 집단의식에 부응하는 것이 아니라 내면에서, 즉 인간의 심혼적 기초에서 살아있는 보편적 가치에 주목하는 부성상이므로, 집단에 새로운 정신의 내용을 제공할 수 있을 것이다. 심청은 다른 방면의 부성상을 집단의식에 편승시키는 매개적 역할을 하고 있다. 이처럼 여성 주인공은 여러 분열된 것들을 하나로 묶어 통합적 전체성이 되게 하는 여성 원리로서 기능한다. 이것은 집단의식을 주도하는 남성 의식 혹은 남성 원리에서 배제된 것들을 고려하거나, 보완이 필요한 것들을 끌어들여서, 계속적으로 집단의 삶은 물론이고 개인적인 삶에서도 생명력을 불어넣는 역할이다. 심청을 만나자 심봉사는 마침내 눈을 뜨게 되었다. 드디어 부처님께 공양했던 300석의 효과가 심청에 의하여 나타난 것이다.

다시 강조하면, 심봉사는 딸의 희생으로 눈을 뜨려 했으나 그럴 수 없었다. 심지어 딸과의 관계까지 상실한 상태의 부성상으로서, 삶의 의미와 가치가 사라지고, 희망을 잃어버린 집단의식의 한 측면에 해당한다. 이는 마치 여성 요소와의 관계를 상실한 늙은 왕, 생명력을 제공받을 수 없는 의식의 태도 전체를 의미한다. 심봉사는 딸

---

66 C.G. Jung(1940), "Zur Psychologie des Kindarchetypus", G.W. Bd. 9/I, Par. 270.

67 정신분열증과 같이 자아의 붕괴가 있던 경우에도, 새롭게 자아가 회생될 때면 전체성의 상징인 만다라(Mandala)가 등장한다.

인 여성 요소와 만나자 눈을 뜨게 되었다. 바로 여성의 요소가 전체 삶에 생명력을 불어넣는 실제적 요인임이 증명된 것이다. 이것은 개인적으로는 여성 자아가 여성 인격의 총체적 의미를 인식할 수 있는 것이고, 집단적으로는 더 넓은 의식의 지평을 열어 인간의 이념을 실현할 수 있게 된 것을 의미한다. 바야흐로 임금과 심청은 함께 집단을 이끌어 갈 새로운 지배원리로서 기능하고 있는 것이다. 이런 의미에서 심청은 집단의식을 쇄신하는 주역이라 할 수 있다. 심청이 눈먼 아버지를 위해 희생하여 눈을 뜰 수 있게 한 것은, 한편으로는 여성 인격의 실현을 위한 것이면서 동시에 부성상의 치유를 위한 것이다. 여성 인격이 주체가 되고, 부성상이 눈을 뜸으로써 이제 부성상도 여성 인격에 포함된다.

맺는 말

이상에서 보듯이 긍정적 부성상의 여성은 심청과 같이 어떤 의미에서든 부성상의 부름을 받았음을 알 수 있다. 결국 부성상의 부름을 받은 여성의 고통스러운 여정은 저절로 집단의 삶에 관여하게 된다는 점도 확인할 수 있다. 부성상은 그녀를 도구로 삼아 궁극 목적을 실현하려 한다. 그것은 바로 부성상의 변화, 즉 낡고 관습적인 집단의식 및 의식 전반에 쇄신을 가져오는 것이다. 왜냐하면 의식의 쇄신은 개인적이든 집단적이든 오로지 여성 요소에 의해서 가능하기 때문이다.

민담에 의해 드러난 사실은, 비록 부성상에 의하여 여성 자아가 희생되었지만, 그 희생으로 부성상에서 벗어나 고유한 자신의 인격을 회복할 수 있었다. 여성 심리학적으로 보면, 부성상도 궁극적으로 여성 인격의 실현을 위해 기능하는 것이다. 심청이 자신을 온전히 희생하여 끝내 아버지의 눈을 뜨게 한 것 또한 바로 자기 인식에 이르는 과정이다. 민담에서 심청이 보여준 부성에 대한 사랑은 여성적 수용력에서 비롯된 것이다. 아마도 부성상의 요구는 그러한 여성적 수용력을 끌어내기 위한 것으로 볼 수 있다. 주어진 것을 기꺼이 수용하고, 겪어 내는 여성의 본능적 저력이 부성상에서 벗어나, 온전히 자신을 개별 인격의 주체가 되도록 만들었다. 이 유형의 여성에게 일어난 전(全)인격적 변환은 부성상의 치유도 가능하게 한다. 결론적으로 ≪심청전≫에서 심청의 효심이 하나의 전형으로 다가오는 이유는 여성의 진정한 수용력이 가져온 결실이기 때문이다.

부정적 부성상: ≪바리 공주≫[68]

≪심청전≫에서 여성 주인공이 부성상을 극복하고, 여성 인격의 주체가 될 뿐 아니라, 부성상까지 구제한다는 사실을 살펴보았다. 이제 다루게 될 민담 ≪바리 공주≫도 여성 주인공이 부성상에 의해 고난을 겪지만, 병든 부모를 구하게 되는 내용으로 이루어져 있다. ≪심청전≫에서 여성 주인공은 부성상과 좋은 유대 관계를 가진 긍정적 부성상의 유형이었다. 이제 소개할 ≪바리 공주≫에서 여성 주인공은 부성상과 제대로 관계를 맺을 수 없다. 이를 부정적 부성상의 유형으로 간주하여 이해해 보도록 하자.

민담 요약

≪바리 공주≫[69]

---

68 민담 ≪바리 공주≫는 흔히 무조(巫祖) 신화로 알려져 있다. 오늘날 굿에서도 ≪바리 공주≫가 제의의 일부로 재현되고 있다. 이미 〈들어가는 말〉에서 언급하였듯이, ≪바리 공주≫를 무조 신화로 본다면, 그 원형적 체험을 한 샤먼은 남성일 가능성이 높다. 그러나 민담인 경우 여성 주인공을 굳이 남성의 아니마로 해석하지 않아도 된다. 이야기를 접하게 되는 여성들은 저절로 여성 주인공에게 자아를 투사하게 되기 때문이다. 이런 의미에서 민담 ≪바리 공주≫는 여성의 삶의 전형을 제시하는 것으로 이해될 수 있다.

69 최인학·엄용희 엮음(2003), 『옛날이야기꾸러미 3』, 440~447쪽.

조선의 어느 왕은 아들이 15세 되는 해에 결혼을 시키고 왕위를 물려주려고 하였다. 그 해가 흉조의 해이므로 왕자가 결혼하면 일곱 공주를 낳게 될 것이라는 점괘가 나왔으나, 왕은 왕자를 결혼시키고 왕위를 물려주었다. 결혼 후 왕위에 오른 왕과 왕비는 예언대로 일곱 공주를 낳았다. 왕은 일곱 번째 공주가 태어나자 그 공주를 내다 버리도록 명령하였다. 공주는 옥궤에 넣어져 바다로 흘러들어 가는 강물에 버려졌다. 중생을 제도하던 스님과 제자가 그 옥궤를 발견하고 '바리공덕'이라는 노부부에게 맡겨 기르도록 하였다. 공주가 15세 되던 해에 왕과 왕비는 중병에 걸려 죽게 되었다. 그들의 병이 나으려면 버린 일곱 째 공주를 되찾을 것과 삼신산에 있는 무상신의 신약인 생명수를 구해야 한다는 처방이 주어졌다. 왕과 왕비는 버린 공주를 다시 찾아내어 '바리 공주'라 불렀다. 기르던 여섯 공주들 중 누구도 왕과 왕비를 위하여 신약을 구해 오겠다고 나서지 않았다. 그런데 일곱 번째 바리 공주가 신약을 구해 보겠다고 자청하여 길을 떠났다. 남장을 한 바리 공주가 자신을 구해 주었던 스님을 찾아가 신약에 대해 물었다. 스님은 나화(羅花)를 주며 스스로 찾아가도록 하였다. 나화의 도움으로 무사히 무상신이 사는 곳에 이르렀다. 무상신은 바리 공주가 3년 동안 물을 긷고, 다시 3년 동안 장작을 마련하고, 또 다시 3년 동안 불을 지펴야 신약을 구할 수 있다고 하였다. 바리 공주는 9년 동안 그것을 해내면서 무상신과 결혼하여 일곱 아들을 낳았다. 왕과 왕비가 위독했다가 거의 죽게 되자 급히 공주가 신약을 갖고 돌아와 죽은 왕과 왕비를 다시 살려 내었다. 신약은 그녀가 9년 동안 매일 긷던 물과 장작이었던 것이다. 부모를 살린 공주는 일곱 아들과 무상신을 소개하였고, 마침내 공주는 나라의 주인이 되었다.

민담의 해석

(1) 왕은 15세 된 아들을 결혼시키고, 그에게 왕위를 물려주었다.

민담은 여성 주인공인 공주의 출생에 관한 배경적 내용을 아주 자세하게 묘사하고 있다. 이러한 공주의 출생에 관한 내용에서 공주가 부성상과 어떻게 연루되는지 잘 드러난다. 이야기는 왕(王)이 15세가 된 아들을 결혼시켜 왕위를 물려주는 내용으로 시작된다.[70] 왕이 아들에게 왕위를 물려주려는 것은 집단의식의 변화를 꾀하려는 의도가 있음을 나타낸다. 이것은 집단을 통치하던 왕이 더 이상 통치자로서의 영향력을 발휘할 수 없음을 스스로 인정한 것이다. 그렇지만 한 집단의 삶을 통치하는 대표자의 교체는 인위적으로 되는 것이 아니다. 통치자의 교체는 집단무의식의 보상적 기능에 의한 새로운 인물상의 등장으로 이루어진다. 그래서 많은 민담에서 늙거나 병든 왕은 여러 어려운 시험을 거쳐 자격을 갖춘 아들 혹은 영웅에게 왕위를 물려준다. 소위 집단의식의 쇄신 및 교체는 권한을 물려주려는 선왕과 이를 이어 받게 될 새로운 왕이 제각기 당위성을 갖고 있어야 가능한 것이다.

왕과 왕비의 결합, 즉 결혼식은 대관식만큼이나 중요하다. 이는 모두 집단의 삶을 담보하는 상징적 사건이다. 그래서 대관식뿐 아니라, 왕가의 결혼식도 인위적으로 행해질 수 없다. 왕과 왕비의 결혼은 집단의 삶에서든 개인의 삶에서든 남성 요소와 여성 요소의 조화와 균형을 상징적으로 나타낸다. 왕위를 물려받을 왕자 혹은 남성 요소는 물론이고, 그의 짝이 될 여성 요소도 그에 상응하는 특징을 갖추어야 한다. 민담에서는 선왕이 왕위를 이어 받을 왕자의 자격이나 당위성에 대한 고려 없이 일방적으로 교체의 의도를 표명했던 것이다.

참고로 민담에서 왕으로 지칭되는 인물상은 집단의식의 통치자, 즉 집단을 대표하는 존재이므로, 실제적으로 한 집단의 삶과 관련된다. 이를 또한 개인의 심적 상태에 적용한다면, 왕은 한 개인의 의식의 삶을 지배하고 있는 원칙, 의식의 태도에 기초가 되는 개념이나 이념을 의미할 수 있다. 왕이 아들에게 왕위를 물려주려는 것

---

[70] 여기서 다시 한 번 왕(王)이 중심이 되는 민담과 앞선 ≪심청전≫과는 이야기 전개 방식이 다르다는 것을 확인할 수 있다. 이 민담은 왕의 문제점이 드러나고, 문제를 해결하기 위하여 외부에 도움을 청하면서, 영웅의 존재가 드러나게 된다. ≪심청전≫에서는 심봉사의 눈먼 상태에 대해 문제가 있다기보다는 보상적 가치를 가진 인물상으로 보았다.

은 한동안 만족스럽게 여겨 왔던 삶의 지배원리가 시간이 지나면서 차츰 의미를 갖지 못하게 되고, 개선할 필요가 있다는 인식에 이른 것과 같다. 말하자면 의식의 태도를 주도하는 지배원리가 영향력을 더 이상 갖지 못하게 된 것이다. 또한 왕이 15세가 된 왕자를 결혼시켜 왕위를 물려주는 것은, 자아의식이 스스로 자신의 태도를 개선하려고 새로운 요소를 끌어들여 변화를 시도하는 것에 해당한다. 이 민담에서는 왕의 그러한 일방적인 결정이 가져오는 문제점을 폭로하는데, 결국 집단이든, 개인 인격이든 변화는 의식의 의도에 의해서 일방적으로 이루어지는 것이 아님을 확인할 수 있다.

그런데 민담에서는 선왕의 주도에 의하여 서둘러 결혼이 행해지고 왕자에게 왕위가 물려진 것이다. 이것은 한 집단을 통치하는 힘, 즉 남성적 지배 세력이 갖는 경직성, 일방성이 어느 정도인지를 나타내고 있다. 민담에서는 왕이 교체될 때를 흉조의 해로 언급하였다. 집단의 삶은 집단의 대표 주자, 집단 구성원 등 다양한 요소들이 함께 힘을 합쳐 유지된다. 무엇보다 집단의 지배원리인 대표에게 문제가 있으면 집단의 삶은 제대로 유지될 수 없을 것이다. 흉조는 의식의 삶이 지속될 수 없을 정도로 어떤 문제가 있음이 표면화 된 것을 나타낸다. 심적인 문제로 환원해 보면, 흉조는 대체로 불일치, 불만족과 같은 어떤 분위기, 감정의 동요 상태 등을 나타낸다. 의식이 기존의 태도를 유지하면서 일방적으로 계속 이끌어 갈 수 없는 전반적 상황이 드러난 것이다.

민담에서 왕은 아들이 15세가 되는 해에 왕위를 물려주려 하였다. 흉조는 15세가 된 것과도 관계가 있으므로, 숫자 15에 관하여 확충을 해 보자. 숫자 15는 달과 관련된 수로 알려져 있다. 말하자면 달의 음(陰)의 기운이 반영된 수다. 15는 5×3으로 숫자 5를 기본으로 하여 파생된 숫자이다. 숫자 5를 상징적으로 살펴보면, 여신들과 관련된 숫자임을 확인할 수 있다. 이쉬타르, 비너스 등 모성신들은 숫자 5와 관계한다. 동양에서도 숫자 5는 토(土)를 나타낸다. 중국의 마방진(魔方陣)은 중심에 숫자 5를 두고, 그 주변에 5를 제외한 1에서 9까지의 숫자를 다양하게 배열하여 전체의 합이 15가 되도록 만드는 만다라 형상이다.[71] 중심의 대지가 기초가 되어 펼쳐지는 여러 현상들이 숫자 15를 벗어나지 않는 것을 보여준다. 결국 모든 현상들의 이면에는 모성신이 기초하고 있음을 나타낸다. 이런 의미에서 15세가 되는 해는 음의 특성, 고태적, 모성적 영향력이 매우 두드러지는 시기이다. **융** 심리학적으로 표현하자면, 바야흐로 모성 원형이 배열되어 무의식적 정신이 의식의 활동에 큰 영향을 미치는 때가 된 것을 의미한다.

왕의 아들이 15세가 된 해가 흉조라고 한 표현은 결국 남성성의 세습적 권력 이양에 있어서 어려움을 예고한 것이다. 말하자면 아버지로부터 아들로 이어지는 왕권-남성성의 이행 과정에서 어떤 특별한 조치가 있거나, 있어야 할 필요성을 나타낸다. 이제 남성 권위의 이행에 있어 고태적, 모성적 영향력이 작용하게 되는 것이다. 이는 왕권-남성성의 일방적인 강화에 대한 집단무의식의 보상적 처치로서 여성-모성적 특성이 활성화 될 것을 의미한다. 혹은 근본적인 변화를 위하여 모든 현상의 기초에서 작용하고 있는 모성 원형이 마침내 의향을 드러낼 때가 된 것이다. 어떤 의미에서든 모성 원형이 배열되면, 집단의식은 실질적으로 더 이상 의식의 의지대로 기능하지 못한다. 고태적 모성적 힘이 작용하여 의식의 삶의 흐름을 둔화시킬 뿐 아니라, 심지어 갖고 있던 방향감마저 상실하게 만들 것이다.

왕은 왕위를 물려줄 때 아들에게 맞는 여성 요소까지 고려하여 결혼을 시켰다. 이런 태도는 집단의식을 주도하는 대표 주자의 일방적인 처치이다. 이상과 같은 상황을 개별 여성 주인공 중심으로 소급해 본다면, 우선적으로 부성상의 지배적 영향력이 오랫동안 계속되어 왔음을 나타낸다. 혹은 부성상의 주도에 의하여 여성 인격은 전적으로 남성 의식 및 집단의식에 무의식적으로 동화된 상태라고 할 수 있다. 점차 시간이 지나면서 문제를 느끼게 되고, 어느 순간부터는 스스로 여러 가지 변화를 의식적으로 시도하는 것에 해당한다. 심지어 아들에게 필요하다고 여기는 여성 배우자까지 고려하는 왕의 태도로 보아, 주도하는 의식의 입장에서 나름 근본적인 변

71
4	9	2
3	5	7
8	1	6

화를 시도한 것이다. 여성 심리학적으로 볼 때 부성상에 의하여 자신도 모르게 제외되었거나 희생된 여성 요소를 의식적으로 회복하려는 것이다. 그럼에도 이런 해결책들은 주로 의식이 일방적으로 시도하는 것으로서, 전혀 근본적 해결은 이루어질 수 없다. 해결을 원하는 의식의 주체는 아직 여성 인격을 고려할 수준에 이르지 못하였기 때문이다.

(2) 예언대로 왕과 왕비는 일곱 공주를 낳았고, 일곱 번째 공주는 버려졌다.

민담에서 선왕의 결단은 예언에 의하여 부정적으로 전망되었다. 민담에서 동원되는 예언이나 신탁은 직접적으로 드러난 원형들의 표명으로 볼 수 있다. 그렇게 예언이나 신탁으로 주어진 원형들의 표명은 보상적 특성이 매우 두드러진다. 보상성이 강한 원형적 표명들은 주도하고 있는 의식의 태도를 즉각적으로 변화시키는 효과를 갖는다. 예언이나 신탁은 어떤 가능적 현상을 미리 전망함으로써, 주도하는 의식의 태도를 교정하고, 어떤 방향으로 나아가야 할지 유도하는 작용을 한다. 무의식의 보상적 내용은 대략 두 가지 현상으로 나타난다. 주로 긍정적인 전망을 하는 것처럼 여겨지는 '예시적 보상'과 부정적 전망을 하는 것처럼 보이는 '환원적 보상'으로 나뉘어진다.[72] 후자의 경우는 주도하는 의식의 태도가 사회적 유능감을 실현함으로써 상당히 고무되어 있으나, 그러한 외적 성장이나 성공이 일방적이고 편파적일 때, 무의식은 조정을 위하여 오히려 의식에 환원적 방향을 취하도록 영향력을 가한다. 의식의 외적 성장에 반해 실제 인격의 면모는 전혀 성장하지 않고 있음을 알려주는 것이다. 이에 대해 의식은 무의식적 정신이 부정적으로 작용하고 전망하는 것처럼 경험하게 된다. 환원적으로 작용하는 무의식의 의도는 폄하하는 듯하지만, 사실상 재고할 수 있는 기회를 제공하는 것이다. 이에 반해 전자의 경우는 주도해야 할 의식의 태도가 소극적인 입장을 취하면서 자신의 입장을 제대로 찾지 못하고 있을 때, 무의식이 보다 적극적으로 방향감을 갖도록 제시한다. 이 민담에서는 부정적 예언이 제시되었으므로, '환원적 보상'이 이루어진 것으로 볼 수 있을 것이다. 하지만 긍정적이든 부정적이든 보상적인 처치는 의식의 태도에 새로운 방향감을 제공한다.

그러면 흉조의 해에 결혼 및 즉위를 하면 일곱 공주를 낳게 된다는 예언은 무엇을 의미하는가? 선왕은 아들에게 왕위를 물려주고, 그 아들이 즉위하여 통치하다가 그대로 다시 아들에게 통치권을 물려주도록 함으로써 부성-남성성의 지배력을 계속 유지하려 하였다. 예언은 균형을 잃고 일방적으로 강화된 부성-남성적 특성에 대해 보상적 조치로서 일곱 딸들이 생겨날 것임을 알리는 것이다. 신탁이나 예언은 어떤 문제가 있음을 예고하는 것이 아니다. 오히려 서둘러 인위적으로 문제를 해결하느라 이루어진 즉위와 결혼에 대한 보상적, 보완적 요소가 일곱 공주임을 제시하는 것이다. 이 일곱 공주야말로 편향된 집단의식의 삶에 보충되어야 할 요소이다. 결국 예언으로 제시된 내용은 전체성을 위한 여성 요소의 필요를 강조하고 있다. 일곱 공주로 처방된 보상적 내용은 부성-남성성이 주도하는 일방성의 정도가 얼마나 강력한 것인가를 반영한다.

일곱 공주의 등장이 예고되고, 그것이 실제로 의식의 삶에 대한 부정적인 전망으로 연결되는 데에는 이유가 있다. 여성성의 보충은 전체 정신의 요청에 따른 보상적 내용에 해당하는데, 현상적으로는 남성적 주도권의 약화를 예고하는 것이다. 말하자면 지배적인 의식의 수준이 저하되는 것을 의미한다. 새로운 여성 요소는 이성적, 합리적, 논리적 세계관에 반하는 비이성적, 반지성적, 정서적 특성을 갖고 있어서, 기존의 지배원리를 무력화 시키는 것처럼 여겨진다. 실제로 우리는 삶의 현장에서 자주 여성들이 주변으로부터 그러한 투사를 받아 왔다는 사실을 확인할 수 있다. 가족 내에서 어려운 상황이 생기면 새로운 가족으로 맞이한 며느리 등이 집안의 불운을 몰고 온 것으로 간주해 버리는 경우가 드물지 않다. 새로운 존재의 등장은 변화를 야기하며, 그 변화는 늘 기존의 체제에 위협이 된다. 실제적으로 개별 여성에게 그런 영향력이 있는 것이 아니다. 이미 언급하였듯이, 무의식의 보상적 작용은 모두

---

72 C.G. Jung(1928), "Allgemeine Gesichtspunkte zur Psychologie des Traumes", G.W. Bd. 8, Par. 492~493.

근원적 생산력과 파괴력을 가진 모성상의 영향력이기 때문에, 종종 불운한 조짐이나 변화의 원인을 특정의 여성에게서 발견하는 것이다. 그러나 이러한 모성—여성의 영향력은 언제나 합목적적이다. 비록 겉보기에 기존의 체제를 파괴하는 힘으로 작용하는 듯하지만, 궁극적으로는 새로운 조성 및 치유를 위한 것이 된다.

위의 내용을 여성 주인공 중심으로 살펴본다면, 부정적인 전망은 더 이상 부정적인 것이 아니다. 오히려 비로소 여성 주인공을 위하여 여성 요소의 강화가 본격화될 것을 알리는 것이다. 이런 의미에서 예언 및 신탁은 본격적으로 여성 인격 중심으로 상황이 전환될 것을 전망하고 있다. 아무리 외적으로 다른 요소가 여성 인격을 대신한다고 하더라도 결국은 본래적인 모습을 되찾아야만 하는 것이다. 여기서 여성 인격을 대신하던 것들이 모두 남성적으로 묘사되어 있다는 점을 주목해 보자. 여성에게 남성적인 것은 본래적으로 자신에게 속하지 않음을 표명하기 위한 상대적인 것을 의미한다. 이런 대극적 특성이 두드러진 것은 부성상의 영향 하(下)에 있었기 때문이다. 이제 15의 숫자가 뜻하는 바와 같이, 모성 신성의 영향력이 여성 고유의 인격적 측면을 회복하기 위하여 작용한다.

새로 즉위한 왕과 왕비는 예언대로 일곱 공주를 낳았다. 그러나 일곱 번째 공주는 태어나자마자 아버지에 의해 버려졌다. 이로써 민담의 주인공인 일곱 번째의 공주는 부정적인 부성상을 갖는 여성 인물상이 된다. 어쩌면 일곱 번째 공주뿐 아니라, 일곱 공주 모두가 부정적 부성상의 영향 하에 있다고 할 수도 있다. 이런 일곱 번째 공주의 운명은 부성상의 영향에서 어려움을 겪는 여성들의 전형이 된다. 예를 들어 아버지와 아들로 이어지는 가부장적인 제도에 기초한 한국 사회에서는 여성으로 태어난 사실만으로도 이미 부정적 부성상의 영향 아래에 있게 된다. 사회적 관습 및 제도적 장치 자체가 여성들의 존재를 부정하고 위협하는 부성상으로 작용하는 것이다. 소위 아들을 낳을 때까지 아이를 낳으려다 생겨난 딸들은 대부분 일곱 번째 공주처럼 직접적으로 부정적 부성상의 영향을 받았다고 할 수 있다.

민담 《바리 공주》의 여성 주인공은 부성상으로부터 일곱 번째의 공주로 인정받지 못하고 버림받음으로써 부정적 부성상의 여성 유형으로 간주될 수 있다. 앞서 《

심청전≫에서 살펴보았듯이, 긍정적 부성상의 여성은 자신을 위하여 부성상을 끌어들일 정도로 부성상을 지지적으로 경험한다. 부성상의 긍정적 지지에 의하여 여성 자아는 외부 세계로 나아갈 수 있고, 사회적 일원으로서 적극적인 활동을 펼치게 된다. 이에 반하여 부정적 부성상의 여성은 이 민담에서 보여주듯이 집단의식에 전혀 동참하지 못하고 아주 소외된 삶을 살게 된다. 외부 세계로 이끌고 적응하도록 도움을 주는 부성상의 부재로 인하여, 이 유형의 여성은 주변 환경이 자신을 전혀 수용하지 않는 것으로 여겨서 개인의 삶을 편안하게 영위할 수 없다. 심지어 외부 환경이나 주변 사람들이 언제나 자신을 압박하거나 괴롭힌다고 믿는다. 간혹 이 유형의 여성은 모성상의 지지마저도 얻을 수 없어서, 자신에 대한 어떤 긍정적 가치도 발견하지 못한다. 다른 이들이 누리는 것을 부러워하며 부모 형제 관계에서 뚜렷한 이유 없이 부정적인 경험을 토로한다. 대부분 주변과의 관계에서 고립되어 있거나, 부모나 형제에 대한 원망 사고를 갖는다. 자신의 생활 터전을 전쟁터로 여기므로, 편안하게 안주하지 못하여, 평생을 투쟁적으로 살아갈 수도 있다.

여기서 잠시 일곱 공주로 묘사된 숫자 7을 상징적으로 살펴보자. 서양에서는 해와 달 그리고 다섯 행성으로 이루어진 일곱 행성을 우주 천체로서 나타내었다. 동양에서도 칠성(七星) 사상을 형성할 만큼 숫자 7은 고대적 세계관에서 우주적 전체성을 의미한다. 해와 달이 들어 있는 7 행성의 전체성은 일주일로 드러나 있다. 또한 음력으로 한 달이 28일이고, 그의 기본수가 7이기 때문에 숫자 7은 달의 주기성과도 관계한다. 일찍이 중국에서는 여성의 일생과 숫자 7을 연결시켰다. 그래서 일곱 공주는 여성 원리 및 요소 전체를 나타내는 인물상이다. 이들 중 일곱 번째는 앞서 진행했거나 제시된 것을 전체적으로 포괄하고 마무리하는 결정적인 요소가 된다. 이로써 막내는 여성 요소의 대표 단수가 될 수도 있다. 일곱 번째 공주에 대한 부정은 공주 개인은 물론이고, 동시에 여성 요소 전체의 부정이기도 하다. 일곱 번째의 공주가 부성상에 의해 부정되고, 마침내는 버려지게 됨으로써 사실상 의식의 삶에서 여성 요소가 전적으로 거부된 것이다.

결국 부정적 부성 콤플렉스의 여성 유형은 두 가지의 특징으로 드러날 수 있다. 하나는 부성상이 여성성을 전면적으로 부정함으로써, 여성 자아는 자신의 여성성을 부정하게 된다. 그런가 하면 또 다른 하나는 부성상이 여성성을 부정함으로써, 여성 자아에게 부성상의 부재가 있게 된다. 만약 전자의 관점으로 여성성의 부재를 경험한다면, 이는 전혀 여성 자아의 관점이 아니라, 부성상과 동일시 된 여성 자아의 관점이다. 만약 후자의 관점으로 여성 자아가 부성상의 부재를 경험한다면, 부성상이 제공하는 세계관에 전혀 참여할 수 없는 여성일 것이다. 요약하면, 부정적 부성상에 의해서 여성은 자신을 완전히 상실하거나, 부성상을 완전히 상실하는 두 경우가 생겨난다. 앞서 긍정적 부성상에서 여성 자아가 부성상을 인격이 확장된 자신으로 착각했다면, 부정적 부성상에 의해서는 우선적으로 자기 인격의 존재 및 가치의 부정으로 경험될 것이다.

이미 점괘에서 언급된 일곱 공주들은 여성 인격을 구성할 요소들이기 때문에 결코 소홀히 다루어서는 안 되는 것이었다. 더구나 부정적 부성상의 영향으로 여성성을 전혀 고려하지 못하고 성장해 온 여성의 경우이므로, 그에 대한 보상적 의미로 일곱 공주가 요구된 것이다. 집단의식을 대표하는 부성상은 여성 요소를 상대적으로 허용하고 있을 뿐 전적으로 수용하지 않았다. 이는 여섯 공주들을 인정하는 것 같으면서도 결정적인 일곱 번째를 배척하는 것으로 묘사되었다. 이것은 실제로 모처럼 의식의 태도를 변화시켜 여성성을 보충하는 노력을 하는 듯하지만, 선택적으로만 개선된 것에 해당한다. 의식의 선택적 개선은 인격의 변화를 가져오지 않는다. 여성 심리학적 관점에서 본다면, 여성 인격을 정립하기 위하여 보다 근본적이고 총체적인 여성 요소의 회복이 있어야 할 것이다. 결국 대표 단수로서의 일곱 번째 공주가 겪는 고통스러운 삶의 여정은 새로운 여성 요소가 의식성을 획득하여 인격의 주체로서 존재감을 회복하는 길이다. 부성상에 의해 버려진 일곱 번째 공주는 독립적으로 성장할 신생의 여성 인격으로서 부각된다.

일곱 번째 공주는 태어나자마자 곧 버려졌다. 막내로 태어났기 때문에 부성상의 영향이 가장 적은 여성 요소에 해당한다. 심지어 버려지게 됨으로써 사실상 집단의식으로부터 분리가 가능해진 것이다. 앞선 민담들에서 보았듯이 '버려짐'은 전형적인 '영웅'의 탄생에 해당한다. 이는 언제나 그렇듯이 여성 인격의 정신적 탄생을 의미한다.[73] 태어나자마자 버려진 공주는 부성상에서 벗어나 독립적인 존재가 되도록 운명이 정해진 것이다. 오히려 버림받지 않은 나머지 여섯 공주는 부성상, 즉 집단의식의 지배 하에서, 그것의 이념에 영향을 받으며 성장하게 된다. 부정적 부성상의 지배 하에서 버림받지 않은 공주들은 겉보기에 보호를 받는 듯하지만, 사실상 그들의 존재는 철저하게 배척되거나 무시될 수 있다. 이에 반하여 강제로 버려진 일곱 번째 공주는 그러한 지배원리로부터 벗어나 고유한 개별적 존재 가치를 경험할 기회를 갖는다.

이 민담에서 흥미롭게도 일곱 번째 공주는 대부분의 남성 영웅들이 버려지는 방식대로 상자(여기서는 옥궤)에 담겨서 버려진다. 남성 영웅들이 버려질 때 쓰이는 상자들은 남근 바구니로 알려져 있다. 바구니에 담긴 남성 영웅, 즉 아기를 남근(Phallus)으로 간주하기 때문이다.[74] 이때의 바구니는 모성성을 나타낸다. 그것은 마치 모성의 자궁과 같은 보호 장치이다. 물에 버려진 바구니 속 아기는 정신적 탄생을 위해 모성 자궁 내에 보호되어져 있는 상태라 할 수 있다. 바구니에 담겨져 있는 아기의 모습은 여성 주인공이 정신적 탄생을 이루기 위한 배양기 상태에 있음을 나타낸다. 그러면 일곱 번째 공주는 여성으로 인정받지 못하고 있음을 의미하는가? 혹은 역설적으로 일곱 번째는 남성으로 간주됨으로써 버리는 부모의 입장이 정당화 되는 것인가? 일곱 번째 공주가 남성으로 간주되는 한, 여성 주인공의 개인적 인격의 가치는 인정되지 않는다. 이미 지적했듯이, 부정적 부성상의 영향으로 여성 자아는 자신의 정체성 및 존재감을 획득하기 어렵게 된다.

다시 말해 일곱 번째 공주의 버려짐은 어쩌면 비로소 여성적 특성이 인정될 수 있는 결정적 기회일 수 있다. 여성적 특성 때문에 부성상 및 집단에서 수용될 수 없었던 것이다. 하지만 '버려짐'은 오히려 남성 영웅과 같은 삶의 조건을 맞게 한다. 실

---

73 C.G. Jung(1952), *Symbole der Wandlung*, G.W. Bd. 5, Par. 285.

74 C.G. Jung(1952), 앞의 책, Par. 306.

제로 부정적 부성상의 여성들은 고립된 위기감에 저절로 무장하고 방어하며 투쟁적으로 살아가게 된다. 버려짐은 언제나 무엇인가를 하지 않으면 안 되게, 행동하게 만드는 역동이 되는데, 이런 역동성 자체가 여성 인격을 강인하게 만들고 심지어는 남성적이게 할 수 있다. 홀로 고립된 주인공은 생존을 위해 본능적 저력으로 무장되어야 하는 것이다. 자궁과 같은 보호 장치의 바구니는 더 이상 어머니의 따뜻한 보호 장치가 아니다. 오히려 본성적 저력으로 무장하게 될 보호 장치에 해당한다. 민담에서 바리 공주는 비록 부성상에 영향을 받지 않는 독립된 여성 인격으로서의 가능성이 주어졌지만, 남성 영웅과 같은, 남성 발달사를 하게 될 위기에 놓인다.

(3) 버려진 공주를 구한 스님이 '바리공덕'이라는 노부부에게 맡겨 키우게 하였다.

공주가 바구니에 담긴 채 강물에 떠내려가는 것을 스님이 발견하였다. 공주를 구해 준 스님은 불교라는 종교적 배경에서 사회적, 집단적 삶에 동참하고 있으므로, 왕인 아버지와는 다른 특성의 부성상으로 이해될 수 있다. 이런 스님의 등장은 부정적 부성상의 영향력을 부분적으로 완화하는 작용을 할 수 있다. 민담에서 스님은 제자들과 중생을 구제하러 다니던 중이었으므로, 주도적인 집단적 가치에 물들지 않고, 오히려 끊임없이 집단의 삶을 쇄신하기 위해 애쓰고 있는 부성상에 속한다. 이런 의미에서 스님이 우연히 물에 떠내려가는 바구니에서 발견한 공주야말로 바로 스님이 구하고 있던, 새로운 치유의 가능성에 해당하는 것이다. 스님은 저절로 집단의식에 물들지 않은 새로운 여성 요소를 끌어들이게 되었다.

공주가 버려진 곳은 강이었으나, 아기 바구니는 강과 바다가 만나는 장소에서 건져져 안전하게 노부부에게 인도되었다. 여기서 강과 바다가 만나는 장소는 모든 것이 근원으로 돌아가는 길목과 같은 곳이다. 강에 비하여 바다는 한층 더 하위의 무의식, 더 근원적이자 보편적 기초가 되는 무의식에 해당한다. 강과 바다의 만남이 있는 곳까지 아기 바구니가 떠내려 간 것은 여성 주인공이 근본적으로 생명력을 회복할 수 있는 곳으로 돌려보내진 것을 의미한다.

아기 바구니를 넘겨받은 노부부는 근원적 기초로서의 부모상이 된다. 아기 바구니가 정신적 출산을 위한 모성 자궁이듯이, 노부부도 정신적 탄생의 기초가 되는 원형적 세계의 부모상이다. 공주가 '바리공덕' 부부의 손에 넘겨진 것도 새롭게 태어났음을 의미한다. '버려짐'이 곧 영웅의 탄생을 의미하는 것과 같이, 양부모에게 입양되는 것도 영웅 탄생을 나타내는 또 다른 표현이다. 낳아 준 부모에게서 버림을 받고 입양되는 것은 이중 부모의 주제에 해당한다. 공주는 소위 '집단무의식'의 근원적 부모상과 관계를 맺게 된 것이다. 노부부를 '바리공덕'이라 부르는데, '공덕'(功德)이라는 말은 다른 사람에게 조건 없이 베푸는 행위를 말한다. '바리공덕'은 인간성의 실현을 위해 지지와 보호를 아끼지 않는 '집단무의식'의 목적성을 반영하고 있다. 일곱 번째 공주가 '바리'라는 이름을 얻는 것으로 보아, '바리공덕' 부부와 마찬가지로 보편적 인간의 이념을 반영하게 될 것임을 짐작할 수 있다.

공주가 스님에 의해 구제되어 '바리공덕' 부부에게 넘겨진 사실을 좀 더 이해해 보자. 부정적 부성 콤플렉스의 여성은 부성상과의 단절로 인하여, 외부 환경에 대해 어떻게 적응해야 할지 모르는 상태에 있다. 이미 강조되었듯이, 부정적 부성 콤플렉스의 여성 자아가 삶을 제대로 펼칠 수 없을 정도로 소외될 수 있지만, 그러한 소외는 오히려 집단의식의 영향력에서 벗어날 기회를 갖는다. 민담에서 근원적 부모상(노부부)에게 보내진 것으로 보아, 지배적인 집단의식에서 벗어나 더 근원적 정신 영역과 연결되어야 할 목적의미가 있는 것이다. 여기서 부정적 부성상의 거부를 합목적적으로 이해한다면, 부성상의 요구를 따르지 않아야 한다는 것이다. 결국 부성상을 부정한다는 것은 진정으로 자신의 내면의 소리에 귀를 기울이는 상태여야 한다. 외부 대상 세계에 대한 철저한 소외나 고립의 요구는 한 개인에게 고유한, 자신에게 충실한 존재가 되라는 내적 요청이 된다.[75] 이런 의미에서 '바리공덕' 부부 곁에서 지내는 공주는 오로지 자기 자신에게 머물러 있으면서, 전혀 외부와 관계하지 않는 상태이다.

---

75 C.G. Jung(1940), "Zur Psychologie des Kindarchetypus", G.W. Bd. 9/I, Par. 304.

민담에서 일곱 번째 공주는 어느 정도 성장하게 되자 자신을 길러 준 '바리공덕' 부부가 자신의 친부모가 아님을 인식하게 되었다. 그래서 진짜 낳아 준 부모가 누구인지 알고자 하였다.

하루는 소녀가 노부부에게 묻기를, "제 부모님은 어디에 계신가요? 새들이나 동물들도 각기 자기들의 부모가 있거늘!" 노인과 아내는 "우리가 네 부모란다."라고 대답했다. 그러나 소녀는 그들이 말한 것은 믿지 않았다. "이렇게 늙으신 분들이 저처럼 어린 아이를 어떻게 낳으실 수 있겠어요?"라고 소녀는 반박했다. 그랬더니 그 노부부가 그녀에게 말하길, "하늘은 네 아버지요, 땅은 네 어머니란다." 소녀는 여전히 믿으려 들지 않으며 말하기를, "하늘과 땅이 우주의 만물은 창조했으나, 인간이 그들로부터 태어날 수는 없지요." 그래서 그 노부부는 말하기를, "전라도에 있는 거대한 대나무가 네 아버지이고, 뒷산에 있는 오동나무가 네 어머니란다." 이 말을 들은 후로 그 어린 소녀는 어머니라고 믿는 것에 절을 하기 위해 하루 세 번씩 그 오동나무를 찾아갔다. 그녀는 거대한 대나무는 머나먼 전라도에 있기 때문에 아버지라고 생각되는 것을 찾아갈 수가 없었다.[76]

공주는 자라면서 진짜 부모에 대해 묻기 시작한다. 이는 아동들이 자신에 대한 기원을 알고자 하면서 의식의 분화를 시도하는 현상과 비교할 수 있다.[77] 공주가 자신의 뿌리에 관하여 물음으로써, 바야흐로 개별적 인격의 성장에 관한 욕구가 생겨났음을 나타낸다. '바리공덕' 부부는 그들이 하늘과 땅일 수 있으며, 오동나무와 대나무일 수 있다는 사실을 알려주었다. 이러한 설명은 그들이 인간적 존재가 아니라, 세계상(世界像)의 기초, 집단무의식, 보편적 정신 영역에 속하는 인물상이라는 점을 드러낸 것이다. 공주는 자신이 그들의 자식이 아님을 알고 있다고 하면서 '집단무의식'의 영역과 전적으로 동일시 될 수 없음을 표현하였다. 이것은 개별적 의식의 분화를 위하여 원상적 부모와의 구분을 꾀하는 것과 같다. 동시에 자신이 어떤 상태로 있는지 알아차릴 수 있는 의식 수준에 있음을 반영한 것이다. 이로써 여성 자아는 개별

한국 민담의 여성상

인격이 실질적 분화를 할 수 있는 의식적 인식 수준에 이른다.

공주는 노부부 및 하늘과 땅이 자신의 부모일 수가 없다고 하였으나, 거대한 대나무와 오동나무가 부모라는 점은 받아들였다. 공주는 가장 원초적인 우주적 부모상을 거부하고 식물계의 부모상을 인정한 것이다. 식물계로 표명되는 부모 형상의 인식은 마치 각 개인의 신체 영역, 즉 내부의 주요 장기를 움직이는 모든 생명 활동의 기초를 인정하는 것과 같다. 개별 인격의 기초가 되는 부모상을 구체적으로 인정함으로써, 의식의 주체가 될 자아의 입장이 확고해진다. 민담에서 공주의 부모상을 전라도에 있는 대나무와 뒷산의 오동나무로 표현한 것이 흥미롭다. 이것은 아마도 대나무와 오동나무를 일반화 한 것이 아니라, 특정의 지역에 있는 나무를 지칭함으로써 보다 개별 인격의 기초로서의 부모상을 강조한 것이라고 할 것이다. 전라도에 있는 대나무인 아버지는 찾아뵙지 못한다고 하여, 부성상과는 부정적인 관계를 나타내었고, 뒷산의 오동나무를 찾아가서 절을 하는 것으로 모성상과는 가까운 관계임을 보여주었다. 민간적으로는 딸을 낳으면 오동나무를 심어서 나중에 시집보낼 때 가져 갈 가구를 짜는 데 사용했다고 한다. 또한 봉황은 대나무의 열매를 먹이로 취하지만 집은 오동나무에 지었다고 한다. 봉황의 그러한 특성은 서로 멀리 떨어져 있는 대극을 하나로 모으는 형상으로, 전(全)인격적 실현을 유도하는 상징이 된다. 비록 공주가 부성상에 의하여 소외되어 있지만, 대나무와 오동나무를 나란히 부모상으로 간주함으로써, 궁극적으로는 여성성과 남성성의 결합, 즉 대극의 합일을 목적하고 있음을 반영하고 있다. 이제 노부부가 아니라, 한 걸음 나아가 식물계의 부모상을 기초로 삼아, 여성 자아는 개별적 인격체로서 성장할 준비를 한다.

나중에 진짜 부모인 왕과 왕비가 공주를 찾아내었을 때, 처음에 바리 공주는 자신이 그들의 자식임을 인정하지 않았다. 왕과 왕비의 혈액을 담은 쟁반에서 공주의 혈

---

76 최인학 · 엄용희 엮음(2003), 『옛날이야기꾸러미 3』, 442~443쪽.

77 예를 들어 세 살 난 아이는 동생이 어디서 생겨났느냐고 묻는다. 이것은 동생의 출생에 관한 호기심이라기보다는 자아의식의 기원을 묻는 질문이다. '인간(나)은 어디에서 비롯된 것인가'를 묻는 것이다. 이것은 자아가 의식성을 획득하면서 갖는 전형적 태도이다.

액이 하나로 섞이는 현상을 보고 나서야 비로소 왕과 왕비를 만나러 떠났다. 공주가 개별적 인격으로 분화되어 가면서, 부모상은 하늘과 땅인 세계 부모에서 오동나무와 대나무인 식물계의 부모로, 마침내는 피와 살이 있는 인간 세계의 부모로 이행한다. 이는 여성 인격이 서서히 인간적 가치를 회복하여, 개별적 인간으로서 구체화되는 과정을 나타낸다. 이제 여성 인격은 무의식적이던 상태에서 벗어나, 비로소 자신의 개별적 의사를 표현하거나 의지력을 발휘할 수 있는 의식 수준에 이르게 된다.

　민담 ≪바리 공주≫는 무속인의 체험에서 비롯된 이야기로 알려져 있다. 실제 무속인의 체험을 고려한다면, 공주가 강에 버려지고 노부부에게 길러지는 것은 무속인이 신병에 의하여 거의 죽음의 상태에 도달한 것과 같다. 무속인의 '신병'은 주로 '집단무의식'의 원형적 힘이 어떤 이유로 활성화 됨으로써, 자아의식이 상대적으로 주도권을 빼앗기고, 결국은 완전히 그 힘에 사로잡혀 자아의식의 해체 및 용해가 일어나는 상황에 처한 것이다. 비록 자아의식이 일시적으로 해체 상태가 되었지만, 무의식의 도움으로 자아가 다시 의식의 중심에 자리잡을 수 있게 되면, 자아의식의 재탄생이 가능해진다. 이러한 재탄생이 있어야 '신병'을 앓던 이는 자아의식을 회복하여 치유된다. 버려진 공주는 노부부 곁에 머물러 있으면서 치명적으로 소외되어져 있던 상태를 회복하고, 바야흐로 개별 인격의 주체가 될 기초를 갖춘다. 공주가 인격 전체의 새로운 주체로서 부각되자, 지금까지 의식의 태도를 담당하고 있던 왕과 왕비는 중병에 걸린다. 그래서 공주는 부름을 받고 노부부를 떠나게 된다. 노부부를 떠나는 것도 일종의 정신적 탄생에 해당한다.[78]

(4) 공주가 15세가 되자 왕과 왕비는 중병에 걸렸고, 자신들이 버린 공주를 찾아내었다. 공주는 그들을 위해 신약을 구하러 떠났다.

　민담에서 왕과 왕비는 중병에 걸려 온갖 약을 구해 보았으나 소용이 없었고 한날 한시에 죽어야 했다. 왕과 왕비가 병이 든 해는 공주가 15세 된 해이다. 왕과 왕비의 병은 일곱 번째 공주를 버렸기 때문에 생긴 것으로 밝혀진다. 왕과 왕비는 일곱 번째 공주를 되찾아야 하고, 무상신의 신약인 생명수를 구하여 마시면 다시 살아날 수 있었다. 여기서 공주를 버려서 왕과 왕비가 병이 들었다 함은, 공주를 버린 행위에 대한 도덕적 문제 때문이 아니다. 공주가 여성 인격의 실질적 주체이기 때문이다. 왕과 왕비에게 문제가 있음은, 그들이 더 이상 의식의 삶을 지속시키는 실질적인 주체가 될 수 없음을 의미한다. 이것은 개인적으로 여성 인격의 주체가 등장하게 됨으로써 의식을 대변해 온 집단의식이 물러나게 되는 것을 의미한다. 집단적으로 보면 공주는 새로운 여성 요소로서 생명력을 상실한 집단의 삶을 치유할 존재이다. 왕과 왕비는 공주를 찾아낸 후, 자신들이 부모임을 밝히고 공주에게 '바리'라는 이름을 붙여 주었다. 이름을 붙여 주는 것은, 공주의 존재를 객관적으로 인정하는 것이다. 이제 개인적이든 집단적이든 여성 인격을 의식적 주체로 내세우려는 것에 해당한다. 이로써 여성 자아는 마침내 의식의 수면으로 떠오를 수 있게 된다.

여기서 잠시 '바리'라는 이름의 의미를 살펴보자. '바리'라는 말은 크게 두 가지로 알려져 있다. '바리'는 '버리다'와 관련이 있어서, 문자 그대로 '버림을 받은 공주'라는 의미를 갖는다. 앞서 살펴보았듯이, '버려지는 것'은 영웅의 탄생이자, 새로운 정신의 탄생을 나타내므로, '바리'라는 표현은 그녀가 진정한 여성 영웅임을 나타낸다. 버림받음으로써 집단 정신에 물들지 않고 고유한 자신의 개별적 특성을 실현하는 존재라는 의미가 된다. 그 밖에 '바리'는 소나 말의 등에 싣는 짐을 의미하는데, 이는 또한 여성 영웅에게 주어진 운명적 과제의 무게를 의미할 수 있다. 말하자면 자신에게 닥친 운명적 사건을 기꺼이 지고 가는 여성 영웅을 '바리'라고 부르는 것이다. 더욱이 '바리공덕'의 부부에게도 '바리'라는 표현이 들어 있기 때문에, 공주에게 붙인 '바리'라는 이름은 '바리공덕'부부의 세계, 즉, 보편적 인간 정신의 영역과 관계가 있음을 나타낸다. 이처럼 공주는 개별적 인격의 가치를 나타냄은 물론이고 인간 정신의 보편적 가치에 기초하는 여성 영웅의 특성을 드러내고 있다.

---

78 일반적으로 무속인의 체험을 고려하는 《바리 공주》의 연구에서 보면, 무상신에게 신약을 구하러 간 것을 무속인의 신병 체험으로 간주하고 있다. 심층심리학적으로는 오히려 '바리공덕' 부부에게 길러졌던 시기가 무속인의 신병 체험의 시기로 간주된다. 공주가 '바리공덕' 부부에게 길러졌던 시기는 연금술적으로 검정(nigredo)의 시기이다.

왕과 왕비가 바리 공주를 되찾았지만, 그들의 병이 낫지 못한 것은 공주가 의식의 삶을 회복시킬 요소라는 점이 아직 확인되지 않았기 때문이다. 바리 공주는 여전히 여성 인격의 주체로서 실질적 영향력을 갖지 못한 수준에 있는 것이다. 이제 공주는 이름을 받았을 뿐 아니라, 자신의 존재감을 근본적으로 확인할 수 있는 실질적인 과제를 부여받는다. 그것은 병든 부모를 치유하기 위해 신약을 구해 오는 것이다. 다른 자매들은 신약을 구하러 가기를 거부하였다. 공주의 자매들도 모두 새로운 여성의 요소에 해당한다. 하지만 신약 구하기를 거부하면서 의식의 삶을 책임질 대표 주자가 될 수 없다. 바리 공주의 신약 구하기는 공주의 개별적 가치를 구체화 하게 될 뿐 아니라, 집단의 삶도 회복시킬 수 있는 과제이다. 이러한 과제는 집단 의식의 이념에 속해 있는, 즉 강력한 부성상의 지배를 받고 있는 다른 자매들이 감히 감당할 수 없는 것이다. 바리 공주는 부성상에서 벗어나 있었으므로, 긍정적으로든 부정적으로든 부성상의 영향을 받지 않는 독립적 여성 인격으로서 기능할 수 있다. 상대적으로 바리 공주는 자유롭게 관계를 끌어들이고, 자발적으로 문제를 해결할 수 있는 것이다.

신약을 구하려는 영웅들의 과제에 대해 고려해 보자. 신약은 만병통치약, 불사의 약, 생명수와 동일한 의미를 갖는다. 이러한 신약은 민담에서 주로 어딘가 특별한 장소에 숨겨져 있기 때문에 엄청난 희생을 치르고 나서야 구할 수 있다. 연금술에서는 이를 '어렵게 구할 수 있는 보배로운 것(die schwer erreichbare Kostbarkeit)'이라고 하여, 연금술적 작업의 최종적 결과물이자 전체성의 상징으로 간주한다. 그것은 제5의 요소, 즉 정수(Essenz, 精髓)로서도 알려져 있다. 이런 의미에서 바리 공주가 찾아야 하는 신약은 사실상 바리 공주가 영웅적 여정에서 얻어야 할 궁극 목적이며, 전체성 및 전(全)인격적 실현에 해당하는 것이다.

바리 공주는 신약을 구하기 위하여 남장을 하고 떠나게 된다. 남장을 한 측면은 앞서 공주가 남근 상자에 담겨졌던 것처럼, 여성의 영웅적 특성이 강조된 것이다. 이러한 공주에 대하여 두 가지로 생각해 볼 수 있다. 이미 지적했듯이 부정적 부성상의 여성도 부성상에 의하여 여성성을 희생하게 된다. 이런 여성의 경우 자기 자신에 대한 긍정적 인식을 통해 여성성을 의식적으로 회복해야 한다. 바리 공주의 남장은 여성 자아가 한편으로 아직 자기 긍정적 인식에 도달하지 못한 상태를 나타내기도 하지만, 또 다른 한편으로는 자신에게 주어진 과제를 위해 적극적이고 능동적인 주체로서 무장한 상태가 된 것을 나타낸다. 여성 영웅의 운명은 자신이 원하든 원하지 않든 언제나 궁지에 내몰려서 투쟁하게 되고, 소외됨으로써 무장하게 된다. 이런 상황을 견뎌 내고, 심지어 극복하느라 저절로 남다르게 강화된 의식의 태도를 갖는다. 특히 역동적 활동성을 발휘해야 하는 자아의식의 특별한 상태를 남성적이라고 할 수 있다. 그 밖에 남성적 모습은 종종 자신에 대한 인식이 제대로 이루어지지 못하여 혼란스러운 상태를 의미할 수도 있다.[79]

바리 공주가 구해야 하는 신약은 무상신이 소유하고 있다. 그래서 무상신이 사는 세계로 찾아가려 하는데, 그곳을 찾기 위해서 바리 공주는 스님에게 도움을 청하였다. 이야기에서 무상신은 남성적 존재로 알려져 있다. 신약은 남성적 존재, 즉 아니무스가 소유하고 있는 것이다. 주어진 과제를 통하여 자연스럽게 바리 공주는 부성상에 의해 제외되었던 남성적 요소와 관계를 맺도록 요구된다. 이런 의미에서 신약을 구하는 일은 '대극의 합일'을 목적으로 하는 작업인 것이다. 이제 바리 공주는 우호적인 부성상의 도움을 받는다. 스님은 공주에게 나화(羅花)를 주며 스스로 길을 찾아가도록 해 주었다. 나화를 소유함으로써 공주는 부성상에 의존하지 않고 길을 나서게 된다.

스님이 무상신을 찾을 수 있게 제공한 나화는, '비단결 같이 섬세한 아름다운 꽃'을 의미한다.[80] 스님이 제공한 꽃은 대지에서 뿌리 내리고 자란 식물의 특성에 상응하는 것이므로, 이것에 따르는 것은 공주가 자신의 본능적 측면은 물론 자신의 감정

---

79 보충하자면, 자아가 집단무의식의 영향으로 개인 인격적 가치의 정체성을 제대로 갖지 못한다는 사실은, 성적 정체성의 혼란으로도 드러날 수 있다. 여기서도 확인할 수 있듯이, 여성성 혹은 남성성의 의미는 사회적으로 통용되는 성 정체성의 내용이 아니다. 여성성 혹은 남성성은 각자 자신의 본성에 충실할 때 드러나는 자기다움 및 자기 인식과 관련된 것이다. 이에서 벗어나게 되면 여성에게는 남성성, 남성에게는 여성성의 특성으로 나타난다.

80 이는 경기대 국문학과 김헌선 교수의 보충 설명에 도움을 받아 형상적으로 이해해 본 것이다.

에 충실하게 머물러야 하는 작업이다. 그것이 제공하는 것들을 주목하면서 자신에 관하여 알아차리는 것에 해당한다. 이는 남장을 한 공주에게 매우 중요한 처치가 될 것이다. 다시 말해 나화에 전적으로 의존하는 것은 여성 자아가 부정적 부성상에 의해 자기 자신에 대한 인식뿐 아니라, 다른 외적 지침들도 신뢰하기 어려운 상태이므로, 자신의 심적 상태에 침잠하는 내향화 작업인 것이다. 또한 나화(꽃)가 상징적으로 모든 내용을 하나로 담을 수 있는 그릇을 상징하듯이 공주는 모든 것을 품어 내는 모성적 수용력으로 감내해야 하는 것이다. 한마디로 요약하면, 스님이 꽃을 준 것은 더 이상 다른 어떤 것에도 기대하거나 의지하지 말고, 자신을 신뢰하며 내면의 소리가 인도하는 길을 따르라는 의미이다. 모든 것을 하나로 통합하는 모성 상징의 꽃은 무엇이 보상적으로 필요한지를 가르쳐 줄 것이다. 나화는 여성 인격의 실현을 위해 필요한 요소가 있는 곳으로 인도하는 역할을 한다.

(5) 바리 공주는 무상신과 9년을 살면서 일곱 아들을 낳았고, 신약을 갖고 돌아와 죽은 왕과 왕비를 살려 내었다.

드디어 바리 공주는 나화에 이끌려서 무상신이 살고 있는 곳에 이르렀다. 그곳에 사는 무상신의 묘사를 살펴보면 다음과 같다.

무상신은 매우 키가 커서 하늘에 닿을 듯하였다. 그의 얼굴은 쟁반만큼이나 넓고, 그의 눈은 등잔 같으며, 또한 그의 코는 병 같았다.[81]

위의 묘사를 참고해 보면 무상신은 인간적인 모습을 하고 있지 않다. 무상신은 그가 관장하는 영역 전체에 상응하는 모습을 하고 있어서 거대한 창조주와도 같다. 일부 무속인들은 아주 크고 무시무시한 형상의 무상신을 도깨비로 간주하기도 한다. 또한 무상신을 약수를 지키는 신으로 여겨 무장승 혹은 물장승으로 부른다. 무상신은 약수, 즉 생명력을 불어넣을 수 있는 물을 지키고 있으므로, 그는 정신의 활력, 창조적 정신 활동을 좌우하는 인물상으로 이해할 수 있다.

분석심리학적으로 볼 때, 무상신의 어마어마한 모습은 아니무스의 강력한 보상적 입장이나 태도가 반영된 것이다. 바리 공주가 남장을 하고 있었던 점도 함께 고려될 수 있다. 이미 지적했듯이, 부정적 부성 콤플렉스의 여성은, 남장의 바리 공주처럼 진정한 자신의 정체성을 갖지 못한다. 거대한 아니무스 상은 여성 자아를 사로잡고 있는 모습이 될 수 있다. 자신도 모르게 아니무스와 동화 혹은 동일시를 하여 남성화 된 것이다. 아니무스와의 동일시는 아니무스를 객관적으로 인식할 수 없는 상태를 의미하고, 여성 자아가 개별적 인격의 가치를 아직 인식할 수 없는 수준을 나타낸다. 또한 원래 아니무스의 적용은 내향적이어야 하는데, 자아의 인식 부족으로 외향적으로 적용되는 경우도 해당된다. 신약을 구하기 위하여 바리 공주가 무상신을 찾아 떠난 것은 결국 외향화 된 상태를 내향적으로 돌리는 여정이다. 무상신을 만나 신약을 구하는 과정은 아니무스의 내향적 적용을 의미할 수 있다. 아니무스의 내향적 적용이란 아니무스를 매개로 자아가 집단무의식과 관계를 맺게 되는 것을 의미한다. 바리 공주가 무상신을 만나게 됨은 아니무스와 동일시 하던 상태에서 벗어나, 아니무스를 객관적 상대로 인식할 기회를 갖는 것에 해당한다. 아니무스와 자신을 구분함으로써 비로소 자신을 인식하게 되고, 동시에 아니무스와 관계를 할 수 있다. 이를 위해서 여성 자아든, 아니무스든 보다 더 구체화 되어야 할 필요가 있을 것이다.

무상신과 바리 공주의 만남은 여성 자아의 내향화에 의하여 이루어진 여성 자아와 무의식적 정신과의 대면을 의미한다. 이런 대면은 상당히 위험한 것이다. 무상신의 크기가 그러하듯 엄청난 힘으로 활성화 된 무의식적 정신에 노출되는 것이므로, 잘못하면 자아는 견디지 못하고 붕괴될 수도 있다. 자아와 무의식적 정신의 대면은 주로 자아가 주도권을 무의식에 넘겨서 무의식적 정신이 주도하도록 허용하여 이루어지는 것이기 때문이다. 이런 내향화의 궁극 목적은 무의식적 정신과의 공동 작업에

---

81 최인학·엄용희 엮음(2003), 앞의 책, 445쪽.

의하여, 전체 정신의 중심이 생겨날 수 있게 하려는 것이다. 바리 공주는 무상신의 요구를 그대로 수용한다. 무의식적 정신이 주도하도록 허락하고, 그에 능동적으로 반응하여 수용함으로써 둘의 관계가 형성된다.

바리 공주는 신약을 얻기 위하여 무상신과 함께 9년이라는 시간을 보내야 했다. 9년은 여성 주인공의 내향화 작업이 진행되는 기간이고, 동시에 여성성을 회복하는 기간을 의미한다. 숫자 9는 완성의 수 10에 이르기까지의 과정 전체를 나타내며, 또한 태아의 탄생을 준비하는 9개월 간의 임신 기간을 의미한다. 9년 간 외딴 곳에서 무상신과 함께 여성 인격의 탄생을 준비하는 것이다. 9년의 과정에서 바리 공주는 끊임없는 자신의 활동성을 유지해야 한다. 이는 물 긷기, 장작 마련하기, 불 피우기의 작업이다. 내향화에 의해 의식과 무의식의 만남이 이루어지면 여성 자아는 상대적으로 주도권을 빼앗기게 되어, 개인 인격의 위기를 맞이할 수 있다. 그래서 바리 공주의 계속적인 능동적 활동성은 필수적이다.

주어진 과제를 살펴보면, 물 긷기는 무의식으로부터 심적 에너지를 어떻게 의식의 삶으로 끌어들일 수 있는지를 배우는 것이다. 또한 장작 마련하기 및 불 피우기는 심적 에너지를 사용하여 어떻게 의식의 삶을 활기 있게 만들며, 어떻게 정신의 내용을 구체화 할 것인지에 관하여 훈련하는 것이다. 물을 긷고, 불을 피우는 작업은 정신의 활력으로 일상적인 의식의 삶을 풍성하게 만드는 자질을 갖추는 것이다. 바리 공주의 이러한 과제들의 수행은 무상신이 살고 있는 곳에서 활발하게 이루어진다. 이것은 무의식적 정신이 영향력을 발휘하더라도, 여성 자아가 자신의 주체감을 상실하지 않고 능동적으로 활동할 수 있게 만든다. 나아가서 여성 자아는 무의식적 정신이 점유하고 있는 생명력을 의식으로 옮길 수 있게 된다. 바리 공주가 무상신과 사는 동안은 전적으로 무의식적 정신이 주도하기 때문에, 사실상 여성 자아는 의식 하(下) 수준에 머물러 있다. 9년간 계속해서 물을 긷고, 장작을 마련하고, 불을 피우는 훈련을 통해서, 마침내 무의식이 점유한 리비도가 의식의 삶을 향하여 물꼬를 트고 흘러가게 된다.[82] 이로써 내향화로 인하여 활성화 되지 못했던 여성 인격의 주도성이 회복될 기회를 갖는다.

한국 민담의 여성상

바리 공주는 물을 긷고 불을 피우는 과제만 완수한 것이 아니었다. 심지어 무상신과 살면서 일곱 아들을 낳았다. 여성 자아는 무의식적 정신과의 만남에서 압도되지 않고, 능동적인 의식의 활동성을 유지하면서, 심지어 스스로 모성적 생산적 주체가 되었던 것이다. 바리 공주는 일곱 아들을 낳았는데, 이러한 정신적 산물을 통하여 바리 공주의 의식 수준도 모성적 여성성과 함께 단계적으로 변화했음을 잘 보여준다. 일곱의 아들을 생산하면서, 무상신과 더불어 정신 세계를 함께 공유하는 여성 자아로서 새로운 의식 수준에 도달한 것이다.

무상신과 바리 공주가 탄생시킨 일곱 아들은 새로운 의식성을 나타내는 남성 요소이다. 바리 공주는 무상신 곁에 머물러 있었으므로, 의식의 주도성을 발휘하지 않고 있었다. 바리 공주의 부모가 죽어 가고 있었던 것도 여성 인격이 전혀 주도권을 회복하지 않은 상태로 머물러 있기 때문이다. 일곱 아들의 생산으로 차츰 의식적 정신이 활성화 될 기회를 갖게 된다. 내향화로 인해 모든 리비도가 무의식에 집중되어 있던 상태에서 벗어나 마침내 의식성을 회복하게 되는 것이다. 일곱 아들은 7성(七星)을 의미하며, 이것은 앞서 일곱 공주의 탄생으로 문제시 되었던 부분을 가장 효과적으로 보상할 수 있는 상징이다. 일곱 아들을 생산함으로써 바리 공주는 더 이상 내향화 된 상태로 머물 수 없게 되었다. 이제 여성 인격은 의식성을 온전히 회복할 수준에 이른다.

전체 상황을 다시 요약하면, 일곱 공주의 탄생으로 인하여 전체 의식 수준의 쇄신을 위한 전반적인 분위기 전환이 있었다. 하지만 여성 요소를 전적으로 소외시킴으로써, 실질적으로 정신의 변화가 이루어지지 못하게 되자, 바리 공주의 부모가 병들어 죽음에 이르게 되었던 것이다. 일곱 아들의 등장은 전체적으로 저하되어 있던 의식 수준을 끌어올릴 수 있는 활력 그 자체이다. 이로써 바리 공주의 개별적 의식 수준뿐 아니라, 전체 정신의 통합적 의식 수준의 회복도 이루어진다. 심지어 여

---

82 동양 연금술에서 9는 언제나 양(陽)의 움직임을 나타내는 수이다. 음(陰)이 지배하는 자리에서 숫자 3의 역동성이 쌓여 마침내 의식에 알려지게 되는 것으로 설명할 수 있다.

성 인격의 주체가 확고해지자 여성적 요소와 남성적 요소가 조화롭게 나란히 배열된다. 바리 공주는 자신의 모성–여성성을 회복하면서 무장승과 대극적 결합을 할 수 있었으므로, 전(全)인격적 통합을 이루어, 마침내는 전체 의식의 삶을 치유할 수 있게 된 것이다.

부모를 살릴 수 있는 신약은 그녀가 오랫동안 긷던 물과 불을 피우던 장작이었다. 무상신이 지배하는 세계의 물과 불은 무의식적 정신이 점유하고 있는 생명력의 총칭일 것이다. 바리 공주가 무상신을 만나야 했던 것은 근원적 생명력과의 연결을 위해서이다. 집단의 대표인 왕과 왕비를 살리게 된 실제적인 힘은 바리 공주가 내향화 하여 얻어 낸 것이라고 할 수 있다. 무상신이 살고 있는 곳은 부성상이 주도하거나 인도하는 외부 세계가 아니라, 내면 깊숙이 본성에 기초한 객관 세계이다. 바리 공주는 무상신과의 관계를 통하여, 개인적인 삶뿐 아니라, 또한 집단의 삶도 회복시킬 수 있게 되었다. 바리 공주의 여정은 부정적 부성상에 의하여 외면당했지만 여성 인격의 진정한 가치의 회복을 실현하는 길이다. 민담은 의식의 삶을 지배하고 있던 부성상이 삶을 이끌어 가는 근원적 힘이 아니었음을 확실하게 보여준 것이다. 오히려 생명력, 치유력은 모두 내면 깊숙이 자기 자신과의 관계, 자신의 신뢰에서 비롯된다는 것을 깨닫게 하였다. 이런 의미에서 여성은 자기 자신의 신뢰를 바탕으로 삶의 다양한 문제를 풀어야 한다. 이로써 진정한 자기 인식을 할 수 있는 것이다. 이런 면에서 바리 공주의 남성적 무장은 어쩌면 여성성과 남성성을 하나로 통합하려는 목적의 예비적 단계의 모습이 될 수도 있다. 양성적 형상 자체가 대극의 합일을 유도하고 있는 것이다.

이상에서 보듯이 부정적 부성 콤플렉스가 있는 여성의 경우에도 자신의 치유가 부성상의 치유를 가져왔다. 부정적 부성상이 바리 공주를 버렸던 것은 그녀로 하여금 모성–여성성의 근원적 요소를 끌어들여 부성–남성성과의 관계를 회복시키려는 목적의미가 있었다. 바리 공주가 부모를 살리기 위해 돌아올 때 일곱 아들과 무상신을 데려오는데, 그 결과 바리 공주가 아니라 일곱 아들(칠성으로)이 새로운 집단의 대표주자가 된다. 민담은 여성 주인공을 통하여 여성적 요소가 집단의 전체 삶에 새로운 생명력을 불어넣으면서 변화에 이르게 하는 요소임을 보여준다. 바리 공주는 무상신의 요구를 거부하지 않고 온전히 감내하려는 모성적 수용력으로 과제를 완수했던 것이다. 온갖 어려움을 기꺼이 소화해 내는 수용적 태도야말로 바리 공주를 위대한 개별자, 전(全)인격적 존재가 되게 하는 힘이다.

바리 공주가 생명수와 집단의 삶을 이끌어 갈 일곱 아들을 데려옴으로써, 무상신의 세계와 의식의 세계가 서로 소통적 관계를 맺을 수 있게 된다. 일곱 아들, 즉 북두칠성 혹은 칠성을 낳은 바리 공주는 모성신의 면모를 아낌없이 드러내었다. 대부분의 연구자들이 바리 공주가 저승 세계를 다녀왔기 때문에 망자(亡者)를 지켜주는 신으로 이해하고 있는데,[83] 원래 모성상은 모든 생명이 탄생을 준비하고, 의식의 빛에 드러나길 기다리고 있는 그곳에서 보호자로서 기능한다. 바리 공주는 무상신과 더불어 의식의 삶을 살아가는 존재에 지지와 보호를 아끼지 않는 모성신(母性神)의 전형이 되었다.

맺는 말

부정적 부성상의 여성은 외부 세계에 제대로 적응할 수 없거나, 자신을 위한 하나의 세계를 갖지 못하여 고립되고 소외될 수 있다. 부성상은 세계상을 갖게 하는 능동적 추진력의 기초가 되기 때문이다. 부성상의 부재에 의하여 의식의 삶을 실현하기 어렵게 되는 것이다. 민담에서 보았듯이 외부에서 자신을 끌어내는 필연적인 사건이 있게 된다면, 그리고 내면에서 그것을 감당할 건전한 본능적 저력이 있다면 부정적 부성상을 극복할 수 있다. 외부의 요구가 무엇이든 자신의 내면에 귀를 기울이며 수용적으로 견뎌 낼 때 의식의 삶을 안정적으로 실현하는 데 성공한다. 건강한

---

[83] 《바리 공주》는 실제로 진오기 굿에서 구연된다. 이 굿에서 바리 공주는 이승과 저승을 오가며 망자의 넋을 극락으로 천도하는 역할을 한다.

본능적 저력은 자기 신뢰의 기초가 될 것이다.

우리는 두 민담을 통하여 부성 콤플렉스의 여성의 유형이 긍정적이든 부정적이든 부성상의 요구에 부응하느라 자신의 여성성은 물론이고, 개별 인격 전체가 희생될 수 있다는 점을 알 수 있었다. 특히 부성상은 모성상과 더불어 초기 아동기부터 기능하는 원형이므로, 자아의식에 강력한 지배력을 갖고 있다. 그래서 부성상에서 벗어나는 것은 모성상에서 벗어나는 만큼이나 어렵다. 무엇보다 민담에서 보여준 여성 주인공들은 부성상의 유력함을 인식하고 그 힘을 끌어들이는 인물상이 아니었다. 그들은 부성상의 거부할 수 없는 요청에 의하여 부성상의 지배를 받았던 것이므로, 기본적으로 부성상에서 벗어날 가능성이 있다. 어떤 경우든 하나의 원형에 사로잡히면 결코 전(全)인격적 실현을 이루지 못한다. 부성상을 스스로 끌어들이지는 않았지만, 부성상의 강력한 영향력 하(下)에 놓인 여성도 반드시 부성상과 분리가 이루어져야 한다.

긍정적이든 부정적이든 부성 콤플렉스의 여성들은 어떤 의미에서 모두 부성상의 문제를 해결하도록 부름을 받은 것이다. 그래서 이런 유형의 여성은 저절로 집단의 삶에 관여하게 된다. 민담에서 드러났듯이, 여성의 부성 콤플렉스의 극복은 개별적인 사건이지만, 결국 집단의 삶을 치유할 수 있는 내용을 가져온다. 우리 시대에 부성 콤플렉스의 여성의 수가 지속적으로 증가하고 있다. 이는 사회적 요구가 더 커진 것이고, 집단의식에 의해 더욱더 집단적 성향이 강력해졌음을 의미한다. 부성 콤플렉스의 여성의 수가 이토록 증가하는 현상은 문제만을 드러내는 것은 아니다. 오히려 이런 집단화 되고 외향화 되어 버린 현대인의 집단의식을 치유하도록 요구하는 현상이 될 수 있다. 개별 여성은 부성상에서 비롯된 사회적 요구와 거리를 두고, 자신의 본성적 요구에 귀를 기울이며 근원적 생명력과 다시 연결됨으로써, 집단적으로든 개인적으로든 치유적인 내용을 제시할 수 있다. 하지만 부성상에 노출되어 있는 현대의 여성이 내향화 하는 것이 얼마나 어려운지는 더 이상 설명이 필요 없을 듯하다. 이런 의미에서 현대 사회에서 부성 콤플렉스의 여성의 수가 그토록 많은 것은 여전히 여성들이 부성상을 극복하지 못한 때문이라고 할 수 있다.

제3장

모성상 탐구
할머니 형상 중심으로

　저자는 개인적으로 할머니의 형상에 대해서는 두 종류의 심상(心像)을 떠올리게 된다. 하나는 어머니의 어머니, 즉 외할머니에 관한 것이다. 외할머니는 어머니의 어린 시절에 돌아가셨기 때문에 외할머니에 관한 내용은 모두 어머니의 기억에 기초한 것이다. 한 번도 뵌 적이 없었지만, 당시 한국 사회에서 몇 안 되는 신식 교육을 받은 여성들 중 한 분이셨다는 사실 등이 상상력을 자극하게 했으므로, 외할머니는 오히려 저자의 공상 속에 언제나 생생하게 살아있는 모습으로 등장하였다. 그것은 늘 실제의 어머니와 별도로 있는 또 다른 특성의 모성상이 되었다. 저자는 그러한 외할머니 형상에 의해 두 어머니를 가진 것 같은 착각이 들기도 하였다. 상상 속의 외할머니는 나이가 많은 노인의 모습이 아니라, 어머니와 비슷한 연령 대의 특별한 영향력을 가진 모습으로, 언제나 심정적으로 특별히 지지하는 역할을 하였다. 그래서인지 개인적으로 외부의 어머니에 의존적이지 않았고, 비교적 어머니를 객관적으로 경험할 수 있었다. 성인이 되어 **융**의 분석심리학을 통하여 그것이 '두 어머니', 즉 '이중 부모'의 주제에 해당하는 것임을 알게 되었다.[84] 또 다른 하나는 아버지의 어머니, 즉 친할머니에 관한 기억이다. 친할머니는 저자의 유년기 시절 한동안 함께 사셨던 분이다. 외할머니 같이 신화적 요소로 채색된 심상과는 달리, 친할머니는 실제 삶의 현장에서 만난 또 다른 모성상이었다. 저자의 어머니가 일상의 의식주를 제공하며 길러 주셨다면, 친할머니는 집안의 어른으로서 계절마다 생산되는 곡식, 채소, 과일, 각종의 해산물 등의 음식물을 어떻게 다루고, 보관하는지 등 생활의 지혜나 조언들을 하셨다. 친할머니는 조상들로부터 물려받은 다양한 생활의 지혜와 여러 풍부한 경험적 사실을 제공하는 모성상이었다. 저자에게는 두 할머니 형상 모두가 개인적 어머니를 능가하는, 모성에 관한 원형상을 환기시키는 것이었다. 그것들은 늘 개인적 어머니 형상과 나란히 두 어머니의 심상으로 작용하였다.

일반적으로 할머니는 어머니와 아버지의 어머니들이다. 말하자면 할머니는 모성상이지만, 젊은 여성으로 묘사될 수 없는 또 다른 특성의 모성적 권위와 힘을 갖고 있다. 할머니는 한자(漢字)로 노파(老婆)이다. 노파, 즉 늙은 여인이라는 표현은 개별적 특성보다 객관화 된 보편적 여성의 특성이 강조된다. 우리나라에서 할머니를 뜻하는 표현은 지역에 따라 할멈, 할망, 할매, 할마시 등 다양하게 불린다. 할머니의 '할'은 할아버지의 '할'과 마찬가지로 어머니, 아버지에 붙이는 접두사이다. 우리말 어원 사전을 참고해 보면, '할'은 '크다'의 의미를 가진 '한'(大 혹은 太)에서 비롯된다. '크다'는 의미의 '할'은 '나이를 먹었다'는 의미의 노(老), 고(古), 심지어 고(高)를 함께 고려할 수 있다. 서양에서도 비개인적 모성상(母性像)을 great mother(英), 혹은 grosse Mutter(獨)로 표현하는데,[85] 이를 한국어로 번역하면 '크다'는 의미의 태(太)를 사용하여 태모(太母)라고 할 수 있다. 이런 모성상은 그 자체로 모성신을 의미하는 경우가 많다. 결국 '크다'거나 '오래 되었다'라는 표현도 개별적 인간의 특성이라기보다는, 비개인적, 보편적 특성이 강조된 것임을 알 수 있다.

할머니가 모성상이라는 점에서 보면, 그것이 어떤 형상을 취하든 기본적으로 '모성적인 것'과 관련된다. 무엇보다 할머니 형상은 보편적으로 드러나는 모성 원형의 특성이 더 두드러진다. 융은 모성 원형의 특성에 대해 "오로지 여성적인 것의 마술적 권위, 상식적 이해를 초월하는 지혜와 정신적인 숭고함, 자애로움, 돌보는 것, 유지하는 것, 성장시키고 풍요롭게 하고 영양을 공급하는 존재"로 묘사하였다. 또한 "그것은 마술적 변용의 터전이고 재생의 토대이다. 도움을 주는 본능이나 충동이며 비밀스러운 것, 감추는 것, 어둠, 심연, 죽은 자의 세계, 삼켜 버리고, 유혹하고, 독살하고, 두려움을 유발하는 것, 그래서 피할 수 없는 운명적인 것"으로 표현하였다.[86] 할머니는 아기를 데리고 있는 젊고 생기 넘치는 모성상과는 다르다. 할머니는 젊은 모성보다 한 세대 더 위의 모성상이므로, 그에 따른 원형적 특성이 더해진다. 그래서 모성상의 고태적 특성이나, 신화적 요소가 더 많이 드러난다. 이런 의미에서 개별적 인간의 문제보다는 인간 집단의 더 근원적 문제 및 더 하위의 정신 영역과 관련이 있다. 말하자면 기르고 보호하는 모성적 특성보다는 삶과 죽음, 근본적 변환을 요구하는 원동력이 될 것이다. 이제 할머니 형상으로 드러나는 모성 원형의 특성과 그것의 목적의미를 여러 개의 민담들에서 살펴보자.

(1) 창조주의 할머니

할머니 형상은 언어적으로 고찰해 보더라도 모성상에 기초하고 있으며, 시간적 경과가 오래되었다는 것(老, 古)을 그 자체 나타내고 있다. 모성적 특성에 그와 같은 시간성을 부여하면, 모성상이 인류의 시원과 관계한다는 사실이 드러난다. 경험하는 주체인 의식 혹은 자아의 관점에서 보면, 모성상은 자신을 생산한 존재이므로, 모든 생명의 근거가 되는 존재처럼 여겨진다. 그래서 모성상은 언제인지는 모르지만, 의식 혹은 자아가 존재하기 전부터 있었던 삶의 전제이자, 하나의 세계를 생산한 근원적 존재의 심상으로 묘사된다.

우리는 살아가면서 저절로 '나는 어디에서 비롯되는가'라는 질문을 하게 된다. 이

---

84 C.G. 융의 『변환의 상징(Symbole der Wandlung)』(G.W. 5)을 참고하라.

85 grandmother(英), Grossmutter(獨)와 비교하라.

86 C.G. Jung(1939), "Die Psychologischen Aspekte des Mutterarchetypus", G.W. Bd. 9/I, Par. 166.

런 질문은 의식 혹은 자아의 관점에서 자신의 기원을 돌아보는 것이다. 이러한 질문은 답을 얻기 위한 것이기보다는 자아의식이 새로운 계기를 마련하게 될 때 저절로 생겨나는 표현에 해당한다. 이는 자아의식의 탄생이나, 혹은 자아의식의 갱신으로 인한 재탄생이 있을 때 주로 나타난다. 대부분 의식 혹은 자아가 전체에서 떨어져 나와 고유한 영역이 될 때 저절로 이러한 질문을 던지게 된다. 이런 질문이 주어지는 순간은 언제나 의식성이 획득할 계기가 된다. 이런 질문은 모두 자기 인식적 결과의 대답을 요구하고 있기 때문이다.

여기서 그 답은 저절로 모성으로 귀결된다. 우리 모두는 생물학적으로 어머니에게서 비롯됨을 알고 있기 때문에, 이러한 귀결은 개인적 어머니에 대한 것이 아니다. 이것은 의식을 생산하는 정신에 관한 상징들로 이루어진다. 그래서 모성 상징은 의식과 세계의 기원이 되는 것들이다. 오늘날에도 우리는 여전히 그러한 질문을 던지고, 답을 하게 된다. 그렇지만 심상으로 답을 떠올리더라도 즉각 언어로 옮기고 만다. 그러나 언어화 할 수 없었던 아득한 시대에는 기원에 관한 질문과 대답이 신화적 심상으로 나타났다. 그것은 대부분 세계를 창조하는 여성 창조주의 모습으로 그려졌다. 이는 우선 모성 창조주가 세계 혹은 대지를 형성하는 장면으로 묘사되었다.[87] 이와 같은 신화나 민담 등을 살펴보자.

제주도 신화 ≪설문대 할망≫

오백 장군의 어머니로 알려져 있는 설문대 할망은 굉장히 키가 크고, 힘이 세었다. 삽으로 흙을 파서 일곱 번 던진 것이 한라산이었다. 섬에 솟은 여러 산들은 할망이 신고 있던 나막신에서 떨어진 흙들이었다. 할망이 한라산을 베개 삼고 누우면 발끝이 바닷물에 잠길 정도였다. 귀포와 섶 섬에 있는 커다란 구멍은 할망이 누울 때 발을 뻗으면서 생긴 구멍이었다. 할망은 자신의 속옷을 사람들이 만들어 주면 육지와 연결할 다리를 만들어 준다고 약속을 하였다. 그러나 사람들이 일백 통의 명주를 구하지 못하여 속옷이 완성되지 못했으므로, 육지를 잇는 다리도 만들어질 수 없었다.

할망의 키가 큰 것이 자랑이었는데, 한 번은 한라산의 물장오리 연못에 **빠졌다**. 그곳은 밑이 없는 연못이어서 할망은 헤어 나오지 못하고 말았다.

위의 신화에서 설문대 할망은 여성 창조주이다. 크기를 가늠할 수 없으나 그녀의 움직임에 의하여 섬의 윤곽이 드러났다. 섬은 더 넓은 대양에서 유일하게 융기한 육지이므로, 섬사람들에게는 하나의 세계와도 같다. 그렇게 형성된 섬은 심리학적으로 이제 막 의식성을 획득한 정신 영역에 해당할 것이다. 초기의 인간 집단은 의식을 획득하는 순간 여성 창조주가 인간이 살아 갈 세계, 대지를 형성하여 제공하는 것으로 경험하였을 것이다. 이는 무의식에서 의식이 비롯되는 것에 대한 집단적 표상의 하나이기도 하다.

전 세계적으로 신화에서 여성 창조주가 등장하는 경우가 드물지 않다. 여성 창조주는 대양과 같이 물속에서 작업을 하는 것 외에도 직접 흙을 다루어 창조적 생산을 하는 존재로 묘사된다.[88] 여성 창조주는 자신이 어떤 것을 창조할 것인지 미리 의도하고 계획에 따라 실행에 옮기는 것이 아니다. 남성 창조주가 머릿속에서 미리 생각한 하나의 이념으로서 세계를 창조하는 것과는 달리, 여성 창조주는 몸짓 혹은 움직임 그 자체가 창조적 행위가 된다. 심지어 그녀의 거대한 몸이나 옷이 바로 육지가 되기도 한다. 그녀의 존재 자체가 감각, 지각적 세계의 현상이 펼쳐지게 하는 것이다. ≪설문대 할망≫에서도 할머니의 거대한 몸의 움직임이 섬이나 육지를 형성하는 것으로 묘사하고 있다.

---

87 E. Neumann(2004), *Ursprungsgeschichte des Bewußtseins*, S. 19~20.

88 서유원 지음(1998), 『중국 창세신화』, 73~74쪽.
예를 들면 중국의 요족(瑤族) 신화는 다음과 같이 묘사하고 있다:
밀락타(密洛陀)는 전능한 여신으로 인류를 창조한 어머니이다. 사부라고 불리는 그녀의 조상이 죽은 후 밀락타는 비를 막는 모자로 하늘을 만들었다. 그녀의 손과 발은 하늘 가장자리를 받치는 지주로 삼고, 그의 몸은 하늘의 중심을 받치는 기둥으로 삼았다. 그녀는 하늘을 만들고 이어 땅도 만들었다. 땅은 하늘보다 넓었다. 그래서 그녀는 끈으로 하늘과 땅의 끝을 단단히 붙잡아 매었다. 하늘을 바짝 죄니 솥뚜껑과 같았고 대지는 주름이 잡혀서 마치 주름치마와 같았다. 돌출된 부분은 높은 산이 되었고 오목한 곳은 하천이 되었다.

그 밖에 우리나라에서 거대한 여성 창조주의 모습을 ≪마고(麻姑) 할미≫의 신화에서도 찾아볼 수 있다. 마고 할미도 설문대 할망처럼 거대한 몸을 움직이는데, 그것이 결과적으로 육지의 다양한 지형을 형성하게 만든다. 예를 들어 마고 할미가 우연히 진흙탕에서 비녀를 잃어버렸는데, 그것을 찾으려 한 행위에 의하여 농사를 지을 수 있는 농토가 되었다고 한다. 또한 특정 지역의 거대한 입상의 돌들은 그녀의 돌던지기, 힘겨루기 등의 행위를 통해 생겨난 것이라고 한다. 이처럼 거대한 모성신의 몸동작이나, 우발적인 행위들에 의해 인간이 살아 갈 영토가 확보된다.

≪마고 할미≫ 신화

유형 (1)

마고 할미는 거인이었는데, 서해안을 돌아다녀도 고쟁이가 젖지 않을 정도였다. 그런데 황금 산에 와서는 물이 깊어 고쟁이를 적시게 되었다. 이때 고쟁이를 벗어 바위에 널어 말렸는데, 그 후로 그 바위를 '마고 할미 고쟁이 말린 바위'라고 부르게 되었다. 그 바위는 높이가 대여섯 길이며, 둘레가 열 발이나 되었다.

유형 (2)[89]

옛날 마고 할미가 대적 산에 살고 있었는데, 산책을 하다가 영일만 끝의 구만동에 오게 되었다. 앞이 바다여서 돌아가려 했다가, 경치에 이끌려 계속 나아가려고 치마폭에 돌을 싸서 바다에 옮겨 돌다리를 만들었다. 그 징검다리의 첫째 돌이 지금의 구만동 앞바다의 등대가 있는 큰 바위이다.

위의 묘사에서 보듯이, 여성 창조주의 작업은 아무 것도 없음에서 새롭게 형상화를 시도하는 창조가 아니다.[90] 이미 무엇인가 되기 위한 질료가 주어져 있는 상태에서 특별히 인간이 거주할 공간의 기초인 육지와 그 주변의 지형을 구체화 한다. 이는 소위 모든 요소들이 함께 하고 있는 상태 - 혼돈(chaos) - 에서 마침내 형상을 부여하는 행위에 해당한다. 신화 ≪마고 할미≫에서 보면, 심지어는 모성신이 몸에 지니고 있는 소지품, 걸친 옷들까지 그대로 대지의 형상으로 반영된다. 여성 창조주는 인류가 머물 대지를 마련할 뿐 아니라, 그곳에서 살아 갈 이들을 자신이 돌봐야 할 자녀들로 간주한다. 이런 의미에서 전 세계적으로 도시나 지역을 지키는 여신은 주로 모성신으로서, 지역민들에 의해 추앙된다. 형상적으로 그런 모성신은 머리에 왕관 대신 성벽을 올린 형상을 하고 있다. 자연히 그 지역에 살고 있는 사람들은 그 모성신의 자녀들인 것이다. 모성신들은 온몸에 수많은 젖가슴을 달고 있고, 또한 온갖 동물들을 매달고 있는데, 이런 모성신의 몸은 대지이자 하나의 세계라는 의미를 갖는다. 모성신의 몸에 붙어 있는 동물들, 심지어 인간까지 그녀의 보호와 지지를 받으며 살아가는 생물체들이다.[91]

다시 제주도 신화 ≪설문대 할망≫으로 돌아가 보자. 할머니 형상은 시원적인 것의 반영이기도 하지만, 다른 한편으로는 가시적 형상으로 그려 낼 수 없음, 어떤 것으로 확정할 수 없는 근원에 대한 총체적 표현이기도 하다. 할머니라는 인간적 모습을 갖추고 있는 것처럼 묘사되지만, 거대한 크기로 그려지는 것도, 인간 혹은 의식 이전에 있는 존재임을 의미한다. 거대함을 강조한 것은 인간 혹은 의식의 입장에서 도무지 그 형태를 파악하거나 이해할 수 없다는 사실을 반영한다. 개별적이든 집단적으로든 인류의 첫 경험은 언제나 인간 혹은 자아를 둘러싸고 있는 어떤 것에 대한 경험으로 이루어져 있다.

---

89 유증선 지음(1974), 『영남의 전설』, 334쪽.

90 여성 창조주와는 달리, 남성 창조주의 경우, 예를 들면 서양의 데미우르고(Demiurg)는 머릿속에서 세계를 미리 그리고, 그것에 따라 창조한다. 그래서 남성 창조주의 경우 흔히 컴퍼스와 같은 측량 도구를 들고 있는 것으로 묘사된다.

91 모성신 데메테르(Demeter)의 형상을 참고하라.

모성신 데메테르(Demeter)

인간 혹은 의식 이전에 이미 존재하였고, 인간 혹은 의식을 둘러싸고 있다는 것은 규정할 수 없는 크기는 물론이고, 그 존재의 절대적 권위와 힘의 위대함을 반영한다. 오히려 인간은 그 힘에 의존하여 비로소 자신의 역사를 시작한다.

사람들이 설문대 할망에게 몸을 감싸는 속옷을 만들어 주려는 것은, 크기를 가늠할 수 없는 여성 창조주에 기초한 의식적 태도가 형성되기 시작했음을 의미한다. 인간 혹은 의식의 주체가 바야흐로 스스로 무엇인가를 대상으로 삼을 수 있는 상태에 이른 것이다. 할망의 속옷을 완성하는 것은 할망이 섬과 대륙을 잇는 다리를 완공하는 일에 상응하는 것이었다. 사람들이 할망의 속옷을 완성한다면, 보다 더 안정적인 의식의 장을 마련하고, 심지어 더 넓은 영역으로 확장될 수 있는 의식의 태도를 확립하게 될 것이다. 비록 완성되지는 못했으나 할망의 속옷을 만드는 작업을 통하여 비로소 인간 혹은 의식은 스스로 무엇인가를 생산할 수 있게 되고, 또한 모성이 마련한 대지 위에 자신이 무엇인가를 채울 수 있게 되는 것이다. 사람들이 속옷을 완성하지 못했듯이, 보다 더 넓고, 안정적인 의식으로 확장시켜 줄 육지와의 연결 다리는 완성되지 못하였다. 이러한 미완성은 최초의 인류의 의식의 정립이 실패했다는 것은 아니다. 다만 인간 혹은 의식의 영역이 무한정 확대될 수 없음을 반영한다. 의식의 범위는 무의식적 정신 전체에 관한 것이 아님을 의미한다. 그래서 의식을 빙산의 일각이라고 하거나 섬이라고 하는 것이다. 심지어 망망 대해에 떠 있는 배로 비유되기도 한다. 어쩌면 제주도라는 섬의 지역적 특수를 반영한 표상일 수 있다. 의식을 생성하는 근원적 정신에 대해 속옷을 마련하는 것은 처음부터 불가능한 일이다. 그것은 무의식적 정신 자체를 의식화 하려는 인간 혹은 의식의 부질없는 노력에 해당한다. 그럼에도 그것은 인간 정신의 의식적 실현을 위한 지속적인 작업을 시사하고 있다. 인간의 활동은 파악할 수 없는 근원에 대해 인식하려 끊임없이 노력하는 것이고, 바로 거기에서 의식의 장이 드러난다. 그렇게 생겨난 인간 혹은 의식의 자리는 언제나 전체의 일부분, 즉 하나의 섬일 뿐이다. 이처럼 신화는 인간 의식의 한계 및 인식의 측면을 나타내는 보편적 이미지를 제시한다. 인간 혹은 의식이 주체적인 입장이 되자 더 이상 할망의 역할은 그리 중요하지 않게 되었다. 그래서 곧 할망의 형상은 깊은 물속으로, 즉 의식의 배경인 무의식의 심연으로 물러나게 된다.

여기서 오백 명의 아들을 둔 할망의 모습은 신화나 민담에서 홀로 아들을 키우고 있는 과부 혹은 홀어머니의 형상과 연결시킬 수 있다. 과부나 홀어머니의 아들은 영웅이거나 한 민족의 시조가 되는 경우가 많다. 과부나 홀어머니는 남성 없이 홀로 아이를 키우고 있는 모성상을 나타낸다. 이들은 거의 남성과 상관없이 아이를 낳아 기르기 때문에 처녀 수태의 모성상이기도 하다. 처녀 수태는 기독교 신화에서 특별히 강조되었지만, 이는 전 세계적으로 널리 퍼져 있는 신화적, 즉 원형적 주제이다. 우리나라 ≪주몽(朱蒙)≫ 신화에서, 하백(河伯)의 딸 유화(柳花)가 햇볕을 쬔 후 수태하여 주몽을 홀로 낳아 기르는데, 이것도 처녀 수태의 한 형태이다. 남성적 요소가 개입되지 않았다는 것은 남녀라는 구분 자체가 없는 더 원초적 상태를 반영한 것이다. 상징적으로 처녀 수태 및 생산은, 정신이 자발적으로 활동하여 의식적 정신을 생성했다는 심적 사실을 반영한다. 근원적 무의식적 정신이 자가 수태와 생산을 통하여 부분적으로 의식적 정신이 되는 것을 묘사한 것이다.[92] 이때 의식을 수태하고 생산하는 정신은 어머니로, 그리고 생산된 의식적 정신은 남성-아들로 형상화 된다.

신화에서 대부분 처녀-어머니의 수태라는 점을 강조하기 위하여 형상적으로 젊고 아리따운 여성과 어린 아기를 내세우지만, 내용적으로 처녀-어머니는 실제의 인간이라 할 수 없다. 그렇지만 모든 정신 요소들은 기본적으로 인간성을 표방하며, 쉽게 의인화 된다. 인간적인 모성상에 반해 부성상은 전혀 거론이 안 되거나, 신적 혹은 천상적 존재, 바람, 햇빛, 비, 동물처럼 비인간적 존재로서 표현된다. 이러한 부성상은 역동적인 정신 활동의 형상화 된 측면이고, 그 역동성 자체가 자가 수태를 하는 창조적 활동인 것이다. 처녀-어머니에 의해 탄생된 아들은 한 명의 개별적 인간이 아니다. 그는 한 민족의 시조, 최초의 인간으로, 내용적으로는 보편적 인간상에 해당한다. 이런 처녀-어머니는 세계의 알(Welt-Ei)을 낳는 모성 창조주이다. 아들과 더불어 하나의 세계를 창조하게 된다. 여기서 오백 명의 아들을 둔 설문대 할망은 한 민족이나 집단을 생산하는 모성적 저력을 강조한 것이라 할 수 있다. 오백이라는 숫자가 이미 살펴보았듯이, 토양(흙)의 숫자 5를 기초로 한 5×100이듯이, 할망이 한 인간 집단의 생명력을 보증하고 있음을 알 수 있다. 대지의 인간은 모두 할망의 자녀인 것이다.

민족의 시조가 되는 존재를 낳거나, 하나의 세계 알을 낳은 모성 창조주는 시간이 지나면서 영향력을 잃고 배경으로 물러나게 되는데, 이처럼 배후로 물러난 모성 창조주의 형상이 할머니가 된다. 설문대 할망, 마고 할미와 같은 거대한 여성 창조주는 물속에 가라앉아 사라져 버렸지만 영원히 자취를 감춘 것이 아니라, 지구의 생명체를 보증하는 대지의 힘으로서 여전히 인간과 더불어 살고 있다. 대지는 지구의 생명체를 보살피는 여성 창조주의 몸이다. 우리 인간도 거대한 여성 창조주의 몸에 매달려 살고 있는 모든 다른 생명체들과 마찬가지로 양육되고 길러진다. 우리를 에워싼 자연의 만물은 자연 모성, 혹은 모성 자연이 제공한 것이다. 우주 만물 전체는 우리가 만들어 낸 것이 아니라, 그 자체 생명력으로, 생성과 소멸의 순환을 거듭하고 있다. 심리학적으로 그것은 하나의 거대한 살아있는 정신의 실체가 배후에 있다는 사실의 표상이다. 자연의 생명체를 보존하는 힘의 주체는 스스로 생산과 성장 및 재생산을 반복하기 때문에 자연히 낳고 기르는 모성적 특성으로 그려질 수밖에 없다. 그래서 대지 전체가 모성적 특성을 갖고 있는 것처럼 표상되듯이, 모성신으로 드러난 무의식적 정신은 의식적 정신의 배후에서 인간성을 지지한다.

인간은 자연 모성의 가장 총애 받는 생명체이다. 그래서 인간은 마치 인간만을 위하여 자연 및 주변 사물들이 존재하고 있다고 믿는다. 심지어 인간은 자신의 필요에 따라 자연의 산물을 자유롭게 활용할 권리가 있다고 착각하는 것이다. 이러한 착각도 모두 인간성을 지지하는 모성상에서 기인하는 것이다. 인간의 삶을 처음부터 끝까지 관장하는 모성상은 언제나 할머니로 형상화 될 수 있다.

---

92 이는 뱀이 꼬리를 물고 있는 우로보로스(Ouroboros)의 형상에 해당한다. 이 형상은 스스로를 낳고, 성장하다가 마침내는 자신을 다시 거두어들이는 자연-정신의 총체적 순환을 상징적으로 표현한 것이다.

(2) 지역 수호신의 할머니

앞서 살펴본 것처럼 모성신은 여성 창조주로서 삶의 터전인 대지를 제공할 뿐 아니라, 그곳에 살고 있는 인간을 자신의 자녀들로 여기며, 보호하고 양육한다. 이러한 역할도 모두 모성적 특성에서 기인한 것이다. 이제 소개할 전설에는 할머니가 한 지역의 수호신으로서 구체적으로 어떻게 지역민들을 돌보는지 잘 드러나 있다.

≪다자구 할머니≫ 혹은 ≪죽령 산신령 할머니≫[93]

죽령산에 산적들의 수가 너무 많아져서 사람들을 위협하는 일들이 생겨났다. 너무 산골이라 관군들도 손을 쓸 수 없는 상태였다. 그러자 산신령이 허수룩한 할머니의 모습으로 고을의 원님을 찾아와 도적 떼를 몰아낼 방법을 제시하였다. 할머니는 산적들이 출몰하는 죽령 고개에서 다자구와 들자구의 이름을 부르며 아들을 찾는 시늉을 하였다. 그러자 산적들이 나타나서 할머니를 붙잡아 사연을 물었다. 할머니는 다자구는 큰 아들이고, 들자구는 작은 아들인데, 오 년 전에 집을 나가 돌아오지 않고 있으며, 산속에 있다는 소식을 듣고 찾아왔다고 설명하였다. 이야기를 들은 산적들은 할머니에게 밥 짓고 빨래하는 일을 시키며 산적들의 소굴에서 살게 해 주었다. 어느 날 두목의 생일을 맞아 산적들이 축하를 하느라 술에 취해 잠이 들었다. 할머니는 숨어서 기회를 엿보고 있던 관군들에게 도적들이 아직 잠이 덜 들었다는 의미에서 '들자구'라고 소리쳤고, 모두 잠이 깊이 들었을 때는 '다자구'라고 소리쳐 알려 줌으로써 도적들을 소탕할 수 있게 하였다.

일반적으로 산(山)은 동물, 식물 등 여러 생명체가 함께 살고 있는 장소이다. 대부분의 동물들은 산의 숲에서 자연이 베푸는 자원을 공급받아 살아간다. 인간도 산에서 땔감이나 사냥감을 얻는다. 그래서 산이나 숲은 인간과 동물을 기르고 보호하는 모성 자연의 영역이다. 그곳은 모성이 제공하는 안전한 삶의 보금자리와도 같다.

≪한스와 그레텔≫에서 배고프고 지친 오누이가 숲 속 깊은 곳에서 과자로 만든 집을 발견한 것도 모성이 제공하는 안식처에 도달한 것에 해당한다. 오누이는 모성상으로부터 보호와 지지를 받기도 했지만, 동시에 죽음에 이르는 무시무시한 위협을 받았다. 그들은 마냥 모성상의 보호 장치 안에 머물 수만은 없기 때문이다. 과자 집에 살고 있던 마녀는 물론이고, 과자 집 자체도 자연 모성에 해당한다. 마찬가지로 산은 물론이고, 산신령이라고 부르는 존재도 자연 모성의 또 다른 형상이다. 위의 ≪다자구 할머니≫ 전설에서는 자연 모성의 측면이 할머니의 모습으로 형상화 된 것이다. 자연 모성은 언제나 인간의 삶의 배후에서 아낌없이 지원하는 생명력의 근원일 뿐 아니라, 어떤 경우에는 삶에 직접적으로 관여할 수 있는 실제적 존재이다.

여기서 할머니는 길을 헤매는 나그네에게 나타나 상황에 도움을 주는 여인네들과 다를 바 없는 존재이다. 이러한 존재의 등장은 일종의 누미노제의 현상에 해당한다. 무엇보다 ≪다자구 할머니≫ 전설에서 돋보이는 것은 모성 자연이 자발적으로 나타나 인간의 삶의 어려움을 해결해 준다는 점이다. 이런 초개인적 인격의 자발적 출현이 실제로 한 지역의 전설(傳說)이 되는 기원적 현상임을 여기서 확인할 수 있다.

산에 살고 있는 도적들은 집단 사회에서 잘 적응하지 못하고 밀려 나와 자연의 품에 되돌아온 무리들이다. 이 무리들은 농부, 나무꾼이나 사냥꾼 등 자연과 더불어 적극적인 생산 활동을 하는 인물들과 달리, 풍요로운 자연의 생산적 산물들을 제대로 활용할 줄 모른 채 산 속에서 살고 있다. 이들은 자신의 고유한 역할을 찾지 못하고, 다른 사람들이 누리는 삶의 에너지를 약탈하며 살아가고 있는 것이다. 전설에서 오래 전에 집을 나간 아들의 이름을 '다자구'와 '들자구'라고 하는 산신령 할머니의 이야기는 꾸며진 내용이 아니라, 진짜가 될 수 있다. 지역의 주민은 모두 어떤 의미에서 자연 모성의 자녀들이다. 이런 의미에서 그녀의 집 나간 자녀들은 산적으로 지칭될 수 있다. 그들은 집단 사회에 제대로 적응하지 못하고, 자연 어머니의 품

---

93 실제로 단양에는 죽령산 산신당이 있다. 그 산신당에서 마을 사람들이 해마다 제를 올린다. 그 산신당의 전설은 산신령에 관한 것이 아니라, 한 여인에 의해 죽령산의 산적들을 물리친 이야기로 묘사되어 있다.

(산속)으로 돌아왔지만, 전혀 모성의 보살핌(자연의 혜택)을 누리지 못하고 있기 때문이다. 그래서 산적들은 모두 '다자고'와 '들자고'에 해당한다. 산신령인 할머니는 산적의 소굴에 들어가 집단 사회에 적응하지 못하고 소외되어져 있는 그들을 자녀로서 직접 보살펴 주었다.

산적 두목의 생일날이 되자 산적들은 축하 잔치를 벌였다. 이를 상징적으로 살펴보면, 도둑 집단의 대표인 두목이 생일을 맞이한 것은 어떤 면에서 산신령인 모성적 보살핌에 의하여 인격의 변화가 있었음을 나타낸 것이다. 생일은 누군가의 탄생을 축하하는 것이므로, 이것은 새로운 의식성의 획득과 관계된다. 또한 산적 집단의 대표인 두목의 변화는 동시에 산적 집단 전체의 변화에 상응하는 것이다. 두목의 생일날 잔치에서 산적들은 모두 마신 술에 취해 잠이 들었다. 모성 자연 혹은 자연 모성과 신뢰할 수 있는 관계를 맺게 되자, 비로소 공격적이고 호전적인 상태를 버리고 편안하게 잠이 든 것이다. 이제 모든 권한을 자연 모성에게 양도한 상태가 되었다. 여기서 '다자고'와 '들자고'를 외친 것은 산적들이었던 아들의 이름을 부른 것이며, 그들의 심적 상태를 반영한 것이다. '들자고'는 모성적 지지와 보살핌에 충분히 내맡기지 못한, 그래서 불안한 심적 상태의 지역민들이라면, '다자고'는 모성의 실질적인 보살핌을 받아 심성의 변화가 일어난 선량한 지역민의 호칭이 될 것이다. 할머니는 다시 집단 사회에 소속될 수 있도록 산적들을 관청에 넘겨주었다. 그들이 잠을 깨게 되면, 새로운 의식성으로 집단의식에 적응하게 될 것이다.

이 전설에서도 산신령인 할머니 형상은 개별적 인격에 작용하는 모성상이 아님을 보여준다. 모성 자연 혹은 자연 모성은 모든 개별자, 집단 전체, 인류 전체의 삶을 보살펴 준다. 말하자면 인간 종 전체의 삶에 기본적으로 관여한다. 이런 의미에서 할머니 형상은 개별 어머니의 특성이 아니라, 인간성 전체에 작용하는 보편적 특성의 모성상에 해당한다. 인간이 집단 사회를 이루고 함께 인간적 이념의 세계를 실현하는 것도 모두 인간성 속에 이미 내재해 있는 선험적 목적의미에 따르는 것이다. 이것을 제공하는 주체가 바로 모성 자연, 모성 본능이다. 심지어 사회 문화적으로 자리잡은 제도나 장치, 관습들도 원래 '집단무의식'에 뿌리를 둔 것이라고 할 수 있다.

한국 민담의 여성상

할머니 형상은 사회 문화적 제도의 생성에 관여하는 모성상의 모습이 아니라, 이미 관습적으로 굳어져 버린, 생명력을 상실한 제도적 장치를 쇄신하기 위하여 등장한 것이다. 나이 든 모성 형상은 오랜 시간을 지켜보았던 역사적 시간성을 고스란히 반영한다. 할머니는 집단의식의 편파적인 관점을 보충하고, 또한 의식의 삶에 제대로 적응하지 못하는 자녀들을 여러 방식으로 보살펴 준다. 예를 들어 나름 오랜 수행을 해 온 어떤 선사가 산속의 절로 돌아가다가 늙은 노파를 만나게 되었다. 그 노파로부터 결코 경전에서 배울 수 없는, 그가 미처 깨닫지 못했던 실제적 삶의 핵심적한 수를 배우게 되었다는 이야기가 있다. 이때의 노파는 어쩌면 경전에서 배울 수 없는 삶이나 생명의 실질적 의미를 깨우쳐 준 것이거나, 이미 잘 알려진 정신적 내용을 새로운 삶의 가치로 재해석 할 필요성을 알려준 것이다. 아무리 훌륭한 종교적 가르침도 시간이 지나면 그 가치와 의미를 상실하게 되어 다시 생명력을 불어넣어야 하는데, 이를 위해서 언제나 모성상이 중재를 하는 것이다. 할머니는 더 근원적 본질적 정신 요소를 환기시키고, 보다 보편적 가치를 의식에 통합시키고자 하는 의도에 상응하는 형상이다.

(3) 여성 요소의 보유자인 할머니

많은 민담에서 할머니 형상으로 등장하는 모성상은 세상의 끝에서 혹은 산이나 숲속에서 홀로 고립되어 살고 있다. 그런 모성 형상은 민담의 주인공이 간절히 구하고 있는 어떤 것을 소유하고 있거나, 그것을 제공해 줄 수 있는 존재이다. 다음의 민담에서는 할머니 형상이 인간에게 삶의 터전뿐 아니라, 남성적 요소와 관계하게 될 여성적 요소를 제공하는 인물로 등장한다.

≪목(木)도령≫[94]

어느 동산에 계수나무 한 그루가 서 있었다. 선녀가 내려와 계수나무와 친하게 지내다가 둘 사이에 아들이 태어났다. 그러다가 선녀는 영영 하늘로 올라가고 계수나무 곁에는 아들만이 남아 있었다. 그러던 어느 날 억수같은 비가 내려 홍수가 났다. 아버지 계수나무는 아들을 등에 태우고 물에 떠내려갔다. 한참을 물위에 떠내려가던 중 아들은 도움을 청하는 개미들을 살려 주었다. 다음으로 모기떼가 도움을 청하여 살려 주었다. 그리고 나서 같은 또래의 한 소년이 물살에 떠내려가며 도움을 청하였다. 계수나무 아버지는 그 아이를 도와주지 말라고 하였지만, 아들은 불쌍하게 여기며 소년을 살려 주었다. 계수나무는 마침내 어떤 섬에 당도하게 되었다. 그곳은 물이 잠기기 전에 높은 산 봉우리였다. 이 섬에는 할머니와 두 처녀가 살고 있었다. 한 명은 친딸이고, 다른 한 명은 그 딸의 하녀였다. 마침내 홍수가 끝나고 살아남은 인간은 오로지 소년들과 할머니 가족뿐이었다. 두 소년은 할머니 집에서 밭일을 하며 함께 살았다. 세월이 흘러 할머니는 그 소년들과 두 딸을 결혼시켜 인간이 번창하도록 해야겠다고 생각하였다. 구출을 받았던 청년은 이러한 의도를 알고서 할머니에게 계수나무의 아들인 목(木)도령이 남다른 재능이 있으므로 시험할 것을 종용하였다. 시험에서 목도령이 실패하면 자신이 친딸과 결혼할 기회를 얻으려는 것이었다. 할머니는 목도령에게 조와 모래를 섞어서 주고, 거기서 조만 가려내는 일을 시켰다. 이 일은 목도령이 생명을 구해 준 개미들이 도와주었다. 할머니는 두 딸과 두 청년을 모두 소중하게 여겼으므로, 그들을 동시에 결혼시키려 하였다. 그래서 두 청년들이 스스로 찾아간 방에 배치되어 있는 딸과 부부가 되도록 하였다. 생명을 구해 준 모기들이 친딸의 방을 찾도록 목도령에게 일러주었다. 그래서 목도령은 친딸과 혼인하게 되었다.

이 민담은 창조 신화와 나란히 등장하는 홍수 신화의 특성이 잘 드러나 있다. 홍수와 관련된 신화적 상황은 자아 혹은 의식의 수준을 반영한다. 하나의 세계가 시작됨을 알리는 창조 신화는 심층심리학적으로 보면, 의식의 탄생에 관하여 다루는 것이라 할 수 있다. 의식이 등장하였으나 아직 안정적인 정립이 이루어지지 않아서, 종종 의식 하(下) 수준으로 다시 침잠하게 되는 경우가 생긴다. 이미 의식화 된 정신이 다시 의식 하 수준으로 침잠하는 상황은 주로 대지가 홍수에 잠기는 홍수 신화로 묘사된다.[95] 그래서 창조 신화와 홍수 신화는 거의 함께 한다. 모성 창조주가 인간이 머물 수 있는 대지, 거주지를 마련해 주듯이, 이 민담에서도 홍수가 일어나자, 모성상(할머니)이 등장하여 인간이 머물 곳을 제공한다. 이로써 모성상은 언제나 인간, 의식 및 자아가 삶을 펼쳐 낼 수 있도록 지지하고 있음을 확인할 수 있다.

민담의 시작에서 계수나무가 서 있는 곳에 선녀가 내려와 놀고 있는 동산이 등장하는데, 이곳은 기독교 신화의 에덴동산과 같다. 계수나무가 있는 장소를 좀 더 확충해 보자. 중국 신화나 연금술에서 계수나무가 있는 곳은 달나라로 간주되었다. 그곳은 아득히 있는 불사(不死)의 나라, 피안의 초월적 정신 세계라 할 수 있다. 또한 계수나무가 있는 달나라는 거대한 원환의 영역으로 그려질 수 있어서 심혼적 전체성은 물론이고, 생명력을 가득 품고 있는 모성−자궁에 해당한다. 소위 형상을 생산하기 위해 활성화 되는 원형적 세계에 관한 묘사가 될 것이다. 달나라에 있는 계수나무는 모든 생명력을 담보하고 있는 세계수(世界樹)와 같다. 중국 연금술에서 계수나무는 달(月)인 태음(太陰) 속에 숨어 있는 양(陽), 모성적 음(陰)에서 생성되고 있는 양(陽)이라고 한다. 그것은 이제 곧 의식적 정신으로 분화되기 위하여 준비하고 있는 창조적 힘의 양(陽)에 해당한다. 달의 속, 모성의 잠재적 생산성에 뿌리를 내리고 있는 계수나무는 때가 되면 생명력을 구체화 한 형상으로 드러날 수 있다. 여기서 선녀와 계수나무는 우주의 부모상인 남녀의 쌍으로서, 그들의 만남은 바야흐로 정신

---

94 최인학·엄용희 엮음(2003), 『옛날이야기꾸러미 2』, 217쪽.

95 홍수 신화는 뒤에서 다루게 될 제VIII장에서 좀 더 살펴볼 것이다. 이미 언급되었듯이 홍수 신화가 언제나 인류 최초의 의식의 출현에서만 나타나는 것은 아니다. 대지가 물에 잠겨 버리는 홍수는 새로운 정신의 탄생을 위하여 의식이 해체되고 용해된 상태를 의미할 수도 있다.

의 생산을 위한 창조적 대극의 결합 및 합일을 나타낸다. 이 우주 부모에 의하여 제 3의 요소, 즉 아들이 생겨났다. 둘 사이에 인간 아들이 생겨난 것은 비로소 인간성을 나타낼 의식 수준에 이르렀음을 의미한다. 말하자면 의식적 경험이 가능한 정신 영역의 탄생이 이루어진 것이다.

아들의 탄생, 즉 의식적 정신의 탄생이 이루어지자, 심한 비가 와서 홍수가 났다. 심한 비가 내리는 것은 리비도가 활성화 된 상태를 의미한다. 심지어 홍수가 난 것은 정신적 에너지가 가득 채워져 포화 상태에 이른 것을 나타낸다. 전체 정신은 역동적 상태가 된 것이다. 바야흐로 포화 상태의 리비도가 무의식적 정신 영역의 경계를 넘어서 가시적 세계, 의식의 세계로 흘러넘친다. 이러한 리비도의 유출 자체가 무의식적 정신의 창조적 생산을 의미한다. 리비도의 흐름에 따라 계수나무가 움직이기 시작하였다. 말하자면 리비도의 유동으로 저절로 방향성이 생겨나는데, 그렇게 의식화가 진행되는 것이다. 물의 흐름을 따라가는 계수나무는 창조적 생명력의 일부로서 의식적 정신을 지지하는 요소가 될 것이다.

아버지 계수나무의 등에 타고 있는 아들의 모습은 천상에서 지상으로의 하강, 무의식 상태에서 의식에 이르는 정신적 이행의 여정을 나타낸다. 이러한 이행이 가능해진 것도 의식 혹은 자아의 주체인 아들이 등장했기 때문이다. 홍수 속에 기존의 모든 것이 사라지고 유일하게 남아 있는 대지에 당도하게 된 것은 무의식적 정신이 마침내 의식의 표면에 다다르게 된 것을 의미한다. 유일한 대지에 해당하는 섬의 발견은 의식의 수준에 이른 정신이 스스로 자신의 삶을 시작할 수 있는 의식성을 갖추게 됨을 나타낸다.

구체적으로 민담으로 돌아가 살펴보면, 계수나무의 아들은 새로운 의식의 삶을 이끌어 갈 남성적 요소에 해당한다. 물에 가라앉지 않는 나무를 타고 있는 소년의 모습은, 의식화 될 정신으로서 더 이상 무의식적이 되지 않을 만큼의 힘을 갖춘 것이다. 이 소년은 목(木)도령으로 불리는데, 중국 연금술적으로 이것은 바야흐로 음의 장소에서 활성화 되어 모습을 드러내는 양(陽)의 측면이다. 이 양의 남성성을 오행(五行)의 나무(木)로 나타낸다. 계수나무의 아들, 목도령 또한 대지에 뿌리를 내리고 곧게 자라나야 할 남근적 생명력이라 할 수 있다. 그것은 의식에 접근하면서(의식성을 획득하면서) 점차 인간성을 갖춘 도령의 모습으로 구체화 될 것이다.

아버지인 계수나무는 물속에 가라앉지 않고, 그 위를 떠다니며 어딘가 육지가 있는 곳에 닿으려 하였다. 의식화 되려는 정신의 상태는 아직 안정적 의식성을 갖추기에 충분하지 않은 수준인 것이다. 또한 전체 정신의 역동적 흐름을 야기한 홍수는 경우에 따라 다시 무의식적 상태로 만들 만큼 의식적 정신에 위협적일 수 있다. 여기서 아버지 계수나무의 양가적 태도가 나타난다. 아들과 아버지 계수나무의 관계에서 부성상은 의식의 분화를 지지하기도 하지만, 동시에 매우 보수적 성향의 무의식적 정신의 특성을 반영한다. 그에 반해 아들인 목도령은 적극적으로 의식화 되려는 쪽으로 방향을 정한다. 그래서 소년은 물에 떠 있는 나무 위로 의식화를 위해 필요한 것들을 본능적으로 끌어들였다. 소년이 물속에서 구하게 된 것은 의식해야 할 바로 그것이거나, 의식화를 위해 요구되는 것들이다.

아버지가 말렸음에도 아들 목도령은 같은 또래의 소년을 구하여 함께 하려고 했다. 이는 의식이나 자아의 안정적 정립의 측면에서 보면 매우 중요한 결정이다. 목숨을 구한 소년이 나중에 아들 목도령을 위협하는 것처럼 보이지만, 쌍둥이 같은 두 소년의 갈등은 남성적 의식의 적극적 반응을 야기하는 원동력이 되므로, 오히려 의식화를 촉진시킨다. 쌍둥이 자매 혹은 형제의 형상은 언제나 의식화 되기 위한 역치를 넘을 때 나타난다. 서로 경쟁을 통하여 의식의 힘과 능력을 구체화 할 수 있는 것이다. 또래의 두 소년이 나란히 육지에 도달함으로써, 의식은 보다 더 유리한 역동적 활동을 펼치게 된다. 어쩌면 아들 목도령이 또래의 소년을 물 위로 끌어올린 덕분에, 육지인 섬에 도달할 수 있게 된 것이라 할 수 있다. 물 밖으로 무엇인가를 끌어올리는 것 자체가 의식화 행위이므로, 이제 아들 목도령 중심으로 의식화가 진행된다. 오히려 의식화에 있어서 계수나무인 부성상이 부정적 반응을 하였다. 원상적 부성상은 한편으로는 의식의 분화를 위하여 지지와 보호를 아끼지 않지만, 또 다른 한편으로는 다시 근원적 상태로 향하려는 무의식의 위협적 힘이 된다. 그래서 의식화 되려는 남성 요소인 목도령과 부성상은 서로 갈등을 일으킨다. 신화적으로도 쌍둥이 형제의 갈등은 사실상 부성상과 아들의 갈등으로 묘사되는 경우가 있다. 부성상이 무의식적 정신의 보수적 성향을 반영하는 쌍둥이 형제가 되기 때문이다. 이에 비해 목도령이 물속에서 끌어올린 소년은 의식화를 유리하게 만드는 잉여의 리비도에 해당한다. 무엇보다 아들 목도령이 주도하여 물속에서 여러 요소를 끌어냄으로써 전체 정신의 활동은 의식화를 위해 한 걸음 더 나아갈 수 있게 되었다. 이 민담에서 두 소년의 등장으로 남성적 요소가 강화된 것과 같이, 여성 창조주 곁에 있는 여성적 요소도 의식적 분화를 위하여 두 명으로 배치되어 있다. 이로써 의식에서 실현할 내용은 남성적 요소와 여성적 요소의 균형적 결합으로 이루어질 것임을 알 수 있다.

섬에는 할머니가 앞서 살펴보았던 여성 창조주처럼 의식의 삶이 펼쳐질 수 있도록 자리를 마련하고, 두 딸과 함께 기다리고 있었다. 여기서 할머니는 소녀들의 어머니인데도 나이 든 할머니의 모습을 하고 있다. 두 딸을 데리고 있는 할머니는 딸들을 기르고 보호하는 모성상의 역할을 한다. 모성상은 의식의 삶이 펼쳐질 터전을 제공하기도 하지만, 또한 의식의 삶을 풍요롭게 만들 여성 요소를 보유하고 있다. 이 민담의 할머니도 과부나 홀어머니처럼, 홀로 두 딸을 데리고 있다. 이런 할머니 형상은 인간 세상이 시작되는 순간을 지키면서 지상의 생명체를 보증하는 기초로서 이미 전제되어 있음을 의미한다. 할머니는 준비된 여성적 요소를 데리고 있으면서, 외부의 낯선 요소를 끌어들여, 그것과 관계를 맺도록 매개하는 역할을 한다.

다시 강조하면, 할머니 모성상은 의식이 될 정신을 생산하고, 의식성을 획득한 정신 영역이 안정적으로 정립할 수 있게 하면서, 동시에 새롭게 탄생한 의식적 정신에 대극이 되는 요소를 제공한다. 하지만 모성상은 단순히 대극적 요소를 끌어들이는 것이 아니었다. 새로 형성된 남성상에 상응하는 여성적 요소를 고태적 모성성에서 분화시켜 제공한다. 새롭게 등장한 의식적 정신 영역을 모성의 힘으로 위협하지 않고, 오히려 관계할 수 있도록 여성 요소 자체를 순화하여 제공하는 것이다. 이처럼 모성상은 전체성을 위하여 다양한 상징적 형상의 여성 요소를 제공하며 관계를 추구하는 주체로서 기능한다.

물에서 구조된 소년이 할머니에게 목도령의 능력을 시험하도록 종용하는 것은 남성 의식이 구체화 되기 위한 것이다. 겉보기에 구조된 소년이 은혜도 모르고, 목도령을 배반하는 듯이 보이지만, 이러한 소년은 의식에 통합되고자 하는 남성 의식의 그림자에 해당한다. 소년이 목도령에게 보이는 경쟁적 태도는 자아가 의식화 되려고 할 때 더욱 두드러진다. 그림자가 남성 의식이 되려는 정신을 추월하고자 할 때 의식화의 방향감이 뚜렷하게 구체화 된다. 이는 할머니 혹은 여성 요소가 결코 제공할 수 없는 것이다. 이때 남성 인격의 주체가 될 목도령이 능동적으로 참여하는 것은 매우 중요하다. 마침내 할머니는 남성 인격의 의식화를 촉진시킬 수 있는 과제를 제공한다.

목도령에게 주어진 과제는 모래에 뒤섞여 있는 조를 골라내는 것이다. 조를 모래에서 가려 내는 일은 기본적으로 남성 요소의 의식 수준이 구분 및 분별력을 갖추고 있는지, 또한 곡식과 같이 인간의 삶에 유용한 자원을 마련할 능력이 있는지를 시험하는 것이다. 이 과제는 물에서 구해 준 개미들이 도와주었다. 개미는 땅에 집을 짓고 부지런히 먹이를 마련하여 질서 있게 집단적 삶을 꾸려 가는 생명체이다. 목도령이 개미의 도움으로 과제를 성공적으로 완수한 것은 본능적 저력을 끌어들여 생활의 기초를 마련하여 집단의 삶을 위한 의식의 활동을 펼칠 수 있음을 나타낸다. 모래에서 조를 가려 낸 것처럼, 보다 조직적이고 체계적인 능력을 갖춘 남성 의식은 자신에게 주어진 삶의 터전에서, 분별력 있는 의식의 수준으로 기능할 수 있을 것이다.

목도령이 무사히 과제를 완수하여 의식의 삶을 이끌어 갈 실제적 주체로 인정되자, 이번에는 할머니가 두 소년의 결혼을 추진한다. 두 소년의 결혼을 같이 추진하는 것은 모처럼 획득한 의식성을 더욱 강화하기 위해서이다. 홍수 후에 의식의 주체는 보다 더 안정된 의식성을 유지할 필요가 있었다. 그래서 남성 의식이 역동성을 계속 발휘할 수 있게 지지하는 것이다. 심지어 남성 인물들이 개별적 자유의지를 발휘하여 제각기 여성적 요소를 끌어들이도록 선택권을 넘겨주었다. 말하자면 의식화 된 정신이 매순간 개별적 자유의지 및 결단력을 갖춘 주체로서 구체화 되게 하는 조치이다. 이것은 개별적 존재가 지상에서 자유롭게 자신의 욕망을 펼치고, 의지대로 살아갈 수 있도록 허용하고 포용하는 모성상의 배려이다.

홍수에서 살려 주었던 모기들이 목도령의 귀에 친딸의 방이 어디인지 알려 주었다. 모기는 땅의 개미와 달리 날개를 가진 곤충으로서 본능적인 힘을 정신적인 활력으로 적용할 수 있음을 의미한다. 모기처럼 사소하게 웅성거리는 잡다하고 무의미해 보이는 무의식적 정신 활동들도 결코 무목적적이지 않으며, 궁극적으로 전(全)인격적으로 이끄는 정신적 역동이 될 수 있는 것이다. 목도령은 합리적, 지적 정신 활동만이 아니라, 주변의 사소한 심적 단서들도 놓치지 않고 주의를 기울이는 태도를 갖추게 된다. 목도령은 이미 그런 요소의 가치를 직관적으로 알고 있었기 때문에 홍수에서 모기들을 구해주었던 것이다. 그것은 남성 의식에서 결코 무시되어서는 안 되는 정서적 요소와 관계되는 것들이다. 이에 주목함으로써 목도령은 여성 요소와 관계를 맺을 수 있게 된다. 이것은 남성 의식이 여성 요소를 포함시키기 위해 가져야 할 주의 깊은 관찰력 및 허용적 태도에 해당한다. 할머니의 딸들은 모성성에 기초한 여성 요소로서, 남성 의식과 더불어 의식의 삶을 함께 실현해 나갈 인물상이다. 할머니는 남성 의식과 함께 할 여성 인물상을 제공하여 의식의 삶을 풍성히 만들고, 지지와 보호를 아끼지 않는 배후 세력이 되지만, 때때로 다른 방식으로 직접 의식의 삶에 참여할 수도 있다.

　이상에서 보듯이 자연 모성 혹은 모성 자연의 생산성은 단순히 동어반복적이지 않다. 모성상은 두 소년들을 받아들였고, 여성 요소와의 관계를 주선하여 인간 세계를 새롭게 시작하도록 하였다. 모성상은 인간이 살아 갈 터전 및 거주지를 마련하고 새로운 의식적 정신이 등장하기를 기다리면서, 그에 상응하는 여성적 요소를 준비하는 능동적 관여가 돋보인다. 이런 모성상의 특성을 고려하면 모성상이 한 개인의 삶에서도 어떤 영향력을 행사하는지 잘 알 수 있다. 집단에서든, 개인에서든 모성상은 의식의 배후에서 인간성을 보호하고 지지한다. 또한 필요하다면 언제든 근원적 상태를 환기시키고, 그 근원지에서 새로운 의식을 탄생시켜 분화할 수 있도록 인도한다. 인류의 의식적 진화와 발전은 바로 이러한 모성 자연, 자연 모성을 통해 계속되는 것이다.

　　　　　　　　　　　　　　　　　　　　　　　　　한국 민담의 여성상

(4) 동물 형상의 할머니

지금까지 살펴본 이야기들에서는 인간에게 삶의 터전을 제공하고, 그곳에서 인간이 의식의 삶을 잘 영위할 수 있도록 지지와 보호를 아끼지 않는 할머니 형상의 모성적 특성이 두드러졌다. 이러한 모성상은 늘 인간에게 긍정적으로 작용하는 것처럼 보인다. 그러나 모성상에는 긍정적 측면만 있는 것이 아니다. 모성상은 부정적인 무서운 측면, 즉 가두고, 삼켜 버리고, 갈가리 찢고, 분해하고, 해체시켜서 죽음에 이르게 하는 파괴적 측면도 함께 갖고 있다. 여러 민담에서 주인공을 죽음에 이르게 하는 죽음의 모성상이 강조되기도 한다. 이러한 부정적 모성상 중에 몇몇은 동물적 형상으로 나타나는 경우가 있는데, 여기서는 그런 파괴적 동물 형상 중에서 할머니의 모습과 교체되는 민담을 살펴보고자 한다.

우리에게 너무도 잘 알려져 있듯이, 민담이나 전설에서 아주 전형적으로 묘사되는 장면은 다음과 같은 것이다; 먼 길을 떠나는 나그네가 산을 넘어가다가 날이 어두워지자 밤길을 헤매게 되는데, 멀리서 불빛이 보여 가까이 다가가 보면 어느 외딴 오두막집을 발견하게 된다. 그 오두막집에는 여우가 처녀나 과부 등 홀로 사는 젊은 여인으로 변신해 나그네를 맞이한다. 여인은 나그네를 유혹하여 위험에 빠뜨리거나 죽음에 이르게 한다.[96]

물론 숲에서 마주치는 여인네가 처녀나 과부인 경우도 있지만, 종종 오두막을 홀로 지키는 할머니인 경우도 드물지 않다. 심층심리학적으로 보면 처녀, 과부 및 할머니는 큰 차이가 없다. 심지어 그것이 여우인 경우에도 큰 차이는 없다. 이들은 모두 인간성과 연결되고자 하는 근원적 정신, 자연 모성 혹은 모성 자연의 다양한 형상화에 해당한다. 이 정신 영역은 의식이 분화되면서 배후로 물러나 있지만, 의식과의 관계를 완전히 상실하면, 자율성을 갖게 되어 점차적으로 의식을 방해하는 활동을 하게 된다. 이때 주로 인간이 경계하거나 꺼려하는 동물적 형상으로 나타난다.

---

96 다음 제IV장에서 더 다루게 될 것이다.

그것은 언제라도 기회가 되면 인간 세계와 관계하려는 특성을 갖고 있는데, 대부분 의식에게는 매우 위협적으로 경험될 수 있다.

≪여우 잡는 몽둥이≫[97]

어떤 청년이 산에 나무를 하러 갔는데, 어디선가 웃음소리가 들려와서 주변을 살펴 보았다. 여우 한 마리가 사람의 해골을 얼굴에 맞추어 보고 웃다가는 재주를 넘어서 백발의 할머니로 변하였다. 그러고 나서 지팡이를 짚고 고개를 넘어 마을로 향하는 것이었다. 청년은 언뜻 도래참나무를 하나 베어 손에 맞게 몽당 방망이를 만들어 뒤 쫓아 갔다. 할머니로 변한 여우가 마을의 잔치가 벌어진 집에 들어가는 것을 보고, 청년도 따라 들어가 몽둥이가 시키는 대로 할머니를 내리쳤다. 그러자 쓰러진 할머 니는 여우가 되었다. 그래서 청년은 자신도 모르게 여우를 잡게 되었다.

≪천 년 묵은 여우≫[98]

옛날에 어머니와 아들이 살고 있었다. 아들은 나무를 하려고 매일 산에 갔는데, 어 머니는 점심으로 밥을 많이 싸 주었지만, 고추장을 조금 적게 싸 주었다. 그래서 하 루는 아들이 고추장을 더 많이 싸 달라고 하였다. 점심때가 되어 밥을 다 먹고 보니 고추장이 많이 남게 되었다. 아들이 남은 고추장을 무엇에 쓰나 하고 사방을 두리번 거리다가, 마침 옆에 해골이 하나 있어서 남은 고추장을 해골에다 빨갛게 칠했다. 아들이 그곳을 떠나려 하는데, 갑자기 "이리 오너라!" 하는 소리가 들렸다. 그 소리 나는 곳으로 가 보았더니 큰 기와집이 한 채 있었다. 그 집안에서 백발이 성성한 할 머니가 나와서 "아, 지금 오냐? 오래 기다렸다네. 자네가 올 줄 알았지."라고 하였 다. 그러고는 부엌에 가서 밥과 고추장을 밥상에 차려 와서 먹으라 했다. 아들이 밥 을 먹는 동안 할머니는 별안간 재주를 세 번 넘어 여우로 변하여 아들을 잡아먹었다.

위의 두 민담에서는 할머니와 여우가 서로 동일시 될 수 있음을 보여준다. 중국이나 한국에서는 예로부터 여우의 형상에 대해 주로 자연에 깃들어 있는 음(陰)이 형상화 된 것으로 보았다. 이것은 의식적 정신 영역인 양(陽)과 함께 하지 못하고 오랫동안 고립되어 버린 무의식적 정신의 내용을 대극적 양상의 음으로 간주한 것이다. 중국 연금술의 문헌을 참고해 보면, "정신적인 것이 의식의 빛으로 드러나지 못하면, 주인이 되지 못하고 노예 상태처럼 되어 갈피를 잡지 못하고 음(陰)의 나락으로 떨어지게 되는데, 이를 천년 묵은 여우, 소위 호선(狐仙)이라고 한다." [99] 이처럼 중국 연금술에서도 여우는 의식에서 떨어져 소외되어져 있는 무의식적 정신에 관한 표상인 것이다. 인간의 정신이 의식과 관계가 없다면 무슨 소용이 있겠는가? 사람으로 변하고자 하는 여우는 인간성에 접근하려는, 의식의 빛이 되려는, 무의식적 정신이 형상화 된 것이다.

두 민담에서 여우가 모두 해골을 사용하여 인간으로 변신하였는데, 그 형상은 할머니가 되었다. 해골은 이미 한때 의식에서 활동했으나 더 이상 의식의 삶에 동참할 수 없는 주검, 시체에서 비롯된 것이므로, 굳이 의식의 삶에 다시 등장해야 할 이유가 없는 것이다. 해골을 이용하여 할머니가 된 것은 마치 과거에 죽었거나, 혹은 이제는 더 이상 생명력을 유지할 필요가 없는 정신의 내용을 되살리는 것을 의미할 수 있다. 혹은 무의식적 정신이 의인화 되기에 가장 손쉬운 방식이 바로 모성의 외형인 할머니 형상이었던 것일까? 어쩌면 한 번도 제대로 의식과 연결되지 못했던 무의식적 정신이 어떻게든 의식과 관계하고자 하지만, 전혀 그럴 기회가 없으므로 과거의 자취를 찾아 겨우 형상화를 시도한 것일지도 모른다. 해골의 형상은 개

---

97 최인학 · 엄용희 엮음(2003), 『옛날이야기꾸러미 2』, 124쪽.

98 최인학 · 엄용희 엮음(2003), 『옛날이야기꾸러미 2』, 119~120쪽.

99 여동빈(呂洞賓) 지음, 고성훈 · 이윤희 엮음(2011), 『태을금화종지』, 85쪽.
　"… 그것은 이름난 산속에서 스스로 그 공기와 달빛과 꽃과 열매와 남모르는 나무와 풀의 정기를 이용하면서 삼백 년 또는 오백 년, 많으면 몇 천 년까지 살고 있다. (…) 오랜 노력이 있은 후에야 비로소 유한한 세계에 이를 수 있다. …"

별적 차이를 나타내기보다는 기초가 되는 인간의 기본 골격을 나타내기 때문에, 가장 근본이 되는 정신 영역의 측면을 반영할 수 있다. 이런 의미에서 해골은 인간성의 기초, 근원적 의미를 환기시키기 위한 형상이 되기도 한다. 이렇게 민담에서는 의식에 직접적 영향력을 가질 수 없을 만큼 소외된 정신 영역을 할머니, 해골, 여우 등으로 나타내고 있다.

≪여우 잡는 몽둥이≫의 남성 주인공은 우연히 여우가 해골을 이용해 사람으로 변신하는 모습을 목격한다. 이 장면을 목격한 젊은이는 자신도 모르게 즉각 나무 막대기를 마련하고는, 그 형상을 추적하여 두들겨 패서 다시 여우가 되게 하였다. 젊은이는 여우의 형상을 의식의 영역에 허용되어서는 안 될 충동으로 간주한 것이다. 결과적으로 할머니 형상은 그에게 그리 유력한 영향력을 미치지 못하고 말았다. 무의식적 정신이 젊은이와 관계를 맺기 위해서는 어쩌면 더 아름다운 여인의 형상으로 등장했어야만 했다. 할머니 형상은 젊은이와 연결될 수 없는 무의식적 정신의 측면인 것이고, 심지어는 결코 의식되어서는 안 되는 본능 영역을 의미한다. 여우를 물리친 젊은이의 행동은, 소위 주도하고 있는 의식적 정신이 자신도 모르게 슬그머니 공상에 빠져들었다가 부질없는 일이라고 스스로를 강하게 책망하며 환상을 깨는 모습이 될 것이다. 여우에서 할머니의 형상으로 변환이 성공적으로 된 것은 고태적 정서를 환기시켜 강하게 의식을 끌어들였기 때문일 것이다. 하지만 여우로 다시 되돌리면서 그것은 억압된 본능적 충동으로 인식될 뿐이다.

어떤 의미에서 젊은이가 막대기를 들고 할머니(여우)를 퇴치한 행동은 괴물을 물리친 영웅 행위에 해당하는 것이다. 할머니(여우)는 일부러 젊은이의 주목을 끌어서 그를 산에서 끌어내어 생생한 실제 삶의 현장으로 이끌어 주었다. 젊은이가 많은 사람들 앞에서 여우를 퇴치함으로써 일종의 영웅으로 인정받을 수 있게 한 것이다. 그리하여 젊은이는 저절로 일상의 삶으로 나아가 실제적인 의식의 활동을 펼칠 수 있게 된다. 모성상은 홀로 동떨어져 공상이나 하고 있을 젊은이를 삶의 현장으로 끌어들이고, 자신은 스스로 희생하는 길을 선택하였다. 이처럼 할머니로 형상화 된 모성상의 의도와 목적은 젊은이로 하여금 의식의 삶에서 멀어지지 말고, 적극적으로 삶의 현장에 참여하도록 유도하는 것이다.

≪천 년 묵은 여우≫에서는 젊은이(아들)가 자신이 먹다가 남긴 고추장을 해골에 바르자 그 해골이 할머니이자 여우가 되었다. 젊은이가 해골에 바른 붉은 고추장은 마치 잉여의 리비도 같은 것이다. 그 잉여의 리비도는 오랫동안 활용되지 않았던 정신의 어떤 측면에 생기를 불어넣었다. 여기서 생동감을 되찾게 된 것은 젊은이가 아니라, 뜻밖에도 모성상의 측면이다. 결과적으로 활성화 된 모성상은 젊은이를 삼켜 버리는 치명적인 파괴력을 가진 것으로 드러났다. 이 경우에도 어쩌면 젊은이는 앞선 민담의 주인공처럼 여우를 처치했어야 했다. 홀어머니와 같이 살고 있는 젊은이는 모성의 가장 주목받는 유력한 아들, 삶의 실질적 주체가 되어야 할 의식의 정신으로서, 그에게 발견된 잉여의 리비도는 목적이 있는 의식의 활동에 적용되어야 한다. 그 리비도는 단순히 일시적인 즐거움을 위해서가 아니라, 자신을 위한 창조적 정신 활동이 되도록 해야 하는 것이다. 그러나 의식은 모처럼 자유롭게 사용할 수 있는 리비도를 오히려 즐겨 떠올리는 과거의 기억들, 추억들, 공상 등에 투자한 것이다. 이로써 주도하고 있는 의식은 스스로 성장할 기회를 상실하고 말았다. 활성화 된 모성상은 아직 제대로 성장하지 못한 아들, 즉 남성 인물상을 사로잡아 삼켜 버리는 치명적인 결과를 가져왔다.

이상에서 보았듯이 할머니 형상과 여우의 교체는 모두 의식적 정신인 젊은이 혹은 아들과의 관계에서 두드러진다. 젊은이 혹은 아들로 부각된 의식적 정신이 적극적으로 실제적 삶의 현장으로 나아가지 않는다면, 오히려 파괴적 영향력을 미칠 수 있는 모성의 측면을 부각시키고 있다. 그래서 여우-해골-할머니 형상은 한편으로는 인간성과 연결되고자 하는 무의식적 정신이고, 또 다른 한편으로는 퇴행적이거나 정체된 의식적 정신을 위협하는 무의식적 정신을 의미한다. 후자의 경우에 할머니 형상은 고태적이자 부정적 특성을 나타낸다. 민담에서 젊은이는 모성상에서 벗어나지 못한 상태였는데, 그것도 꽤 오랫동안 그렇게 머물러 있기 때문에, 모성상은 따뜻한 인간적 관계를 거두어들이고 나이 든 할머니의 모습을 취한 것이다. 이런 경우의 젊은이는 부정적 모성상에 위협을 당하여 위기에 처하기도 하지만, 그에 저항하고 투쟁하면서 성장할 수 있다. 부정적 모성상은 의식적 정신을 위협함으로써 더욱 의식화를 촉진시키기도 하지만, 어느새 의식을 사로잡고 어둠의 나락으로 떨어뜨려 파괴하고자 한다. 어떤 모습의 모성을 경험하게 되느냐는 전적으로 의식의 태도에 따라 달라진다. 어떤 의미에서든 여우, 해골, 할머니는 전부 근원으로 되돌아가게 만드는 죽음의 모성상이다. 해골을 사용하는 할머니 형상은 이미 지나온 과거성 전체를 의미하는 것이므로, 그러한 고태적 특성이 의식의 활력을 제거할 수 있음을 보여준다. 모성상 자체가 진보와 발전에 있어서 소극적으로 대처하게 만드는 보수성이 되고, 심하게는 의식의 저하 및 인격의 해체를 가져오는 원인으로 작용할 수 있다.

다시 말하면, 자연 모성 혹은 모성 자연은 의식성을 획득하려는 의식적 정신에 양가적으로 작용한다. 민담에서 보듯이 한편으로는 더욱더 의식화 되도록 이끌어 가는가 하면, 오히려 의식화를 저지하고자 하는 파괴적 국면을 나타내기도 한다. 할머니의 형상은 이런 양극단의 모성적 특성을 모두 반영한다. 고태적인 정신 영역일수록 의식의 전진하려는 경향에 대해서 반작용으로 나타날 수 있다. 모성상의 퇴행적 요구는 반드시 목적의미를 담고 있다. 자신의 뿌리를 상실한 의식적 정신으로 하여금 본능적 근원을 환기시키기 위한 것이다. 이런 경우 모성상의 영향력은 부정적으로만 작용하는 것이 아니다. 의식의 문턱을 넘으면, 무의식적 정신은 언제나 의식을 생동감 넘치게 만들고, 의식적 정신 활동을 통하여 문화적 특성을 갖추도록 돕는다. 비록 모성상이 의식화 되는 것을 방해하는 파괴적인 힘으로 작용하여 의식을 사로잡고, 죽음에 이르게 하더라도, 그 또한 죽음을 극복하고 재탄생으로 이끄는 힘이 되는 것이다. 모성 자연 혹은 자연 모성은 생명력 전체와 관계하는 자연의 법칙이다.

다음의 민담에서는 할머니 형상이 의식의 삶에 위협적으로 작용하는 힘들을 통제하고 조절하는 모성상으로 드러난다. 여기서 호랑이는 균형을 잃은 채 작용하는 무의식적 정신의 파괴적 측면에 해당한다. 할머니는 지혜로운 모성적 방식으로 부적절한 무의식의 힘을 조정하고 제압한다.

≪나쁜 호랑이 벌주다≫[100]

심술궂은 호랑이 한 마리가 항상 할머니의 무밭을 망치고 있었다. 할머니는 호랑이에게 무 따위는 먹지 말고 집에 와서 식사를 하도록 청하였다. 드디어 호랑이가 집으로 찾아오자 할머니는 호랑이를 친근하게 영감이라 부르며, 추우니까 장독대에 둔 화로를 가져오게 하였다. 그리고 불씨가 약한 숯에 불이 살아나도록 입김을 불어 넣으라고 하였다. 할머니는 호랑이가 불씨를 살리기 위하여 입김을 불어 넣으면, 재가 날려 눈에 들어가 버리게 두었다. 호랑이는 재 가루에 눈이 안 보이게 되자 물로 재를 씻으려고 하였다. 호랑이는 할머니가 미리 준비해 둔 고춧가루를 탄 물로 눈을 씻자 눈이 더 아프게 되었다. 이번에는 호랑이가 눈을 닦을 수건을 달라고 하자 바늘이 박힌 수건이 주어졌다. 호랑이는 다시 눈알이 찔려 견딜 수 없게 되자, 결국 도망을 가려 하였다. 호랑이는 부엌문을 나서다가 소똥을 잔뜩 깔아 놓은 곳에 미끌어져 넘어지고 말았다. 멍석이 넘어진 호랑이를 둘둘 말아 지게로 옮기자, 지게가 멀리 지고 가서 바다 속에 던져 버렸다.

이 민담에서 호랑이는 할머니와 대립되도록 남성적 특성을 부각하여 할아버지로 지칭되고 있다. 호랑이가 밭에서 무를 망치고 있을 때는 할머니가 마음대로 다룰 수 없는 상대였다. 그러자 할머니는 호랑이를 집안으로 끌어들여서 자신에게 유리한 상황이 되도록 만든다. 할머니는 여러 일상의 모성적 지혜를 동원하여 호랑이를 물리치게 된다. 여기서 할머니는 우선적으로 여러 일상적 모성의 모습을 대변한다. 이는 개별 어머니의 모성적 역할을 보증하는 보편적 모성상의 기초로서의 특성을 나타낸다. 이때 호랑이는 전체 정신에서 떨어져 나와 의식 영역과 제대로 연결되지 못하고, 그 주변을 배회하고 있는 일부의 무의식적 정신, 즉 자발적 활동이 커져 버린 콤플렉스의 측면이 될 수 있다. 심지어 의식화 된 정신 영역이 일방적으로 활동하

---

100   최인학·엄용희 엮음(2003), 『옛날이야기꾸러미 1』, 157쪽.

면서 본성과 멀어져 버린 상태도 해당할 것이다. 할머니 형상은 아득한 시절부터 매번 의식의 삶에 침범해 오는 주변의 무의식적 정신에 대해 어떻게 본능적으로 대처해 왔는지를 보여주고 있다. 아마도 의식 혹은 자아는 전혀 알아차리지 못하겠지만 모성-본능이 전체 정신 영역을 총체적으로 관리 하고 있음을 의미한다.

할머니는 자꾸 무밭을 망치자, 호랑이에게 무를 먹을 것이 아니라, 제대로 된 식사를 하라고 청하였다. 이는 일부의 자율성을 가진 무의식적 정신이 나타내는 다듬어지지 않은 본능적 측면(동물 형상)을 인간성에 더 부합하도록 유도하고 매개하는 것이다. 집안으로 끌어들인 것은 궁극적으로 의식의 장에 수용되게 하려는 의도를 반영한 것이다. 그러나 그것이 인간성을 위협하는 경우에는 지혜로 맞서 처리해야 한다는 사실을 보여주고 있다. 이런 모성상의 처리 방식을 보면 모성상이 무의식적 어두움으로부터 지켜 주는 실질적인 힘임을 확인할 수 있다. 모성상은 의식의 삶을 유지하고 있는 정신 영역과 동물적 본능성을 구분할 수 없었던 아득한 시절부터 존재해 왔으므로, 동물들과도 친화적인 할머니의 모습으로 드러난다. 이런 할머니 형상은 모든 모성의 역할에서, 여성의 모성적 본능 속에 잠재해 있다가 현명하고 재치 있게 발휘되는 것이다. 흥미롭게도 할머니가 호랑이를 퇴치할 때 할머니의 지혜로운 처치에 따라 집안의 여러 소품들도 함께 동원된다. 멍석과 지게가 자발적으로 움직여 호랑이를 둘둘 말아 옮겨서 바다 속으로 던져 버렸다. 숲 속의 모든 동식물이 모성 자연 혹은 자연 모성에 속하듯이, 할머니의 생활 도구들도 모두 모성에 속하여, 의식의 삶을 지지하는 모성의 영향력으로 발휘되는 것이다.

위의 민담에서 할머니 형상은 어쩌면 다른 민담에서 등장한 할머니처럼 고태적인 형상이 아닐 수 있다. 모성상의 노련한 수용적 태도와 지혜로운 처치는 인류가 축적해 온 '앎'에서 비롯된 것임을 알 수 있다. 모성상은 일종의 범례로서 매일, 매번 다양한 생활의 현장에서 일어나는 의식과 무의식의 갈등을 어떻게 처리하는지를 보여줄 수 있는 것이다. 이때의 모성상은 자연히 개별 의식을 지지하는 모성상을 넘어서는 것이다. 의식의 언저리에서 제대로 방향을 잡지 못한 무의식을 제대로 처리할 수 있는, 보다 근원적인 총체적 모성상이 될 것이다. 이처럼 근원적 무의식은 의식에 이르도록 다양한 무의식적 정신의 활동을 펼치기도 하고, 필요에 따라 의식의 언저리에서 활성화 된 자율성의 무의식적 정신을 거두어들이기도 한다. 전체 정신의 목적에 부합하지 않는 자율적 콤플렉스의 일부는 모성상에 의해 제거되어, 다시 근원적 무의식적 정신으로 환원된다. 이는 민담에서 호랑이가 물속에 던져진 것으로 표현되었다.

(5) 산신(産神) 혹은 삼신 할머니

 앞선 민담에서 보았듯이 모성상은 무의식적 정신에 대해 총체적 책임을 갖는 것처럼 기능한다. 무엇보다 모성상은 의식을 낳고 기르며 지지하는 측면이 부각된다. 민담에서 모성상의 기능과 역할이 의식의 삶에 어떻게 실질적으로 드러나는지 알 수 있지만, 또한 모성상이 분화되는 모습도 반영될 수 있다. 이는 인간 집단의 의식 분화와 더불어, 그에 상응하는 모성상의 변환이 있음을 의미한다. 신성도 인간 의식의 분화와 더불어 새로운 내용을 획득하거나 변화를 맞이한다. 이것이 바로 무의식적 정신이 언제나 의식적 정신을 생산하고 지지하는 이유이기도 하다. 인간의 의식의 진보, 성숙이 신성을 변화시키기 때문이다. 특히 모성상은 의식을 생산하고 기르는 원형으로서, 인간 의식, 인간성을 고려하는 상대적, 반응적 특성이 두드러진다. 다음의 민담에서는 인간 혹은 의식에 관여하기 위해 모성상이 다양한 특성을 획득하고 있다는 사실을 확인하게 될 것이다.

≪삼신 혹은 산신 할머니≫[101]

옛날에 명진국 황제의 따님 아기가 있었다. 아기를 좋아하여 옥황상제로부터 아기

---

[101] 제주도에서 '삼신 할망 혹은 '맹진국 할망'으로 알려져 있는 이야기이다.

를 점지하는 임무를 맡아 산신(삼신)이 되었다. 만삭이 된 여인이 무사히 아기를 낳도록 도와주는 일이었다. 동해 용왕이 서해 용왕의 딸과 결혼하여 딸자식을 얻었는데, 그 딸이 여러 불경한 죄를 저질러 인간 세상으로 보내지게 되었다. 이를 걱정한 어머니가 딸로 하여금 아기를 잉태시켜 낳게 해 주는 산신이 되어 살도록 하였다. 그런데 아버지의 호령에 서둘러 쫓겨 가느라 어떻게 해산시키는지 방법을 제대로 배우지 못하고 말았다. 그렇게 지상에 온 동해 용왕의 따님 아기는 실제로 만삭이 된 여인의 출산을 전혀 돕지 못했다. 명진국 황제의 따님 아기가 지상에 내려와 해산을 돕는 일을 하던 중, 어려움에 처한 동해 용왕의 따님 아기와 마주쳤다. 그들은 마치 서로 쌍둥이 자매처럼 닮아 있었다. 동해 용왕의 따님 아기는 명진국 따님 아기도 해산을 돕는 역할을 맡았다는 것을 인정하지 못하였다. 둘은 함께 옥황상제를 찾아가 해결해 달라고 하였다. 옥황상제는 꽃씨를 나누어 주고 각자 꽃을 피워낸 결과를 통해 승패를 가리기로 하였다. 동해 용왕 따님 아기의 꽃은 뿌리와 가지가 하나로 자라나 피어났다. 명진국 따님 아기가 키운 꽃은 뿌리는 하나이지만, 가지는 4만 5,600개로 뻗어 피어났다. 그래서 동해 용왕 따님 아기는 저승 할망으로, 명진국 따님 아기는 삼승 할망으로 정하게 되었다.

민담에서 동해 용왕의 따님 아기와 명진국 황제 따님 아기는 둘 다 해산을 돕는 신(神)이 되려 한다. 두 따님 아기들은 신들인데, 해산을 돕기 때문에 모성신에 해당한다. 분석심리학적으로 신들의 세계는 원형들의 세계이고, 신들은 원형상들이라고 할 수 있을 것이다. 어떤 의미에서든 신들의 하강은 인간 혹은 의식에 영향을 미치기 위한 형상화로 간주될 수 있다. 신성(神性)이 자신의 고유한 역할을 갖게 됨으로써, 인간 세계와 직접 관계할 수 있게 되는 것이다. 위의 민담에서 보면 각기 다른 출신의 소위 신녀들인데도 서로 구별이 안 될 정도로 닮아 있다는 것으로 보아, 의식에 접근하려는 무의식적 정신의 일부가 아직 구체화 되지 않았음을 의미한다. 또한 두 신녀들이 각기 다른 기원을 갖고 있다는 사실에서, 한쪽은 의식화를 추진하려는 성향이 있고, 다른 한쪽은 무의식적 정신으로 남아 있으려는 성향이 있는 것으로도 볼 수 있다. 그 둘이 의식화 되기 위하여 서로 경쟁적 관계에 이르게 된 것이다. 둘 다 인간성을 위하여, 아기의 출생을 돕는 일을 하는 모성상을 강조함으로써, 신성의 분화의 방향이 정해졌다.

신녀들 스스로가 의식(인간성)에 접근하려는 목적을 갖고 있어서, 경쟁적인 구도는 보다 유리하게 작용한다. 말하자면 경쟁적 관계에 있는 둘은 공동의 목표를 제시하면서, 서로 힘을 겨루기 때문에 목표나 방향이 더 뚜렷하게 부각될 수 있는 것이다. 여기서 쌍둥이 같은 신녀들의 경쟁은, 모성신의 역할을 구체화 하기 위한 것이다. 동해 용왕의 따님 아기는 미숙한 해산 기술을 갖고 있었는데, 명진국 따님 아기가 도움을 주면서 해산 기술을 완전히 익히게 된다. 두 쌍둥이 자매 같은 신녀들이 의식의 주체가 되기 위해서 그렇게 하는 것이 아니다. 이것은 모두 모성신의 기능과 역할을 분화시켜 정신의 기관으로서 기능하려는 것이다. 의식 혹은 자아의 성장 및 분화가 있게 되면, 원형상도 상대적으로 보다 더 구체적인 역할을 수행할 수 있어야 하는 것이다. 이를 위해서 우선 두 후보 신녀들의 기본 자질이 갖추어져야 했다.

여기서 두 따님 아기들이 하려는 해산을 돕는 일은 어떤 일인가? 문자 그대로 이해하여 이들의 작업은 해산을 돕는 산파의 역할이 되겠지만, 상징적으로 이해한다면 해산은 인간 의식의 탄생과 관련된 작업이다. 말하자면 두 신녀는 의식 혹은 자아의 탄생을 돕는 모성상이다. 생명을 관장하면서 아기가 인간 세계에 태어나도록 점지한다든지, 무사히 태어나도록 출산을 돕는다는 삼신 할머니의 역할이 알려져 있듯이, 민담에서 쌍둥이 같은 두 신녀들은 각 개인들의 의식 및 자아의 탄생을 도와서, 인간의 의식 수준을 지지하고 또한 향상시키도록 돕는 역할을 한다. 신녀들은 경쟁을 통하여 더 분화된 역할을 발휘해야 하는 새로운 국면에 이르렀다. 이는 의식 및 자아의 분화에 따른 요구로서 이해될 수 있다. 혹은 의식 및 자아에 더 분화된 내용을 요구하기 위한 신성의 변화라고 이해할 수 있다.

보충적으로 설명하자면, 신성, 즉 '원형 그 자체(Archetypus an sich)'는 변화하지 않을 것이다. 원형의 활성화로 심상이 형성될 때, 항상 의식의 수준과 태도에 상응하는 반응적 내용의 원형상이 드러난다. 이와 같이 신성, 즉 원형이 인간의 의식화에 참여하고 있는 이유는, 인간 및 의식의 변화에 따라 신성, 원형의 세계도 함께 변화할 수 있기 때문이다. 이것이 신성, 원형이 인간을 필요로 하는 이유이다. 신성, 원형은 새로운 상징을 생산하여 자아로 하여금 더 높은 수준의 의식성을 획득하도록 종용하는 것이다. 인간이 보다 더 높은 의식성을 획득함으로써 신성, 원형의 분화가 더 유력해지는 것이다. 이런 의미에서 신성은 인간성에 유익한 기능을 발휘할 수 있어야 한다.

민담에서 역할의 분담을 위하여 두 신녀들은 제각기 꽃을 피운 결과를 제시해야 했다. 식물을 키워 꽃을 피우는 것은, 씨앗과 같은 가능적인 것을 실제 삶의 현장에서 어떤 형식을 빌어 현상적으로 실현하는지와 관계한다. 물론 식물의 꽃이 그렇듯 인위적인 방식이 아니라, 본성을 그대로 살려서 실현하는 것에 해당한다. 두 신녀에게 주어진 그러한 과제를 고려해 보면, 모성신의 특성이 의식의 탄생만을 돕는 것뿐 아니라, 의식에서의 개별적 실현 또한 지지하고 돕는 것임을 알 수 있다. 말하자면 모성상은 의식으로 탄생한 정신이 실제적인 삶의 현장에서 구체적으로 무엇인가를 펼칠 수 있도록 관장하려는 것이다. 경쟁을 통해 과제를 완수함으로써 모성신도 이전의 역할에서 한 걸음 더 나아가 새로운 역할을 수행할 수 있게 발전한다. 이렇게 신성도 인간 의식의 분화와 더불어 변화하면서 반응할 수 있도록 분화된다.

과제의 수행에서 명진국 따님 아기가 하나의 뿌리에서 가능한 많은 꽃을 피워냈다는 것은, 의식의 삶을 다양한 방식으로 풍요롭게 가꾸도록 지지할 수 있음을 보여준다. 그래서 명진국 따님 아기는 의식이 된 정신이 삶의 현장에서 마음껏 개별적 특성을 펼칠 수 있도록 돕는 모성적 역할을 맡았다. 동해 용왕의 따님 아기가 오직 한 개의 줄기로만 꽃을 피운 것은, 비록 의식의 장에서 무수한 현상들이 펼쳐지지만, 근본적으로는 하나의 씨앗, 하나의 뿌리, 하나의 줄기에서 비롯된 것임을 제시하고 있는 것이다. 그러한 특성의 강조는 의식의 삶의 현장에 다양하게 펼쳐진 것들이 언제나 하나의 근원에서 비롯된다는 사실을 환기하는 것이다. 그래서 동해 용왕의 따님 아기는 의식의 현상을 거두어 가고, 정리하는 역할을 맡았다.

두 신녀들의 작업의 결과 모성상의 역할은 둘로 나뉘게 되었다. 그래서 명진국 따님 아기는 산신(삼신) 할망이 되고, 동해 용왕의 따님 아기는 저승 할망이 되었다. 동해 용왕의 따님 아기가 저승 할망으로 불리고, 마치 죽음의 세계를 관장하는 신으로 보이지만, 원래는 의식의 탄생을 돕고자 했음을 알 수 있다. 저승 할망으로서 모든 것을 근원으로 되돌리는 일은 무조건적으로 의미 없이 널려 있는 현상들의 제거만을 목적으로 하는 것이 아니다. 저승 할망은 여러 현상들에 대한 뿌리를 환기시키고, 그 근원으로 되돌려 새로운 탄생을 위한 또 다른 준비를 하도록 돕는 것이다. 이런 신녀들의 역할 분담으로 모성상은 의식 혹은 자아의 분화와 더불어 의식의 삶을 지지하는 모성상과, 분화된 의식적 정신에게 근원을 환기시키는 모성상으로 기능하게 되었다.

요약해 보면, 위의 민담은 모성신 자신의 구별 및 분화의 내용을 다루고 있다. 모성신의 구체적 개별적 특성은 제각기 영역을 구분하여 역할을 담당하는 기능의 분화로 드러났다. 이처럼 모성신은 고유한 개별적 특성을 갖춤으로써 인간 의식에 더 구체적으로 관여할 수 있는 신성이 된다. 이 민담에서 삼신 할망이나 저승 할망은 모두 처녀 모성상이다. 이처럼 처녀이자 할머니의 형상은 의식의 등장과 퇴장에 모두 관여하는 고태적 모성의 특성을 반영한 것이다.

(6) 죽음의 어머니

흔히 저승 할망은 죽음을 관장하는 모성신이거나, 사자의 세계를 지키는 모성신으로 알려져 있다. 앞선 민담에서 삼신 할망이 의식의 탄생 및 분화를 위해서 모성적 역할을 발휘하며, 저승 할망도 삼신 할망만큼이나 의식의 삶에 대한 지지와 격려를 아끼지 않는다는 것을 알 수 있었다. 과연 저승 할망은 죽음을 가져오는 죽음의 모성상에 해당하는 것일까? 이제 저승 할망이 구체적으로 어떤 역할을 하는지 다음의 민담에서 살펴보자.

≪저승 할망≫

옛날에 홀어머니를 모시고 사는 한 소년이 있었다. 소년은 이웃의 홍역을 앓는 아이를 위한 굿을 구경하고 나오다가 대문 밖에 앉아 있는 백발의 할머니와 마주치게 되었다. 그 할머니는 저승 할망이었다. 소년은 할머니가 왜 그렇게 앉아 있는지 물어보았다. 할머니는 앓는 아이가 불쌍하여 살려주려 와 보니 금줄이 있어서 들어가지 못하고 그렇게 앉아 있는 것이라고 하였다. 소년은 할머니를 자신의 집에서 잠시 쉬어 가도록 해 주었다. 할머니는 은혜의 보답으로 그 소년이 홍역을 앓는 아이의 액운에 씌어서 사흘이 지나면 죽게 될 거라는 사실을 알려 주었다. 이러한 사실을 알게 된 소년은 밥상을 차려와 대접하면서 할머니에게 홀어머니를 모시고 있으므로 자신을 살려 달라고 청하였다. 할머니는 소년을 측은해 하며 차려준 밥상의 밥을 오히려 소년이 먹도록 하였고, 결국은 소년의 간청에 못 이겨 자신을 따라오게 하였다. 소년은 할머니를 쫓아갔으나 도저히 따라잡지 못하고 할머니가 남긴 지팡이 자국을 보고 쫓아가게 되었다. 가다가 연자방아를 등에 지고서 일어나지 못하여 울고 있는 사람을 만났다. 소년은 그 사람의 어려움에 관해 저승 할망에게 물어볼 것을 약속하고 계속 길을 갔다. 다시 길을 가다가 큰 바위 위에 앉아 평생 짚신을 삼고 있는 노인을 만났다. 그에 대해서도 저승 할망에게 물어볼 것을 약속하고 계속 길을 갔다. 다시 두 여인이 산을 짊어지고 일어나지 못해 비명을 지르고 있었는데, 그들도 저승 할망에게 물어봐 줄 것을 부탁하였다. 계속 가다가 망망 대해에 이르자, 거대한 뱀이 헤엄쳐 와서 소년을 저승 할망에게 데려다 주면서 자신에 대해서도 물어봐 줄 것을 부탁하였다. 마침내 소년은 저승 할망이 사는 곳에 도착하였다. 저승 할망은 지친 소년에게 빨간 과일을 따 먹게 하고 붉은 음료를 마시게 하였다. 그렇게 하자 소년은 더 이상 배고프지 않았고, 걱정이나 슬픔도 완전히 사라졌다. 그렇게 소년은 3년을 저승 할망 곁에서 보내었다. 드디어 저승 할망은 소년을 다시 집으로 돌려보내면서, 소년에게 도움을 청하였던 사람들의 문제를 해결할 수 있는 답을 알려 주었다. 돌아오는 길에 저승 할망이 알려준 대로 큰 뱀에게 부모를 잃고, 위협

　　　　　　　　　　　　　　　　　　　　　한국 민담의 여성상

을 당하고 있던 처녀를 구하고, 처녀와 함께 귀향하여 행복하게 살게 되었다. 소년은 저승 할망에게서 빨간 과일을 가져왔는데, 그것으로 소년이 없는 동안 백발의 할머니로 변한 어머니의 젊음을 되찾게 해 주었다.

≪산신(삼신) 할머니≫에서 삼신 할망과 저승 할망은 서양의 경우 운명의 여신들에 해당한다. 이들은 한 개인의 생명력을 총체적으로 관장하기 때문에 종종 죽음을 가져오는 모성신으로 간주되었다. 사실 운명이란 죽음과 관련이 있는 것이 아니다. 이는 인간의 개별적 삶이 의식적 의도에 의한 것이 아니라, 내재적으로 기초한 본능적 법칙에 따라 실현된다는 것을 의미한다. 이런 의미에서 운명의 여신은 개별 인간의 의식적 활동 너머에서 작용하고 있는, 인간의 의식의 삶에 가장 영향력 있는 존재일 것이다. 이 운명의 여신은 삼신 할망보다는 저승 할망에 더 가까운 것 같다. 저승 할망은 인간의 의식이 자유롭게 의지력을 발휘하면서 일방적으로 펼쳐 낸 것들, 본성에서 벗어나게 된 것을 바로잡고 근원이 되는 뿌리를 환기시키는 역할을 하기 때문이다. 이러한 모성상의 역할은 오히려 의식의 삶에서 상실되었던 자연의 생명력 및 질서 등을 되찾게 하는 보상적 기능을 반영하는 것이다.

마마나 홍역은 과거 아동기에 가장 치명적으로 앓던 질병 중 하나였다. 이 질병 자체가 모성신에 의해 발생된다고 보거나, 모성신의 심기를 거슬러서 혹은 부정적으로 자극함으로써 생기는 것으로 믿었다. 마마나 홍역에 걸리면 굿을 하거나, 최소한 모성신을 달래는 제의적 의식을 치러야 했다. 아동기의 마마나 홍역은 죽음을 초래하는 치명적인 질병이었던 만큼, 그런 질병을 가져오는 모성신은 저승 할망으로 불렸던 것이다.

위의 민담 ≪저승 할망≫은 죽음을 가져오는 무서운 모성상의 역할을 새롭게 인식할 수 있게 하는 내용을 담고 있다. 이야기는 이웃의 아이가 홍역에 걸려 위독한 상태에서 굿을 하는 장면으로 시작한다. 이미 언급했듯이, 홍역이라는 병은 오늘날과 같이 예방 접종이 없었던 시기에 아동기를 넘기고 계속적으로 순탄하게 살 수 있을지 결정하게 만드는 중병이었다. 흔히 '홍역을 치른다'고 말하면, 삶의 어려운 고

비를 맞이하여 온몸으로 이겨낸다는 의미를 갖는다. 요즘도 여전히 '홍역을 치른다' 는 것은 어디에 입문하기 위하여 반드시 거쳐야 할 통과 의례와 같은 것, 성장을 위하여 혹독하게 치러야 할 관문을 의미하기도 한다. 이런 표현도 모두 홍역의 심각성 때문에 유래한 것이다.

군이 상징적으로 의미를 부여하지 않더라도, 원시 심성에서의 육체적 질병은 모두 심혼의 병이었다. 샤먼들이 병을 치료하는 것도 질병의 대부분을 심혼적 문제에서 기인하는 것으로 보았기 때문이다. 샤먼은 병을 앓고 있는 당사자가 신성이나 조상 령과 같은 존재와 관계를 잃어버렸거나, 혹은 그 존재와의 잘못된 관계에 의해 병을 얻게 되었다는 사실을 확인시키고, 이를 바로잡도록 돕는 것이다. 샤먼이나 병을 앓고 있는 자 모두 심혼적 존재의 실제적인 영향력을 고려하는 것이다. 실제로 옛 민간 요법이 그러했듯이, 민담에서도 홍역을 치료하기 위하여 굿을 한다. 샤먼들이 개입하여 병을 치료하려고 금줄을 쳐서, 나쁜 영향력을 제거하고, 그로부터 보호할 수 있는 신성한 장소가 되게 한다. 여기서 금줄은 성(聖)과 속(俗)의 상징적 경계를 제시하고 있다.

민담에서 병이 든 이웃의 아이는, 실제의 어린 아이라기보다 한 집단의 삶을 계속 이어 갈 차세대의 인물상에 해당한다. 아이는 점진적으로 성장 및 분화를 해야할 의식적 정신 영역을 의미한다. 아이가 병들게 됨으로써, 의식의 삶 전체가 위기에 처한 것이다. 아이의 치유를 위하여 굿을 하려고 샤먼들이 동원되었다. 이때의 샤먼들의 작업은 생명을 관장하는 신성과 접촉하여, 그 신성에게 어려움을 해결할 처방을 구하거나 바램을 전달하는 매개적 역할이다. 샤먼들은 저승 할망과 접촉을 하려고 굿을 하고 있는 것이 아니었던가. 여기서 저승 할망은 병을 가져오지도 않았고, 죽음을 제공하려고 온 것이 아니었다. 아이의 병을 낫게 해 주려는 의도를 갖고 나타난 것이다. 그러나 굿을 하기 위해 쳐 둔 금줄에 의해 집안으로 들어갈 수조차 없었다. 금줄로 친 공간은 치유를 위한 신성한 공간이라는 표시인데, 오히려 모성신이 들어가지 못하는 금지구역이 된 것이다. 저승 할망이 그 곳에 들어갈 수 없듯이, 샤먼들은 이미 신성과의 관계를 상실했음을 나타낸다. 성과 속의 구분을 위한 금줄은 오히려 심혼적 세계와의 단절을 표시하고 있다. 저승 할망은 어떤 식으로든 인간 생활에 관여하고자 했다. 그러나 직접 관여할 수도 없고, 간접적으로도 접근할 수 없는 것이다.

주인공 소년은 홀어머니를 모시고 있는 인물로 묘사되어 있다. 이미 살펴보았듯이, 홀어머니는 바로 처녀 모성상으로서 의식의 삶을 이끌어 갈 새로운 인물상을 기른다. 남성적 특성으로 그려진 것은 모성상에서 벗어나 의식적 정신의 고유한 가치를 획득해야 할 자아의 능동적 역동성을 반영하는 것이다. 이런 의미에서 소년은 모성상과 남다른 관계를 갖는 영웅 아들이다. 또한 여기서의 소년은 모성상의 원래적 기능과 의미를 되찾는 데 기여하는 선택된 인물상이다. 저승 할망과 마주쳤을 때 소년은 그냥 지나치지 않았다. 무슨 이유로 할망이 문밖에 나와 있는지 물었고, 심지어 자신의 집에서 쉬어 가도록 하였다. 이러한 소년의 적극적 자세는 모성과의 특별한 관계에서 비롯된 수용적 태도에 해당한다.

놀랍게도 저승 할망은 소년에게 이웃 아이의 운명을 넘겨받아 죽음을 맞이할 것이라고 알려주었다. 이것은 마치 저승 할망이 죽음을 가져오는 모성신인 것처럼 보이게 한다. 저승 할망은 소년에게 죽음이 임박했음을 알려줌으로써, 어떤 영향력을 미칠 수 있는 존재라는 사실을 보여준 것이다. 그러자 소년은 저승 할망에게 자신의 목숨을 구걸한다. 소년은 저승 할망이 죽음을 야기하는 존재가 아니라, 오히려 자신의 생명을 보장해 줄 영향력 있는 존재로 간주하고 있다. 이것이야말로 앞서 홍역을 치르고 있던 아이에게 모성신이 제공하려 했던 것이다. 저승 할망도 소년과의 관계에서 인간의 삶에 도움을 주는 원래의 모성적 역할을 보여주는 것이다. 그래서 직접 홍역을 앓고 있던 아이를 찾아온 것이고, 소년도 같은 위기에 처해 있음을 알려주었다. 소년은 이를 알아차리고 자신의 목숨을 구해 줄 것을 요청한 것이다.

여기서 왜 할망은 뜻밖에 소년에게 죽음을 예고했을까? 홍역을 앓던 이웃 아이나 소년은 모두 새로운 의식의 주체가 될 인물상들이다. 모성상과 긴밀한 관계의 소년들은 모성상을 벗어나야 성장을 할 수 있다. 여기서 홍역을 치르던 소년들의 죽음은 모성상을 극복하지 못한 것을 의미한다. 모성상은 무조건 보호와 지지를 하는 것이 아니라, 어느 순간이 되면, 성장을 주저하는 새로운 인물들을 근원적 상태로 소환한다. '홍역을 치른다'는 것은, 결국 유아적 세계관을 극복하기 위하여 무엇인가를 겪어 내야 한다는 의미가 될 것이다. 주인공인 소년도 이웃의 아이와 마찬가지로 과제를 해결해야 하는 것이다. 소년은 모성상과의 관계에서 무엇인가 알아차려야만 했던 것이다. 소년이 목숨을 구걸하자, 할망은 자신을 따라나서야 한다고 했다. 그래서 할망을 따라 소년은 집을 떠나게 된다. 이것은 저절로 자신을 낳고 기르던 모성상에서 떨어져 나오게 되는 것이다. 소년이 저승 할망을 따라나서게 됨으로써, 소위 이중 부모, 두 어머니의 관계가 되었다. 이제 소년은 저승 할망과의 관계에서 유아적 세계관을 극복하고, 의식적 정신의 탄생을 해야 할 과제를 부여받는다. 소년에게 예고된 죽음은 육체적인 죽음이 아니라, 정신적 재탄생을 위한 죽음이 될 것이다. 이처럼 죽음과 삶의 문제는 육체적이든 정신적이든 모두 모성상과 함께 다루어진다. 소년이 극복하고 실현해야 할 인간 삶의 과제도 모두 저승 할망과 더불어 해결하게 된다.

저승 할망을 찾아가는 여정 그 자체는 소년이 삶을 어떻게 전개해야 하는지를 반영한다. 저승 할망을 바로 따라잡지 못하고 그 자취를 찾아가는 여정은, 소년이 자유의지를 발휘하면서 저승 할망의 안내를 따르는 실질적인 삶의 과정이 된다. 그 여정에서 마주치게 되는 사람들과, 그들의 삶의 문제들은 모두 소년이 실제 삶의 현장에서 겪는 측면들에 해당할 것이다. 소년이 저승 할망을 만난 후에 돌아오는 여정도 인생 문제의 답을 푸는 과정이며, 또한 의식의 삶에 대한 이해와 통찰에 이르는 길이다.

바야흐로 저승 할망을 만나러 가면서 마주친 사람들의 모습들은 다양한 의식적 삶의 단면들에 해당한다. 무엇보다 주목할 사실은 사람들이 살면서 처하는 상황의 이해나 해결 등이 모두 모성상인 저승 할망과 연관될 수 있다는 점이다. 이는 저승 할망이야말로 인간의 삶, 의식의 삶에 관여하고 있는 실질적인 신성임을 나타낸다. 소년은 길을 가면서 만난 사람들로부터 부탁을 받고 저승 할망에게 답을 대신 물어보겠다고 자청한다. 이런 소년의 태도는 자신과 관계하는 모든 주변의 상황에 대해 관심과 책임을 갖는 주체적 태도에 해당한다. 소년이 저승 할망과 관계하게 됨으로써 저승 할망에게 생명을 관장하는 힘이 있음은 물론이고, 인간의 삶에 실질적인 영향력을 미치는 존재임이 드러난다.

소년은 마침내 저승 할망이 살고 있는 곳에 이른다. 그 전에 소년은 망망 대해에 도착하였다. 아득한 망망 대해 너머에 살고 있는 저승 할망은 서쪽의 세계, 죽음의 세계, 피안의 세계의 주인임을 암시한다. 뱀이 헤엄쳐 와서 소년이 바다를 건널 수 있도록 도와주었는데, 뱀조차 저승 할망에게 자신의 문제의 해결책을 부탁하였다. 동물(본능)의 세계가 생명력과 연결되어 있지 않음을 시사하는 부분이다. 소년이 바다를 건너 할망이 살고 있는 곳에 도착한 것은 의식 혹은 자아가 죽음의 세계로 하강한 것에 해당한다. 대낮을 밝히던 태양이 깊은 어둠의 바다 속 심연으로 사라진 것과도 같다. 이는 전적으로 무의식의 처치에 내맡겨야 하는 내향화의 상태를 나타낸다.

저승 할망은 자신을 찾아온 소년에게 빨간 과일을 먹이고, 붉은 음료를 마시게 하였다. 붉은 색의 과일과 음료를 취하자, 소년은 더 이상 배가 고프지 않고 걱정이나 슬픔도 느끼지 않게 되었다. 이것은 소년이 모성신으로부터 붉은 피와 같은 생명력을 공급받은 것이다. 소위 어두움을 극복하고 새벽에 동쪽 바다에서 다시 떠오르게 된 태양 영웅의 모습과도 같다. 사실상 소년은 저승 할망에 의하여 생동감을 상실한 의식의 태도를 극복하고 인격의 변화를 맞이할 수 있게 된 것이다.

저승 할망과 함께 3년을 보낸 뒤, 소년은 다시 집으로 돌아오게 된다. 먼저 자신에게 어려움을 호소하고, 저승 할망의 도움을 청했던 사람들의 문제를 해결하기 위해 답을 얻으려 했다. 할망은 우선적으로 어려움에 처하게 된 원인이 모두 그들의 이기적이거나, 부적절한 태도에서 초래된 것임을 밝힌다. 할망의 치유적 처방은 그런 왜곡된 사실을 알아차리게 만드는 것이다. 이런 할망의 역할은 일방적으로 기울어 버린 의식의 태도를 교정하도록 돕는 것과 같다. 저승 할망은 잘못된 의식의 태도를 조정하여 각자의 삶에 전념하도록 인도하는 모성적 역할을 한다. 결국 그것은 소년이 할망의 자취를 찾아가야 했던 것처럼, 모성상이 제시하고 있는 대략적인 안내에 따르는 것, 즉 자신의 본성에 뿌리를 두고서 현실의 삶을 펼쳐야 한다는 것이다. 말하자면 인간의 세계가 어떻게 펼쳐져야 하는지 선험적으로 주어져 있으나, 자유의지를 지닌 개별 인간 의식은 어쩔 수 없이 본성의 요구에서 벗어나 자신의 의도대로 살아가게 된다. 그래서 자신의 근원적 삶의 요청과 단절된 상태로 편파적인 의식의 태도를 갖게 되면, 어느새 여러 어려움에 처하게 되고, 스스로 구제할 길이 없는 것이다. 할망의 처방이나 해결책은 원래의 자연 및 본성의 법칙을 회복하도록 일깨워주는 것이다.

연자방아를 메고 있던 사람은 부모의 재산을 탕진한 사람이어서 6년 동안 죄 값을 치르는 것이었고, 높은 바위에서 짚신을 삼던 노인은 그 바위 밑에서 두 덩어리의 은을 파내어야 했으며, 산을 등에 진 여인은 시부모를 학대하거나 남편 몰래 서방질을 한 여성으로 3년 동안 죄 값을 치러야 했다. 바다의 뱀은 입에 가득 물고 있는 야광주에서 두 개를 내놓아야 하늘로 올라갈 수 있었다. 심지어 소년이 집에 돌아가는 길에 뱀에 의해 부모를 잃은 처녀를 구하고, 그 처녀와 결혼할 것을 가르쳐 주었다. 소년은 저승 할망이 알려준 대로 소녀의 집으로 찾아가 대문 밖에 걸린 대맹의 그림을 찢고 뱀을 물리쳐서 처녀를 구한 후 처녀와 함께 집으로 돌아갔다.

각각의 처방의 내용으로 보아 저승 할망은 질병, 삶의 고통, 죽음에 이르게 하는 죽음의 모성신이 아니라, 오히려 각 개별 인간이 의식의 삶을 실현할 수 있도록 관장하는 신성이라는 것이 분명하게 드러난다. 저승 할망이 있는 곳은 죽음의 세계가 아니라, 삶과 죽음이 교체하는 곳, 근원적으로 생명력을 제공하는 곳이다. 특별히 소년에게 그곳은 치유와 재탄생이 있는 장소로 경험될 수 있었다. 소년은 거기에서 모든 인간적 고뇌와 걱정을 털어 버리고 새로운 인격의 존재로 변환되어 의식의 삶으로 돌아온다. 저승 할망도 이 소년을 통하여 인간의 삶에 지지와 보호를 아끼지 않는 모성신으로서의 자신의 모습을 회복하게 되었다. 소년은 집으로 돌아가는 길에 조언을 구했던 사람들에게 저승 할망의 답을 전달하여 모성신의 위력 및 권위가 늘 함께 하고 있음을 느끼게 해 주었다. 이런 소년의 매개적 역할을 통하여 다시 인간

한국 민담의 여성상

과 모성신의 소통이 가능해진다.

민담의 마지막에 소년이 가져온 빨간 열매가 늙은 어머니를 젊게 만들었는데, 회춘하게 된 것은 비단 소년의 어머니만은 아닐 것이다. 다시 인간 세계와 관계를 맺게 된 모성신도 더 이상 나이 든 모습으로 표상되지 않을 것이다. 모든 인간사를 관통하며 자연의 지혜와 치유의 힘을 갖춘 모성신은 새롭게 맺은 인간과의 관계에서 살아 있는 직접적인 영향력을 발휘할 수 있게 되었으므로 다시 젊어진 것이다. 이처럼 모성신 자신의 변화를 위하여 저승 할망도 소년이 필요했다.

이상의 해석은 모성상의 기능과 역할을 고려한 이해였다. 이 민담을 남성 심리학적으로 좀 더 살펴보면, 홀어머니를 모시고 있는 소년은 모성 콤플렉스가 있는 남성 자아로 볼 수 있을 것이다. 그는 모성적 세계에 오랫동안 동화되어 있었는데, 저승 할망의 등장으로 인격적 변화를 맞이할 계기를 얻었던 것이다. 홍역에 걸려 죽게 된 이웃 아이는 바로 아동기 상태에 계속 머물러 있던 남성 자아에 해당한다. 금줄을 그어 놓은 것의 의미는 긍정적 모성상과 부정적 모성상과의 경계 지점으로, 소년은 지지와 보호를 아끼지 않았던 긍정적 모성상과 결별하고 마침내 부정적 모성상과 마주치게 된 것이다. 여기서 모성상을 부정적으로 보는 이유는 소년에게 죽음을 야기하는 효과를 가져왔고, 이로 인해 소년이 집을 떠나는 여정을 시작하게 되었기 때문이다. 그러나 소년이 집을 떠나 저승 할망을 찾아가는 여정을 거치면서, 아동기 상태에서 벗어나 더 상위의 남성 의식으로 성장하기에 이른다. 부정적 모성상이 비록 죽음을 야기하는 듯하지만, 궁극적으로는 새로운 의식의 탄생 및 분화로 이끈다. 앞서 홍역에 걸려 죽게 된 아이는 새로운 인격의 탄생을 위한 낡은 아동기 자아의 죽음을 의미할 것이다.

소년에게 넘겨졌던 다른 사람들의 문제들은 사실상 남성 자아의 실질적인 심혼적 문제에 해당할 수 있다. 그것을 남성 심리학에 적용해 보면, 소년이 마주치게 된 여러 현상들은 모성상에서 벗어나지 못하여 발생한 전형적 문제의 특징이 될 것이다. 연자방아를 메고 있던 사람은 부모의 재산을 탕진한 사람이었다. 이는 부모의 보호 장치에 계속 의존한 채, 아동기 상태를 지속해 왔음을 반영하고 있다. 바위 위에서 짚신을 삼고 있던 노인도 세상으로 나아가지 못하고, 떠날 준비만 하면서 세월을 낭비하고 있던 모습이 될 수 있다. 모성상에 동화된 남성 자아는 자신도 모르게 관습적인 태도에 젖어 안주하게 된다. 늙은이처럼 기존의 관점에 매달려 전혀 새로운 시도를 할 수 없는 것이다. 또 산을 등에 진 두 여인들은 시부모를 학대하거나 서방질을 하였는데, 이것은 모성상의 주도에 의하여 여성 요소가 활성화 된 것에 해당한다. 그 여성들의 서방질은 활성화 된 여성성을 제거하고, 남성성을 나름 획득하려는 어떤 단편적 시도를 의미할 수 있다. 이상의 예들은 모두 모성상에서 벗어나지 못한 남성 자아의 심혼적 문제로 간주될 수 있다. 너무 많은 야광주를 입에 문 거대한 뱀의 경우도, 성장이나 발전을 위하여 무조건 귀중하거나 값어치 있는 것을 쟁취하려는 욕망이 오히려 진정한 인격의 성숙에 방해가 되었음을 보여준다.

뱀에게 부모를 잃고, 위험에 처한 소녀의 상황 역시 소년이 모성상에 의해 치명적인 위협을 겪는 상태와 다름없다. 소년이 뱀을 제거해야 하는 것은, 영웅이 괴물을 처치하듯이 남성 자아를 위협하고 있던 무의식성을 극복하고, 아니마와 연결되어야 하기 때문이다. 뱀을 처치함으로써 소년은 진정한 인격의 주체가 되어 주도적으로 의식의 삶을 이끌 수 있게 된다. 뱀을 물리치고 만나게 된 소녀와의 결혼은, 새로운 남성 의식의 수준에서 여성 요소와 관계하고 기능할 수 있음을 나타낸다.

남성 심리학적으로 보면, 이 민담에서 저승 할망의 등장은 두 어머니의 주제를 표방하는 것이다. 두 어머니의 주제는 **융** 심리학에서 잘 알려져 있듯이, 정신의 탄생 및 재탄생의 내용을 다루는 것이다. 소년이 저승 할망을 만나고 나서, 낳고 길러 준 아동기의 모성상에서 벗어나, 여러 어려운 과정을 이겨 내고 정신적 탄생을 맞이하는 여정을 완수하게 되었다. 결국 낡은 인습적인 의식의 태도가 죽음을 맞게 되고, 저승 할망에 의해 생명력을 회복하여 의식의 삶으로 되돌아오게 된 것이다. 이런 내용은 의식과 무의식의 만남에 의하여 이루어지게 된 인격의 통합 및 재탄생에 관한 것이다. 동시에 이는 샤먼의 신성 체험에 해당하는 것이기도 하다.

만약에 위의 민담을 실제적인 어느 특정의 샤먼의 체험과 연결한다면, 여성 샤먼의 입장으로 살펴보아야 할 것이다. 이런 관점에서 주인공인 소년은 여성 샤먼의 아니무스에 해당한다. 여성은 아니무스의 영웅적 행위를 통하여 인격의 변화를 경험하게 된다. 민담에서 보았듯이 아니무스는 생명을 관장하는 근원적 무의식과 관계할 수 있도록 매개적 역할을 한다. 말하자면 샤먼은 누미노제의 경험을 통하여 개별적으로는 자신의 내면 세계 및 본능적 세계와 관계를 맺는다. 여성 샤먼은 내면의 인격, 즉 아니무스를 통하여 사람들이 겪고 있는 삶의 문제들을 모성신에게 전달하고, 그 답을 구해서 인간 세계에 전달하는 역할을 하는 것이다. 모성신이 개별적으로든, 집단적으로든 인간의 삶, 의식의 삶에 참여하고 있는 것인데, 이것은 샤먼과 같이 개별적으로 경험하는 사람들에 의해 알려질 것이다.

그 밖에 민담의 남성 주인공인 소년이 뱀을 물리치고 소녀와 결혼하여 돌아온 모습은, 남성 심리학적으로 볼 때 '대극의 합일'을 완수한 전(全)인격적 실현을 의미한다. 여기서도 인격의 성장 및 성숙을 위해서는 모성상의 도움이 필수적이라는 사실이 드러난다. 다음의 민담들에서도 남성 주인공을 돕는 할머니의 모습이 잘 드러나 있다.

(7) 조력자의 할머니

≪머리 아홉의 괴물≫[102]

산속에 사는 머리가 아홉 달린 괴물이 나타나 아름다운 여인과 그녀의 몸종을 데려가 버렸다. 그 여인의 남편은 아내를 구하기 위하여 산속으로 떠났다. 그는 숲 속에서 어떤 할머니가 살고 있는 초가집에 이르렀다. 남편은 할머니에게 괴물이 어디에 있는지 물었다. 그러자 그 할머니는 계속 가면 무를 씻고 있는 다른 할머니가 있을 테니 그 할머니에게 물어보라고 하였다. 무를 씻고 있는 할머니를 만나자 다시 남

---

102   최인학·엄용희 엮음(2003), 『옛날이야기꾸러미 2』, 434~438쪽.

편은 괴물에 대해 물었다. 할머니가 씻고 있던 것은 무가 아니라 힘을 강하게 만드는 인삼이었다. 할머니는 남편에게 그 인삼을 먹여 힘이 세어지도록 하였다. 남편은 그것을 먹고 무거운 돌을 쉽게 들어 올릴 수 있을 정도로 힘이 세어졌다. 그러자 할머니는 괴물이 있는 곳을 가르쳐 주었다. 남편으로 하여금 괴물이 있는 동굴의 입구를 막고 있는 거대한 돌을 들어 올릴 수 있게 준비시켰던 것이다. 남편은 거대한 돌을 들어 올리고, 괴물이 살고 있는 지하 세계로 내려갔다. 그 곳에서 자신의 아내와 몸종을 만났다. 아내와 몸종은 남편을 숨겨 주면서 매일 장군수를 마시게 하여 힘을 기르게 하였다. 남편이 괴물이 사용하는 거대한 무거운 검을 마음대로 다룰 수 있게 되자, 다음에는 괴물이 신고 다니는 무거운 나막신을 신고 공중으로 뛰어오를 수 있도록 준비시켰다. 마지막으로는 괴물의 긴 담뱃대를 손으로 받치지 않고 피워도 될 정도로 힘이 세어졌다. 저녁에 괴물이 돌아오자, 아내와 몸종은 괴물에게 술을 권하여 취해 잠들게 만들었다. 남편이 자고 있는 괴물을 퇴치하려 하였지만 뜻대로 안 되어, 괴물과 남편은 결국 크게 부딪쳐 싸우게 되었다. 괴물의 목은 여러 개였고, 잘린 목이 다시 몸통에 붙어 버려 도저히 죽일 수가 없었다. 그러자 아내와 몸종은 잘린 목들이 다시 몸통에 붙지 못하도록 재를 뿌려 도왔다. 마침내 할머니의 도움으로 남편은 괴물을 죽이고 아내를 구할 수 있게 되었다.

≪금강산 호랑이≫[103]

아주 솜씨가 뛰어난 사냥꾼이 사냥을 떠나 돌아오지 않았다. 유복자로 태어난 그의 아들이 성장하자 아버지를 찾아 금강산으로 떠나려 하였다. 어머니는 물을 동이에 이고 앞서 가면서, 멀리서 아들로 하여금 활로 동이를 맞히도록 시켰다. 그렇게 물동이를 맞출 만큼 실력을 갖추게 되자, 젊은이는 길을 떠나게 되었다. 젊은이는 날이 어두워져 사방을 둘러보다가 불빛이 있는 집으로 찾아갔다. 백발의 할머니가 젊은이를 맞이하였다. 백발의 할머니는 처음에는 그 여정을 만류하다가 젊은이가 더 힘이 세어지고 활을 잘 쏠 수 있도록 산삼을 달여서 주며 단련시켰다. 마침내 젊은 이가 길을 떠날 때가 되자, 할머니는 호랑이가 사람으로 변신하여 나타나므로 주의 하라고 가르쳐 주었다. 젊은이는 길을 가다가 호랑이가 스님, 밭갈이를 하고 있는 할머니, 물동이를 이고 가는 여인 등으로 변신하여 나타났지만, 그것에 속지 않고, 모두 잘 처치할 수 있었다. 그러나 별안간 커다란 호랑이가 나타나 젊은이를 삼켜 버렸다. 젊은이는 호랑이 몸속에서 아버지의 유품인 총과 해골을 발견하였다. 그리 고 거기서 정신을 잃고 쓰러져 있던 소녀를 발견하고 보살펴 주었다. 그 소녀는 정 승의 딸이었다. 젊은이는 몸에 지니고 있던 칼로 호랑이의 몸을 가르고 소녀와 함 께 무사히 밖으로 빠져나왔다.

이상에서 보듯이 두 민담에서는 공통적으로 할머니가 괴물 혹은 호랑이를 퇴치할 수 있도록 남성 주인공을 돕는다. 이들 할머니는 사실 개별 인간의 삶에 그다지 깊 이 관여하지 않고 있었으나, 주인공이 어려운 일을 해내려 하자 전격적으로 도와준 다. 이때의 할머니는 남성 주인공이 의지력을 발휘하여 수행을 잘 할 수 있도록 지 지하는 모성적 역할을 한다. 두 민담 모두에서 할머니는 주인공이 감당하기 어려운 괴물이나 짐승을 이길 수 있게 구체적으로 준비시킨다. 할머니는 먼저 인삼 혹은 산 삼을 먹이면서 힘이 세어지게 하였다. 모성상은 주인공들로 하여금 개인성을 훨씬 능가하는 힘을 발휘하도록 만든다.

　상징적으로 보면, 아이러니하게도 괴물이나 동물도 모성상에 기초하는 형상이다. 모성상은 한편으로는 인간적인 모습으로 주인공을 돕지만, 다른 한편으로는 괴물이 나 동물의 형상으로 인간 및 의식을 위협하기도 한다. 모성상이 위협적인 동물 형상 으로 등장하는 데에는 이유가 있을 것이다. 의식의 주체가 되어야 할 남성 인물상이 상대적으로 소극적 자세를 취하게 될 때, 혹은 보다 더 강력한 존재로의 변신이 요 구될 때 주로 나타난다. 괴물 및 짐승은 정면의 승부를 요구하는 형상이라기보다는,

103　최인학·엄용희 엮음(2003), 『옛날이야기꾸러미 2』, 448쪽.

오히려 남성 자아가 주체로서 구체적인 입장을 표명하지 못하게, 행동화 하지 못하게 만드는 모성적 영향력의 형상화에 해당할 수 있다. 말하자면 모성상은 한편으로는 성장과 발전을 독려하지만, 다른 한편으로는 성장을 방해하는 힘으로 작용하는 것이다. 그래서 괴물이나 짐승을 극복하는 남성상을 영웅이라 부르며, 인간성 및 의식성을 실현하는 전형으로 제시하는 것이다. 결국 모성상은 전적으로 인간 의식의 삶을 이끌어 갈 대표 주자의 성장을 위하여 다양한 장면을 연출하고 있는 것이다. 두 민담에서 모두 할머니는 인간 세상과는 또 다른 세계, 즉 괴물이나 동물이 살고 있는 영역을 매개하고 있다. 할머니는 인간 세계와 자연 혹은 본능의 세계를 연결시키고, 심지어는 인간으로 하여금 그 영역을 정복할 수 있게 돕는다.

≪머리 아홉의 괴물≫에서 주인공의 아내를 납치한 머리 아홉의 괴물을 이해해 보자. 이미 살펴보았듯이, 숫자 9는 10과 같이 완성이 되기 이전의 상태, 어떤 현상으로 드러나기 직전 단계의 수준에 있음을 의미한다. 아홉 달의 임신 기간이 지나면 아기가 태어나듯이 곧 창조적 탄생을 준비하고 있는 숫자인 것이다. 특별히 머리가 아홉인 것은 정신적 탄생, 의식성을 획득하려는 무의식적 정신의 역동성이 형상화된 것이다. 이런 의미에서 괴물은 의식화를 위해 반드시 극복되어야 할 무의식적 정신의 측면이다. 괴물은 아내를 납치하여 남편을 끌어들이고, 마침내는 자신을 극복하게 만든다. 아홉의 머리를 갖고 있는 괴물은 의식화를 위해서, 스스로 남성 의식에 의해 정복되거나 희생되기 위한 형상이다. 즉 의식화가 임박한 남성 주인공의 그림자에 해당한다. 그리고 괴물에게 붙잡혀 있는 아내는, 전형적으로 영웅 신화에서 괴물 퇴치 후에 마주치게 될 대극적 요소가 된다.

할머니는 남성 주인공을 강하게 만들기 위하여 인삼을 먹였다. 미리 무 같은 인삼을 씻고 있었던 것은, 그가 나타나기를 기다리고 있었음을 의미한다. 할머니는 남성 주인공이 동굴 입구의 무거운 돌을 들어 올릴 수 있도록 도와 괴물이 살고 있는 영역에 접근하게 하였다. 동굴에 붙잡혀 있는 아내도 남편으로 하여금 괴물이 사용하던 무거운 검, 나막신 및 담뱃대를 마음대로 다룰 수 있도록, 남편에게 장군수를 먹였다. 아내도 남편이 괴물과 같은 힘을 갖도록 도우면서 모성적 특성의 할머

한국 민담의 여성상

니와 유사한 역할을 한다. 그 모든 과정은 남성 주인공의 성장을 위한 것임을 알 수 있다. 아내가 괴물에게 붙잡혀 있는 것도, 남성 주인공이 무엇을 해야 하는지 알려주기 위한 것이다.

여기서 괴물의 형상은 아내를 사로잡고 있어서 남성적 특성을 갖고 있지만, 창조적 활동에 필요한 힘을 점유하고 있는 모성적 특성도 배제할 수 없다. 자아의식을 형성하는 무의식, 모성적 무의식은 의식적 정신이 분화가 될 즈음 의식화를 촉구하기 위하여 그 어느 때보다도 강한 영향력을 발휘한다. 이때 모성상은 남성적 성향의 의식을 팽창시키거나 위축시키는 힘으로 작용한다. 이 경우의 모성상은 남성적 특성과 여성적 특성을 동시에 갖고 있는 경우가 많다. 궁극적으로 모성상은 의식적 정신에게 자신이 점유하고 있던 힘을 넘겨주려는 것이다. 괴물이 특히나 머리가 많다는 점은 괴물의 활력들이 주로 정신 활동에 집중되어 있음을 나타낸다. 그러나 그것이 괴물의 상태이므로, 무의식적 수준에서 머물러 있는 것이다. 새롭게 갱신할 수 있는 보편적 이념들이 의식화 될 기회를 얻지 못하고 있는 상태에 해당한다. 괴물이 주인공의 아내를 데리고 살아 있는 한, 아직 의식은 주체가 되어 상황을 해결할 수 없다. 아홉의 숫자 상징이 가리키고 있듯이 무엇인가 정신적 생산이 임박한 상태이므로, 남성 주인공은 적극적으로 이에 참여하여 의식으로 끌어올려야 하는 것이다.

아내는 남성 주인공을 숨겨주고 장군수를 먹이면서 괴물이 소유하고 있는 것들을 모두 넘겨받을 수 있게 하였다. 괴물이 사용하는 거대한 무거운 검을 마음대로 휘두를 수 있게, 무거운 나막신을 신고 공중에 떠오를 수 있게, 긴 담뱃대를 손으로 받치지 않고 피울 수 있게 만든 것이다. 이는 머리가 아홉 달린 괴물의 실체가 형상화된 것에 해당한다. 말하자면 괴물의 실체는 무거운 검을 휘두를 수 있듯이 합리적 이성적 판단 능력을 갖추게 하고, 무거운 나막신을 신고 날 수 있듯이, 실제 현장에서 자유자재로 행동할 수 있게 하고, 긴 담뱃대로 담배를 피울 수 있듯이, 숙고하면서 창조적인 사고 활동을 할 수 있게 만드는 본능적 저력인 것이다. 아내는 모성상과 같이 남편이 괴물처럼 강한 힘을 갖게 만들어 괴물을 극복하게 한다. 사실 극복하기보다는 그렇게 변화하도록 도운 것이다. 이것은 남성 인격으로 하여금 전체 정신의 목적에 맞게 적극적 참여를 하도록 유도한 것이고, 또한 모든 제공된 힘을 장전하여 한꺼번에 의식의 수준을 끌어올리도록 한 것과 같다.

보충적으로 설명하면, 괴물이 아내를 데려간 것은 흔히 아니마가 그림자와 관계를 맺고 있는 전형적인 모습에 해당한다. 이 경우는 의식적 인격을 주도하는 주체가 없을 때, 즉 자신에 대해 거의 무의식적일 때 나타나는 현상이다. 아내를 구하도록 종용하는 것은, 남편을 괴물과의 싸움으로 끌어들여 책임감과 주체감을 갖도록 하는 것이다. 민담에서 보듯이, 남성 주인공은 괴물과 싸워 사로잡혀 있던 아내를 되찾을 뿐 아니라, 괴물이 가진 힘을 획득하게 된다. 이로써 남성 주인공의 존재가 구체적으로 부각된다. 아내는 남성 주인공이 괴물이 점유하고 있던 삶의 에너지를 의식에 통합시킬 수 있게 만든 것이다.

아내와 몸종은 할머니가 무를 먹인 것과 같이 주인공에게 장군수를 먹여 괴물과 맞설 수 있을 때까지 보호하며 준비시켰다. 주인공이 괴물과 싸울 때 그들은 잘려 나간 괴물의 머리가 몸통에 붙자, 다시 붙지 못하도록 재를 뿌려 도왔다. 아내와 몸종은 단순히 힘을 강하게 만드는 모성적 역할을 넘어서, 보다 분화된 태도를 제시하고 있다. 이것은 남편과 괴물의 관계처럼 아내와 몸종의 관계로서 대응하고 있는 것에서 볼 수 있다. 이런 여성 요소의 분화 자체가 남성 의식의 분화를 요구하는 것이라고 할 수 있다. 괴물의 목이 잘렸으나, 다시 몸통에 붙으려는 것은 괴물이 가진 미분화된 무의식적 정신의 특성을 반영한다. 무의식적 정신일수록 서로 분리될 수 없는 통합적 특성을 나타낸다. 남편이 괴물의 검을 들고 목을 자르는 것은 남성 의식의 용기, 결단력 및 분별력, 합리적 이성적 능력 모두가 발휘되어야 함을 의미한다. 몸통에서 머리를 떼어냄으로써 괴물의 죽음을 가져오는데, 몸통과 머리의 분리는 남성 인격이 보다 더 의식화 된 정신을 획득한 것에 해당한다. 또한 오랫동안 무의식적으로 사로잡고 있던 이념적 세계와의 결별 및 해방을 의미할 수도 있다.

주인공이 괴물을 퇴치하고, 자신의 아내를 되찾게 되면서, 남성 인격은 새로운 의식의 태도를 획득한 상태에 이른다. 남성 자아는 이전과는 다른 태도로 의식의 삶을 이끌어 가는 인격의 주체가 된다. 남성 자아는 할머니, 아내 그리고 몸종의 도움으로 인격의 변화를 맞이하였다. 여성 요소가 인격의 변화 및 성장을 주도하고 있는 것이다. 이런 의미에서 남편과 아내의 재회는 새로워진 의식의 지평에서 이루어진 의식과 무의식의 관계를 의미한다.

그러면 ≪금강산 호랑이≫에서 호랑이는 어떠한가? 산에 사는 호랑이는 깊은 숲속에 살면서 종종 인간을 위협하는 존재이다. 민담에서 호랑이는 스님이 되거나 밭을 가는 할머니, 물동이를 인 여인 등 사람으로 변신할 수 있었다. 인간의 모습을 취하고 있다는 사실은 모두 자아 혹은 의식에 종종 관여하고 있는 무의식적 정신의 영향력을 반영한 것이다.

일반적으로 호랑이는 매우 강한 역동적 공격성으로 무장되어 있고, 결코 사냥감을 놓치는 법이 없는 동물이다. 이를 사람에게 적용하면 어떤 일을 추진하면서 그 자체 강화된 성취 욕구, 지칠 줄 모르는 강력한 열망 및 열정 등과 관련된다. 사냥에 뛰어났던 남성 주인공의 아버지의 경우도 자신의 한계를 모르고 도전한 남성적 의식의 강력한 추진력이 있었음을 의미한다. 아버지는 그와 같은 강력한 열망에 사로잡혀서, 마치 숲 속의 호랑이에게 먹혀 버린 것과 같은 상태가 되었다. 사람과 호랑이의 모습이 교체되는 것은, 호랑이 사냥꾼의 특성이 숲 속의 호랑이에 맞먹을 정도로 무의식적 상태임을 묘사한 것이다. 민담은 이러한 교체 지점 혹은 경계 지점에서 할머니가 나타나 중재를 하고 있음을 다루고 있다.

할머니는 주인공에게 호랑이가 인간으로 나타날 수 있다고 경고를 했는데, 이는 남성 주인공이 자신도 모르게 경계를 넘어 욕망 및 열망에 사로잡힐 수 있음을 알려준 것이다. 말하자면 더 강력하고 힘 있는 상태를 열망하는 의식이 시간이 지나면 어느새 무의식적 정신에 사로잡히거나 동화된 상태로 변화되는 것을 의미한다. 할머니는 그러한 무의식적 상태에 빠지지 않도록 주의를 준 것이다. 민담에서 호랑이는 젊은이보다 훨씬 강력했기 때문에 그를 삼켜 버렸다. 이때의 호랑이는 전형적으로 삼켜 버리는(fressend) 무서운 모성상의 특징을 나타낸다. 말하자면 주인공을 삼켜 버린 호랑이는 할머니일 수도 있는 것이다. 하지만 젊은이는 호랑이에게 먹혔어도 완전히 자신을 잃지는 않았다. 할머니의 가르침대로 그는 호랑이를 극복하는 법을 알고 있었다. 이미 호랑이와 인간을 구분하는 연습을 함으로써, 자신의 인간성을 지킬 수 있었던 것이다. 이로써 젊은이는 아버지와는 구분되는 개별 인격의 의식 수준을 유지할 수 있다.

호랑이를 대면하기 전에 만난 백발의 할머니는 젊은이에게 산삼을 달여 주며 단련시켰다. 이는 단순히 힘을 기르는 것 이상의 의미를 갖는다. 결국 젊은이의 과제는 무의식적 정신의 파괴적 영향력을 극복하는 것이다. 호랑이의 뱃속으로 들어가게 된 상황은 오히려 자아의식과 무의식의 만남이 된다. 이런 상태를 의식과 무의식의 만남에 해당하는 근친상간적 관계라고 부른다. 남성 의식은 근원적 정신과의 만남으로 새로운 의식의 탄생을 꾀할 수 있게 된다. 의식과 무의식의 만남에는 언제나 의식적 정신의 용해 및 해체라는 위기가 따른다. 남성 의식은 그런 위협적인 영향력에서도 의식의 주체성을 잃지 않았으므로, 새로운 국면을 맞이한다. 남성 의식이 무의식적 정신과 거리를 두고 제대로 관계하면, 여성 요소는 위협적이지 않은 처녀로 변환되어 영원히 함께 할 수 있게 된다. 백발 할머니의 훈련은 남성 자아가 사로잡히지 않고 무의식과 제대로 관계할 수 있도록 도운 것이다.

호랑이는 아버지의 사냥감이었다. 그러나 아버지는 호랑이의 위협적인 힘에 희생되고 말았다. 아버지가 호랑이를 잡으려 했던 것도 호랑이 뱃속에 있는 처녀에 이르기 위함일 것이다. 젊은이를 도운 할머니는, 바로 젊은이가 찾고 있던 호랑이이자, 처리해야 할 호랑이였다. 남성 주인공은 파괴적 모성상을 극복하고, 마침내 변화된 여성 요소를 의식과 연결시킨다. 호랑이 뱃속에 있는 처녀는 남성의 자아 혹은 의식에 새로운 세계관을 제공하는 요소이다. 호랑이는 바로 그것을 보유하고 제공하는 신비의 모성상이다. 결국 호랑이 뱃속의 주인공과 소녀는 새로운 삶의 전형을 제공하는 한 쌍의 젊은 남녀에 해당한다. 이때의 호랑이는 거대한 자궁, 혹은 세계의 알(Welt-Ei)과 같다. 그들은 칼로 호랑이의 배를 가르고 밖으로 빠져 나와 의식성을 회복한 것처럼, 세계의 알을 깨고 나와 새롭게 의식의 장을 펼치게 된다.

맺는 말

동양 연금술에서는 여성의 형상에 관하여 '동쪽의 소녀, 서쪽의 할머니'로 표현한다. 이러한 표현은 중간 단계의 젊은 모성상이 빠지고 단지 두 가지 모습으로, 즉 출발점인 동쪽에서는 소녀로서, 종착점인 서쪽에서는 할머니로서 형상화 한 것이다. 그러한 소녀(혹은 처녀)와 할머니 형상은 역시 모성의 두 측면을 의미한다.

할머니의 형상은 기본적으로 모성적인 특성이 있긴 하지만, 젊은 모습의 모성상이 아니라, 나이 든 고태적 형상이므로, 의식과의 관계에서 상대적으로 다른 의도와 목적을 갖고 있다. 민담에서 살펴보았듯이, 할머니 형상은 개별적 특성이 거의 반영되기 어려운 모성상이다. 그것은 보편적, 비개인적 그리고 초월적인 모성적 특성을 반영한다. 이러한 모성상은 대지를 형성하고, 그 위에 인간이 살아갈 수 있도록 지지해 주는 여성 창조주이다. 그것은 심리학적으로 언제나 개별 인격의 기초가 되는 정신임을 나타낸다. 또한 할머니 형상은 인간을 낳고 기르는, 과부 및 처녀-모성상과 같다. 심리학적으로는 의식의 탄생을 주도하는 근원적 무의식의 측면이다. 그런가 하면 세상의 끝, 모든 것이 사라지는 세계, 죽음의 세계의 주인이다. 할머니 형상의 모성상은 이와 같이 의식의 탄생과 소멸에 관계하는, 원초적 무의식의 특성이 의인화 된 것이다. 할머니 모성상은 의식적 정신 활동의 전(全) 과정에서 항상 동반되는, 실제적인 의식의 삶에 관여하는 무의식적 정신이 형상화 된 것이다.

구체적인 개별적 삶에서 보면, 할머니 형상은 두 어머니 혹은 이중 어머니의 주제로서 드러날 수 있다. 할머니 형상은 개인 어머니의 형상과 나란히 등장하여, 개별적 의식의 삶을 기본적으로 보증할 뿐 아니라, 보편적 인간성을 획득할 수 있도록 작용한다. 이로써 개별 인격은 인격의 변화 및 의식의 재탄생의 경험에 이른다. 민담에서는 특별히 할머니 형상이 본능과 단절된 상태, 근원적인 것과의 분리된 상태를 회복시키려는 목적을 갖고 있는 것으로 묘사되었다. 모성의 본능적 힘은 지나치게 특화된 개인적 의식을 변화시키고, 편향된 의식의 태도를 재조정하여, 인격의 변화 및 성장이 이루어지도록 돕는다. 할머니 형상 자체가 근원적 정신을 환기하므로,

그 형상의 등장은 의식의 삶을 변화시키는 보상적 내용을 제공한다. 또한 필요에 따라 삶의 현장에 등장하여 직접 치유적 개입을 시도하는 것도 알 수 있다. 그래서 민담에서 할머니 모성상은 자신 속에 새로운 여성 요소를 보유했다가 제공하거나, 자신을 극복하도록 기꺼이 희생하는 모성적 특성을 나타내었다. 심지어는 인간에 유익한 형상으로 스스로 변화할 수도 있었다. 할머니 형상은 의식을 탄생시키는 근원적 무의식, 혹은 언제나 삶의 이면에서 지켜보고 있는 무의식을 총칭하는 것이다.

제4장

·

동물과 여성

≪여우 누이≫, ≪천 년 묵은 지네와 닭≫, ≪두꺼비의 보은≫

 민담에서 동물이 사람이 될 경우 여성이 되거나, 여성이 동물로 변신하는 경우가 자주 있다. 여성 심리학적으로 어떤 의미가 있는 것일까? 여성의 세계가 모성 자연에 뿌리를 두고 있기 때문일까? 앞장에서도 모성상이 동물과 동일시 되는 것을 확인할 수 있었다. 어떤 경우든 민담에서 여성과 동물은 서로 밀접한 관계를 갖는다. 민담에 등장하는 동물들은 외부에 실재하는 자연계의 동물이 아니다. 그들은 민담의 다른 인물상들과 마찬가지로 인간 정신의 자발적 산물, 즉 인간 정신의 활동에 의한 형상화에서 비롯되는 것이다. 민담의 동물들은 인간처럼 말을 하기도 하고, 때로는 인간의 모습으로 변하기도 한다. 정신의 산물은 어떤 경우든 인간적 특성을 반영한다. 동물 형상이 인간으로 변한다면, 의식에 속하게 되는 것을 의미한다. 인간성의 획득은 언제나 의식의 수준에 이르게 된 것을 나타낸다.

 흔히들 신화나 민담, 꿈과 환상 등에서 동물 형상이 등장하면 '본능(Instinkt)' [104] 혹은 본능적 충동으로 간주한다. '본능'은 어떤 특정의 종이 지닌 고유한 행동 양식을 의미한다. 이는 하나의 종이 유지되기 위한 아주 전형적이고, 변함없는, 반드시 필요한 행동 양식이다. 인간의 '본능'이란, 바로 인간(homo sapiens)으로서 살아가기 위해

당연히 있어야 할 필수적인 활동 모두를 말한다. 우리는 자신의 '본능'에 따르게 됨으로써 여타의 종의 동물과 구별되는, 고유한 인간다움을 갖출 수 있는 것이다. '본능'의 활동성은 엄밀한 자연법칙에 따른다고 할 수 있다.

언제나 전형적인 방식으로 처리하기 때문에 본능적 충동 및 반응들은 의식의 삶에 전적으로 부합하지 않는 것처럼 보인다. 분화된 의식은 '본능'을 의식의 활동을 방해하는 충동, 성애적 욕구 등으로 간주하며 억압하려 한다. 그러나 의식적 정신 활동이 있기 전(前) '본능'은 생명을 보존하기 위한 신체 반응 및 정신 활동을 야기하는 실질적인 동력이었다. '본능'은 아직 의식이 분화되지 않은 인류의 여명기 및 개인의 아동기에 외부 환경에 적응하며 살아갈 수 있도록 특별히 준비되어 있는 상태를 의미했다. 성인이라도, 혹은 현대인도 여전히 '본능'의 처치에 내맡겨야 할 때가 있다. 생명의 위기 상황이나 어떤 급박한 어려움에 처하게 되면 사고 활동을 하기 전에 본능적으로 대처하는 것이다. 이때의 '본능'은 전체를 고려하고 있는 생명력의 처치라고 할 수 있다. 그런데도 공공연히 '본능'은 억압되어야 할 충동적인 것으로 간주되고 만다. 이러한 '본능'은 의식의 태도에 의해 일방적으로 억압하거나 제외시켜서는 안 된다. 본능적 충동 및 반응들은 의식의 의지력, 통제력에 의하여 어느 정도는 조절될 수 있으나, 완전히 억압될 수는 없다. 의식의 활동을 방해하는 듯이 보이는 본능적 충동 및 반응이 일어나는 데에는 반드시 그럴 만한 이유가 있다. 이런 의미에서 민담의 동물 형상들은 함부로 다루어지거나 제거될 수 없다.

신화나 민담에 등장하는 동물 형상은 주인공을 도울 때도 있고, 해치려고 할 때도 있다. 어떤 경우에 돕고, 어떤 경우에 해치고자 하는지는 모두 주인공, 즉 중심 인물상의 의식의 태도 및 수준에 달려 있다. '본능'의 반응은 대부분 의식 혹은 자아의 태도에 대한 보상[105]에서 비롯되는 것이다. 예를 들어 주인공에게 도움을 주는 동물의 경우는 삶의 문제를 해결하는 데 인간이 가진 본래의 본능적 저력을 활용하게 하는 것이다. 이때의 본능적 저력은 어려움에 처해 더 이상 의식이 해결책을 찾지 못하고 있을 때 작동될 수 있다. 그것은 마치 인류가 축적해 온 여러 경험들에서 유력한 정보나 해결책을 환기하여 적용하게 만드는 것과도 같다. '집단무의식'에 축적된 인류의 지혜는, 고도의 정신적인 사고 활동의 형태로 드러나는 숙고, 고안 등만이 아니라, 더 하위의 본능적 차원의 처치로도 발휘된다. 민담에서 주인공이나 등장 인물을 해치고자 하는 동물도 궁극적으로는 성장 및 성숙에 기여한다.[106] 예를 들어 무섭게 추격하고 삼키려는 동물 혹은 괴물의 경우, 이에 맞서 저항하고 투쟁하는 동안 주인공은 자신도 모르게 강하고 힘 있는 존재로 성장한다. 때로는 직접 맞서 싸우지 않더라도 지혜롭게 피할 수 있는 방법을 터득하면서 새로운 의식의 태도를 갖추게 된다. 이처럼 '본능'의 다양한 반응들은 의식의 수준을 변화시키는 데 기여한다. 민담에서는 분화된 의식이 '본능'과 어떻게 관계를 맺어야 하는지 가르쳐 준다.

동물에 관한 민담에서 주인공이 마법에 걸려 동물로 변했다가 인간으로 되돌아오는 내용을 다루는 경우가 있다. 비록 주인공이 마법에 걸려서 인간성을 상실한 듯이 보이지만, 동물로 지내는 동안 결코 인간으로서 경험하기 어려운 자연의 여러 감추어진 비밀을 깨닫게 된다. 사람들이 전혀 모르고 있는 약초나, 자연 어딘가에 매장되어 있는 보물 등의 소재를 알게 된다. 이런 이유에서 동물로의 변환은 부정적 의미만 있는 것이 아니다. 오히려 자연의 다른 생명체와 교감할 수 있는 새로운 계기를 갖는다. 말하자면 본성과의 관계의 회복은, 동시에 인간의 의식이 도달하기 어려운, 자연의 지혜에 해당하는 정신 영역과 연결된다는 의미이다. 결국 인간이 동물로 변한다는 것은 대개 일방적이자 편파적으로 기울게 된 의식의 태도를 교정하기 위하여, 의식의 수준을 본능적 수준으로 끌어내려 재조정하는 것과 같다. 동물이 됨으로써 일방적으로 첨예화 된 의식의 태도를 보편적 정신, 집단 정신과 연결시켜 한층

---

104 이미 앞에서 언급되었지만, '본능'은 종종 '성애적'이라는 의미로 이해된다. 성애적인 측면은 여러 본능 활동 중 종족의 보존을 위한 번식 활동의 하나이다. '본능'에는 예를 들면 성애적 욕구뿐 아니라 배고픔에 해당하는 욕구 등, 다른 전형적인 행동 양식들이 있다.

105 '보상적 기능(kompensatorische Funktion)'은 무의식의 전형적 태도이다. 무의식은 의식을 포함하여 전체를 유기체적으로 관장하는데, 의식의 태도에 대하여 어떻게 보완 및 보충해야 하는지 알기 때문에, 어떤 방식으로든 조정하려고 기능한다.

106 '보상적 기능'의 부정적인 영향력조차도 언제나 합목적적이다.

더 폭넓은 의식의 태도를 갖게 하는 것이다. 마법에서 풀려 다시 인간이 되었을 때는 이전의 의식의 태도가 아니라, 마치 새롭게 태어난 인격의 특성을 나타낸다. 그래서 동물이 된다는 것은 무의식의 보상적, 치유적 효과를 가져오며, 나아가서는 인격의 전체성에 도달할 수 있게 하는 과정의 일부가 된다.

한국 민담에 등장하는 동물의 형상을 살펴보면, 서양 민담에서처럼 마법에 의해 인간이 동물로 바뀌는 경우는 무척 드물다. 마법을 거는 마녀보다는 주로 인간을 홀리는 천 년 묵은 여우가 가장 널리 알려져 있다. 구미호(九尾狐)라고 하여 꼬리를 아홉 개나 달고 있고, 천 년 동안 살면서 인간이 되고자 하는데, 이를 위해 사람을 잡아먹으려는 속성이 있다고 한다. 이런 여우 이야기는 대체로 전설로서 각 지역마다 전해져 내려오고 있다. 구미호는 스스로 인간(여성)으로 변신할 수 있을 뿐 아니라, 인간을 현혹할 수 있지만, 인간을 다른 동물로 만드는 경우는 없는 듯하다. 이런 구미호의 형상은 무의식적 정신이 가진 특성을 반영하고 있다. 천년 동안 오래 살면서 인간이 되길 원하는데, 너무나 오랫동안 소외된 상태에서 인간 의식에 동참하고자 늘 기회를 엿보고 있는 측면을 나타낸다. 아홉 개의 꼬리는 어떤 계기만 있으면 경계를 넘어 의식화 되려는 생산적 의향성을 반영한다. 아홉이라는 숫자는 앞서 아홉 개의 머리를 가진 괴물에서 보았듯이, 항상 궁극 목적이 되는 열을 향한 대기 상태, 열(숫자 10)로 드러나기 전 잠재적 준비 상태를 의미하는 것이다. 열(10)은 오랜 준비 단계를 마무리하며 완성하는 마지막 정점이자 새로운 의식성의 지점에 해당한다. 어떤 경우든 무의식적 정신은 의식의 삶에 동참하기 위하여 형상화를 시도하고 있는 것이다.

그 밖에 일부 한국 민담의 경우 동물이 되기 전의 상태가 인간이 아닌 경우가 많다. 예를 들어 천상에 살고 있던 선녀나 공주 혹은 왕자가 죄를 짓고 지상으로 떨어져 인간으로 태어나거나, 심지어 강아지가 되기도 한다. 어부가 잡은 물고기가 용왕의 아들로 드러나는 경우도 있다. 어떤 계기에 의하여 천상의 존재에서 동물로 변환한 것으로 보아, 동물도 초개인적 특성이 있음을 알 수 있다. 천상의 존재 상태가 형상화가 안 된 것 자체를 의미한다면, 동물로의 변신은 보다 의식에 접근이 용이하게 된 형상화로 간주될 수 있다.

　이제 한국 민담들에서 동물로 등장하는 다양한 여성들을 살펴볼 것이다. 주로 동물이었던 상태에서 인간으로, 특별히 여성으로 변환이 일어난 내용을 다루고 있다. 원래 동물이었던 상태에서 인간(여성)이 되는 것은, 무의식적 정신 혹은 무의식적 상태에서 의식화가 이루어져 여성 자아에 포함되거나, 남성 자아와 나란히 기능할 수 있는 아니마가 된 것을 의미한다.

≪나그네와 여우≫[107]

옛날 한 나그네가 멀리 여행을 떠났다. 가도 가도 끝이 없는 숲에 이르렀다. 이윽고 밤이 되었는데 숲에서 불빛이 보이는 곳을 발견하였다. 나그네가 그 불빛이 비치는 곳으로 찾아가니 큰 기와집이었다. 그 집으로 들어가 보니 아름다운 여인이 있었다. 나그네는 방으로 안내되고, 여인이 밥상을 차려 왔다. 그가 맛있게 배불리 먹고 잠을 자려는데, 부엌에서 칼 가는 소리가 나는 것이었다. 가까이 가 보니 예쁜 여인의 얼굴은 여우였고, 그를 죽이려 칼을 갈고 있었던 것이다.

≪여우 고개≫[108]

밤마다 여우가 나오는 고개가 있었다. 한 선비가 어느 날 밤 고개를 넘어가려고 하는데 갑자기 앞이 훤해졌다. 어여쁜 차림의 여인이 나타나 접근해 오는 것이었다. 여인은 그에게 밤길을 같이 가자고 청하였다. 그러다가 선비는 갑자기 앞이 너무 어두워져 돌부리에 채여 넘어지고 말았다. 다음 날 정신을 차려 보니 그곳은 자기 할

107　최인학·엄용희 엮음(2003), 『옛날이야기꾸러미 2』, 44쪽.

108　최인학·엄용희 엮음(2003), 『옛날이야기꾸러미 2』, 129쪽.

아버지의 무덤이 있는 곳이었다.

위의 두 민담은 여우가 등장하는 전형적인 이야기이다. 산길과 숲은 민담에서 가장
많이 나오는 장소이다. 민담의 주인공도 주로 숲에서 활동하는 사냥꾼, 나무꾼인 경
우가 많다. 숲은 동물과 식물 등 온갖 다양한 생명체가 함께 어우러져 살고 있는 곳
이다. 이곳은 무의식적 정신이 활성화 되어 있는 곳, 본성이 창조적 생명력으로 작
용하는 영역에 대한 상징적 표현이다. 사냥꾼, 나무꾼은 숲에서 동물을 포획하거나
나무를 채취한다는 점에서, 이미 자연과 남다른 친화력을 갖고 있다. 이들은 본성,
자연의 힘을 인간 세계에 끌어들이는 역할을 함으로써, 인간이 어떻게 자연 및 본성
과 관계해야 하는지를 보여주는 인물상이다.

　서양 민담에서는 왕이 사냥을 나갔다가 길을 잃고 숲을 헤매는 이야기가 자주 나
온다. 이와 유사한 장면이 한국 민담에서는 선비나 나그네가 숲길을 가다가 밤을
맞이하여 헤매는 것이다. 사냥에서 길을 잃은 서양의 왕이나, 과거 시험을 보러 가
다가 날이 어두워져 길을 잃어버리는 우리나라의 선비 등은 실질적으로 의식의 삶
을 대변하거나, 그렇게 될 인물상을 나타낸다. 숲속에서 사냥할 동물을 쫓다가 길
을 잃게 되는 왕의 경우는 자신도 모르게 무의식적 정신에 매료된 상태, 심지어는
사로잡힌 상태에 해당한다. 길을 잃은 것 자체는 무의식적 정신의 개입으로 의식적
주체가 상대적으로 방향감을 잃은 것을 의미한다. 이로써 자연스럽게 무의식적 정
신과의 접촉이 생기고, 이 관계에서 의식 수준의 조정이 있게 된다. 우리나라 민담
에서 과거를 보러 가는 선비나, 암행어사 등이 길을 잃게 되는 것도 무의식적 정신
이 이들을 다른 경험의 장으로 끌어들여 새로운 의식의 관점을 갖게 만드는 것이다.

　민담에서 시공간적으로 숲으로 들어온 것과 밤이 된 것은 의식의 주도력이 상실되
고, 무의식이 주도권을 갖게 된 상태를 나타낸다. 이는 저절로 의식적 정신과 무의
식적 정신의 만남이 이루어지는 순간이 된다. 숲에서 등장한 여우이자 여인은 모두
무의식적 정신 그 자체가 관계를 맺기 위하여 형상화를 시도한 것으로 볼 수 있다.

　민담의 여우는 여인으로 변신을 하여 인간에게 다가가지만, 원래 숲에 살고 있는,

인간과는 매우 동떨어진 존재이다. 동양 연금술에서 여우 형상은 천 년이라는 오랜 세월 동안 인간에게 접촉을 시도하는 동물로서, 숲, 자연, 동물의 세계를 나타내는 정령과 같은 존재라고 한다. 『태을금화종지』를 참고해 보면,[109] 여우는 빛의 영역에 닿지 못한 음(陰)의 세계에 속한 심혼의 특성을 나타낸다. 이미 언급했듯이, 빛, 즉 의식의 세계에 이르지 못하고 오랫동안 소외되어 있던 무의식적 정신이 의식에 접근하고자 하는데, 의식의 측면에서 보면 그것이 매우 위협적인 것으로 경험된다. 이처럼 여우는 심하게 억압되어 버린 정서적 측면이나, 의식의 세계와 단절된 채 고립되어 자율성이 커진 무의식적 정신의 형상이다. 의식과 멀어지면 멀어질수록 소외된 무의식적 정신의 측면은 더 파괴적이고 위협적으로 나타난다. 그것은 종종 의식의 활동을 방해하거나 갑자기 의식에 침입하여 의식 전체를 사로잡아 마비시켜 버리는 효과를 발휘하기도 한다. 이것은 모두 의식의 의지력을 무력화 시키고 활력을 앗아가는 것인데, 민담에서는 주로 여우가 인간의 혼을 빼앗거나 간을 빼내어 먹어 버리는 양상으로 묘사된다.

한국의 전설이나 민담뿐 아니라, 이웃의 중국, 일본 민담에서도 여우 형상이 비슷하게 다루어지고 있다. 이는 『태을금화종지』와 같은 도교 경전에서 다루어진 여러 내용들이 어느 정도는 관습적으로 영향을 미쳤을 것으로 여겨진다. 의식과 멀어진 무의식적 정신을 숲의 어두움 속에 살고 있는 여우의 형상이나, 마술적 영향력을 가진 사악한 여성으로 나타내고 있는 것이다. 비록 도교 경전의 표현에 적잖이 영향을 받았다고는 하지만, 원형적 특성이 아니고서는 민담 등에서 전형적으로 여우의 형

---

109 『태을금화종지』 83~84쪽을 참고하면 다음과 같다.
　　"(…) 진성(眞性)이 건궁(乾宮)에 떨어지면 혼(魂)과 백(魄)으로 나누어진다. 혼은 하늘에 중심이 있는 양(陽)하고 가볍고 맑은 기(氣)이고, 백은 음(陰)하고 무겁고 탁한 기이다. 깨달음을 구하는 삶은 가능한 음한 백을 순수한 양으로 극복해야 하는 것이다. 그렇게 하여 일월교정교광(日月交精交光, 해와 달이 정과 빛을 어우름)의 상태로 만들어야 한다. 그런데 다섯의 음(陰)한 마(魔)가 작용하여 마음을 흐트러지게 하면, 헛된 세계(色慾界)로 떨어지게 된다.
　　잘 되어서 위로 간 사람이라야 신(神)들이 사는 여러 하늘나라에 태어나고, 잘못 되어서 아래로 떨어진 사람은 이리 같은 짐승이나 남의 노예로 태어난다. 천 년 묵은 호선(狐仙), 즉 여우같은 것인데, 그것은 이름난 산속에서 스스로 그 공기와 달빛과 꽃과 열매, 나무와 풀의 정기를 이용하면서 삼백 년 또는 오백 년, 많으면 몇 천 년까지도 지낼 수 있다. 마침내 쌓았던 그 노력에 대한 보답으로 유한한 세계에 다시 태어난다. (…)"

상이 계속 동원될 수는 없다. 민담뿐 아니라, 전설의 경우도 드물지 않게 과거 보러 가는 선비 및 암행을 하는 어사또 등에게 여우가 나타나는 내용이 묘사된다. 왜 유난히 그들에게 여우가 자신의 존재를 알리려 하는가? 여우가 나타나 그들을 유혹하기도 하지만, 대부분은 그들에게 음식과 잠자리를 제공하는 모성적 역할을 한다. 여기서 그들이 생명의 위협을 느끼지 않고 소통적 관계를 맺는다면, 그는 인간을 보호하고 지지하는 자연 모성의 특성을 알게 됨은 물론이고, 심지어 자연 모성이 제공하는 삶의 지혜까지 경험할 것이다. 만약 숲 속에서 그런 체험을 하게 된 선비가 과거에 합격하여 한 지역을 통치하는 인물이 되었을 때, 혹은 암행을 하며 민심을 읽어내려는 어사또가 조정으로 돌아갔을 때, 그의 통치 이념은 기존의 정치 사회적 가치관에만 기초하지 않을 것이다. 인간의 본성 및 모성 자연을 함께 고려하면서, 보다 더 보편적 이념의 인간성을 실현할 수 있을 것이다.

민담에서 유독 선비나 암행어사와 여우 여인과의 만남으로 묘사하는 데에는 유교주의적 전통에서 소외시킨 세계, 즉 집단의식의 질서와 원리 등에서 제외된 것들과의 관계에 대한 것으로 이해해 볼 수 있다. 남존여비(男尊女卑)의 내용이 강조된 가부장적 유교적 세계관에서 억압되어야 했던 여성 요소가 특별히 여우 여인이라는 형상으로 드러났을 가능성이 있기 때문이다. 비슷하게 기독교적 세계관에서 그리스도와 대극이 되는 악의 요소들이 모두 여성적 요소와 결합하여 마녀 사냥에 이르게 된 것도 결코 우연은 아니다. 앞서 소개된 민담에서처럼 대부분 선비 등과 여우 여인의 만남은 결말이 그리 성공적이지 못했다는 점에 주목해야 할 것이다. 한국 사회에서 가부장적 세계관에 뿌리를 두고 있는 남성 인물상과 모성 자연, 본능적 세계와의 단절이 그만큼 심각하다는 점을 의미할 수 있다. 선비 등과 여우 여인과의 만남 및 화해와 소통이 성공적으로 이루어진다면, 엄청난 치유적인 효과가 생겨날 수 있다. 위의 두 민담에서 여우 여인과 나그네가 제대로 소통하는 장면은 제시되어 있지 않다. ≪나그네와 여우≫에서 나그네는 부엌에서 칼 가는 소리를 들으며 생명의 위협을 느껴야 했고, ≪여우 고개≫에서 여인이 접근해 왔지만 선비는 돌부리에 걸려 정신을 잃어버렸다. 어쩌면 여우 여인이 갈고 있던 칼은 반드시 나그네를 해치는 무기가 아닐 수 있다. 오랫동안 소외된 채 무의식적 상태로 의식의 빛과 연결되지 못했던 무의식적 정신이, 그런 무의식성을 극복할 도구, 분별력과 통찰력을 발휘할 도구를 준비하면서 때를 기다리고 있었던 것이다. 마침내 나그네가 나타났고, 접촉의 기회를 최대화 하려던 것이 칼을 갈고 있는 상태로 드러났다. 어쩌면 나그네가 사용할 이성적 도구를 여우 여인이 준비하고 있었던 것은 아닐까? 그러나 나그네는 여우 여인과 관계를 맺을 수 없었다. 나그네는 이 상황을 인식할 만큼 제대로 준비가 되지 않았던 것이다. 이 이야기가 계속 사람들의 입으로 전해진다면, 그 과정에서 어쩌면 여우 여인을 극복하거나, 여우 여인과 의미 있는 소통적 관계를 경험하게 된 내용들이 보충될 수 있을 것이다.

다음의 민담 《여우 누이》에서는 여우가 이제 집안의 누이로 등장한다. 보다 더 인간의 생활 영역으로 가까이 접근했으나, 여우 누이와 오라버니의 관계는 여전히 성공적으로 맺어지지 못한다.

《여우 누이》[110]

옛날에 굉장한 부자가 살고 있었는데, 아들 삼 형제가 있었으나 딸이 없어서 딸을 갖기를 간절히 원하였다. 너무나 딸을 얻고 싶어서 '여우 새끼라도 좋으니 딸이면 좋겠다고 하였다. 그러다가 마침내 딸이 태어났다. 세월이 흘러 딸이 여섯 살이 되었을 때, 갑자기 매일 밤 말이 한 마리씩 죽어 나가게 되었다. 그래서 큰 아들이 밤에 마구간에 숨어서 지켜보니 어린 누이가 여우로 변하여 말의 간을 빼 먹는다는 것을 알게 되었다. 그 사실을 아버지에게 알리자 아버지는 누이를 모함한다고 여기고 큰 아들을 집에서 내쫓았다. 둘째도 그렇게 하여 쫓겨났다. 셋째는 차마 그런 사실을 밝히지 못하고 말았다. 쫓겨난 두 형제는 돌아다니다가, 산 속에서 어떤 도사를 만나 도움을 받으며 함께 지내다가 작은 병 3개를 받아서 집으로 돌아왔다. 그 동안

---

110 최인학 · 엄용희 엮음(2003), 『옛날이야기꾸러미 2』, 35쪽.

여우 누이가 부모님은 물론이고 셋째 동생까지 모두 잡아먹고 말았다. 누이가 집으로 돌아온 두 형제까지 잡아먹으려 하자, 둘은 도망을 가게 되었다. 거의 붙잡히게 되었을 때 노인이 준 하얀 병을 던지자, 가시밭이 생겨나서 멀리 도망할 수 있었다. 다시 붙잡히려 했을 때 이번에는 빨간 병을 던지자, 온통 불바다가 되어서 다시 멀리 달아날 수 있었다. 마지막에 또 다시 여우 누이가 거의 따라잡으려 했을 때 파란 병을 던지자, 큰 바다가 되어 여우 누이를 물속에 삼켜 버렸다. 그렇게 두 형제는 무사히 도망갈 수 있었다.

≪여우 누이≫를 살펴보면, 굉장히 돈 많은 부자가 아들 셋만 있어서 딸을 갖기를 원하였다. 의식을 주도하고 있는 남성 인격의 입장에서 여성 요소가 보충되어야 한다는 사실을 인식한 것이다. 그래서 '여우 새끼라도 좋으니 딸이면 좋겠다'고 소원하였다. 이러한 발언은 의식이 어떤 결핍을 알아차리고 그것을 채우려고 무의식의 관여를 허용하는 것에 해당한다. 이런 허용적 조건에 의해 무의식이 활성화 되어 보다 손쉽게 의식에 접근하게 될 형상을 생산할 수 있다. 부자 아버지는 어떤 대가를 치르더라도 남성으로만 이루어진 현재의 상황에서 여성 요소를 끌어들여 변화를 꾀하고자 한다. 그가 부자라는 것은 어떤 변화가 생길지라도 충분히 감내할 수 있는 심적 자원이 있음을 시사한다. 어떤 의미에서 그의 세 아들도 부자의 풍부한 재산 목록에 해당할 것이다. 부자 아버지의 소원은 매우 활발한 주도적 정신 활동이 있고, 새로운 남성 의식의 가능성도 갖추었지만, 근본적으로 대극적 요소, 즉 여성 요소가 함께 하지 않음을 표명한 것이다. 여기서 여성 요소는 여우로 표현되었는데, 그러한 여우의 형상에는 본능적인 것, 정서적인 것, 그리고 의식의 장에서 소외된 것 전부를 포함시킬 수 있다. 부자 아버지의 태도에 의해 새롭게 성장하고 있는 남성 인물상들(세 아들)은 반드시 여성 요소와 함께 해야 한다는 사실을 주지하게 된 것이다.

부자 아버지의 소원이 실제가 되어 여우가 딸로 태어났다. 그 딸이 여섯 살이 되자 여우의 특성이 나타나기 시작했다. 여섯 살로 특징지어진 6은 동양에서 음(陰)의 기운을 대표하는 숫자이다.[111] 6은 짝수로서, 쌍을 이루는 숫자이므로 안정을 취하고,

변화하지 않으려는 상태를 반영하는 수이다. 6은 역동성을 나타내는 3의 배수로서 결합을 유도하는 숫자로도 알려져 있다. 말하자면 의식과 아득히 동떨어져 있던 무의식적 정신이 어떤 계기를 맞이하여 서로 관계하게 될 것을 나타낸다. 여섯 살이 되었다는 것은 바야흐로 기존의 주도적 흐름과 다른 힘의 요소가 작용할 시점에 이르렀음을 의미한다. 밤마다 여우로 변하는 것은 상대적으로 무의식적 정신의 활성화가 커져서 점차 의식에 영향을 미칠 정도가 된 것을 의미한다. 바램과 같이 의식이 허용하는 정도에서 그치는 것이 아니라, 실제적으로 의식에 참여할 수 있는 기회를 엿보는 것이다. 그래서 조금씩 은밀하게 구체적인 활동을 개시한다.

여우 누이는 밤마다 말의 간(肝)을 빼 먹었다. 간은 동양 연금술에서 인간의 혼(魂)이 거주하는 자리이고, 의식의 빛으로 나아가게 하는 생명의 장기로 간주되어 왔다. 간은 영어의 liver(live, 살다), 독일어 Leber(leben, 살다)라는 단어의 표현에서 보듯이, 생명력을 보증하는 기관임을 알 수 있다. 또한 간은 정서적인 것을 담당하는 기관으로 알려져 있어서 흔히 화를 내거나, 성품이 사나운 경우에도 간과 연결시킨다. 이러한 간과 정서의 연결은 원시 심성의 생명력이나 활력이 정서에 기초하고 있기 때문일 것이다. 우리가 흔히 사용하는 언어적 표현에서 두려움이 없고, 심지어 용감함을 넘어서, 위험할 정도의 무모함을 보이는 모습에 대해 '간이 부었다'고 하지 않는가? 이는 활동성을 증진시키기 위하여 생명 기관인 간을 크게 확대시킨 상태로 묘사한 것이다. 결국 간은 강력한 생명력, 역동적 활력을 보증하는 중요한 기관임을 알 수 있다. 간을 먹는다는 것은 생명력 및 활력을 취하는 것과 같으며, 나아가서는 혼을 소유하게 되거나, 의식의 빛을 획득하는 효과를 갖는다. 누이가 매일 밤 말의 간을 취하는 것은 여성 요소가 의식으로의 도약을 위해 적극적으로 생명력을 끌어들인다는 의미이다.

여우 누이가 특별히 말의 간을 노린 것은, 말이 매우 역동적인 활력을 가진 동물이

---

111   6과 9의 숫자에 관해서는 하도(河圖)와 낙서(洛書)의 숫자 활용을 참고한 것이다. 괘에서 6은 음(陰)인 ⚏ 을, 9는 양(陽)인 ⚎ 을 의미한다.

기 때문이다. 말은 신화에서 영웅들과 언제나 함께 하는 동물이다. 말을 다루는 영웅들은 자신의 목적과 의도에 맞게 본능적 힘을 끌어들여 전적으로 자신의 힘처럼 활용할 수 있다. 이런 의미에서 민담의 말은 남성 인물상들이 공공연히 활용하고 있던 본능적 저력인 것이다. 누이가 말을 밤마다 처치하는 것은, 남성이 사용하고 있는 본능적 활력을 여성 요소로 몰래 옮기는 것에 해당한다. 이런 누이의 태도는 매우 파괴적으로 보이나, 다른 한편으로는 일방적으로 강화된 남성 요소에 대한 새로운 여성 요소의 보상적 반응을 나타낸다. 누이가 말의 간을 먹음으로써 남성 인물상들이 누리던 힘을 취하여 스스로 구체화 할 기회를 갖는다.

누이의 본색이 여우로서 말과 가족의 생명을 앗아갈 정도의 위협적인 존재로 드러나는 것은, 여성 요소가 심하게 소외되어 의식의 수준을 나타내는 남성 요소와의 간격이 크다는 사실을 반영한다. 아버지보다 세 아들로 이루어진 새로운 남성 인물들은 여성 요소를 제대로 인식할 수준이 아닌 것이다. 대다수의 민담에서 첫째와 둘째는 아버지와 동일한 집단의식의 수준을 고수하는 경우가 많아서 주로 셋째가 새로운 정신의 요소를 끌어들이는 인물이 된다. 왜냐하면 셋째는 상대적으로 어리므로 그만큼 집단의식에 동화될 기회가 적은 남성 인물로서, 보다 쉽게 여성 요소와 관계할 수 있기 때문이다. ≪여우 누이≫에서도 첫째와 둘째는 누이가 여우이고, 말의 간을 빼 먹는 무서운 존재라고 전하며 여성 요소에 대한 부정적 반응을 그대로 표현하였다. 아버지는 어떤 양상이든 무조건 여성 요소가 함께 하길 바라는 소원을 처음부터 제시했었다. 그래서 여성 요소를 위협적이고 부정적인 것으로 경험한 두 아들을 제외시켜 버렸다. 이에 비해 셋째는 여성 요소에 대한 부정적 인식을 표면화 하지 않아서 누이와 아버지 곁에 머물 수 있었다.

민담에서 보면 홀로 남은 셋째와 아버지는 결국 여우 누이에 의해 목숨을 잃게 된 것으로 묘사한다. 그것은 첫째와 둘째의 시선으로 볼 때 그렇게 보이는 것이다. 그들에게 여성적 요소는 치명적인 파괴적 힘을 갖고 있는 것이다. 아버지가 첫째와 둘째를 제외시킨 것은, 그들의 의식 수준에서는 여성 요소와 관계하기가 어렵다고 보았기 때문이다. 동시에 그들은 집에서 쫓겨남으로써 그들만의 영웅적인 행위가 필요할 것이다. 그들이 집에서 쫓겨나 독립적인 태도를 형성하게 되는 것도 의식의 분화를 위한 처치이다.

민담에서 여우 누이는 끝내 아버지와 셋째 동생을 없애고, 홀로 집을 지키고 있었다. 이것은 첫째와 둘째의 의식 수준과 연결되지 못하고 있는 여성 요소의 모습이다. 그들은 여성 요소가 어떤 의미를 갖는지 여전히 인식할 수 없는 의식 수준인 것이다. 그러나 여우 누이는 첫째와 둘째가 돌아오기를 기다렸다. 어쩌면 남아 있던 아버지와 셋째 동생이 여우 누이에 의해 목숨을 잃은 것이 아니라, 여성 요소와 더불어 새로운 세계관을 갖게 되었기 때문에, 다른 방면에서 여성 요소와 함께 행복한 의식의 삶을 누리고 있는 것일지도 모른다. 이는 어쩌면 또 다른 민담에서 새로운 이야기로 그려질 수 있을 것이다. 여우 누이의 등장은, 남성 요소의 일방적 강화에 대한 보상적 처치였고, 여우 누이와의 관계가 성공적으로 이루어진 아버지와 셋째 아들은 새로운 의식의 수준에 이르렀으므로 더 이상 여우 누이가 있는 집에 머물 필요가 없는 것이다. 그러나 첫째와 둘째는 기존의 남성 의식의 입장에서, 여전히 홀로 집을 지키고 있는 누이를 위험한 존재로 경험하고 있다. 그들은 누이가 자신들을 기다리는 것조차 견딜 수 없는 상태여서 가능한 멀리할 수밖에 없는 것이다. 결국 여우 형상은 남성 의식과 어떻게든 관계하기를 원하며 기다리고 있던 무의식적 정신의 대극적 특성을 나타낸 것이다. 관계를 맺을 수 없는 남성 의식일수록 그런 여성 요소를 더 위협적으로 경험하게 된다.

첫째와 둘째가 만난 노인은 누구인가? 두 형제는 여성 요소를 전적으로 허용하는 부성상으로부터 쫓겨나게 되었다. 그들은 부성상에서 벗어남으로써, 기존의 태도와는 다른 새로운 의식의 태도를 획득할 기회를 갖는다. 그들의 쫓겨남 역시 일종의 정신적 탄생에 상응하는 것이다. 이들 두 형제에게 도움을 준 노인은 현명한 가르침, 조언을 제공하는 노현자(老賢者)에 해당한다.[112] 이 노인은 남성 조상들이 축적

112 이미 살펴보았듯이 노현자는 부성상이면서, 정신적인 것을 표명한다.
   C.G. 융의 <Zur Phänomenologie des Geistes im Märchen>(1946)를 참고하라.

해 온 삶의 지혜를 담지하고 있는 부성상이다. 노인은 두 젊은이에게 여우 누이의 부정적 영향력을 알려주고, 심지어는 그것을 어떻게 처리해야 하는지 가르쳐 주었다. 여기서 노인은 여성 요소와 관계를 맺을 수 있게 돕는 것이 아니라, 여성 요소를 극복하도록 돕는다. 이런 의미에서 노인은 분명 여성 요소와 조화로운 관계에 있는 부성상의 측면보다는, 여성 요소의 위협적 힘을 극복해 온 남성 조상들의 처치를 대변하는 부성상이다. 남성 인물상의 의식이 여성 요소와의 관계를 치명적으로 경험하게 될 경우, 굳이 그 관계를 애써 추진할 것이 아니라, 현명하게 거리를 두는 것이 필요한 조치임을 제시한 것이다.

좀 더 목적의미를 고려하면, 첫째와 둘째는 여성 요소와 직면할 만큼 충분히 의식적 준비가 되지 않았다. 이미 살펴보았듯이 형제로 등장하는 남성 요소는 어떤 식으로든 남성 의식을 강화시킬 기회를 갖는다. 궁극적으로 그들은 여성 요소를 외면하고 피할 것이 아니라, 제대로 관계를 맺을 수 있도록 직면하여 극복해야 한다. 오히려 여성 요소를 직면하여 물리치게 된다면, 여성 요소가 갖는 부정적 측면은 제거될 수 있다. 이는 많은 민담에서 보듯이 괴물을 퇴치하고 나서, 그것에 사로잡혀 있던 공주 등을 구해 내는 경우와 같다. 파괴적 측면이 극복되면 보다 우호적 관계를 맺을 수 있도록 새롭게 여성 요소의 형상이 변화된다. 노인은 첫째와 둘째가 남성적인 힘을 갖출 수 있게 지지한다. 노인은 그들이 드디어 여우 누이를 직면할 수 있을 정도가 되자, 마침내 세 개의 병을 선물로 주었다.

세 개의 병은 마술 주머니같이 여러 현상을 만들어 내었다. 그 병에는 남성 조상들이 여성적 요소의 파괴적인 영향력을 어떻게 처리해 왔는지 실질적인 해결책이 들어 있는 것이다. 그것은 남성 조상의 지혜로서 특별히 개별적 상황에 대처하도록 준비된 처방의 형상화에 해당한다. 무엇보다 남성 의식을 사로잡고, 죽음에 이르게 하는 위협적인 힘은 남성 의식을 능가하는 모성적 여성 요소일 것이다. 두 형제는 여우 누이의 그런 파괴적 부정적 측면을 처리할 수 있는 힘을 노인으로부터 넘겨받은 것이다. 그것은 여우 누이의 추적하는 힘에 본능적으로 반응하고 저항할 수 있는 태도로 구체화 된다.

첫째와 둘째는 마침내 집으로 돌아갔고, 무시무시한 여우 누이와 대면하기에 이르렀다. 그들은 우선적으로 상황을 파악한 후, 여우 누이로 하여금 물을 떠오게 시키고 달아나기 시작하였다. 물을 떠오도록 한 것은 부정적으로 작용하는 힘을 우선 다른 방향으로 주의를 돌리게 만든 것이다. 보다 근원적인 것을 환기하면서 여성 요소로 하여금 두 형제가 요구하는 것을 따르게 한 것이다. 그렇게 거리를 유지하면서, 남성 의식이 주도권을 갖도록 한다. 여우 누이는 시키는 대로 물을 떠오려 하였다. 그들이 도망치려 하지 않았다면, 여우 누이와 두 형제가 어떤 관계를 맺는 계기가 되었을까? 두 형제는 직접 여우 누이와 관계를 맺을 의도가 없었다. 오히려 여우 누이의 위협적인 힘을 극복하는 데 주력하였다. 한편으로는 전력을 다해 도망가면서, 다른 한편으로는 여우 누이의 위협적인 추적을 어떻게 해결해야 하는지를 습득해 간다. 이는 점차 남성 인물상이 전체 상황을 이끌어 가는 주체가 되도록 만드는 내용에 해당한다.

첫째와 둘째가 달아나면서 제일 먼저 하얀 병을 던지자 가시밭이 생겨나 멀리 도망칠 수 있었다. 말하자면 남성 조상의 지혜로운 첫 번째 해결책은 기본적으로 무의식의 부정적인 영향력을 알아차리고 철저히 그것과 거리를 두도록 하라는 것이다. 부정적 요소 그 자체를 없애지는 못하지만, 영향을 받지 않을 만큼의 간격을 유지함으로써 사로잡히지 않게 하는 처치이다. 병이 하얀 색으로 표현되었는데, 이것은 가능한 정서적으로 반응하지 않고 멀리하면서 방어적으로 처리하는 남성 의식의 태도가 된다. 하얀 병에서 생긴 가시밭은 서로가 접근할 수 없다는 사실을 주지시키는 장치이다. 이를 인식함으로써 오히려 남성 의식은 무모한 시도를 하지 않는다.

다시 추격을 당하자 첫째와 둘째는 달아나면서 빨간 병을 던졌다. 빨간 병에서 나온 불은 남성 의식으로 하여금 주저하지 않는 능동적이고, 실질적인 활동성, 삶에 대한 적극적 추진력을 갖추어 무의식의 파괴적 영향력을 극복하도록 하라는 것이다. 앞서 멀리 거리두기를 하던 태도와 달리, 보다 적극적으로 위협적 대상에 대처하는 자세를 의미한다. 하얀 병에서 빨간 병 단계로의 이행은 의식의 태도를 달리하여 반응할 수 있음을 반영한다. 남성 의식은 여우 누이의 위협적 태도에 방어적이지 않고 자유로운 반응의 주체가 되어야 하는 것이다. 또한 빨간 병의 불은 삶에 적극적으로 참여할 때 생겨나는 다양한 실제적 감정 및 정서적 반응을 의미하기도 한다. 이러한 정서 반응들은 행동을 야기하고, 스스로를 이 행동들의 주체로서 인식할 수 있게 만든다. 이것이 결국 남성 인격을 여성 요소의 부정적 영향력에서 벗어나게 한다.

마지막으로 첫째와 둘째가 달아나면서 파란 병을 던지자 큰 바다가 생겨나 여우 누이를 삼켜 버렸다. 말하자면 부정적으로만 작용하던 여성 요소의 힘이 극복된 것이다. 활성화 되었으나 의식에 접근할 수 없는 여성 요소는 다시 생명의 근원지로 되돌아가게 된다. 비록 새로 생겨난 여성 요소와 남성 의식 혹은 자아가 서로 성공적인 관계를 맺는 데 실패했지만, 부정적으로 작용하던 여성 요소의 힘을 극복할 수준에 이르게 된다. 이로써 남성 의식은 새로운 가능성을 갖게 된다. 고립되어 부정적 영향력을 가질 만큼 자율적으로 된 여성 요소는 재조정되어야 할 것이다.

이상에서 보듯이 여우 누이는 아니마로서 전혀 남성의 의식 수준에 이르지 못하였다. 원래 인간적 특성을 갖춘 상태였다면, 보다 의식에 접근하기 쉬운 아니마의 특성을 나타내었을 것이다. 남성 의식이 일방적이고 편파적이어서, 여성 요소가 상대적으로 소외되자 동물적 형상으로 등장한 것이다. 의식과 단절이 되면 될수록 무의식의 파괴적 성향이 커진다는 것을 여기서 다시 한 번 확인할 수 있다. 그럼에도 여우 누이가 말과 사람을 잡아먹었던 것은 비단 파괴적인 목적만은 아니다. 오히려 인간에 가까운 본능적 측면(말)과 동화하여 남성 의식에 접촉하려 했던 것이다. 그러나 남성 의식은 낯선 모습으로 접근한 아니마에 대해 처음에는 아무런 조치를 취할 수 없었다. 세 개의 병은 그러한 상황에 대처할 수 있는 3단계의 의식의 태도 변화를 나타낸다. 병에서 매번 여우 누이의 위협적인 힘을 처리할 수 있는 내용들이 나오는 것은 바로 남성 조상들이 처리해 왔던 의식의 태도를 보여준다. 병은 바로 의식의 이해력과 관련된 형상에 해당한다. 세 개의 병에서 비롯된 처치는 여성 요소가 드러낸 위협적 힘을 남성 정신의 단계적 이해 및 수용력으로 극복할 수 있음을 보여준다. 그러나 여전히 서로 관계를 맺는 데에는 실패했으므로, 어디에선가 여우 누이는 다시 관계를 회복하려 시도하게 될 것이다.

≪여우 누이≫에서 이루어지지 못한 남성 주인공과 동물적 특성의 여성과의 관계는 다른 민담에서 다시 다루고 있다. 다음에 살펴볼 민담에서 여성은 여우가 아니라 지네이지만, 여우와 마찬가지로 천 년 동안을 살면서 인간에게 해를 입히는 것이 아니라, 여전히 인간의 삶, 의식의 삶에 접근하려고 애쓰고 있음이 드러난다.

≪천 년 묵은 지네와 닭≫[113]

옛날에 한 선비가 과거에 여러 번 응시를 하였으나 실패하였다. 제대로 가족을 돌보지 못하고 시험 준비만 했었기 때문에, 계속 과거에 실패하자 집에도 돌아가지 못하고 경성(서울) 남산 골짝에 목을 매달아 죽으려 하였다. 죽음을 기도했던 선비가 눈을 떠보니, 두 여인이 자신의 목숨을 구해 보살펴 주고 있었다. 선비는 그녀들의 집으로 옮겨져 융숭한 대접을 받았고, 마침내는 두 여인 중 한 명과 결혼을 하여 살게 되었다. 시간이 흘러 고향에 두고 온 가족이 걱정되어 고향 집에 다녀오려 하였다. 아내는 선비에게 고향 집에 가서 1년을 보낸 후 돌아올 것과, 반드시 밤이 되면 집에 도착하도록 당부하였다. 그리고 오는 길에 누구를 만나더라도 응답하지 말라고 부탁하였다. 선비가 고향으로 돌아가 보니 가족들이 기와집에서 풍족하게 잘 살고 있었다. 알고 보니 서울의 아내가 모두 보살펴 준 것이었다. 그래서 선비는 3개월 만에 서울 아내에게 돌아오려 하였다. 밤이 되어 남산으로 향하는데, 누군가 불러 돌아보니 돌아가신 선비의 아버지였다. 아버지는 선비의 아내가 지네이므로 목숨을 구하려면 담뱃진을 입에 물고 있다가 아내의 얼굴에 내뱉으라고 일러 주었다. 선비는 입에 담뱃진을 잔뜩 물고 아내에게 돌아갔으나, 은혜를 생각하여 차마 담뱃진을 뱉을 수 없어서 땅바닥에 내뱉었다. 그러자 아내는 자신이 천 년 묵은 지네이고, 길에서 만난 아버지는 천 년 묵은 닭이라는 사실을 밝혔다. 천 년이 되는 해에 사람을

---

113 최인학 · 엄용희 엮음(2003), 『옛날이야기꾸러미 2』, 110쪽.

만나면 진짜 인간이 되는데, 지네와 닭은 상극이므로, 닭이 방해한 것이었다. 아내는 담뱃진을 자신에게 내뱉지 않은 선비에게 고마워하였다. 다음 날 아침에 눈을 떠 보니 기와집도 아내도 사라지고 지네의 허물만이 남아 있었다.

위의 민담에서 남성 주인공인 선비는 유교적 전통에 따른 교육을 받고, 집단 사회에서 그에 맞는 정신적 능력을 발휘할 수 있는 유용한 역할을 찾으려 하였다. 그러나 선비가 과거에 낙방하게 되자 유교 사상이 지배하는 집단의식에 동참할 수 없게 되었다. 선비는 이를 비관하여 목숨을 끊으려 했지만, 뜻밖에 다른 세계와 연결된다. 여기서 선비가 목숨을 끊으려 한 것이, 유교적 세계관으로 이루어진 집단의 이념에서 멀어지는 효과를 가져왔다. 오히려 유교적 전통에서 벗어나 다른 측면의 가능성들과 연결되면서 남성 주인공은 새로운 계기를 맞이하게 된다.

여기서 지네라는 형상에 대해 살펴보자. 지네는 온혈 동물인 여우보다는 더 하위의 생명체로서, 다수의 발을 이용하여 대지의 표면에서 살고 있는 곤충류이다. 중국 및 한국에서는 지네를 오공(蜈蚣), 천룡(天龍), 백각(百脚), 토충(土蟲)이라고 부른다. 지네는 주로 음지에 서식하며, 독을 품고 있다. 지네에 물리면 그 독성으로 인해 생명에 위협을 느낄 정도의 치명적 상태에 이르기도 한다. 지네는 발이 많고, 흉측스러운 형상, 치명적인 독성으로 혐오감을 자아내므로, 지하계의 신으로 간주되었다. 그래서 일부 민담이나 전설 등에서 사람들은 그것의 무서운 파괴력을 해결하려고 신당을 마련하고, 심지어 인신 공양을 하는 것으로 그려진다. 지네는 약재로도 쓰이고 있어서 오늘날에도 시골의 큰 장터에서 지네를 말려 팔고 있는 현장을 쉽게 목격할 수 있다. 그것은 주로 민간적으로 중풍, 암종, 소아경기, 늑막염뿐 아니라, 뱀과 같은 맹독을 완화하는 데 쓰인다.

예로부터 지네와 닭은 상극을 이루는 것으로 알려져 있다. 집에서 기르는 닭은 비록 날지는 않지만 조류이며, 마당이나 뜰을 돌아다니면서 곤충을 쪼아 먹기 때문에, 지네의 천적이다. 상징적으로 지네가 대지의 생명체를 위협하고, 심지어 죽음에 이르게 하는 지하계의 신으로 알려져 있다면, 이에 비해 닭은 새벽녘 해가 밝았음을 알려 주기 때문에 밤과 어둠을 극복하는 특성이 강조되므로 서로 대극적이다. 또한 지네가 뱀만큼이나 인간에게 혐오감을 주는 동물인 반면, 닭은 친근한 가축의 하나이다. 선비가 집으로 돌아올 때 아버지의 모습이 지네의 천적인 닭으로 상징화 된 것은 매우 뛰어난 대극적 특성을 반영한 것임을 알 수 있다.

선비가 추구한 유교적 세계관은 부성상이 지켜 온 가치관 그 자체이다. 그러나 지네가 선비의 아내로서 제공하는 것은 유교적 전통에 속하지 않는 것이다. 그것은 대지의 모성 혹은 모성 자연의 세계에서 기인한 것이다. 선비는 죽음을 기도함으로써 유교적 세계관과 단절될 수 있었다. 여인들의 도움으로 죽음에서 깨어나게 되었는데, 결과적으로 의식의 태도 변화를 가져왔다. 남성 의식은 유교적 세계관에서 제외되었던 것들과 연결된다. 주인공인 남성 인격은 보다 더 하위의 무의식, 심지어 생명력이 교체되는 최하위 층까지 이르게 된 것이다. 여기서 선비의 목숨을 구해 주고 돌보아 주는 지네 아내는 생명을 제공하는 모성 자연의 여성성 혹은 모성-아니마에 해당한다. 두 명의 여성이 나란히 등장한 것으로 보아 여성 요소가 어떻게 보상되어야 하는지 알 수 있다. 유교적 세계관은 선비에게 부귀, 명예, 명분 등을 추구하는 편향된 의식의 태도를 갖게 하였다. 이로 인하여 본성의 세계와 단절되고, 삶은 생동감을 잃고 말았다. 그래서 무의식적 정신은 보상적으로 작용하여 대지의 생명체인 지네의 형상으로 표명되었다.

주인공 선비가 고향 집에 두고 온 식구들을 그리워하거나 염려하게 된 것은 어쩌면 완전히 단절하지 못한 유교적 세계관을 반영한 것이다. 또한 가족을 환기하는 것은 사회적 존재로서의 가치를 획득하기 위한 남성 자아의 당연한 욕구이다. 여기서 지네 아내와 보내는 시간과 장소는 실제가 아니다. 선비가 유교적 세계관과 단절했지만, 여전히 새로운 삶의 방향을 획득하지 못한 상태에 머물러 있는 것이다. 선비는 지네 아내와 살아가면서 유교적 세계관과 다른 방식으로도 삶이 유지될 수 있음을 경험하였다. 그럼에도 지네 아내와의 생활은 실제적 의식 수준에는 이르지 못한 상태를 의미한다. 주인공 선비가 지네 아내와 함께 하는 생활은 현실감을 상실할 만큼 동떨어진 것이다. 선비가 고향 집을 그리워하는 것은 집단의식의 수준으로 회복하려는 것일 수 있다. 그러나 선비가 고향 집에 돌아가게 되면, 가부장적인 유교적 전통 사회에 다시 접촉하게 된다. 그것은 돌아오는 길에 닭이 그의 아버지의 모습으로 등장하여 지네 아내에게 돌아가지 못하게 막는 것에서 알 수 있다.

돌아가신 아버지는 전형적으로 집단의식을 대표하는 인물상으로 선비를 기존의 의식 수준으로 되돌리려 시도하는 것처럼 보인다. 그렇지만 닭이 부성상의 모습으로 나타나 지네에게 돌아가는 것을 방해한 것은 유교적 세계관을 환기하려는 목적 때문만은 아닐 것이다. 부성상으로 변신한 닭은 지네의 천적이듯이, 어떤 식으로든 선비가 지네와 머무는 무의식적 상태를 일깨울 필요 때문에 등장한 것이다. 닭의 형상은 남성 조상들이 여성 요소와 어떻게 관계하고, 어떻게 극복해 왔는지의 역사성에 뿌리를 둔 상징적 형상이라 할 수 있다. 닭이 비록 선비에게 실질적인 도움을 주는 조력적 동물은 아니지만, 해가 뜨는 아침을 맞을 때에 우는 것처럼, 선비로 하여금 새로운 의식 수준에서 실제적인 삶을 영위할 수 있도록 자극한 것이다. 이로써 선비는 지네 아내에게 전적으로 의존하고 있던 무의식적 상태에서 벗어날 수 있게 되었다. 아내의 실체가 지네였음을 확인하게 되는 것은, 동시에 남성 자아가 오랫동안 어떤 상태에 머물러 있었는지 알게 되는 자기 인식의 순간이 된다.

선비는 부성상에 의해 지네 부인을 극복하라는 과제를 인식해야 했다. 하지만 자신은 물론이고 고향에 돌아갔을 때 식구들이 모두 행복하게 살고 있다는 사실을 확인함으로써, 더 이상 부성상의 요구에 따를 필요가 없음을 알고 있었다. 선비는 개인 의식의 삶이 기존의 집단의식을 이끄는 원리에 따르지 않아도 충분히 충족될 수 있음을 경험한 것이다. 그래서 선비는 지네를 해치려 하지 않았다. 지네는 덕분에 완전한 사람으로 변신할 수 있게 되었다. 지네가 사람이 된다는 것은 여성 요소가 남성 의식과 관계를 맺을 수 있게 변화된 것을 의미한다. 모든 사실이 드러난 다음 날 선비가 일어났을 때, 집도 지네 아내도 모두 사라졌다. 이는 남성 인물상이 본래의 의식 수준을 회복했음을 반영한 것이다. 여성 요소도 따로 고립되거나 소외되지 않고 인간성과 연결된다. 이제 여성 요소도 남성 자아와 나란히 의식 수준에 도달하여 더 이상 지네와 같은 동물 형상으로 존재할 필요가 없어진 것이다. 이로써 남성 인격은

한국 민담의 여성상

집단의식과 갈등 없이 새로운 세계관을 획득하여 미래의 삶을 살아갈 수 있게 된다.

앞서 과거 시험을 보러 가는 선비 앞에 나타난 여우 처녀나, 과거 시험에 낙방한 선비가 만난 지네 아내는 모두 의식의 삶과 연결되고자 하는 본능적 요소 및 여성 요소를 의미한다. 이 여성적 요소는 집단의식의 지배원리에 따라 살아갈 수 없는 개별 의식을 지지하고 보호한다. 여기서 동물 형상의 상징은 상대적으로 취약한 개별 의식의 수준을 끌어올려 삶의 질을 개선하게 만든다. 특별히 동물 형상의 상징은 개별 의식의 수준을 저하시키는 본능의 힘이 아니라, 의식의 삶에 생명력을 불어넣을 수 있는 요소이다. 오히려 집단의식이 제공하지 못한 풍부한 삶의 자원을 끌어들일 수 있게 하위의 정신과 연결시킨다.

다음의 민담들은 지네에 관한 또 다른 민담이다. 여기서 지네는 앞서 ≪천 년 묵은 지네와 닭≫에서와는 달리 매우 위협적이다. 그러나 두꺼비가 등장하여 위협적인 지네를 제거하면서, 다른 방식으로 인간 혹은 의식을 동물의 본능 세계와 연결하고 있다.

≪두꺼비의 보은≫[114]

옛날 한 마을에 가난한 봉사가 정숙이라는 딸을 데리고 살고 있었다. 딸이 어려서 겨우 이웃의 도움으로 살아가고 있었다. 어느 날 부녀가 밥을 먹고 있는데, 누런 두꺼비가 나타났다. 정숙은 그 두꺼비에게 먹을 것을 나누어 주었다. 그로부터 두꺼비는 정숙이가 나누어 준 밥을 먹으며 자라났다. 정숙이가 13세 되었을 때 대흉년이 들었다. 그러자 이웃들도 정숙을 도와줄 수 없게 되었다. 그 마을에는 사당이 하나 있었다. 보기 드문 흉년이 찾아왔으므로, 사람들은 처녀를 사서 신께 제사를 드리려 하였다. 정숙은 자신을 팔아서 아버지를 부양하고자 하였다. 그래서 동네 어

---

114 최인학·엄용희 엮음(2003), 『옛날이야기꾸러미 2』, 67~69쪽.
　　　이 이야기는 오세경의 『한권으로 읽는 한국의 민담』(1998), 352~356쪽에서 ≪지네와 두꺼비≫로 소개하고 있다.

른들이 정숙을 샀고, 정숙을 제물로 바치려 하였다. 제삿날이 다가왔고, 정숙은 슬픈 마음으로 아버지와 두꺼비에게 작별 인사를 하고는 동네 어른을 따라 사당에 이르렀다. 정숙이 홀로 사당에서 지키고 있는데, 두꺼비가 정숙과 함께 하기 위하여 나타났다. 그 순간 몸이 붉은 괴물이 사당의 기둥을 타고 불을 뿜으며 나타났다. 이때 두꺼비가 괴물을 향해 입을 벌리고 독을 뿜으며 대들었다. 괴물도 두꺼비를 향해 독을 내뿜었다. 괴물과 두꺼비 사이에 큰 싸움이 일어났다. 그 괴물은 큰 지네였다. 다음날 아침이 되어 동네 어른들이 사당을 찾아와 보니 정숙은 살아 있고, 사당 마루에는 두꺼비와 큰 지네가 죽어 있었다. 그래서 마을에서 정숙과 아버지를 끝까지 잘 보살펴 주었다.

이와 비슷한 이야기 ≪지네 장터≫는 다음과 같은 내용으로 알려져 있다.

≪지네 장터≫

옛날 어느 마을에 가난한 모녀가 살고 있었다. 어느 해에 장마가 계속 되었는데, 두꺼비 한 마리가 부엌으로 찾아 들었다. 딸은 징그러운 생각이 들었으나, 불쌍하게 생각하여 밥찌꺼기를 주어 길렀다. 그러자 두꺼비는 도무지 나가지 않았다. 두꺼비는 줄곧 그곳에서 자라서 송아지 크기만큼 되었다. 한편 모녀가 살고 있는 마을 뒤에는 산이 있었는데, 천 년 묵은 지네가 살고 있었다. 이 지네는 조화를 부려 날씨를 흐리게 하거나 맑게 할 수 있었다. 마을 사람들은 산에 사당을 짓고 지네에게 제사를 지내고 있었다. 일 년에 한 번 있는 큰 제사에는 지네를 위로하기 위하여 마을의 처녀를 한 명 바치는 풍습이 있었다. 그러면 지네는 처녀를 아내로 삼기 때문에 그 처녀는 시집을 갈 수 없었다. 그 해 제사에 두꺼비를 기르던 처녀가 지네에게 바치는 제물로 정해졌다. 처녀는 너무 서러워 부엌에 있는 두꺼비에게 신세타령을 하였다. 제삿날이 되었고, 처녀가 당 안으로 들어갔다. 무심히 돌아보니 어느새 두꺼비가 옆에 따라와 함께 했다. 마을 사람들이 돌아가고 밤이 깊어 갔다. 자정이 되자 음산한 바람이 일더니 길이가 수십 발이 되어 보이는 지네가 문 앞에 나타났다. 지네의 눈에서 푸른 빛이 났다. 그러자 두꺼비가 처녀 앞을 가로막고 지네와 싸우기 시작하였다. 지네도 독을 뿜고 두꺼비도 입에서 독기를 뿜어내었다. 놀란 처녀는 기절을 하였다. 다음날 아침, 마을 사람들이 당에 도착해 보니 지네와 두꺼비가 둘 다 죽어 있고 처녀는 기절하여 쓰러져 있는 것을 발견하였다.

위의 두 민담은 매우 유사한 이야기인데, 여성 주인공이 각기 아버지와 딸, 혹은 어머니와 딸의 관계에서 딸로서 묘사되어 있다. 물론 눈먼 아버지와 딸의 관계뿐만 아니라, 어머니와 딸(모녀)이 살고 있는 상태 역시 집단 사회로부터 소외된 모습이 될 수 있다. 특히 《지네 장터》에서 모녀의 관계가 부각되고, 남성 요소가 제외되어 있어서 집단의식과의 관계가 상대적으로 소원한 것이 특징적이다. 어떤 의미에서 이는 《두꺼비의 보은》의 눈먼 아버지와 살고 있는 정숙과 다를 바 없는 상태이다.

이를 여성 심리학적으로 이해해 보면, 민담의 첫 시작에서 드러나듯이, 여성 인격은 고유한 자신의 입장을 갖지 못한 상태로 머물러 있으므로 아직 주체적 의식 수준이 아니다. 여성 자아는 개인적 인격의 가치를 형성하지 못한 채 한 쪽 부모상에 의존되어 있는 상태이다. 그래서 외부 환경이나 본능을 포함한 근원적 모성 세계에서 비롯된 요구에 좌우된다고 할 수 있다. 다른 한편으로 여성 주인공의 이러한 소외된 모습은 다른 영역과 소통할 수 있는 기회가 된다. 집단의식의 주도적 영향력에서 벗어나 있음으로써 상대적으로 편견 없이 본성에 귀를 기울일 수도 있다. 종종 무의식적 정신은 이런 소외된 존재에 접근하여 집단의식의 삶에 필요한 보상적 내용을 실현할 수 있게 한다.

위의 민담에서 공통적으로 두꺼비와 지네, 두 종류의 다른 동물이 등장하는데, 이것들은 여성 주인공이 영향을 받게 되는, 내적 및 외적 집단 정신의 측면을 의미할 수 있다. 두 민담에서 여성 주인공은 영웅처럼 직접 괴물 혹은 지네를 처치하는 것이 아니다. 오히려 여성 주인공이 키우던 두꺼비가 대신 괴물 혹은 지네를 처치한다. 이들 둘의 싸움은 어떤 의미에서든 개인적 인격의 특성이 표명되기 어려운 상태에서 일어나는 집단 정신 간의 갈등 및 싸움으로 볼 수 있다.

위의 두 민담을 비교해 보면, 부녀 관계로 드러난 경우 지네는 남성적 특징이 강조되지 않았지만, 모녀의 관계에서 지네는 남성적 특징을 갖는 것으로 묘사되어 있다. 앞서 ≪천 년 묵은 지네와 닭≫에서 지네는 긍정적인 영향력이 있었는데, 위의 두 민담에서는 모두 어두운 힘을 대변하는 형상으로 나온다. 사당에 모셔진 존재이므로, 그 자체 집단의식이 보존하려는 최고의 것, 신성을 대변하는 것이다. 그것은 최고의 가치를 갖고 있지만, '집단무의식'과도 소통하지 않은 채, 오히려 의식의 삶을 위협하는 영향력을 행사한다. 예를 들면 집단의식의 삶을 피폐하게 만드는 오랜 전통과 관습 및 종교 형식이 문제가 될 수 있다. 종교는 분명 살아 있는 신성과 인간과의 관계, 즉 의식적 정신과 무의식적 정신의 생생한 관계로서 드러나야 한다. 그러나 종교가 체험적 관계로서 소통하는 것이 아니라, 교리나 가르침 등으로 대체된다면, 신성은 신성대로 인간은 인간대로 제각기 생명력 없는 관습적 순환 활동만 거듭하게 된다. 어쩌면 어린 여성, 처녀의 요구는 낡은 신성이 새로운 여성 요소와의 접촉을 통하여 의식의 삶에 참여하려는 목적이 있는 것일지도 모른다. 혹은 집단의식에서 소녀, 처녀를 내세워 어떻게든 신성과 관계하려는 것인지도 모른다.

≪두꺼비의 보은≫에서 여성 주인공 정숙은 효녀 심청과 유사하게 눈먼 아버지와 함께 살고 있다. 앞서 심청과 아버지와의 관계를 다루었기 때문에 여기서는 눈먼 아버지와 딸의 관계를 크게 부각하지 않겠다. 부녀는 이웃의 도움을 받아 살아가고 있는데, 이는 집단 정신과 연결되어 있음을 의미한다. 또한 여성 주인공 정숙이 부성상의 영향력 하에 있기 때문에 저절로 집단사회적 가치와 뗄 수 없는 여성 인격의 상태를 나타낸다. 심청의 아버지와 마찬가지로, 부성상이 장님이기 때문에 실제적인 집단의식과 직접적인 관련성이 있다고 말할 수는 없다. 말하자면 집단의식과는 다른 집단 정신과 소통하거나, 다른 방식으로 관계하고 있다고 할 수 있다. 이것은 이야기의 결말에서 정숙과 눈먼 아버지가 다시 집단의 중심에 자리잡게 된다는 사실로 확인된다.

위의 민담에서 부녀나 모녀에게 나타난 두꺼비를 살펴보자. 두꺼비는 두꺼비과(科)의 개구리 류(類)로 분류되기 때문에, 개구리와 비슷한 상징적 의미를 갖고 있다. 민담에서 대부분 두꺼비는 여성성의 상징으로, 개구리는 남성성의 상징으로 간주된다. 두꺼비는 산란기에 하천이나 늪과 같은 습지에서 부화하고 성장하지만, 개구리와는 달리 육지에서 생활하고 곤충류나 지렁이 등을 포식하고 산다. 특히 두꺼비는 민간적으로 집을 지키는 가신(家神)으로서 복을 준다고 여겨졌다. 그래서 집에 들어온 두꺼비를 해치지 않고 귀하게 다루며, 만약 보이던 두꺼비가 사라지면 가족의 안녕을 걱정하였다. 앞서 지네의 독이 치명적이어서 부정적인 의미를 갖는다고 한 것처럼, 두꺼비의 피부선에서 다량 분비되는 점액도 아주 위험한 독성이 있는 것으로 알려져 있다. 또한 그 분비액은 강심제의 효능이 있으며, 구충제로 쓰이고, 염증을 가라앉히거나, 암을 제거하거나, 방사선의 피해를 줄여주는 등 치료제로서 쓰인다.

개구리는 주로 녹색의 생명체로, 두꺼비는 누런 황금색의 생명체로 묘사된다. 두꺼비의 누런색은 대지의 색이기도 하지만, 토양에서 밝은 빛을 발하는 황금을 연상시킨다. 그래서인지 동양인들은 황금 두꺼비 상이 부(富)를 가져온다고 믿고, 그 형상을 제작하여 소유해 왔다. 중국 연금술에서는 달 속에 두꺼비의 형상이 있다고 표현하는데, 이때의 두꺼비는 달의 정(精)으로, 음(陰) 속에 숨어 있는 양(陽)을 의미한다. 두꺼비는 습기 찬 곳에 사는 변온 동물이지만, 그 형상과 의미를 보면, 음에서 양으로 변환하는 상징임을 알 수 있다. 말하자면 두꺼비의 형상은 자연 속에 숨어 있는 빛, 어둠 속에서 스스로 밝음과 활기를 생산하여 빛으로 나아가는 상징이라 할 수 있다. 더구나 개구리나 두꺼비는 모두 긴긴 겨울잠을 자면서 추위와 어둠을 이겨내고 마침내 등장하여 봄을 알리는 존재이다. 축축하고 얼어붙은 대지에서 올라오는 생명력, 삶의 활력을 뿜어내는 존재로서 간주된다. 결국 두꺼비는 어둠을 극복하고 의식의 빛이 되어 인간의 삶에 통합되려는 상징임을 알 수 있다.

민담의 시작에서, 어느 날 두꺼비가 부녀가 살고 있는 집안으로 들어왔다. 장마가 계속되는 시기에 모녀가 살고 있는 집의 부엌으로 들어왔다. 두꺼비는 집단의식이 주도하는 사회가 전혀 주목하지 않는 영역, 본능이나 자연 및 대지 영역에서 비롯된, 자율적 활력을 가진 부분 정신에 해당한다. 두꺼비는 집단의식과 동떨어져 살고 있는 부녀 혹은 모녀의 집으로 자발적으로 찾아 들어온 것이다. 특히 장마가 계속되는 시기에 모녀의 부엌으로 찾아들어 온 것은 일부의 무의식적 정신이 활성화 되어 저절로 의식에서 감지할 수 있는 수준에 이른 것을 의미한다. 여성 주인공이 두꺼비를 키우게 된 데에는, 남다른 수용성이 발휘된 것으로 볼 수 있다. 여성 주인공들은 지배적인 집단의식과는 다른 정신 영역과 관계할 수 있기 때문에 두꺼비의 등장을 암묵적으로 허용하였다. 이는 낯선 정신 활동에 주목한 것이고 거부감 없이 그것을 받아들인 것이다. 특별히 부엌이라는 장소는 여성들이 실제적으로 창조적 생산성을 발휘하는 공간이므로, 여성 주인공의 활동과 관련하여 직접 간접으로 무의식적 정신이 영향력을 미칠 수 있다. 이때의 두꺼비는 문득 생겨난 느낌, 구체화 할 수 없으나 막연하게 어떤 것을 새롭게 환기하게 된 충동과 같은 것이다.

두꺼비가 여성 주인공에 찾아온 것은, 무의식적 정신이 의식에 접근하려는 모습에 해당한다. 여성 주인공은 두꺼비에게 먹을 것을 나누어 주며 키우게 되었다. 이것은 여성 주인공이 그것이 자라나 스스로 구체화 할 수 있도록 허용한 것이다. 무의식적 정신으로 하여금 형상화 할 수 있도록 의식적으로 집중하는 상태를 의미한다. 여성 주인공이 음식을 나누어 줌으로써, 두꺼비는 의식의 언저리에서 기능할 수 있는 부분 인격이 된다. 또한 자아의식의 의지력이나 필요에 따라 언젠가 동원할 수 있는 본능적 저력으로 자리잡게 된다.

서양의 민담이라면 주로 마녀의 마법에 걸려 두꺼비가 된 왕자나 공주가, 사람이 되고 싶어서 주인공의 부엌에 찾아들어 왔을 것이다. 그러나 위의 민담에서는 그런 사실이 전혀 거론되지 않는다. 정숙이 기르던 두꺼비는 사람이 되려고 하지도 않았고, 되지도 않는다. 인간의 언어로 말을 걸지도 않았고, 다만 곁에 머물며 여성 주인공의 보살핌을 받았다. 두꺼비는 리비도를 나누어 가진 그녀의 심혼적 형제 혹은 분신과 같은 존재인 것이다. 우리는 여기서 무의식적 정신이 활성화 되어 의식에 감지되었다고 하여 모두 의식화 되고, 의식적 정신에 포함될 필요가 없다는 사실을 알게 된다. 그럼에도 무의식적 정신은 아무런 목적 없이 활성화 되지는 않는다. 무의식적 정신의 활성화는 언제나 합목적적이다. 더구나 민담에서 여성 주인공은 앞으로 생겨날 일들에 대해 전혀 알아차리지 못하고 있었다. 그러나 무의식적 정신은 마치 앞으로 무슨 일이 일어날 것인지 알고 있는 것처럼 등장한 것이다. 무의식적 정신은 훨씬 광범위한 정보를 활용하면서, 총체적으로 관장하므로 의식으로 하여금 선취(Vornehmen)로서 경험하도록 내용을 제시하는 것이다. 두꺼비는 지네와의 싸움을 예견하고 극복할 수 있게 준비하는 본능적 반응에 해당한다.

정숙이 13세가 되자 대흉년이 들었고, 이웃들은 더 이상 정숙을 도와줄 수 없게 되었다. 13세가 되었다는 점을 주목해 보자. 13의 숫자는 12+1로서 12와 관련된 상징성을 고려할 수 있다. 12라는 숫자는 황도십이궁, 일 년의 12개월, 그리스도의 열두 제자, 타스라는 단위가 있듯이, 12가지의 현상으로 나타날 수 있는 것의 전체를 나타낸다. 12황도대, 일 년의 12개월, 하루의 낮과 밤의 12시간을 고려하면, 의식의 장(場)에서 순환적으로 드러나는 현상 전체를 의미한다. 그러나 13은 12의 전체적인 한 과정이 끝나고 새로운 장을 펼치려는 변화의 숫자이다. 종종 이렇게 변화를 초래하는 움직임이, 기존의 질서를 부정하고 심지어 파괴하는 내용이 될 수 있기 때문에, 부정과 불길함의 상징이 된다. 이런 의미에서 그리스도를 배반한 유다와 같이 13은 배반하고 파괴하는 것의 상징이 되고 만다. 민담에서도 여성 주인공이 13세가 되자 흉년을 맞이했듯이 기존의 지배원리가 더 이상 집단의 삶을 보증하지 못하고 있음을 나타낸다. 또한 정숙과 아버지를 지지하고 보호하던 집단 정신의 태도도 변하고 말았다. 이로써 부녀는 집단의식의 보호와 지지에서 완전히 벗어나게 된다. 이런 사실은 또 다른 계기를 만들어 내는 역동이 된다. 집단의식의 보호 장치 안에 있었기 때문에 전혀 발휘되지 못했던 정신의 내용들이 드러날 새로운 가능성이 생겨나는 것이다. 많은 민담의 주인공들이 자신이 속해 있던 가정이나 집단으로부터 버림을 받게 되는 이유가 여기에 있다. 자신이 속하던 가정이나 집단에서 벗어나게 됨으로써, 집단의식에 대해 다른 입장을 취할 수 있게 되어, 결국 새로운 가능성을 갖는 것이다. 정숙과 아버지를 보호하던 집단도 어려움에 처하자 어떤 조치를 취해야만 했다.

≪지네 장터≫의 경우에는 이미 집단의식의 주도권이 마을 사람들에게 있지 않았다. 오래 전부터 산에 살고 있는 천 년 묵은 지네가 조화를 부리며 영향력을 발휘하여 집단의식의 삶, 마을의 공동체의 삶을 좌우하고 있었다. 날씨를 맑게 하거나 흐리게 할 수 있는 능력을 가진 지네의 특성으로 보아, 지네는 집단의식을 지탱하는 원리 자체를 방해하는 힘으로 작용하고 있다. 이는 의식의 삶을 이끌어 갈 실질적인 주체가 없는 상태에 해당한다. 그래서 약간의 상황적 변동으로도 위축되는 등 의식의 전반적 태도가 불안정하게 되는 것을 의미한다.

≪두꺼비의 보은≫에서는 대흉년이 들자 마을 사람들이 사당에 있는 괴물에게 처녀를 바치려 하였다. 여기서 마을 사람들은 괴물을 처치하여 극복하는 것이 아니라 그 괴물의 존재를 인정하고, 심지어 그 괴물에게 필요한 제물을 제공한다. 사당의 괴물은 매우 위협적이지만, 마을 사람들에 의해 대지의 생산력을 회복시켜 줄 존재로 간주되고 있는 것이다. 말하자면 괴물은 의식의 삶에 필요한 리비도를 점유하고 있거나, 의식의 삶을 쇄신할 수 있는 결정적인 힘을 소유하고 있는 것이다. 결국 사람들이 제의적으로 인간을 공양하는 것은 무의식적 정신을 보다 인간의 의식으로 끌어들이기 위한 조치이다. 어떤 존재든 인간을 잡아먹게 된다면, 저절로 인간성을 동화하여 의식의 삶에 동참할 수 있게 되기 때문이다. 이런 의미에서 제의적 장치 및 과정은 무의식이 주도하고 있는 상태에서 벗어나, 의식이 주도권을 회복할 수 있게 재조정하는 작업이라 할 수 있다. 민담에서 처녀를 희생하여 무의식의 파괴적인 측면을 일시적으로 진정시키고, 리비도의 일부를 의식으로 환원하려 하지만, 이는 근본적인 해결책이 될 수는 없다.

여기서 지네라는 형상으로 표현된 위협적인 힘에 대하여 두 가지의 이해가 가능할 것이다. 하나는 의식의 삶과 전혀 소통하지 못하고 있는 소외된 무의식적 정신으로 간주할 수 있다. 이미 여러 번 지적하였듯이 의식에서 소외된 무의식적 정신일수록 위협적이자 파괴적으로 작용한다. 의식의 삶이 계속 진행될 수 없는 취약한 상태, 혹은 집단의식의 지배원리가 일방적으로 한쪽으로 치우쳐져 있어서, 소외된 무의식적 정신이 상대적으로 힘을 갖게 된 경우이다. 이때의 무의식적 정신은 일차적으로 의식에 치명적인 위협을 가하게 된다. 마을 사람들은 오랜 관습적인 방식으로 사당에서 그런 힘을 유인하거나, 그곳에서 만남을 주선하여 나름 어떤 해결 방식을 찾으려 하고 있는 것이다. 또 다른 하나는 지네는 부정적으로 변해 버린 집단의 의식의 지배원리의 한 측면으로 간주될 수 있다. 그것이 사당에 모셔진 신성이라고 하듯이, 집단의식의 특별한 가치를 점유하고 있는 존재의 특성이 될 수 있다. 특별하게 강조된 집단의식의 가치가 늘 고취되고 강조되노라면, 점차 폭력적인 통제력과 강제력, 소유욕 등 강력한 요구로서 드러나게 된다. 이로써 사당은 신성과의 소통의 장소가 되기보다는, 오히려 새로운 변화 가능성을 희생시키거나 제거하기 위한 장소가 될 수도 있다. 사당의 존재는 의식의 성장 및 변화 가능성을 갖고 있는 요소를 끌어들여 제거하거나 파괴하는 것이다.

≪두꺼비의 보은≫과 마찬가지로 ≪지네 장터≫에서도 사당에 처녀를 바치는 것이 묘사되어 있다. 처녀를 바치는 것은 어떤 것에도 물들지 않은, 특히 주도하는 집단의식에 사로잡혀 있지 않은 상태의 여성 요소를 제공하는 것이다. 그러한 순수한 여성 요소는 의식과 무의식을 연결할 수 있을 것이다. 처녀는 집단의식에 물들지 않은 까닭에 전혀 경험하지 못했던 사실들을 편견 없이 받아들이는 매개적 역할을 할 수 있다. 또한 처녀는 성장 가능성을 가진 여성 원리, 즉 에로스 원리로서 집단의식이 제외시켰던 요소들과 연결을 시도할 수 있다. 민담에서 흉년이라 하였듯이 의식의 삶이 생동감을 잃고 의미 없는 반복만을 거듭하게 되자, 순수한 처녀를 바침으로써 자연의 생명력을 환기하여, 위협적인 힘에 대해 중재를 시도하는 것이다. 처녀는 새롭게 정신을 수태하고 생산할 수 있는 존재이다. 낯선 존재와의 접촉을 통하여 처녀는 상징적으로 새로운 시대의 인물을 잉태할 수 있다. 새로운 여성 요소는 심지어 여성 영웅의 면모를 드러낼 수도 있다. 여성적 수용성을 발휘하여 새로운 정신의 내용을 끌어들이고 의식의 삶을 위하여 갱신하는 것, 바로 이것이 여성 영웅의 과제일 것이다.

많은 민담에서 처녀를 공양할 때, 주로 왕자나 용감한 남성이 나타나 처녀를 구하는 내용이 그려진다. 그런 내용의 민담은 남성 주인공이 강조된 민담이므로 남성 심리학적 관점에서 살펴보아야 할 것이다. 말하자면 괴물을 퇴치하고 처녀나 공주를 구하는 남성상이 강조되기 때문이다. 또한 괴물로부터 구하게 된 처녀는 남성 주인공과 함께 할 아니마에 해당한다. 여기서는 여성 주인공 중심으로 이해하고 있으므로, 여성 영웅의 어려움을 해결해 줄 왕자 혹은 남성 인물은 없다. 오히려 여성 주인공이 어려움에 내몰리면서 점차 스스로 여성 영웅으로 부각된다. ≪두꺼비의 보은≫에서 정숙은 아버지를 보살피기 위하여 자신을 희생하였다. 그리하여 정숙은 마을의 제물로 바쳐진다.

≪두꺼비의 보은≫에서 사당에 제물로 바쳐진 정숙의 경우를 살펴보자. 정숙은 혼자 간 것이 아니라, 기르던 두꺼비와 함께 하였다. 사당에는 기둥을 타고 불을 내뿜는 붉은 괴물이 있었는데, 그것의 실체는 지네였다. 앞서 살펴보았듯이, 지네는 지하계의 동물로서 생명을 앗아가는 치명적인 존재이다. 정숙은 집단 사회에서 위협적 존재를 중재하기 위해 바쳐진 제물이지만 실제로 지네와 대면하게 된 것은 정숙이 아니라, 두꺼비였다. 그래서 사당에서 일어난 일은 지네와 두꺼비의 만남 및 대결로 드러난다. 이는 여성 주인공이 지네를 정면으로 마주치게 된 것과는 다르다. 정숙 혹은 여성 주인공이 집단의식의 삶을 대변하여 무엇인가 해야 하는 임무를 갖고 있는 것은 사실이나, 자신이 직접 나서서 싸우지는 않는다. 여성 영웅은 남성 영웅과 달리 직접 싸우지 않고 무의식적 정신성을 극복해야 하는 것이다. 어쩌면 여성은 무의식적 정신을 극복하여 의식의 빛을 되찾는 과제가 여성 고유의 작업이 아니기 때문일 것이다. 여성의 투쟁은 본능적 저력을 최대한 활용하여, 본능적 힘의 재분배, 무의식적 정신을 재조정하는 작업이다. 이런 면에서 사당은 활성화 된 여러 정신의 요소들이 하나로 모여서 재조정, 재배열을 꾀하기 위한 임의적 장소가 된다. 정숙과 같은 처녀 혹은 주인공은 장차 그런 조정 및 재배열에 참여하는 실질적인 여성 인격의 주체가 될 것이다.

이제 사당의 괴물인 지네와 두꺼비의 싸움을 집단 정신과 관련지어 이해해 보자. 두꺼비는 성장하고 있는 여성 주인공의 어떤 본능적 측면으로서 여성 인격을 일시적으로 대표하는 것이다. 여기서 사당의 지네는 두 가지의 가능적 의미의 형상이다.

먼저 지네가 소외된 무의식적 정신이 지나치게 보상적으로 활성화 된 것이라면, 지네와 두꺼비와의 싸움에서 새로운 변화가 일어나게 될 것이다. 파괴적이고 위협적인 힘은 제거되고, 보다 의식의 주체에 친화적인 형상으로 상징적 이행이 있게 된다. 이것은 민담에서 두꺼비가 정숙을 살리고, 정숙이 집단의식에 전적으로 수용되는 것에서 볼 수 있다. 다른 하나는 지네가 지나치게 집단 정신의 가치를 점유하고 있는 집단의식의 강화된 지배원리의 부정적 그림자 측면이라면, 두꺼비와의 싸움은 지나치게 강화된 부성적 남성적 측면을 여성의 모성적 본능으로 중재하는 것으로 이해될 수 있다. 이로써 오랫동안 집단의 삶을 좌우하며, 창조적 변화를 가로막았던 관습적 부성적 세계관을 갱신할 수 있게 된다. 여성의 인격을 지지하고 있는 본능적 정신이 집단 정신의 어둠을 몰아내고 의식의 빛을 되찾거나 획득할 수 있도록 적극적으로 참여한 것이다.

그 밖에 지네와 두꺼비의 싸움을 개별 여성의 내면에서 일어나는 실제적인 갈등으로 이해해 볼 수도 있다. 위의 민담에서 여성 주인공은 비록 전적으로 집단의식에 영향을 받으며 성장한 여성 자아는 아니지만, 집단 정신에 좌우될 수 있는 여성이다. 사당에서 홀로 지네와 맞서야 했던 순간은 집단 정신에 의해 개인 인격이 상실될 위기의 상태를 의미한다. 예를 들어 원하든 원하지 않든 외부의 요구나 사회적 가치 등을 따름으로써, 개인적 가치의 삶을 누릴 수 없게 된 상황이 극에 달했을 때, 내면 깊은 곳에서 조금씩 모성적 본능적 반응이 올라오다가, 드디어 그것이 전면적으로 발휘된 것을 의미한다. 이런 본능적 반응은 외부에서 주어지는 요구들을 거부하거나 극복하여 원래적인 상태로 회복하려는 것이다. ≪두꺼비의 보은≫에서 정숙은 부성상과 긴밀한 관계이고, 심지어 부성상을 위해 자신을 희생하기로 할 정도로, 부성상과 동일시 되어 있었다. 외부에서 어느 날 두꺼비가 집안으로 들어온 것으로 묘사했듯이, 오히려 여성의 내면에서 비롯된 자신의 본능적 저력이 외부에 있는 낯선 것으로 간주되었다. 집밖에 살던 두꺼비는 원래 여성 주인공의 본능적 저력에서 비롯된 것임에도 부성상에 밀려 전혀 여성 인격의 내면에 자리잡은 어떤 것으로 경험할 수 없었던 것이다. ≪지네 장터≫에서도 여성 주인공은 모성상과 밀착된 상태에 머물러 있음으로써, 자신의 고유한 본성적 저력을 제대로 경험할 수 없었다. 사당의 지네는 그렇게 여성 인격을 사로잡게 된 집단 정신의 폭력적 파괴적 영향력을 의미한다. 때가 되자 여성의 고유한 본능적 저력이 자기 목소리를 내면서 여성 의식을 점유하고 있던 집단 정신을 몰아내었던 것이다.

지네와의 싸움에서 두꺼비는 죽고 말았지만, 여성 주인공은 목숨을 구했다. 여성 주인공이 사당에서 정신을 잃었다가 다시 깨어나게 된 것은 어떤 의미에서 인격의 변환을 의미한다. 인격의 구성 요소들의 재배열로 인하여 진정한 여성 인격의 주체가 된 것이다. 민담에서는 정숙과 아버지, 혹은 모녀가 마을 사람들과 더불어 다시 행복한 삶을 살 수 있게 된 것으로 묘사한다. 여성 주인공은 집단의식과 함께 할 수 있는 중심 인물로 변환된 것이다. 이미 여성 주인공이 사당의 제물로 바쳐지는 처녀로 뽑혔을 때 저절로 집단의식의 삶에 관여하게 된 것이다. 정숙 혹은 소녀는 집단정신의 극복으로 이룩한 새로운 여성 의식의 주체로서, 집단의식의 삶에 생명력을 불어넣는 실질적인 역할을 할 것이다.

이상에서 보듯이 두꺼비의 형상은 여성 의식과 나란히 그림자처럼 기능하는데, 그 그림자는 여성 의식을 보완하고, 본능적 저력과 연결하여 다양한 국면에서 여성 인격이 힘을 갖도록 만든다. 이처럼 동물 형상의 그림자는 언제나 특별히 개별 의식의 수준을 재조정하는 데 아주 효과적인 상이다. 그것은 특별히 편향되어 있는 의식의 태도를 바로잡고 보다 근원적인 정신 영역과 접촉되어야 할 필요가 있을 때 등장한다. 이것은 새로운 의식의 탄생 및 무의식적 요소들의 재배열을 위한 무의식적 정신의 자발적 자가 조절 장치에서 비롯되는 것이다.

맺는 말

민담에 묘사된 여러 동물 형상들은 의식에 접근하려는 무의식적 정신 활동을 반영하는 것으로 이해될 수 있다. 그것들은 인간, 의식에 낯선 형상이지만 어떤 식으로든 의식과 연결되고자 한다는 사실을 확인할 수 있었다. 다만 의식 혹은 자아가 무의식적 정신을 어떻게 받아들이느냐에 따라, 그것은 긍정적으로 되기도 하고 부정적이 되기도 하였다. 또한 대부분의 동물 형상들은 여성과 동일시 될 수 있는 것으로 드러났다. 집단의식을 이끌어 가는 존재를 주로 남성상으로 표현함으로써, 상대적으로 무의식적 정신은 대극적으로 여성적 특성을 갖는다. 동물 형상은 여성 요소와 마찬가지로 의식에 대극적으로 작용하여 의식의 태도에 보상적으로 작용한다. 많은 민담에서 남성 주인공은 이런 동물 형상의 여성 요소를 피하고 두려워하지만, 그것은 피하거나 두려워해야 할 대상만은 아니다. 때로는 남성 인물상들이 여성 요소를 서로 쟁취하기 위해 경쟁적 싸움을 벌이기도 한다. 의식적 정신은 어떤 식으로든 무의식적 정신과 연결되어야 계속적으로 생기와 활력이 넘치는 삶을 살아갈 수 있다.

무의식적 정신이 동물의 형상으로 등장하는 것은 그만큼 의식과 동떨어진 상태를 나타낸다. 민담에서 동물을 만나게 되는 것은, 원시인들의 경우 귀신이나 정령을 마주치는 것과 같은 것이다. 이것은 일종의 누미노제 체험에 해당한다. 일부의 동물들은 인간의 목숨을 노리는 위협적 존재로 나타나는데, 이것은 의식과 관계하기 어려운 무의식적 정신이 한층 더 자율적으로 활성화 된 것을 반영한 것이다. 의식과의 간격이 크면 클수록 무의식의 자발적 활동은 의식을 사로잡는 힘(Besessenheit, posession)으로 작용한다. 누미노제 체험은 인격의 붕괴 위기를 가져올 만큼 치명적인 것이다. 민담에서 주인공들은 의식의 삶에서 소외된 무의식적 정신과 남다른 친화력을 갖고 있었다. 주인공들이 보여준 무의식적 정신과의 관계는 '주의 깊게 고려하고 살펴보기'[115]의 종교적 태도에 해당한다. 이는 객관적으로 거리를 두면서도 무의식의 보상적 기능에 대해 알아차리고 반영하는 태도이다.

현대인의 경우 개별적으로 고도의 의식 분화 수준을 요구받고 있기 때문에 집단의식에 동화되면, 저절로 본능적 부분과 단절된다. 그래서 그 어느 때보다 개인의 꿈

---

115 C.G. Jung(1940), "Psychologie und Religion", G.W. Bd. 11, Par. 8.
　　이는 독일어로 "sorgfältige Berücksichtigung und Beobachtung"로 표현된다.

속에 동물들이 많이 등장한다. 때로는 설명하기 어려운 신체 증상이 되거나, 불안, 흥분 및 지나친 각성 상태 등을 야기할 수 있다. 말하자면 전체의 의식 수준을 조정하기 위해 의식을 사로잡은 상태라 할 수 있다. 이런 상태는 본능과 다시 연결될 기회이기도 하다. 그것을 받아들이는 것은 '뱀과의 키스'에 해당한다. 실로 꺼림칙하고 위험하지만 근본적인 치유가 일어나는 순간이 될 것이다.

제5장

·

동물 아내

≪우렁 각시≫

이 장에서는 동물 여성이 남성 주인공의 아내가 되는 내용의 민담을 다루어 보고자 한다. 남성 주인공은 동물 아내와 결혼함으로써 오히려 자신의 비천한 신분에서 벗어나게 되고, 마침내는 왕위에 오르게 된다. 그런가 하면 왕은 동물 아내를 쟁취하려다가 스스로 위험에 처한다. 앞선 장에서 이미 확인할 수 있었듯이, 동물 여성은 남성 인물상으로 묘사된 의식의 태도를 조정하고 새로운 의식 수준으로 이끄는 여성 요소가 된다. 이런 의미에서 동물 형상의 여성 요소가 갖는 의의와 가치에 대해 민담을 통해 더 구체적으로 살펴보자. 민담의 주인공이 남성이므로 자연히 남성 심리학적으로 해석을 시도하게 될 것이다. 인간 정신은 의식화를 지향하며 점진적으로 분화하는데, 자연히 남성적 특질이 두드러지게 된다. 이미 언급하였듯이 민담의 남성 주인공은 실제의 남성 자아를 대변할 수도 있지만, 또한 자아의식의 일반화 된 모습으로 간주될 수 있다. 이제 남성 의식과 대극적인 가치를 가진 여성 요소 및 아니마에 대해서 살펴보자.

여기서 소개하게 될 민담 ≪우렁 각시≫는 꽤 널리 알려진 민담이다. 이야기는 주로 논에서 우연히 주운 우렁이가 아름다운 처녀로 변하여 총각의 아내가 되었다는 내용으로 전해진다. 구체적으로 채록된 이야기를 살펴보면, 전국적으로 발견될 정도로 널리 알려져 있는데, 그럼에도 약간씩 다른 양상의 세부적 내용들이 발견된다.

민담 요약

유형 (1)[116]

옛날 어느 마을에 한 젊은이가 살고 있었다. 젊은이는 가난해서 장가도 못 가고 홀로 농사를 지으며 살고 있었다. 어느 날 밭에 나가서 일을 하면서 혼잣말로 "이 밭에서 곡식을 얻는다면 누구와 함께 살꼬?" 하고 중얼거렸다. 그런데 어디선지 "나와 함께 살죠." 하는 여자 목소리가 났다. 아무리 두리번거려도 사람 그림자라고는 없었다. 젊은이는 다시 한 번 "이 밭에서 곡식을 얻으면 누구와 함께 살꼬?" 하고 말해 보았다. 그러자 "나와 함께 살죠." 하는 여자 목소리가 들리긴 했지만, 역시 사람 그림자라곤 찾아볼 수 없었다. 그가 세 번째로 혼잣말을 하며 주위를 조심스럽게 살펴보다가 논바닥에 우렁이 하나를 발견하게 되었다. 젊은이는 그 우렁이를 가지고 집으로 돌아와 물독에 넣어 두었다. 다음 날 젊은이는 밭일을 하러 나갔다. 날이 저물어 그가 집으로 돌아와 보니 집안이 정리가 되어 있고, 흰 쌀밥에 진미의 반찬이 차려져 있었다. 다음날에도 똑같은 일이 일어났다. 어느 날 젊은이는 일하러 가는 척하고 숨어서 집안을 엿보았다. 그랬더니 물독 안에 든 우렁이가 밖으로 나오더니 예쁜 색시로 변하는 것이었다. 젊은이는 얼른 가서 그 색시를 붙잡았다. 색시는 아직 때가 되지 않았다고 하였지만, 젊은이는 놓아주지 않았다. 할 수 없이 색시는 젊은이의 아내가 되었다.

어느 날 임금이 그 마을에 사냥하러 왔다가 그 색시를 보고 아름다움에 홀려 남편을 불렀다. 임금은 남편에게 "나와 내기를 하자. 이 산의 나무를 먼저 전부 베는 것으로 내기하자. 만일 네가 이기면 나라의 반을 주겠다. 그러나 만일 내가 이기면 너의 아내를 차지하겠다."라고 하였다. 남편은 내기에 이길 수 없다고 생각하면서 집으로 돌아와 아내에게 이 사실을 알렸다. 우렁이 색시는 자신이 용왕의 딸이므로 아버지인 용왕이 도와줄 것이라고 하면서, 남편에게 반지를 주고 용왕을 찾아가라고 하였다. 아내가 시킨 대로 남편은 용왕을 찾아갔다. 용왕은 그를 맞이하여 융성하게 대접을 한 뒤, 표주박을 한 개 주었다. 표주박을 갖고 돌아온 남편은 임금과의 내기에 임했다. 임금은 많은 부하들을 시켜 산의 나무를 베기 시작하였다. 남편이 표주박 뚜껑을 열자, 거기서 수많은 난쟁이들이 손에 도끼를 들고 나와 재빨리 나무를 베고는 도로 표주박 속으로 들어갔다. 이렇게 해서 남편은 내기를 이겼다. 실망한 임금은 다른 내기를 제안하였다. 이번에는 말을 타고 강을 건너는 것이었다. 남편이 용궁에 가서 이번에는 말라깽이 말을 한 필 얻어 왔다. 임금은 자신의 백마를 타고 삽시간에 강을 건너려 하였다. 그러나 남편의 말라깽이 말은 공중을 날아 임금보다 먼저 강을 건너 목적지에 도착하였다. 임금은 화가 나서 다시 배를 타고 바다를 건너는 내기를 제안하였다. 남편은 용왕으로부터 작은 배 한 척을 얻어 왔다. 임금의 큰 배가 바다 한가운데로 나아갈 무렵, 갑자기 돌풍이 불기 시작하더니 임금의 배를 뒤집어 버렸다. 그러나 남편의 배는 무사히 항해를 하였다. 이를 본 부하들이 남편을 새 임금으로 모셨다. 임금이 빼앗으려 했던 색시는 새 임금의 왕비가 되었고, 그들은 행복하게 잘 살았다.

위의 요약은 ≪우렁 각시≫ 중에서 가장 구조적으로 잘 짜여져 있는 이야기에 해당한다. 일부 다른 유형의 ≪우렁 각시≫는 전혀 다른 전개부를 거쳐 결말에 도달한 것도 있다. 다른 유형의 예를 살펴보자.

---

116 최인학·엄용희 엮음(2003), 『옛날이야기꾸러미 2』, 173~175쪽.

유형 (2)[117]

서른이 되도록 장가를 가지 못한 청년이 들녘에서 일하다가 우연히 우렁이를 발견하고 집으로 가져왔다. 그 우렁이가 색시로 변하는 것을 보자 청년이 붙잡았고, 색시는 자신이 하늘에 살던 선녀인데 옥황상제에게 죄를 짓고 쫓겨나 인간 세계의 우렁이가 되었다고 밝혔다. 우렁이 색시와 결혼한 청년이 너무 좋아서 밖으로 일을 하러 나가지 않자, 색시는 대신 자신의 그림을 그려 주었다. 어느 날 청년이 그림을 나무에 걸어 놓고 일을 하고 있는데, 바람이 불어와 나무에 걸린 그림을 날려 버렸다. 공교롭게도 그 그림을 임금님이 발견하였다. 임금님은 색시를 찾아내어 부인으로 삼고 말았다. 색시는 임금님의 부인이 되었으나 결코 웃지 않았다. 한번은 색시가 임금님에게 거지 잔치를 열어 주면 좋겠다고 소원하였다. 임금은 부인을 웃게 하기 위하여 거지 잔치를 열었다. 거지 잔치에 색시의 남편이 쥐털 벙거지에 새털 날개로 겨우 몸을 가리고 들어오는 모습을 보자 그만 웃음을 터뜨렸다. 이를 본 임금이 부인을 즐겁게 하려고 거지에게서 쥐털 벙거지와 새털 날개를 빌려 입고 거지 춤을 추었다. 이를 지켜보며 웃던 색시가 사람들을 시켜 거지가 된 임금을 쫓아내고 대신 남편을 임금으로 내세워 행복하게 잘 살았다.

위의 유형은 전형적인 이야기 구조는 아니어도 나름 결말을 잘 갖추고 있다. 이야기의 시작에 우렁이가 등장하고 마지막에 왕의 교체로 마무리되는 것으로 보아, 이야기의 전개에서 여러 요소가 가미되어도 궁극적으로는 공통의 목적의미를 구하고 있음을 알 수 있다.

우렁이가 예쁜 여인이 되는 비슷한 유형의 이야기로는 중국의 《나중미부(螺中美婦)》, 『수신기(搜神記)』 제5권의 《백수 소녀》 등이 있다. 이웃 일본에도 비슷한 유형의 이야기가 있을 것으로 예상했으나 아직 비교할 수 있는 이야기를 발견하지는 못하였다.[118] 일부 학자들은 《우렁 각시》가 우리나라의 《군웅본풀이》와도 유사하다고 한다. 그 이야기를 간단히 참고해 보자.

왕장군이 용왕의 딸이 들어 있는 벼룻집을 가지고 왔다. 그 벼룻집에서 선녀 같은 미인이 나왔고, 함께 지내면서 의복과 음식을 제공하다가 아내가 되었다. 그렇게 하여 아들 삼 형제를 낳았는데, 그들이 왕건, 왕인, 왕사랑이었다. 용녀는 자신의 신분을 밝히고 용궁으로 돌아갔고, 왕장군과 그의 아들은 군웅이 되었다.[119]

민담 ≪우렁 각시≫에서 주목할 부분은 우렁이가 아름다운 색시가 되었는데, 이 색시를 임금이 차지하려 한다는 사실이다. 아름다운 우렁 각시는 용왕의 딸로서 남성 주인공의 아니마에 해당한다. 이야기에서 아니마 혹은 여성 요소가 어떤 역할을 하는지 잘 보여준다. 민담에서 남성 주인공이 우렁 각시를 만나, 임금과 경쟁적 위치에 이르고, 마침내는 임금이 되는 변환의 과정을 살펴볼 수 있을 것이다.

민담의 해석

(1) 젊은이가 홀로 밭일을 하면서 혼잣말로 곡식을 거두어들인다면 누구와 나누어야 할지 중얼거렸다.

민담의 주인공은 남성으로서 농사를 짓는 젊은이다. 농부는 대지 자연에 남다른 친화력이 있는 인물상이다. 농부는 자연이 갖고 있는 생산적 창조적 생명력을 활용하여 인간에 유용한 곡식을 거둔다. 그래서 자연의 생산적인 힘, 생명력을 인간의 목적에 부합하도록 끌어들일 수 있고, 자연 모성은 그런 농부를 통하여 자신의 생

---

117 이만기 엮음(1997), 『한국대표설화 하』, 308~310쪽 요약.

118 실제로 저자가 세미나를 위해 일본을 방문했을 때, 일본의 융학파 여성 정신분석가 2명에게 각각 위의 민담을 구연하면서, 비슷한 이야기가 일본에 있는지 물어보았으나, 없다는 대답을 들었다.

119 이만기 엮음(1997), 『한국대표설화 하』, 45~46쪽 요약.

산력을 발휘한다. 무엇보다 농사를 짓는 일은 대지의 생산력을 실현하는 작업이다. 이런 의미에서 농사를 짓는 인물의 경우 자연히 모성 본능과 전적으로 동화되어 있는 것이고, 작업의 내용으로 보아 무의식적 정신의 지배 하에 있다고 할 수 있다. 농사를 짓는 젊은이는 아직 집단무의식으로부터 분화하지 못한 개별 인격의 의식 수준을 나타낸다. 다른 유형의 민담에서는 총각이 홀어머니와 함께 사는 것으로 묘사되는데, 이런 면에서도 농사꾼 총각은 모성 영역에 머물러 있는 아들인 셈이다. 이야기는 농사꾼인 남성 주인공이 다른 요소를 접하면서 인격의 변화를 맞이하는 내용으로 전개된다.

민담의 시작에서 바야흐로 주인공은 곡식을 거두어들이면 누구와 나누어야 할지 묻는다. 남성 주인공은 이러한 자각이 있기까지, 거의 변화를 겪지 않고 오랫동안 무의식적 상태로 지내 왔던 것이다. 비록 대지 자연이 스스로 엄청난 생산력으로 결실을 맺을지라도, 남성 주인공이 자연의 총아로서 마냥 자연의 무한 반복적 순환 활동에 내맡겨져 있다면, 결국 개별 인간의 삶이 무의식성에 머물러 있는 상태가 지속될 뿐이다. 젊은이는 이제 자신의 상태를 인식하면서, 자신이 하고 있는 행위가 무엇을 목적으로 하는지 묻는 것이다. 여기서 스스로 자신에 대해 물음을 던지는 것 자체가 의식화를 시도하는 순간이 된다. 더욱이 자신이 누구와 함께 해야 하는지 중얼거리면서, 비로소 나 아닌 다른 존재 및 객관 세계에 대한 관심을 표명한다. 이는 자신 이외의 존재, 즉 외부 대상 세계를 인식하려는 것이다. 자신에 관한 질문이나 다른 존재, 대상들에 대한 관심은 모두 의식화를 위한 중요한 자발적 반응이다. 이로써 남성 주인공은 새로운 계기를 맞이하게 된다.

젊은이가 오랫동안 장가를 가지 못했다는 사실은 여성 요소가 함께 하지 않았음을 나타낸다. 그럼에도 남성 주인공은 대지 자연과 아주 친화적이기 때문에 상대적으로 여성 요소를 대극적으로 경험하지는 않을 것이다. 남성 인격은 자기 인식적 분화와 더불어 여성 요소를 대극적 혹은 객관적인 것으로 경험할 수 있다. 자아의식은 자신을 인식할 수 있는 수준만큼 대상 세계 및 객관 세계에 대한 관심과 인식이 생겨난다. 이런 의미에서 여성 요소의 부재는 동시에 대상 세계, 외부 세계, 객관 세계의 부재에 대한 표현이 될 수 있다.

젊은이는 농사가 잘 되면 누구와 나누어 먹을지 신세 한탄을 하였다. 그러자 어느 새 그에 상응하는 어떤 반응이 생겨났다. 오히려 답을 얻어 내기 위한 질문이 주어 진다고 하지 않던가?[120] 이런 모든 사실은 의식화를 위해 무엇인가가 움직이기 시작 한 현상을 나타낸다. 고립감을 느끼거나, 부족함을 인식하는 것도 의식의 자기 인식 적 태도의 일부이다. 어떤 경우든 질문은 무언가를 관계로 끌어들이는 원동력이 된 다. 이 민담에서 남성 주인공에 반응한 존재는 논바닥에 있는 우렁이의 형태로 드러 났다. 이 우렁이는 내면 세계의 반응일 수 있고, 또한 외부 세계의 반응일 수도 있 다. 그것은 겨우 목소리로만 존재를 드러냈듯이, 아직 의식이 막연하게 알아차릴 정 도일 뿐, 형상화에는 제대로 성공하지 못한 것이다.

이제 젊은이는 스스로 무엇인가를 요구할 수 있는, 무엇인가를 욕망하는 주체가 된다. 바야흐로 남성 인격이 주체로서 무엇인가 능동적으로 활동을 시작하는 것이 다. 이처럼 인간의 자기 생산적 활동, 즉 자연의 산물을 생산하는 노동은 마냥 무의 식적 활동만은 아닌 것이다. 자연의 생산력 역시 무의식적 반복적 순환 활동만은 아 니다. 그것은 어느 때가 되면, 인간의 의식을 변화하게 만드는 정신 활동이 된다. 말 하자면 인간의 무의식적 정신 활동은 어느 순간 의식을 일깨우고, 직접 간접으로 영 향을 주어 개별 인격으로 분화될 수 있게 계기를 마련한다. 젊은이는 자신이 거두 어들일 곡식을 누구와 나누어 먹을 것인지 단순히 신세 타령만을 한 것은 아니다. 자신의 소유를 나누고자 하는 것은 새로운 관계를 끌어들이는 것이고, 주체로서 활 동을 하려는 것이다.

(2) 젊은이는 '나와 함께 살죠' 라는 소리를 듣고, 주변을 살펴보니 논바닥에 우렁이

---

[120] 실제로 우리는 스스로에게 말을 걸 수 있다. 위의 장면은 자기가 자기에게 하는 말이다. 혼자 하는 말이지만 그 것을 듣는 것은 무의식이다. 혼자 조용히 말을 해 보라. 저절로 대답을 하는 자신을 발견하게 된다. 여기서 저절 로 반응하는 존재를 반드시 외부의 어떤 존재로 이해할 필요는 없다. 우리는 정신 구조상 여러 콤플렉스들로 이 루어져 있는 다중인격적 상태이다.

하나가 있어 그것을 집으로 가져와 물독에 넣어 두었다.

젊은이의 중얼거림에 대답한 것은 여성의 목소리였다. 논바닥에서 응답을 한 여성의 목소리는 마치 내면적으로 귀를 기울여서 듣게 된 음성(Stimme)과 같다. 논바닥에 살고 있는 우렁이의 반응은 아직 남성 인격이 의식적으로 제대로 인식할 수 없고 겨우 어떤 미미한 조짐 정도로 감지된 것을 의미한다. 젊은이는 그 단서를 소홀히 여기지 않았다. 젊은이는 우렁이를 주워서 집으로 옮겨 놓았다. 이것은 무엇인가 감지된 것들에 주의를 기울이고, 관심을 지속적으로 두는 것에 해당한다. 이러한 태도에 의해 전체 상황은 새로운 국면을 맞이한다. 젊은이의 이러한 태도는 남다른 수용적 감수성에 의한 것으로 보아야 한다. 이런 수용력은 모성적 본능에 친화력이 있는 남성 주인공의 특성이 될 수 있다. 다르게 표현하면, 모성적 수용력의 매개로 남성 의식은 새로운 정신의 측면을 경험하기에 이른 것이다. 이 수용력의 도움으로 사소한 정신적 단서에 대해서도 소홀히 하지 않고 의식에 반영할 수 있다.

논바닥에 있던 우렁이를 집으로 가져와 물독에 넣어 두는 것은 남성 주인공이 경험되는 정신의 활성화를 돕는 행위를 하는 것이다. 우렁이가 살고 있던 논바닥은 자연 그대로의 공간이므로, 남성 의식과 개별적 관계로 맺어질 수 없었다. 우렁이를 집이라는 개별적 공간으로 가져옴으로써, 무의식적인 것이 의식에 접근하여 보다 구체화 될 수 있다. 이것은 우연히 떠오른 생각을 그냥 넘기지 않고 주의를 기울여, 의식적 내용이 되도록 지속적으로 살피는 것과 같다. 이러한 의식의 적극적 참여의 태도는 무의식적 정신이 보다 더 자신의 의도를 전달할 수 있도록 형상화를 가능하게 한다.

여기서 우렁이에 대하여 확충을 해 보자. 우렁이는 달팽이, 소라, 고둥, 조개 등과 함께 단단한 껍질 속에 부드러운 몸체를 감추고 있는 생명체에 대한 상징성을 고려할 수 있다. 중국에서도 '우렁 각시'는 '나중미녀(螺中美女)'로 표현되며, 이때 우렁이를 소라나 고둥을 뜻하는 포괄적 한자 螺(라 혹은 나)로 사용하고 있다. 예부터 중국에서는 아름다운 여인을 '동해 여인'이라 부르는데, 이 여인은 홍합과 같은 조개에 해당한다. 이처럼 '나중미녀' 혹은 '동해 여인'의 표현처럼 소라나 조개에서 아름다운 여인이 등장한다는 것이다. 이것은 또한 서양의 비너스의 탄생과 비교할 수 있다. 우렁이는 조개류라는 형상적 측면뿐 아니라, 물속의 생명체라는 점에도 공통점이 있다. 성모 마리아의 형상이 푸른 천공의 망토를 두른 모습으로 묘사되기도 하지만, '마리아'라는 단어 자체가 라틴어 mare(바다)에서 비롯된 것이다. 물은 신비의 여성성, 모성성 그 자체이다. 커다란 조개가 반으로 갈라지고, 그 안에서 아름다운 여신이 출현한다는 묘사에서, 반으로 갈라지는 조개는 알(卵)의 잘린 형태와 유사하다. 이 민담에서는 조개가 아니라 우렁이인데, 우렁이, 소라, 고둥, 조개 모두 딱딱한 껍질로 감싸여 있고, 구멍 또는 주머니 같은 모양의 공간을 사용하여 서식하는 연체 동물의 일종이다. 이러한 공간적 특성은 흔히 여성의 성 기관으로 비유되듯이 자궁을 의미한다. 그 속에 살고 있는 생명체는 자궁의 실체, 자궁의 의인화 된 형상이다. 혹은 형상적으로 구체화 되지 않은, 그래서 어둠 속에 머물러 있는 여성 요소를 나타낸다. 이런 의미에서 우렁이는 원초적 자궁의 원리, 즉 음(陰)의 원리를 나타내며, 여성 요소, 여성의 신비 및 비밀을 상징적으로 표현한다.

　그리고 물에 사는 우렁이, 소라, 고둥, 조개 등의 형상은 달의 특성은 물론이고 천둥, 번개, 비와 같은 자연의 힘을 반영한다. 특히 한자 螺(라)는 모든 중국 황제의 부인에게 자주 쓰이던 표현이라고 한다. 중국 황제의 부인들은 누조(累祖) 혹은 뇌모(雷母)라는 이름으로 불렸는데, 이는 중국의 고대 모성신 여와(女媧)와도 연결된다. 여와의 와(媧)는 라(螺)와 음이 유사하여 고대에 서로 통용되었으므로, 여라(女螺)는 곧 여와(女媧)와 동일한 것이다. 또한 달팽이와 우렁이는 맹(黽)과 음이 통하기 때문에, 개구리나 두꺼비를 지칭하는 것이기도 하다.[121] 잘 알려져 있듯이 중국 신화 ≪여와-복희≫에서의 여와는, 달에 사는 두꺼비와 관련된다. 중국 신화에서, 여와와 복희는 남녀 쌍의 형상인데, 상체는 사람이지만 하체는 뱀의 형상인 존재로 알려져 있다.[122]

121　하신 지음(1993), 『신(神)의 기원(起源)』, 76~79쪽을 참고하라.

122　이는 제Ⅷ장에서 다루게 될 중국 신화 ≪여와-복희≫에서 참고할 수 있으며, 그 형상은 다음 장의 끝 부분에서 살펴볼 수 있다.

여와의 하체 형상이 뱀으로 그려지는 것은 우렁이 형상의 다른 표현에 해당한다.

결국 동양이나 서양 모두 바다 속의 조개와 같은 생명체에서 아름다운 여성 존재의 탄생이 있거나, 혹은 그 생명체의 실체가 여성 신성이라는 공통적인 묘사를 하고 있다. 조개와 같은 생명체에서 비롯되는 아름다운 여성의 등장은 무의식적 상태에서 드디어 의식에 알려지도록 형상화가 된 현상 자체를 나타낸다. 아름다운 여인, 비너스 등은 모두 마침내 드러나게 된 형상들, 즉 가시적 현상 전체, 세계혼(anima mundi)의 감각적 현현에 대한 총체적 사실을 의미한다. 특히 미녀, 비너스처럼 가장 아름다운 여성으로 묘사되는 것은 가시적 세계, 현상 세계 전체에 드러나야 하기 때문이다. 생명력의 형상적 가시화야말로 의식화에 합목적적 의미를 갖는다. 여성-모성 신성은 의식의 현상계를 지지하는 심적 사실이자 기초이다.

이상에서 보듯이 젊은이가 논두렁에서 발견한 우렁이는 겉보기에는 미미한 것 같지만, 그 자체 엄청난 의미를 감추고 있다. 우렁이는 바로 여성 요소의 실체를 담지하고 있는 상징이다. 무엇보다 젊은이에게 반응을 보인 우렁이의 형상은 여성 요소의 고태적 상징이므로, 근원적이며 기초가 되는 하부의 무의식의 층에서 보상적으로 작용한다. 우선적으로 우렁이는 기존의 의식의 태도를 환기하게 만드는 무의식적 정신을 총칭하는 것이다. 하지만 이것은 아직 의식이 알아차릴 수 없는 상태, 미처 의식과 관계가 제대로 이루어지지 않았으나 관계를 위해 배열(Konstellation)된 상태를 나타낸다.

(3) 청년이 낮에 일을 하러 나가자, 우렁이는 아름다운 색시로 변하여 집안을 돌보았다. 청년은 일하러 나가는 척하면서 되돌아와 우렁이 색시를 붙잡았고, 아내가 되어 달라고 청하였다.

여기서 아름다움에 관하여 조금 더 살펴보도록 하자. 민담에서 대부분 여성 주인공들은 최고의 아름다움을 지닌 모습으로 묘사하고 있다. 아름다움은 여성성을 특징지을 때 반드시 거론된다. 이야기에서 여성 주인공의 아름다움을 강조하는 이유가 무엇인가? 왜 여성은 아름다워야 하는가? 왕과 왕비의 쌍에서도 왕비는 암묵적으로 최고의 아름다움을 갖춘 것으로 간주된다. 기본적으로 민담에서 공주, 여왕, 여성 주인공을 '아름답다'고 묘사하는 것은, 모두 여성 요소의 존재가 드러나는 방식에 관한 것이다. 또한 이는 기본적으로 여성 요소의 보편적 가치를 나타내는 표현이다. 말하자면 그것은 다수의 대표가 되거나, 전형이 되는 것을 의미한다.

실제로 '아름답다'는 사실은 무엇을 의미하는가? '아름답다'고 하는 것은 어떤 존재, 대상, 물건 등이 형상적으로 우리로 하여금 만족감을 느끼게 하거나, 목적에 부합하다고 판단하게 되면 쓰는 표현이다. 이를 '가치판단(취미판단, Geschmacksurteil)'이라고 부른다.[123] 여러 장미 중에 유독 어떤 장미에게 '아름답다'고 하거나, 모든 여성이 아니라, 어떤 특정의 여성을 보고 '아름답다'는 찬사를 던진다. 우리의 내면에는 이미 형상에 대한 규준을 갖고 있어서, 그에 상응하는 실제의 대상과 마주치게 되면 '마음에 든다' 혹은 '아름답다'고 느끼는 것이다. 그래서 어떤 대상을 보고 '아름답다'고 한다면, 모두 인간성에 부합한다는 판정을 자신도 모르게 내린 것이고, 그 대상이 보편적 가치를 갖는다고 간주한 것이다. 우리 모두는 의식적으로 판단하는 것이 아니라, 이미 심성에 내재한 규준에 따라서 그렇게 판단하게 된다. 이것은 주체에 합목적적(zweckmässig, 合目的的)이라고 여겨지는 것인데, 내용적으로는 대상들의 형상(혹은 형식, Form)에 대한 판단이 되고, 심정적으로는 쾌(Lust, pleasure)로서 경험된다. 다르게 설명하면, 인간은 이미 주변의 대상, 물건 등에 대해 어떠한 형상을 기대하고 원하는지를 선험적(apriori)으로 알고 있어서 그에 상응하는 형상을 실제로 발견하면 만족스러워 하고, 그 심정을 표명하는 것이다. 이는 내면에서 비롯되는 것이라 전적으로 객관적일 수 없고, 어쩔 수 없이 주관적 가치판단과 혼재한다. 결국 '아름답다'는 표현은 외부의 대상들에 대한 주관적이자 개별적 판단이지만, 다른 사람들도 그럴 것이라는 공통감(common sensus)에 기초하는 판단이다. 그래서 '아름답다'고 하는 것은 보편적 가치를 갖고 있는 것처럼 여겨져 가까이 하거나 소유하도록 만드

---

123 이는 '심미적 판단'이라고 할 수 있으며, 철학에서는 '취미판단'이라고 부른다.

는 선망의 대상이 된다.[124]

고대 희랍에서는 진(眞)·선(善)·미(美)를 절대 이념으로 간주하였다. 진은 인식의 최고 이념인 진리로서, 선은 행위의 최고 이념으로서, 미는 형상의 최고 이념으로서 추구되었다. 진·선·미의 세 이념은 서로 통할 수 있다. 절대의 진리나 행위는 아름다울 수밖에 없으며, '아름답다'고 칭송하는 것은 진리로서 혹은 선의 특징이 되는 것이다. 말하자면 선한 사람이 어찌 추할 수 있겠는가? 혹은 진리가 어떻게 선하지 않을 수 있겠는가? 등등 아름다운 것은 신성(Gottheit, 神性)의 특징이므로, 저절로 인간은 그것을 추구할 수밖에 없는 것이다. 이것은 인간성 속에 선험적으로 주어져 있고, 보편적 이념으로 작용하므로, 아름다움은 그 자체 신성에 해당한다. 심리학적으로 그러한 절대 이념은 모두 '집단무의식'의 '원형'과 관계한다.

무엇보다 여성 요소 및 원리를 '아름다움'과 연결시키는 데에는, 이유가 있다. 왕과 왕비가 나란히 등장하듯이, 인식 판단에는 언제나 가치 판단이 함께 한다. 가치 판단은 감정과 관계하는데, 이 감정이 여성 요소인 것이다. 이에 대해 철학에서는 인식론과 더불어 논의되는 감성론으로 설명한다.[125] 사물 혹은 대상을 인식하려면 우선 그에 대한 개념이 먼저 주어져야 한다. 예를 들어 의자가 하나 놓여 있다면, '이것은 의자다'라고 인식을 할 때, '의자'라는 개념에 의해서 대상이 의자임을 확인하는 것이다. 그런데 우리는 '의자'라는 대상에 인식 판단만 하는 것이 아니다. 그에 대한 가치 평가를 함께 하게 된다. '이것이 의자다'라는 인식과 동시에, 그것이 인식하는 주체의 마음에 드는지 혹은 목적에 부합하는지 형태(형식)의 판단을 저절로 하게 된다. 이처럼 우리는 마주치는 대상에 주체의 심정적 반응을 저절로 보탠다. 여기서 개념적 규정이 남성 요소에 해당한다면, 그것의 형식, 즉 형상에 대한 평가는 여성 요소에 해당한다. 말하자면 개념에 관한 인식판단은 오성(Verstand, 悟性)의 활동이라서, 주로 남성적인 것으로, 이에 반해 심정적인 반응의 가치판단은 여성적인 것으로 알려진다. 이를 각기 지성의 원리와 감성의 원리라고 할 수 있다. 모든 삶의 현장에서 이 두 요소는 같이 적용된다. 이는 민담에서 왕과 왕비가 언제나 함께 하는 것과 같은 맥락에 있다. 만약 오성의 인식판단만 주도한다면 정서적 반응은 억압되고, 감정을 느낄 수 없는 상태가 되므로, 전체 삶의 분위기는 무미건조한 합리적 세계관이 지배한다. 이로써 의식의 삶은 편파적으로 흘러가고 시간이 지날수록 생동감을 잃는 상태가 된다. 이를 여성 요소의 부재로서 설명할 수 있다.

우리는 저절로 마음에 드는 것, 아름다운 것을 추구하고 있다. 그것은 실제로 삶의 질을 좌우하기 때문이다. 눈앞에 놓여 있는 대상이 개인에게 맞지 않는다면 무슨 소용이 있겠는가? 나아가서 인간성에 부합하지 않는다면 아무런 의미가 없는 것이다. 물건을 고르는 것뿐 아니라, 다른 사람과 관계를 맺을 때 고려하게 되는 것도 가치판단인 것이다. 이러한 가치판단은 인간을 둘러싸고 있는 대상들, 객관 세계 등과의 실제적 관계에서 일어나는 것이므로, 삶의 현장이자 하나의 세계관을 형성하는 매우 중요한 요소이다. 아름다운 것의 추구는 심지어 인간의 보편적인 이념을 환기시킨다. 또한 이러한 여성 원리는 주도하는 의식, 집단의식이 미처 인식하지 못하고 있는 측면을 보완하며, 소외되거나, 배경으로 물러나 버린 영역까지 연결하는 역할을 한다. 이것은 상대적으로 감성, 감정, 정서 등을 담보하고 있어서, 합리적 세계관에서 수용할 수 없는 것들을 끌어들여 함께 하도록 만든다.

우렁이에서 아름다운 색시로 변한 것은, 여성적 요소가 반드시 남성 인물상 및 의식과 연결될 필요가 있음을 나타낸다. 여기서 우렁이에서 아름다운 여인으로 변한 우렁 각시는 남성 심리학적으로는 아니마에 해당한다. 젊은이는 우렁이가 아름다운 여인이 되자 아내로 삼으려 하였다. 그러자 우렁이 여인은 아직 때가 되지 않았다고 하였다. 아직 때가 되지 않았다고 한 것은, 아니마와 젊은이가 아직 서로 관계를 맺을 정도의 수준에 이르지 못했음을 의미한다. 아니마인 우렁 각시가 인간의 의식 수준으로 접근해야 하거나, 혹은 남성 주인공의 의식의 분화가 더 이루어져야 할 것이다. 말하자면 우렁이를 인간이 되게 하는 데 주인공 젊은이는 아직 어떤 대가를 치르지 않은 것이다. 많은 민담에서 주인공은 동물 배우자를 인간으로 변화시

---

124 이런 설명들은 모두 I. 칸트의 『순수 이성 비판(Kritik der reinen Vernunft)』 및 제3 비판서인 『판단력 비판(Kritik der Urteilskraft)』에 기초한 것이다.

125 I. 칸트의 『순수 이성 비판』과 『판단력 비판』을 참고하라.

키기 위하여 여러 가지 어려운 과정을 겪어 내어야 한다. 우렁이가 스스로 인간으로 변하여 색시가 된 것은, 일종의 선취에 해당한다.[126] 이는 젊은이가 무엇을 해야 할지 방향감을 갖게 한다. 젊은이는 때가 되지 않았지만, 우렁이 여인을 아내로 맞이하려고 했다. 우렁 각시와의 결혼도 선취에 해당한다. 궁극적으로 아니마로서 우렁 각시는 내면의 관계에서 실현될 것이지만, 우선은 젊은이의 관점을 환기시키는 역할을 한다. 젊은이는 비로소 자신이 무엇을 구하고 있었던 것인지 알게 된다. 젊은이가 우렁 각시와 관계를 맺으려 하듯이, 태도 변화를 통하여 대상 세계와 접촉을 시도해야 할 것이다.

여기서 우렁 각시의 역할을 미리 엿볼 수 있다. 우렁 각시는 아니마로서 우선 개별 인격의 의식의 수준을 끌어올리도록 돕는다. 민담에서 젊은이는 밭에서 일하는 농부인데 본능적 수준에서 벗어나지 못한 상태였다. 젊은이는 아니마와 연결되면서 미지의 세계와 접촉하게 된다. 아니마는 남성 주인공에게 소위 새로운 경험을 하도록 전망을 열어준다. 이런 의미에서 아니마는 남성 인물로 하여금 하나의 세계상을 제공하는 심혼적 요인임을 알 수 있다. 남성 주인공은 아니마가 제시하는 세계에서 비로소 자신의 참된 모습을 발견하게 된다. 바로 그 세계에서 자신의 모습을 구체화하기에 이른다. 젊은이가 우렁 각시와 결혼하자, 임금이 나타나서 우렁 각시를 아내로 삼고자 하는 일이 일어났다. 마치 우렁 각시가 외부 세계를 끌어들인 것과 같은 상황이 된 것이다. 우선적으로 우렁 각시는 남성 주인공으로 하여금 인간 집단의 사회 문화적 가치를 맛볼 수 있도록 대상 세계를 매개하는 역할을 한다.

(4) 임금도 우렁 각시를 아내로 삼기 위해 젊은이에게 내기를 제안하였다. 색시는 용왕의 딸임을 밝히고, 젊은이에게 필요한 것을 용궁에서 구해올 수 있게 돕는다.

임금은 인간 집단뿐 아니라, 자신이 지배하는 영역의 동식물 전체의 안녕과 번영에 관계하는 마술적 근원이다. 임금의 외형, 즉 왕관, 왕홀, 의상, 지팡이 등은 그의 권능과 영향력의 징표가 된다.[127] 임금은 실질적으로 전체성, 총체성의 이념을 표상하는 자기(Selbst) 원형이 형상화 된 것이다. 임금은 자기의 상징으로서 삶의 현장에서 집단의 삶을 좌우하는 지배원리로 기능한다. 개인적으로는 의식의 태도 전체를 보증하는 원리가 된다.

이 민담에서 임금은 배우자가 없다. 민담의 결말에서 언제나 '왕과 왕비가 결혼하여 행복하게 잘 살았다'고 하듯이, 한 집단의 삶을 이끌어 가는 지배원리는 왕과 왕비, 즉 남성 원리와 여성 원리의 쌍으로 이루어져야 한다. 임금에게 여성 배우자의 부재는 의식의 삶을 이끌어 가는 지배원리가 일방적으로 작용하고 있음을 나타낸다. 여인으로 변환한 우렁 각시가 임금의 배우자가 된다면, 임금은 의식의 삶을 전체적으로 보증하는 지배원리로서 쇄신될 수 있다. 아름다움을 갖추고 있는 우렁 각시는 여성 요소가 보편적 가치로 실현될 가능성을 품고 있기 때문이다. 보편적 가치를 지닌 여성 요소이기 때문에 임금과 짝을 이루는 여성 원리가 된다면 임금은 집단에 지속적인 영향력을 미칠 수 있다.

여기서 다시 한 번 우렁 각시가 남성의 아니마로서 기능하는 특성을 살펴볼 필요가 있겠다. 우렁 각시는 농사꾼 젊은이에게 삶의 새로운 측면에 눈뜨게 하였다. 들판에서만 일하던 순진한 젊은이로 하여금, 의식의 삶에 대한 지평을 새롭게 열도록 이끈 것이다. 아니마는 남성 인물상으로 하여금 주변의 여러 대상들에 대한 관심을 환기시키고, 정신 활동을 고무한다. 그는 이전까지와는 달리 적극적 능동적 정신 활동을 펼쳐 보다 더 다양한 경험을 하면서 새로운 수준의 의식성을 획득하게 된다. 결국 우렁 각시는 농사꾼으로 하여금 임금과 대적할 수 있는 상대가 되도록 만든다. 이로써 젊은이는 사회 문화적 가치에 접촉할 수 있는 계기를 맞는다. 임금의 입장에서 본다면 젊은이는 자신이 통치하는 집단의 지배원리 하에 그대로 둘 수 없는 인물이다. 젊은이는 임금과는 서로 다른 삶의 원리에 기초한 인물이기 때문이다. 이제 젊은이는 임금의 권위에 도전하는, 새로운 남성 인물상으로 드러난다.

---

126 이미 여러 번 살펴보았듯이 선취(Vornehmen)는 미리 가능적인 것들을 제시하여 의식으로 하여금 무의식의 방향성에 동참하도록 유도하는 무의식의 예시적 태도에 기인한다.

127 C.G. Jung(1968), *Mysterium Coniunctionis*, G.W. Bd. 14/II, <IV. Rex und Regina>를 참고하라.

이상의 내용을 집단에 관한 것이 아니라 개인에 적용한다면, 지금까지 의식의 삶을 지배하던 원리나 원칙이 더 이상 유효하지 않게 된 것과 같다. 동시에 새로운 의식의 입장을 취할 수 있게 무엇인가 변화가 시작된 것이다. 그것은 처음에는 심정적인 변화였으나, 차츰 의식 전체의 변화로 드러나게 된 것이다. 우렁 각시는 아니마로서 서로 관계를 맺게 하는 에로스(eros) 원칙을 발휘한다. 한편으로는 젊은이를 임금이 지배하는 집단 사회 및 집단의식의 세계로 이끌었다. 또 다른 한편으로는 우렁 각시의 실체가 용왕의 딸이듯이, 용왕의 세계와도 연결되게 하였다. 이런 의미에서 우렁 각시와의 만남은 내면 세계와의 연결을 의미하는 내향화의 측면이 될 수도 있다. 이것은 개인적으로 더 이상 의미 없어진 일상의 삶을 새롭게 개선할 수 있는 심적 전환을 의미할 수 있다. 예를 들면 외부 세계에 지나치게 순응적으로 적응하며 성취감을 누렸으나, 시간이 지나면서 결코 개인의 인격적 발전과는 상관없는 역할 위주의 성장이었음을 인식하게 된 순간에 해당한다. 이제는 아니마와의 관계로 인하여 오히려 외부 세계의 경험과 내면 세계의 경험을 구분할 수 있는 기회를 갖게 된 것이다.

그러면 우렁 각시가 용왕의 딸이라는 의미는 무엇인가? 동양에서는 아득히 먼 피안의 세계나, 이상향을 반영한 세계가 어디엔가 공간적으로 있다고 믿는데, 그것은 주로 바다 속 용궁으로 표현되었다. 용궁과 용왕이라는 표현은 모두 용(龍)을 표상하도록 유도한다. 용은 리비도의 활동성을 가장 강력하게 묘사하는 전형적인 형상이므로, 피안의 세계는 심리학적으로 심혼적 세계, 무의식적 정신 영역에 상응하는 것이리라. 용궁에는 바다와 같은 미지의 세계를 지배하는 용왕이 모든 것을 제공할 수 있는 전능한 능력을 갖추고 있다. 일반적으로 이야기의 바다 속 용왕의 세계는 현실을 초월한 이상향의 내용으로 이해될 수 있겠으나, 심리학적으로 보면 인간 정신의 기초 영역인 '집단무의식'에 해당한다. 임금이 집단의식의 대표 주자로서 의식의 삶을 지배하고 있다면, 용왕은 '집단무의식'의 대표 주자(자기)로서 집단의식에 대한 보상적인 내용을 제공한다. 우렁 각시가 용왕의 딸로 드러나자 농사꾼 젊은이는 용왕이 소유한 자원을 사용할 수 있는 자격이 생겼다. 이제 그는 용왕이 내세운 새로운 남성 인물로 부각된다. 그래서 내기는 용궁의 용왕과 임금과의 대결이면서, 동시에 임금과 농사꾼 젊은이의 대결이 된다. 우렁 각시는 용왕의 딸로서 용왕의 세계로 농사꾼 젊은이를 인도하여, 용왕이 제공하는 자원을 활용하게 만들면서 '집단무의식'과 관계를 유도한다. 이런 의미에서 우렁 각시를 아내로 맞이한다면 임금도 '집단무의식'과 소통적 관계를 맺을 수 있을 것이다. 그러나 임금은 오히려 자신의 권위의 확장 등 외부 세계에 대한 적응력을 강화하기 위해 아니마(우렁 각시)를 소유하려 한다.

이상의 사실을 심리학적으로 좀 더 풀어 보자. 우렁 각시를 차지하기 위하여 젊은이에게 내기를 건 임금은 사실상 본능과 단절된, 소위 뿌리를 잃어버린 '늙은 왕'에 해당한다. 자신의 힘을 과시하면서, 젊은이를 이기려 하겠지만, 그는 이미 상징적 효력을 상실한 '늙은 왕'인 것이다. 이는 각 개인에게 언제든 일어날 수 있는 상황이다. 특정의 시기 동안 왕성하게 생동감과 의욕에 넘치도록 활동하고, 그에 상응하는 성장의 의미를 갖는 듯 했으나, 어느 시기가 지나자 다시 모든 것이 무의미하고 삭막하게 변해 버린 것과 같다. 계속적으로 의식적 정신이 성장 및 발전을 하기 위해서는 반드시 무의식의 지지가 있어야 한다. 용왕의 지지를 받는 젊은이와 같이 다른 것을 수용하고 통합할 수 있어야 하는 것이다. 임금은 늘 해 왔던 방식을 고수하면서, 힘을 과시하며 젊은이를 제거하려 하였다. 마치 영향력을 상실한 의식의 태도가 그 동안 성취해 온 것들을 유지하려고 여러 방면으로 방어하면서 애쓰는 것과 같다. 하지만 스스로도 '이제는 예전처럼 되지 않는다(…)'고 되뇌이게 되는 것이다.

(5) 임금과 남편은 세 가지 내기로 힘을 겨루었다. 첫 번째 내기는 산의 나무를 베어 쓰러뜨리는 것, 두 번째 내기는 말을 타고 강을 건너는 것, 세 번째 내기는 배를 타고 바다를 건너는 것이었다. 내기에 이긴 젊은이가 마침내 임금이 되었다.

여러 민담에서 주인공에게 세 가지의 과제를 주거나, 세 번의 기회를 주는 등 숫자 3이 강조된다. 여기서도 임금은 젊은이에게 세 가지의 내기를 제안하였다. 임금의 입장은 주로 자신의 능력을 과시하여, 상대적으로 젊은이가 우렁 각시를 차지할 자격이 없음을 확인시키려는 것이다. 그러나 내기를 진행하면 할수록 주인공 젊은이가 점차 발전된 모습을 갖추어 간다. 내기가 끝날 즈음에 농사꾼 젊은이는 어느새 임금과 같은 수준의 인격으로 변모한다. 그리고 마침내는 젊은이가 임금을 능가하게 된다. 말하자면 세 과제는 오히려 농사꾼 젊은이를 점진적으로 성장시키는 기회가 된다.

그러면 임금과 농사꾼 주인공이 힘을 겨룬 내기의 내용은 무엇인가? 첫 번째 내기는 산의 나무 베기였다. 산에 자라는 나무는 인간에게 매우 유용한 자원이다. 나무들이 울창한 숲을 이루고 있으면, 그 곳은 태곳적 원시림처럼 인간의 발길이 닿기 어렵다. 말하자면 울창한 나무숲은 자연 모성의 소유지로서 인간에 의해 개발되어야 한다. 그래서 집단의 삶을 지배하는 인물들은 숲을 지키고 있는 괴물과 싸우는 영웅이 되어야 했다.[128] 첫 내기는 주인공이 울창한 산의 나무들을 쓰러뜨릴 능력이 있어야 함을 주지시키는 것이다. 산에 있는 나무들을 쓰러뜨리는 것은 본성적 영역을 인간의 영역으로 통합하는 것이고, 쓰러진 나무들을 이용하게 된다면 자연 본성의 힘을 인간의 삶에 유익한 자원으로 활용할 수 있게 되는 것이다. 이는 의식의 삶을 주도하는 대표 주자가 당연히 해야 할 일이다. 임금은 자신이 늘 해 왔던 방식으로 이를 해결하려 하였다. 임금은 본능적 저력을 끌어내기보다는 자신의 힘과 영향력을 동원하여 과시하듯이 처리한다. 이에 반하여 남성 주인공은 바다 속 용왕이 보낸 난쟁이들의 힘을 끌어들인다. 난쟁이들은 원래 숲에서 살고 있는 요정이나 정령과 같은 존재들이다. 말하자면 자연 모성 및 본성의 생산적 활동의 측면이 의인화된 모습에 해당한다. 이들을 주인공 젊은이가 동원한다는 것은 활성화 된 본능적 저력을 의식의 목적에 맞게 사용할 수 있음을 나타낸다. 이를 다르게 표현하면, 의식의 삶에 본능의 힘을 끌어들이는 것인데, 인간과 자연, 의식과 본능의 소통적 관계로서 살아갈 수 있게 되는 것을 의미한다. 과제를 성공적으로 완수한 남성 의식은 본능적 힘에 대한 신뢰와 지지를 확보하게 된다. 혹은 자신의 본능적 저력을 제대로 활용할 수 있는 남성 인격의 입장을 갖게 된다.

두 번째 내기는 말을 타고 강을 건너는 능력을 겨루는 것이다. 남성 주인공은 용왕에게서 겉보기에 매우 힘없고 초라한 말을 얻었지만, 그 말은 임금의 천리마를 능가하였다. 말을 다룰 수 있는 능력 자체는 본능적 힘과의 친화력뿐 아니라, 또한 본능적인 힘을 남성 의식의 의도와 목적에 맞게 조절하면서 다룰 수 있음을 나타낸다. 그래서 영웅들은 언제나 말을 활용할 수 있는 능력을 갖추어야 했다. 강을 건너야 하는 내용은 주인공이 기존의 의식의 수준을 넘어 더 상위의 수준으로 이행이 가능한가를 보여주는 것이다. 강을 건너기 위해 말을 이용한다는 것은 정신 수준의 이행에 있어서 반드시 본능적 힘이 활용되어야 함을 나타낸다. 남성 주인공은 어려움 없이 강을 건넜으므로, 새로운 집단의식으로의 이행이 가능해진다. 임금은 이미 소유하고 있던 천리마의 힘으로 자신 있게 시도했으나 실패하고 말았다. 기존의 어떤 훌륭한 능력이나 방법도 더 이상 유효하지 않은 것이다. 보다 상위의 의식 수준을 위한 도약은 기존의 방식으로는 불가능하다는 것이 증명되었다. 그러한 도약은 의식의 지배적인 원리인 임금의 의도적 노력이 아니라, '집단무의식'의 응원과 지지에 의해서 이루어져야 한다는 것을 보여준다.

세 번째 내기는 배를 타고 바다를 건너는 것이다. 이미 두 번째 내기에서 주인공은 새로운 의식의 수준으로 이행 가능한 인물임을 시사하였다. 고대 이집트인들이 바다 위의 항해를 해를 싣고 가는 영웅의 여정으로 간주했듯이, 바다에서의 항해는 남성 인격이 주도권을 갖고 실제적 주체로서 삶의 전체 여정을 헤쳐 나가는 작업을 나타낸다. 농사꾼 청년은 용왕의 지지를 받아 순탄하게 항해를 할 수 있었다. 이는 '집단무의식'과 소통을 하면서 의식의 삶을 실질적으로 이끌 수 있음을 나타낸다. 이에 반하여 임금은 더 이상 '집단무의식'의 지지를 받지 못하는 상태를 보여주었다. 마지막 과제의 성공적 수행은 주인공 젊은이와 임금이 서로 교체되는 결과를 낳았다. 임금이 항해에서 어려움을 맞이한 것은 무의식성을 극복하지 못하고 오히려 좌초되고 만 것을 의미한다. 내기를 통하여 임금이 된 젊은이는 새로운 의식의 삶을 주도하는 인물이 된다. '집단무의식'의 지지를 얻지 못한 이전의 임금은 다시 정신

---

128 예를 들면 《길가메쉬》 신화에서 길가메쉬는 삼나무 숲의 괴물 훔바바를 처치한다.

의 근원으로 되돌아갔다.

우렁 각시의 등장은 결과적으로 임금의 교체라는 결과를 가져왔다. 농사꾼 총각은 우렁 각시와 혼인을 하여, 용왕의 세계와 소통적 관계를 맺을 수 있었다. 이로써 임금이 된 젊은이는 '집단무의식'이 제공하는 내용들을 반영하면서, 새로운 세계관을 의식의 삶에서 펼칠 수 있는 주체가 된 것이다. 이전의 임금은 더 이상 유효성이 없는 의식의 대표 상징으로 드러났다. 새 임금과 우렁 각시는 집단의 삶, 의식의 삶에 새로운 생명력을 불어넣는 남성 원리와 여성 원리가 된다.

임금의 교체에 관하여 두 번째 유형의 ≪우렁 각시≫를 참고해 보자. 이 유형에서 우렁 각시는 하늘에 살던 선녀로서 죄를 짓고서 우렁이가 되었다고 한다. 우렁 각시와 결혼한 젊은이가 아내의 그림을 걸어 놓고 일을 하다가, 우연히 그 그림이 임금의 손에 넘어가게 되었다. 그림을 본 임금이 색시를 찾아내었고, 남편은 아내를 빼앗기고 말았다. 여기서는 남편이 아내를 되찾기 위해 임금과 힘겨루기를 해야 하는 과제를 부여받지 않는다. 문제의 해결은 주인공 젊은이가 아니라, 색시에 의해 이루어진다. 색시는 임금의 아내가 되었으나, 전혀 웃지 않았다. 임금이 강제로 우렁 각시를 데려왔으므로, 아니마와 제대로 관계가 이루어지지 않았던 것이다. 원래 아니마는 남성의 정서 및 감정 생활을 반영하는데, 그 특징이 이 민담에 잘 드러나 있다. 아니마인 우렁 각시가 웃지 않는 것은 이미 상징적 가치를 상실한 임금에게 전혀 반응을 하지 않는다는 것을 의미한다. 실제적으로 이를 한 개인의 심적 상황으로 고려해 볼 수 있다. 의식의 삶이 의미를 상실하게 되자 매 상황에서 전혀 즐거움이 없고, 무의미함이 저절로 느껴지는 등 심적 무감동의 상태에 처하게 된다. 심지어 그것은 우울한 정서로 지각될 수 있다. 우렁 각시는 신랑을 위해 거지 잔치를 열었고, 그 잔치에 참석한 신랑을 알아보자 웃음을 터트렸다. 우렁 각시는 오로지 젊은이에게만 정서 반응을 한 것이다. 이런 정서 반응은 남성 의식과 더불어 아니마도 삶의 현장에서 매 순간 생생하게 실제적으로 작용하고 있음을 나타낸다. 우렁 각시는 젊은이와 제대로 소통적 관계를 맺고 있음을 분명히 보여준 것이다. 임금은 남편의 쥐털 벙거지를 빌려 쓰고 다시 한 번 아니마의 반응을 끌어내려 시도하지만, 우렁 각시는 오히려 쥐털 벙거지를 뒤집어 쓴 왕을 진짜 거지로 간주하여 쫓아내어 버렸다. 아니마와의 관계가 단절된 상태는 정서적 빈곤감에서 벗어날 수 없는, 거지와 같은 의식의 삶을 사는 것이다. 이처럼 지배적 인물의 교체는 결국 아니마에 의하여 이루어진다.

다시 강조하면, 우렁 각시는 임금 혹은 농사꾼 청년의 아니마이다. 아니마의 기능은 용왕이 지배하는 세계를 매개하는 것이다. 우렁 각시가 없다면 농사꾼 청년이나 임금 모두 집단의 삶을 새롭게 변화시킬 수 없다. 아니마가 매개하는 용왕의 세계는 인류가 살아오면서 겪었던 무수한 경험들이 축적되어 있는 세계이고, 또한 인류가 미래를 꿈꾸고 전망하도록 보증하는 세계이다. 그것은 집단의식을 변화시킬 수 있는, 보상적 내용을 제공하는 '집단무의식'의 영역이다. 아니마는 인간 세계, 즉 의식 세계와 무의식의 세계를 연결하기 위하여 젊은이와 선택적으로 접촉한 것이다. 젊은이는 '집단무의식'과 소통하면서 의식의 삶을 이끌어 가는 새로운 주역이 된다.

민담에서 아니마가 우렁이 형상에서 여인의 모습으로 변환을 한 것은 무의식이 제공하는 보상적 내용들이 점차 의식에 알려지고 통합되는 과정을 의미할 수 있다. 논바닥 물속에 있는 가장 미미한 생명체의 형상을 제시함으로써, 남성의 아니마가 어디에서 기인하는지 보여준다. 그것이 하위에서 시작될수록 의식의 삶에 필요한 보다 더 보편적인 내용을 반영할 수 있다. 동시에 아니마의 인간화는 남성 인격의 의식적 분화에 상응하는 것이다. 농사꾼 청년이 임금이 되자, 우렁 각시는 임금의 아내가 된다. 둘은 함께 단절되었던 세계와의 관계를 회복하고, 집단의 문화적 가치를 새롭게 창조한다. 개인적으로는 새로운 의식의 태도를 갖추게 되면서 자유롭고도 풍요로운 삶을 펼치게 된다.

맺는 말

민담 ≪우렁 각시≫를 남성 주인공의 민담으로 이해해 보면, 농사꾼 젊은이가 아니마의 도움으로 의식 수준을 끌어올려서 인격의 주체가 되고, 의식의 삶의 실질적인 주인공이 된다는 것을 확인할 수 있다. 이야기가 진행되면서 농사꾼이 임금이 되고, 이전의 임금은 의식의 무대에서 사라지게 된다. 민담에서 전형적으로 다루고 있는 임금의 교체는 집단적으로 인간성의 발전을 위해서 정신이 스스로 계속 변화하고 쇄신된다는 것을 보여주는 것이다. 젊은이는 홀로 소외된 채 살고 있었던 것처럼 보이지만, 집단의식에 물들지 않고, 독립적으로 분화 성장을 해야 하는 인물상이다. 젊은이는 집단에서 전혀 주목받지 못하는 것, 외면되어 있는 것들에 대해서 원형적 활력을 불어넣어 의식의 장에서 새롭게 부각되도록 기여한다. 젊은이가 우렁 각시를 발견한 듯 보이지만, 오히려 '집단무의식'이 의식의 쇄신을 위하여 젊은이를 선택하여 변화를 요구한 것이다. 이와 같은 의식의 태도 변화, 쇄신, 재탄생 등은 반드시 여성 요소의 매개적 역할에 의하여 이루어진다. 우렁이로 드러난 여성 요소, 즉 우렁 각시는 의식의 삶을 풍요롭게 만드는 여성 요소의 마술적 권능과 비밀을 가리키는 표현에 해당한다.

농사꾼 젊은이에게 아니마가 우렁이의 모습으로 드러난 것은 남성의 자아의식과 아니마의 만남에 대한 전형적 특성이 될 수 있다. 자아의식이 외향적 태도로서 외부 세계에만 적응하려 한다면 아니마는 우렁이처럼 인간의 모습을 전혀 획득하지 못한 채 소외되고 만다. 우렁 각시를 맞이하고 싶어 한 임금은 남성의 페르조나에 해당하고, 젊은이는 절대적인 힘과 권위를 누리던 페르조나를 성공적으로 극복을 한 인물로 이해해 볼 수 있다. 이런 점에서 보면 농사꾼 젊은이는 페르조나에 의해 가려져 있던 자아의 그림자 같은 존재에 해당한다. 자아는 아니마와의 관계에서 자기 자신의 존재를 인식하면서 자신의 모습을 되찾았다. 이것은 남성 인격의 경우 아니마가 자아와 동일시 되어 있는 페르조나에 대한 보상적 가치를 제시하면, 비로소 자아는 그림자를 통합하여 진정한 인격의 주체로서 부상한다. 자아는 의식의 주체로서 아니마와 함께 '대극의 합일'을 이루어 전(全)인격적 실현을 하게 되는 것이다.

제6장

•

동물 신랑

≪구렁덩덩 신 선비≫

　분석심리학적으로 자아의식은 무의식에서 생성된, 그로부터 분화 발전하는 정신 영역으로, 전체 정신의 일부에 해당한다. 분화된 자아의식은 무의식적 정신과는 독립적으로 활동하며, 점차 그것을 본능적 충동이라 부르며 통제하고 억압하려 한다. 그러나 무의식적 정신은 부분적으로 억압될 수 있으나 전적으로 억압될 수는 없다. 자아의식을 탄생시킨 무의식적 정신은 의식의 이면에서 언제나 활동하고 있다. 그 활동성은 의식의 태도에 대한 보상적 내용을 제공하면서, 사실상 자아의식의 변화를 주도한다. 인격의 전체적 성장과 변화도 무의식적 정신의 영향력에 의하여 일어난다. 무의식적 정신의 활동은 고유한 내재적 목적을 실현하기 위한 어떤 방향성을 갖고 있다. 이런 의미에서 **융**은 자아와 무의식의 관계를 살펴보았다.[129] 성숙한 성인기의 자아의식은 무의식적 정신의 영향을 거의 고려하지 않는 일방적 태도를 갖는다. 그럼에도 때가 되면, 무의식적 정신은 적극적으로 의식의 태도에 관여하면서

---

129 이에 관하여 **융**의 논문 "Die transzendente Funktion"(1916), "Die Beziehungen zwischen dem Ich und dem Unbewußten"(1928)을 참고하라.

궁극적으로는 하나의 통합된 인격을 형성하도록 이끌어 간다. 융은 자아와 무의식적 정신의 결합을 '대극의 합일(coniunctio oppositorum)'이라고 표현하고, 이것을 인격 실현의 궁극 목적으로 제시하였다.

좀 더 설명하자면, 자아는 의식성을 획득하여 분화 발전하면서 무의식적 정신을 대극적으로 여길 만큼 강화된다. 그러한 자아의식의 분화는 당연하나, 분화와 더불어 점차 자신의 뿌리를 상실하는 상태에 이른다. 대부분의 종교적 가르침에서 보면, 이중으로 분열된 정신의 상태를 인식하게 만들어서, 그 원초적인 정신의 통일 상태로 되돌아가도록 가르친다. 인간 삶의 궁극 목적으로 제안하는, 심혼의 근원에 대한 환기 및 귀환은 심리학적으로 '대극의 합일', 즉 의식과 무의식의 결합을 의미한다. 자아의식과 무의식의 통합적 인격의 내용은 자아의식의 새로운 탄생, 인격의 변환에 따른 깨달음, 무아(無我) 등으로 표현된다. 분석심리학적으로는 '자기 실현(Sich-Selbst-Verwirklichung)' 혹은 '개인의 전(全)인격적 실현(Individuation)'이라고 한다. 이에 관한 내용이 신화나 민담에서는 주로 남녀의 만남 및 결혼의 주제로 다루어진다.

'대극의 합일'이라는 관념은 '집단무의식'의 '원형'에 기초한 선험적 전제이다. 말하자면 인간이 근원적 상태를 구하는, 즉 하나의 통일된 정신을 회복하려는 경향이 누구에게나 주어져 있다는 것이다. 우리는 '대극의 합일'을 다루는 내용을 꿈, 환영, 신화 및 민담 등 자발적 환상은 물론이고, 문학작품, 예술작품에서도 쉽게 확인할 수 있다. '대극의 합일'에 관한 내용은 인간의 보편적 주제이므로, 주로 남신과 여신의 쌍, 왕과 왕비의 결혼으로 표상된다. 이는 '신성혼(hieros gamos)'의 주제로 알려져 있다. 신화, 민담 등에서 짝을 구하는 것이나 소설에 나오는 연애 사건도 '신성혼'의 상징적 묘사에 해당한다. 이런 맥락에서 대부분의 성애적 주제, 근친상간적 주제 또한 '대극의 합일' 및 '신성혼'을 나타내는 상징으로 이해되어야 할 것이다.

민담에서 '대극의 합일'이 어떻게 다루어지고 있는지 살펴보자. 일반적으로 '대극의 합일'은 주로 왕과 왕비의 결혼, 즉 왕가(王家)의 짝짓기(Paarung)로 묘사되어져 있다. 일부 민담에서는 주인공이 왕가의 인물이 아니라, 평범한 개인으로서 동물 배우자를 맞이하는 이야기로 나온다. 앞서 ≪우렁 각시≫에서 남성 주인공이 동물 아내와 결혼하여, 임금과 그의 아내가 됨으로써 '신성혼'을 나타내었다. 이제 다루게 될 ≪구렁덩덩 신 선비≫에서 여성 주인공은 동물 신랑과 결혼하는데, 이것도 '신성혼'을 의미하게 될 것이다. 민담에서 동물 아내와 동물 신랑은 인간성을 넘어선 존재라는 표현이다. 우리는 ≪우렁 각시≫에서 우렁 각시가 용왕의 딸로서 신성의 특성이 있음을 알 수 있었다. 많은 신화에서 인간의 여성과 초인적, 비인간적 남성 인물과의 결혼을 다루고 있다. 실제로 아니마와 아니무스는 인간으로 소급될 수 없는 원형상이다. 말하자면 심혼적 결혼은 저절로, 단순히 인간의 생물학적 짝짓기를 넘어선 정신적 사건을 반영한다. 이런 내용을 민담 ≪구렁덩덩 신 선비≫에서 잘 살펴볼 수 있다. ≪우렁 각시≫와는 달리 여기서는 여성 주인공이 동물 신랑을 맞이하는 이야기인데, 이를 여성 심리학적 입장에서 해석하게 될 것이다.

민담 요약

≪구렁덩덩 신 선비≫

나이 많은 부부가 오랫동안 자식 없이 지내고 있었다. 그래서 노부인이 구렁이라도 좋으니 자식을 낳고 싶다고 소원하였다. 드디어 아기를 갖게 되었고, 아기를 낳고 보니 사람이 아닌 구렁이였다. 노부인은 부끄러워 구렁이를 항아리에 담아 뚜껑을 닫아 두었다. 이웃에 사는 부잣집의 세 딸이 소문을 듣고 구경을 하러 왔다. 첫째가 항아리 뚜껑을 열어 보고서는 구렁이를 낳았다며 가 버렸고, 둘째도 똑같이 그렇게 하고 가 버렸다. 그런데 셋째는 뚜껑을 열어 보고서 구렁덩덩 신 선비를 낳았다고 하였다.

여러 해가 지나서 아들은 어머니에게 장가를 들고 싶다고 하였다. 어머니가 곤란해 하자 아들은 오른손에는 칼을, 왼손에는 불을 들고 어머니 뱃속으로 도로 들어가겠다고 협박하였다. 어머니는 할 수 없이 세 딸이 있는 부잣집에 가서 아들과의 혼사를 청하였다. 첫째와 둘째는 거절하였으나, 셋째는 구렁덩덩 신 선비를 신랑으로 받아들이겠다고 하였다. 혼삿날 저녁 구렁덩덩 신 선비는 허물을 벗고 아주 훌륭한 청년의 모습이 되었다. 이 모습을 몰래 지켜본 두 언니들은 질투가 나서 견딜 수 없었다. 신랑은 자신의 구렁이 허물을 색시에게 주면서 다른 사람에게 보여주거나, 태우지 말고 잘 보관하라고 하였다. 만약 그 약속을 어기면 자신과 헤어져 영영 만날 수 없게 될 것이라고 일러두었다. 그리고 신랑은 먼 곳으로 여행을 떠났다. 그러자 두 언니들이 놀러 와서 셋째에게 구렁이 허물을 보여 달라고 졸랐다. 셋째는 그 요구에 못 이겨 결국 허물을 언니들에게 보여 주었는데, 언니들은 그것을 보자마자 불에 던져 태워 버렸다.

색시는 신랑을 기다렸으나, 여행을 떠난 신랑은 돌아오지 않았다. 마침내 색시는 신랑을 찾아 나서게 되었다. 어느 곳에 이르자 밭을 갈고 있는 노인을 만났다. 색시는 노인에게 구렁덩덩 신 선비가 어디로 갔냐고 물었다. 노인은 밭을 갈아 주면 가르쳐 준다고 하여, 색시는 밭을 열심히 갈아 주었다. 그러자 고개 넘어 빨래하는 노파에게 물어 보라고 하였다. 빨래하고 있는 노파에게 가서 신랑의 행방을 묻자, 하얀 빨랫감은 까맣게, 까만 것은 하얗게 되도록 빨아 주면 가르쳐 주겠다고 하여, 열심히 빨래를 빨아서 그렇게 해 주었다. 그러자 노파는 다시 고개를 넘어가면 또 다른 노인이 길을 알려 줄 것이라고 하였다. 고개를 넘어서 만난 노인은 색시에게 하얀 강아지를 넘겨주며 강아지를 따라가라고 하였다. 그 강아지를 따라가니 어느 냇가에 이르렀다. 강아지가 물 위에 놓인 대야에 올라탔고, 색시도 함께 올라탔다. 그러자 처음에는 대야가 둥둥 떠내려가는 듯하더니 어느새 물속으로 가라앉았다. 한참을 물속으로 내려가더니 다시 물 위로 대야가 떠올랐다. 대야가 도착한 곳에는 새로운 세계가 펼쳐졌다. 그곳에는 큰 기와집이 있었다. 색시는 그 기와집에 들어가 하룻밤을 재워 달라고 청하였다. 밤이 되자 선비 한 사람이 마당으로 나오는데 구렁덩덩 신 선비였다. 색시는 신랑을 만나 반가워서 눈물을 흘렸다. 그러나 신랑은 이미 아내가 둘이나 있었다.

다음 날 신랑은 세 여인들을 함께 불러 놓고 내기를 하여 이긴 사람을 진짜 아내로 삼겠다고 하였다. 첫 과제는 석자 세치의 굽 높은 나막신을 신고 삼십 리 밖에 있는 산에 가서 은 동이에 약수를 가득 길어오는 것이었다. 그곳의 두 여인들은 서둘러 다녀오느라 약수 물이 동이에 얼마 남지 않았으나, 색시는 침착하고 조심스럽게 다녀와서 물동이의 물이 가득하여 내기에서 이길 수 있었다. 다음 과제는 호랑이 눈썹을 세 개 뽑아 오는 것이었다. 색시는 산속 깊이 들어가서 노파가 살고 있는 오두막을 발견하고 그곳에서 쉬어가게 해 달라고 청하였다. 노파는 색시의 이야기를 듣고 자신의 아들이 호랑이이므로 그 눈썹을 구해줄 수 있다고 하였다. 색시는 노파의 세 아들인 호랑이들로부터 눈썹을 넘겨받아, 고양이 눈썹을 구해 온 다른 두 여인들과의 두 번째 내기에서도 이겼다. 마지막 과제는 추운 겨울에 산딸기를 따오는 것이었다. 색시는 산속에서 백발노인을 만났다. 색시는 그 노인이 안내해 준 굴속에서 딸기 밭을 발견하고 딸기를 딸 수 있었다. 딸기를 찾아 떠났던 두 여인들은 영영 돌아오지 않았기 때문에, 구렁덩덩 신 선비는 색시를 다시 자신의 아내로 받아들였다.

한국 민담 ≪구렁덩덩 신 선비≫와 비슷한 주제의 이야기로서, 우리에게 ≪미녀와 야수≫로 알려진 이야기인, 그림 형제가 수집한 독일 민담 ≪노래하며 날아오르는 종달새(Das singende springende Löweneckerchen)≫가 있다. 이 민담을 간단히 참고해 보자.

≪노래하며 날아오르는 종달새≫

세 딸을 둔 아버지가 있었다. 그는 먼 여행을 떠나면서 세 딸들에게 원하는 선물을 물어 보았다. 첫째는 진주, 둘째는 다이아몬드, 셋째는 노래하며 날아오르는 종달새 한 마리를 말하였다. 여행을 마치고 돌아오는 길에 아버지는 첫째와 둘째의 선물을 사고 나서, 셋째의 선물을 마련하려고 숲 속의 성으로 들어가 종달새를 잡으려 하였다. 그때 어디선가 큰 사자가 나타나 위협을 하였고, 사자의 요구대로 아버지는 맨 처음 자신을 마중하러 나오는 것을 주기로 약속하고 풀려났다. 맨 처음 마중을 나온 것이 셋째 딸이어서, 그 셋째는 사자와 결혼을 하였다. 사자는 마법에 걸린 왕자였는데, 이 사실을 신부만 알고 있었다. 첫째 언니의 결혼식 날 셋째는 아버지가 있는 집으로 돌아가 결혼식에 참석하고 성으로 돌아왔다. 둘째 언니의 결혼식에 참석하러 갈 때 셋째는 사자와 함께 가고 싶어 했다. 그들은 새로 태어난 아이와 함께 떠났다. 다만 양초의 불빛이 사자에게 조금이라도 비치게 되면, 사자는 비둘기로 변하여 7년 동안 비둘기와 다녀야 하므로 주의를 해야 했다. 셋째는 결혼식이 진행되는 동안 불빛이 없는 방에 사자를 머물게 해 주었으나, 초록색 나무 방문에 금이 있어서 빛이 새어 들어가 사자는 비둘기로 변하고 말았다. 셋째는 비둘기를 따라 길을 나섰으나, 그 흔적을 잃어버렸다. 셋째는 하늘에 올라가 해와 달에게 비둘기의 행방을 물었고, 바람에게 물어서 겨우 찾았으나, 왕자는 다른 공주와 결혼을 할 예정이었다. 해님이 준 상자에서 꺼낸 눈부신 예복을 신부가 될 공주에게 주고 신랑의 방에서 잠을 잘 수 있게 허락을 받았다. 셋째는 침대 곁에서 왕자에게 사실을 알리려고 하였으나 실패하였다. 다시 달님이 준 달걀에서 나온 암탉과 병아리를 공주에게 주고 대신 신랑의 방에서 하룻밤을 보낼 수 있게 되었다. 셋째가 잠든 왕자 곁에서 사연을 말하자, 왕자는 모든 사실을 기억해 내었고, 두 사람은 재회에 성공하여 행복하게 잘 살았다.

위의 독일 민담에서 신랑의 모습이 동물(사자)이고 ≪구렁덩덩 신 선비≫처럼 두 언니에 의해 질투를 받는다는 점에서는 유사한 이야기라 할 수 있다. 그렇지만 이 민담은 여성 주인공이 부성상과 관계된 인물이므로, ≪구렁덩덩 신 선비≫와 달리 부성 콤플렉스가 있는 여성 유형으로 이해되어야 할 것이다. 다음에 소개하는 고대 그리스 민담 ≪아모르와 프쉬케(Amor und Psyche)≫에서도 주제의 유사성을 발견할 수 있다.

≪아모르와 프쉬케≫

한국 민담의 여성상

옛날 어떤 나라에 아리따운 세 공주가 살고 있었다. 셋째 공주 프쉬케는 너무 아름다워 여신 비너스(아프로디테)로 간주될 정도였다. 저절로 모든 사람들이 그 공주를 여신처럼 칭송하였다. 그래서 여신 비너스는 화가 나서 견딜 수 없었다. 아들 아모르(큐피드)를 불러서 셋째 공주가 가장 천한 사람과 사랑에 빠지도록 만들라고 명했다. 아모르는 실수로 사랑의 화살을 자신에게 맞혔다. 셋째 공주는 아름답기는 하였으나 감히 그녀를 아내로 맞이하려는 사람이 없어 왕은 딸을 위해 신탁을 청하였다. 신탁은 프쉬케에게 장례식과 같은 의미의 결혼식 준비를 하여 산마루의 정해진 바위 위에서 기다리게 하라고 하였다. 그렇게 하여 프쉬케는 황금 궁전으로 인도되어 아모르의 아내가 되었다. 프쉬케는 자신을 보려고 바위로 찾아온 언니들을 자신의 황금 궁전으로 데리고 갔다. 프쉬케는 신랑이 황금 궁전의 주인으로 밤에만 찾아오므로, 신랑의 실제 모습을 본 적이 없다고 하였다. 질투가 난 언니들이 프쉬케로 하여금 촛불을 켜서 신랑의 모습을 보도록 부추겼다. 촛불 아래에서 아모르의 훌륭한 모습을 지켜보다가 프쉬케는 실수로 뜨거운 기름방울을 그의 오른쪽 어깨에 떨어뜨렸고, 이로 인해 아모르는 사라져 버렸다. 비너스의 곁에서 아모르가 상처를 치유하는 동안 프쉬케는 아모르를 찾아 나섰다. 마침내 프쉬케는 비너스 앞에 끌려가게 되었다. 비너스는 첫 번째 과제로 프쉬케에게 밀, 보리, 좁쌀, 겨자씨 등을 한 데 섞어 놓은 곡식 알갱이 더미에서 종류별로 가려 놓도록 시켰다. 아모르가 개미 떼를 불러 프쉬케를 도와주었다. 두 번째 과제는 성스러운 강 근처에서 놀고 있는 황금의 양 떼들에게서 황금 털 한줌을 얻어 내는 것이었다. 프쉬케는 강 옆에 있던 갈대가 잘 가르쳐 주어서 황금 털을 구할 수 있었다. 세 번째 과제는 큰 바위 아래 황천 밑에 흐르는 찬물을 작은 독에 길어오는 것이었다. 다시 아모르가 대신 그 물을 떠 주었다. 마지막 과제로 죽음의 세계에 있는 프로셀피나에게 가서 아름다운 용모를 유지하게 하는 비결을 가져오도록 시켰다. 프쉬케는 프로셀피나로부터 받은 소쿠리를 갖고 죽음의 세계에서 돌아오다가 몰래 소쿠리를 열어 보았다. 그로 인하여 아름다움 대신 그녀에게 죽음이 찾아오게 되었다. 신들은 프쉬케에 대해 의논을 한 후, 마침내 상처에서 회복한 아모르와 프쉬케를 혼인시키고, 프쉬케를 신의 세계에 속하게 하였다.

아풀레이우스(Apuleius)는 자신의 소설『황금 당나귀(Der Goldene Esel)』에서 당시에 민간에서 떠돌던 이야기 ≪아모르와 프쉬케≫를 삽입하여 소개하였다. 아풀레이우스가 쓴『황금 당나귀』는 남성 주인공이 마법에 의해 당나귀로 변했다가 사람으로 되돌아오는 여정을 다루고 있다.[130] 이러한 여정에 대해서는 모성신 숭배 제의, 특히 이시스 제전이 큰 몫을 차지하고 있다. 그래서『황금 당나귀』의 ≪아모르와 프쉬케≫에서 주목해야 할 것은 모성신의 역할이다. 신성에 이르는 인격의 변환을 가져오는 실질적인 힘이 모성이므로, 이 모성상과의 관계가 변용의 핵심에 있다는 것이다. 이는 남성의 자아의식 중심으로 이해한 것이다. 이것은 남성의 모성 콤플렉스에서 찾아야 할 해결점이자 궁극 목적이 될 것이다. ≪아모르와 프쉬케≫를 여성 심리학적으로 본다면, 여성의 아니무스가 모성상과 심하게 밀착되어 있어서, 여성 자아가 아니무스를 의식적 수준으로 끌어올려 관계하기 어렵다는 사실로 이해할 수 있다. 여성 아니무스가 모성상과 밀착되어 있다는 것은, 동시에 여성 주인공의 인격적 분화가 상대적으로 이루어지지 않았음을 의미한다. 비록 비너스(모성상)가 아들을 지지하면서 여성 주인공인 프쉬케를 괴롭히지만, 궁극적으로는 프쉬케를 자신과 같은 신성의 존재가 되도록 이끄는 힘으로 작용한다. 여기서 아모르는 여성의 아니무스로서 인간이 되는 것이 아니다. 오히려 인간 프쉬케가 아모르와의 만남을 실현함으로써 신성을 획득하게 된다. 이로써 아모르와 프쉬케는 신의 쌍(Götterspaar), 즉 '신성혼'을 실현한다.

시지기(Syzigie) 원형으로서의 노(老)부부

사실 거의 모든 민담들은 '대극의 합일'을 미리 전제하고 있다. 그래서 이야기의 시작에서 여성 요소나 남성 요소의 부재나 부조화를 알리고, 결말에 가서 두 요소가 관계를 회복하게 되어 남녀의 쌍으로 끝을 맺게 된다. 이를 위하여 처음부터 이미 형상적으로 남녀의 쌍이 제시되면서, '대극의 합일'을 유도한다. ≪구렁덩덩 신선비≫의 경우, 아이가 없는 노부부의 형상에서 이야기가 시작된다. 여기서 노부부는 나이가 많음을 의미하는 것이 아니고, 생물학적인 실제의 남녀의 쌍을 지칭하는 것도 아니다. 이것은 정신의 역동을 두 대극의 쌍으로 드러내는 보편적 이미지로서, 둘의 긴밀한 관계뿐 아니라, 심지어 둘의 관계에서 제3의 존재가 생산될 수 있음을 나타낸다. 노부인은 구렁이를 낳았다. 노부인의 출산 내용은 정신적 탄생을 의미하며, 노부부는 정신적 생산을 위한 전제인 것이다. 무엇보다도 그들은 남녀의 형상이므로 '대극의 합일'을 위한 전제가 된다.

일반적으로 부모상은 초기 아동기 삶의 기초가 되는 인물상이다. 그래서 어쩌면 이 첫 장면이 부모상에 의존해 있는 유아기적 상태를 묘사한 것처럼 보일 것이다. 그러나 민담을 여성 주인공 중심으로 본다면, 노부부는 여성 주인공의 부모상이 아니라, 아니무스의 부모상으로서 성인기의 부모상에 해당한다. 부모상은 아동기에는 보호와 지지를 제공하는 중요한 원형들이지만, 자아가 주도하는 사춘기 이후에는 배경으로 물러나 영향력을 거의 행사하지 않는다. 그러다가 부모상과의 분리가 이루어진 성인기에는 아니마나 아니무스의 부모상으로 묘사된다. 민담 ≪구렁덩덩 신 선비≫에서 여성 아니무스의 부모상으로 그려진 노부부는 대극의 합일을 유도하는 시지기 원형에 해당한다.

남신과 여신의 쌍으로 묘사되는 시지기 원형은 남녀로 드러난 대극을 하나로 통합하는, 융합의 관념을 생산하는 전형적인 원형이다. 우리는 의식적으로 의도하지 않아도 이 시지기 원형에 의하여 대극의 합일을 이루려는 무엇인가를 하게 된다. 이는 겉보기에 생물학적 짝짓기에 해당하는 듯이 보인다. 그러나 심지어 생물학적 짝짓기도 심혼적 사건의 일부라고 할 수 있다. 이성의 파트너를 만나게 될 때에도 아

---

130 에리히 노이만(Erich Neumann)이 이 이야기를 여성 주인공 프쉬케의 입장에서 해석하였다. 폰 프란츠(M.L. von Franz) 여사는 소설 속에 삽입된 이야기이므로 남성 주인공의 입장으로 이해해야 한다고 지적한 바 있다.

니마 혹은 아니무스가 투사되면서 관계가 가능해진다. 동물들의 짝짓기가 종족 보호 본능에 의해서 이루어지는 것과 같이, 남녀의 관계는 외부적이든 내면적이든 원형적 요구에 의한 것이다.

> … 융합의 관념은 (…) 신화소(Mythologem)로서 대극의 합일의 원형을 표현하는데, 이로써 신비적 융합(unio mystica)의 상이 된다. 원형은 매번의 형상을 드러낼 때 환경에서 얻은 인상들의 도움을 받고는 있지만, 결코 외적인 것, 비(非)심혼적인 것을 묘사하지 않는다. 오히려 원형은 외적으로 형성된 것과는 상관없이, 비개인적 심혼의 삶과 본질을 묘사한다. 그것은 각 개인이 태어날 때 이미 갖추고 있는 것으로, 개인 인격에 의해 수정되거나, 자신의 산물이라고 할 수 없는 것이다.[131]

시지기 원형은 동양의 음양(陰陽)과 같이, 서로 대극적이지만 언제나 한 쌍의 원리와 같은 것이다. 시지기 원형은 우주론적으로 남녀 신(神)의 쌍, 천상과 대지, 해와 달의 결합으로, 민담 등에서는 왕과 왕비의 결합으로 표현되어졌다. 중세 연금술사들은 서로 다른 두 특성의 합일을 강조하기 위하여 '둘'이라는 의미의 레비스(Rebis), 양성체인 헤르마프로디투스(Hermaphroditus) 등으로 묘사하였다. 시지기 원형은 대극의 쌍을 나타내는 형상뿐 아니라, 또한 융합을 위한 관계의 심혼적 역동으로 드러난다. 소위 대극의 쌍은 조화롭게 결합되어져 있을 때는 둘이 하나가 되어 전체를 이룬다. 그러나 어떤 움직임이 시작되면 그 둘은 서로 다른 것으로 구분되어 분열된다. 심지어는 서로 양립할 수 없는 대극적 상태가 되었다가, 다시 하나로 통합하기 위해 관계하는 역동 전체에 해당한다. 이 역동에 의하여 자아는 시지기 원형에서 떨어져 나와 의식성을 획득하여 무의식적 정신에 대극적 특성을 갖지만, 때가 되면 시지기 원형에 의해 근원을 환기하여, 다시 무의식과의 결합을 지향하게 된다.

모든 삶의 시기에 나타나는 근친상간적 관계도 시지기 원형에 기초한다. 여성 자아에 대한 부성 및 부성상의 관계, 남성 자아에 대한 모성 및 모성상의 관계, 심지어 남녀의 오누이 관계에서도 시지기 원형이 작용한다. 이런 의미에서 딸-아버지,

아들-어머니, 자매-형제의 근친상간적 관계는 성애적 욕망에 기인하는 것이 아니라, 대극의 합일을 목적으로 하는 상징으로 이해해야 할 것이다.

아동기의 근친상간적 관계를 시지기 원형과 관련하여 좀 더 살펴보면, 여성 자아든 남성 자아든, 의식적 분화에 의하여 자아의 입장이 구체화 되면, 정도의 차이는 있겠지만 이성의 부모상이 신의 짝으로 배열되어 근친상간적 관계를 형성하게 된다. 이런 근친상간적 주제에 의하여 쌍을 이루게 된 이성의 부모상은 시지기 원형에서 비롯된 심상으로, 실제의 부모에 관한 것이 아니다. 더구나 신의 짝으로서의 모성상 혹은 부성상은 아동기 초기, 거의 1세에서 4세 사이에 형성되므로 성애적일 수 없다.[132] 그럼에도 시지기 원형에 의해 아동들은 이성의 부모에게 특별히 강한 정서적 반응을 보이고, 일생 동안 남다른 유대감을 경험한다. 부모들도 그런 내용의 투사를 받아 자신도 모르게 특별한 관계를 강요받는다. 이는 투사를 받는 부모들이 초개인적 존재가 되라는 요구에 무의식적으로 응하게 되는 것을 의미한다. 그런 내용을 투사하고 있는 아동 자아도 원형상과 동일시 되어 개별 인간의 특성을 제대로 발휘하지 못한다.[133] 이런 상태는 심층심리학적으로 근친상간적 관계로 간주된다. 경험하는 당사자는 원형적 특성의 인격이 활성화 되어 주변과의 관계에서 자연스러운 적응이 힘들고, 일반적인 인간 관계의 어려움을 호소할 수 있다.

아동기 자아는 대부분 이성의 부모에게 신의 쌍의 이념을 투사하여 절대적인(신적) 의미와 가치를 경험하다가, 점차 실제 부모의 개인적 인간적 모습을 인식하기 시작하면서 실망과 더불어 투사를 거두어들인다. 사춘기 자아는 외부의 이성에게 다시 원형적 내용을 투사하게 된다. 이런 투사가 젊은이들의 실제적 남녀 관계를 형성하는 원동력이 된다. 사춘기의 남녀 관계를 잘 살펴보면, 이성의 파트너에게 우연히 발견되는, 인간성을 뛰어넘는 특별한 능력 등에 매혹되어 관심을 갖는다. 결국 이성

131   C.G. Jung(1946), "Die Psychologie der Übertragung", G.W. Bd. 16, Par. 354.

132   C.G. Jung(1936), "Über den Archetypus mit besonderer Berücksichtigung der Animabegriffes", G.W. Bd. 9/I, Par. 135.

133   C.G. Jung(1936), 앞의 책, Par. 138.

의 파트너에 대한 과대 평가, 현혹, 열망의 상태에 이르는 것도 모두 시지기 원형에서 비롯되는 것이다. 투사에 의해 외부의 이성 대상과 관계가 형성되는 것은 물론이고, 동시에 내면에서는 아니마, 아니무스가 형성된다.

그 밖에 심리치료 현장에서 나타나는 '전이(Übertragung, transference)'의 현상에 대해 흔히들 내담자의 아동기에 형성된 부모와의 근친상간적 관계를 치료자와의 관계에서 재현하고 있다고 한다. 분석심리학적으로 보면, 치료 현장에서의 '전이'도 내담자가 치료자에게 신의 쌍에서 비롯된 내용을 투사하고 있는 것이다. 이런 의미에서 **융**은 '전이'의 문제를 '대극의 합일' 및 '신성혼'의 주제로 다루고자 하였다. **융**은 '전이'의 현상에서 치료자와 내담자 모두 활성화 된 원형상들과 관계하게 된다는 사실을 밝히고, 이를 통하여 인격의 변화를 맞게 되면서, 궁극적으로는 전(全)인격적 실현을 이룰 수 있다고 하였다.[134]

다시 강조해 보면, 여성은 남성에게, 남성은 여성에게 각기 아니무스 혹은 아니마를 투사하여 실제적으로 생물학적인 짝짓기를 하게 된다. 이런 생물학적 짝짓기 및 결혼 또한 심혼적 통합의 상징이 될 수 있다. 대극적이던 자아의식이 무의식과 결합을 시도하여 통일체적인 인격을 실현하는 것이다. 문제는 실제 삶의 현장에서 대부분 자아의식이 무의식적 정신을 대극적으로 경험하는 것이 아니라, 전혀 객관적으로 인식하지 못한 채 오히려 그것과 동일시 하는 경우이다. 여성이 외부의 어떤 특정의 남성에게 아니무스를 투사하고서도 전혀 투사를 의식하지 못함은 물론이고, 무의식적 정신을 객관 정신으로 알아차리지 못하는 것이다. 활성화 된 아니마나 아니무스는 투사되어 파트너의 특성으로 여기거나, 그것과 동일시 되어서(사로잡혀) 자신의 성격적 특성으로 간주하는 것이다. 실제 삶의 현장에서 이런 투사 및 투사적 동일시에 의하여 남녀 관계의 많은 어려움이 생겨난다. 이성과의 관계는 일차적으로 부모와의 근친상간적 관계를 재현하는 것처럼 된다. 실제 부부 관계에서 여성은 남편에게 부성상을, 남성은 아내에게 모성상을 투사하는 경우가 대부분이다. 자아가 부모상과의 구분이 없다면, 마찬가지로 아니마 혹은 아니무스와의 객관적 관계가 불가능하다. 의식이 분화될수록 투사적 동일시의 상태에서 벗어나 아니마 혹

　　　　　　　　　　　　　　　　　　　　　한국 민담의 여성상

은 아니무스에 대한 객관적 인식이 가능해지고, 나아가서는 '대극의 합일'로 인도될 수 있다. 민담에서는 심혼적 관계의 어려움을 동물 신랑과의 관계로 다루고 있다.

민담의 해석

(1) 노부부가 아기를 간절히 원하였다. 마침내 노부인이 임신하여, 구렁이 아들을 낳았다. 노부인은 구렁이를 항아리 속에 넣어 뚜껑을 닫아 놓았다.

이 민담에서 주인공은 여성이지만, 이야기의 시작은 구렁덩덩 신 선비의 탄생으로 시작한다. 여성 심리학적 관점에서 보면, 구렁덩덩 신 선비에 관한 것은 의식적 내용이 아니다. 그것은 여성 자아가 아직 알아차리지 못하는 내밀한 무의식적 상황에 해당한다. 이미 살펴보았듯이 노부부는 시지기 원형으로, 여성의 내면의 기저에서 '대극의 합일'을 위해 무엇인가를 고려하고 있는 것이다. 그것은 구렁이라도 좋으니 아기를 가졌으면 하는 바람으로 표현되었다. 노부부에 의해 등장하게 될 아기는 무의식의 보상적 기능에서 비롯되는 것이고, 전체성을 위해 고려된 것이다. 이는 여성 자아에 대한 대극의 쌍, 아니무스의 등장으로 나타난다.

노부부의 바람으로 수태하여 생산된 것은, 그것이 동물이든 사람이든 모두 정신적으로 창조된 것이다. 말하자면 심상의 착상과 형상의 실현을 의미한다. 노부부가 구체적으로 '구렁이'라고 표명함으로써, 형상화를 위한 착상이 일어날 수 있게 하는 중요한 심적 동기가 되었다. 만약 인간의 형상으로 등장한다면 의식에 알려질 수 있고, 의식화가 가능한 내용의 심상이 될 것이다. 아직 의식에 알려질 수 없는 수준이므로 동물의 형상으로 나타난 것인데, 여기서는 특별히 구렁이 형상이다. 이 구렁이 형상은 남성의 모습으로 구체화 되어, 여성에서의 남성성, 즉 아니무스

134　융의 논문 "Die Psychologie der Übertragung"(1946)을 참고하라.

가 될 것이다.

아니무스가 될 구렁이 형상을 살펴보자. 우선 구렁이는 하위의 본능에서 비롯된 것의 형상이라고 할 수 있다. 대지에서 스스로 어떤 활기를 갖고 서식하는 뱀처럼, 민담의 구렁이는 오랜 기다림이 있은 후에, 마침내 무의식의 어떤 활동성이 반영된 것의 형상화이다. 혹은 쿤달리니 요가에서의 뱀처럼 가장 기본이 되는 정신-육체의 활력에 관한 것일 수도 있다. 뱀은 변온 동물로서 인간과 거리가 먼 생물체이다. 그래서 아직 의식에 알려지기 어려운 것, 의식에 전혀 주목을 받지 못하고 있는 것, 알려질 기회가 있더라도 성애적 충동으로만 여겨지는 등, 잘못 인식되거나 제대로 수용될 수 없는 측면을 의미한다. 구렁이 형상은 또한 아니무스가 여성 의식과 동떨어져 있음을 반영한 것이다. 꿈이나 환상에서 등장하는 구렁이의 형상들은 의식과 매우 동떨어진 무의식적 정신을 표명한다. 현대의 여성처럼 자아의식이 자신의 본성과 단절되어 있다면, 그에 대한 무의식의 보상적 내용은 매우 이질적이고 낯선, 심지어는 위협적으로 느껴지는 형상으로 나타날 것이다. 예를 들어 임신을 간절히 원하고 있었으나 성공하지 못했던 어떤 여성의 경우, 밤마다 꿈에 수없이 많은 뱀들이 등장했는데, 그때마다 그녀는 사정없이 막대기로 그것들을 제거하곤 하였다. 이 경우 뱀의 형상은 여성 의식에 허용될 수 없는 본능적 측면들에 해당한다.

비록 노부부가 간절히 바랐지만, 인간이 아닌 구렁이 형상이므로, 노부인은 구렁이를 항아리 속에 넣어 뚜껑을 닫아 놓았다. 노부인이 항아리 속에 구렁이를 넣은 것은 구렁이의 존재를 부정하는 것이 아니다. 구렁이의 존재는 아직 여성 주인공의 의식에 알려질 수 없는 상태이기 때문에, 노부인의 부끄러움은 의식적 상황과는 전혀 관계가 없다. 노부인이 항아리에 구렁이를 넣어 둔 것은 여성 의식에 알려지게 될 다음의 형상화를 위한 무의식의 또 다른 준비를 의미한다. 그래서 구렁이를 넣어 둔 항아리는 상징의 이행을 위하여 머무는 곳, 때가 되면 형상적 변환을 꾀할 수 있는 장소, 정신적 탄생이 일어날 모성적 자궁에 해당한다. 심지어 구렁이를 낳은 노부인은 항아리와 동일시 될 수 있는 모성 자궁에 해당한다. 이런 의미에서 노부인이 항아리에 구렁이를 넣은 상태는 의식과 관계를 맺기 전 실제적인 형상적 탄생을 위한 예비 단계에 해당한다.

　오랜 기다림이 있은 뒤에 생성되었으나, 항아리 속에 보관되어야 하는 구렁이는 착상이 되어 모성 자궁에 머물러 있는 상태이므로 아직 모성적 영향력에서 벗어나지 못한 아니무스에 해당한다. 이는 모성신 숭배 제의에서 등장하는 아들신의 경우와 비슷하다. 종종 모성신과 아들신 모두 뱀의 형상을 함으로써, 아들신이 여전히 모성신에 속하는 것임을 보여준다. 이때 뱀 형상의 아들은 모성신의 남근으로 모성에서 비롯된 남성성을 의미하며, 동시에 모성상과 분리되려는 어떤 움직임의 시작을 나타내기도 한다.[135] 다시 말해 노부부에서 비롯된 구렁이 형상의 아니무스는 오히려 모성상에 의해 보호받으며 여성 인격의 의식과 연결되기를 기다리고 있는 것이다.

　무엇보다 노부부의 간절한 바람에 의해 드디어 모습을 드러내게 될 아니무스가 모성상에 속한다는 사실에 주목할 필요가 있다. 대극의 합일을 위해 보상적으로 제시되는 아니무스는 여성 인격의 내면 세계를 보증하는 모성상에서 비롯되는 것이다. 하지만 이미 살펴보았듯이 부성상에서 벗어나지 못한 여성들의 경우 부성–아니무스가 될 수 있다. 이 경우 여성 의식은 외향화 되어 있고, 아니무스도 외향적으로 적용되고 만다. 그러나 일반적으로 여성의 아니무스는 모성 영역에 속해 있는 원시적 수준의 남성 인물상이거나, 이 민담처럼 동물 형상으로 나타난다. 이는 여성의 분화되지 못한 의식 수준을 반영하는 것이다. 자아의식의 분화와 더불어 아니무스도 변화 및 성장을 하게 된다. 모성에서 분화된 아니무스는 내면의 인격을 대변한다.

(2) 이웃집 세 딸이 구렁이를 보러 왔고, 셋째가 구렁덩덩 신 선비라고 불렀다.

　노부인이 아기를 낳았다는 소문에 이웃의 부잣집 세 딸이 구렁이를 구경하러 왔다. 이웃집 세 딸이 움직인 것은 드디어 여성 인격의 의식적 측면이 반응하게 된 것을 의미한다. 새롭게 태어난 존재에 대한 반응은 여성 자아가 자신의 내면에서 일어

135　E. Neumann(2004), *Ursprungsgeschichte des Bewußtseins*, S. 61.

난 미묘한 변화를 놓치지 않고, 주목하면서 관심을 표명하는 것을 나타낸다. 이는 여성 자아가 아니무스에 반응하는 내향화 작업에 해당한다.

여기서는 세 딸 모두가 실질적으로 여성 주인공이라고 할 수 있다. 주로 막내딸이 전체 이야기의 주인공으로 묘사되어 있지만, 우선적으로 세 딸들의 모습은 여성 자아의 태도 전체를 의미하기 때문이다. 민담에서 세 자매의 모습은 의식의 네 기능 중 열등 기능을 제외한, 여성 의식의 세 기능들에 해당한다. 막내는 두 보조 기능 중 상대적으로 가장 덜 분화된, 세 번째의 기능으로, 특별히 무의식과 친화력을 갖고 있다. 제외되어 있는 네 번째가 구렁이다. 이로써 대극의 합일 및 전체성을 나타내는 숫자 4의 상징이 고려된다. 세 딸들은 분화된 여성 의식 전체를, 그에 대해 구렁덩덩 신 선비는 아니무스로서 서로 대극의 쌍이 되는 구조를 내용적으로 제시하고 있다.

비록 첫째와 둘째가 단지 뚜껑을 열어 보고 구렁이를 낳았다고 말하고 가 버렸으나, 뚜껑을 열었다는 사실은 매우 중요하다. 심지어 '구렁이를 낳았구나'라는 언어적 표명도 의식화를 위해서는 의미 있는 태도다. 세 자매가 찾아와 닫아 둔 단지 뚜껑을 열고 어떤 존재가 있음을 알아차린 것은, 여성 자아가 자신에게 일어난 변화에 본격적으로 주목한 상태에 해당한다. 결과적으로 이런 여성 주인공의 내향적 태도가 무의식적 정신의 형상화를 촉진시킨다.

세 딸들이 직접 찾아와 단지 뚜껑을 열고 들여다 본 것 자체가 아니무스와의 관계를 위해 다가가는 적극적 수용적 태도가 된다. 모성상인 노부인은 여성 자아가 발휘하는 수용력의 기초로서 이미 구렁이를 항아리에 담아 의식에 알려지게 될 형상을 위하여 대기하고 있었다. 여성 주인공이 직접 나서게 되자 무의식적 정신이 활성화 되어 형상적 이행이 가능해진 것이다. 이처럼 여성 의식은 긍정적 모성상에 뿌리를 둠으로써, 모성상이 매개하는 대극적 요소, 즉 아니무스와 관계할 수 있게 된다.

첫째와 둘째가 겨우 구렁이의 존재를 확인했다면, 셋째는 더 나아가서 구렁이의 이름을 불러 주었다. 구렁이가 이름을 갖게 되자, 항아리 밖으로 자신의 존재를 드러낼 수 있게 되었다. 구렁이가 항아리 밖으로 나온 것은, 드디어 여성 의식에 알려져 형상화가 된 것을 의미한다. 이름을 갖게 되는 부분을 좀 더 살펴보자. 실제로 우리는 각자 출생과 더불어 하나의 이름을 갖게 되고, 그 이름에 개인의 모든 특성을 부여한다. 말하자면 이름을 통해 한 사람은 자신의 개별적 특성을 드러낸다. 그래서 그 이름은 개별적 존재를 대신하는 힘을 갖는다. 출생 시(時)에 얻게 되는 이름 외에도, 특별한 입문 의례에서 새로운 이름을 얻기도 한다. 예를 들면 세례명, 법명, 호(號) 등인데, 새로운 이름의 획득은 어떤 특정의 의식적 태도를 갖게 된 것과 관계가 있다. 구렁이가 이름을 갖는 것은 의식에 알려지는 것, 드디어 여성 의식과 관계를 맺어 모습을 드러낼 수 있게 된 것을 나타낸다. 이름을 부여한 것은 마치 작가나 예술가가 착상된 창조적 충동을 마침내 형상화 하여 탄생시킨 것과 같다. 또한 이름을 부여한 사람은 이름을 갖게 된 존재에 대해 창조주와 같으므로, 그와 특별한 관계를 맺는 것은 물론이고, 그에 대해 어떤 권한을 가질 수도 있다. 다시 말해 그 존재를 쉽게 끌어들일 수 있고 종속시킬 수 있는 것이다. 이처럼 셋째는 이름을 부여함으로써 구렁이와 특별한 관계를 맺을 가능성을 갖는다.

무엇보다 흥미로운 점은 셋째가 구렁이를 '구렁덩덩 신(神) 선비'로 불렀다는 것이다. 이름에서 형상화 된 것은 구렁이지만, '신성을 가진 존재, 높은 학식을 갖춘 남성'이라는 의미가 있다. 우리는 여기서 여성의 아니무스가 동물 영역, 인간, 그리고 신의 영역을 모두 망라하는 특성이 있음을 엿볼 수 있다. 실제로 여성의 아니무스는 인간 이상이거나, 그 이하를 모두 관통하는 초개인적 특성을 갖고 있다. 구렁이의 형상은 여성 자아의식에 아직 제대로 인식될 수 없으나 아니무스로서 언젠가는 정신적 가치를 획득하게 됨은 물론이고, 또한 신성함에 이르게 될 존재임을 나타내고 있다.[136]

---

136 아니무스는 인물상으로는 남성이지만, 실제로는 여성의 정신적 활동의 특성에 해당하거나, 무의식과 연결하는 매개적 역할의 직관적 기능이다.

(3) 구렁덩덩 신 선비가 셋째와 혼인하자, 구렁이의 허물을 벗었다.

구렁덩덩 신 선비라는 이름을 갖게 되자 구렁이는 항아리 밖으로 나오게 되었다. 그리고는 어머니에게 장가를 보내 달라고 청하였다. 셋째인 여성 주인공이 이름을 지어 주어 형상화 및 관계의 가능성을 마련했다면, 이번에는 아니무스가 여성 의식과의 관계를 위하여 어떤 요청을 하고 있다. 여성 자아가 무의식에 대해 관심을 보이기 시작하니, 그에 따라 무의식도 상응하는 어떤 반응을 하는 것이다. 이처럼 '대극의 합일'은 자아와 무의식의 협동적 작업으로 이루어지는 과정이다. 무의식적 정신이 미리 '대극의 합일'을 위해 아니무스의 탄생을 준비했고, 이에 여성 의식이 관심을 갖게 되자 아니무스의 분화가 구체적으로 이루어진다. 무의식적 정신의 전체 목적에 의식이 동참함으로써 비로소 하나의 공동의 방향이 드러난다.

구렁덩덩 신 선비는 자신의 짝을 찾아 주지 않으면, 오른손에 칼을, 왼손에는 불을 들고 어머니 뱃속으로 다시 들어가겠다고 위협하였다. 여기서 구렁덩덩 신 선비는 칼과 불을 든 모습으로 구체화 된다. 구렁덩덩 신 선비가 들고 있는 칼과 불은 자식을 낳은 모성을 해치는 도구가 아니다. 오히려 여성의 정신적 능력을 활성화 시킬 수 있는 아니무스의 특성이다. 여성에게 오성 능력이나 판단력 등을 발휘하게 만드는 아니무스의 형상화인 것이다. 칼은 가르고 자를 수 있는 날카로운 날이 있는 도구이므로 구분이나 분별을 가능하게 하며, 불은 환하게 밝혀 주듯이 인식과 통찰을 가져온다. 또한 불이 가진 열기와 같은 열정은 어떤 것이든 능동적으로 추진하게 한다. 말하자면 칼과 불은 여성 자아로 하여금 합리적 이성적 사고를 하게 만들고, 판단, 결단력 및 추진력을 갖게 하는 등, 정신 활동의 특성으로 나타날 것이다. 이런 점에서 냉혈 동물인 구렁이의 형상으로 등장한 아니무스는 따뜻한 온기를 지닌 여성 의식에 반해, 차갑고 냉철한 이성적 정신 능력에 대한 상징이 될 수도 있다. 구렁덩덩 신 선비가 칼과 불을 들고 어머니를 위협했는데, 이는 여성 의식과 제대로 연결되지 않는다면 이상의 정신적 특성은 결코 발휘될 수 없음을 강조한 것이다. 이런 의미에서 여성의 아니무스는 정신 활동의 동인이 되는 중요한 원형임을 알 수 있다.

여성은 아니무스에 의한 정신 활동을 통해서 객관적 현실 세계의 인식 및 내면의 보편적 이념 세계에 대한 경험이 가능해진다.

그 밖에 칼과 불을 들고 있는 구렁덩덩 신 선비의 형상은 모성상과 구분하려는 내용의 상징이 될 수도 있다. 구렁덩덩 신 선비가 모성상을 위협한 것은 자신의 존재를 구체화 하기 위한 아니무스의 적극적 태도에 해당한다. 모성상으로부터 아니무스의 분화가 이루어져야 자아의식과 제대로 관계를 맺을 수 있을 것이다. 구렁덩덩 신 선비가 자신의 혼인을 모성에게 요구하는 것은, 모성 영역에서 벗어나 여성 의식과 본격적으로 관계하려는 목적을 갖고 있다. 신 선비가 모성에 위협적인 힘을 행사했듯이 모성적 기초에서 벗어날 수 있음을 시사한 것이다. 아니무스의 이러한 태도는 오히려 여성 자아로 하여금 모성상과의 동일시에서 벗어나도록 작용한다. 말하자면 아니무스의 독립적 분화는 동시에 여성 의식의 분화를 반영한다. 여성은 아니무스의 도움으로 모성상과의 동일시에서 벗어나 주체적 인격의 특성을 획득하게 된다. 이전까지 해 보지 못했던 독자적인 결심, 결단 및 새로운 경험을 위한 관심 및 행위들이 인격의 변화를 가져온다. 이로써 기존의 모성 세계에서 벗어나 개별 인격의 특성을 발휘할 수 있게 된다.

구렁덩덩 신 선비가 혼인을 하고 싶어 하자 노부인은 청혼을 하러 세 딸이 있는 집으로 찾아갔다. 여기서 다시 한 번 모성상이 여성 자아와 아니무스의 연결을 위한 매개적 역할을 하고 있음을 알 수 있다. 첫째와 둘째는 혼인을 거절했지만, 셋째는 그를 수락하였다. 앞에서도 지적했듯이, 혼인의 수락 과정도 여성 의식의 점진적인 태도 변화에 따른 것으로 볼 수 있다. 셋째는 집단의식에 상대적으로 덜 물들어서 대극이 될 수 있는 무의식의 성향을 더욱 잘 수용할 수 있을 뿐 아니라, 이미 이름을 지어 주어 관계를 맺을 가능성을 갖고 있었다. 구렁덩덩 신 선비와 셋째의 혼인은 비로소 여성 의식과 아니무스가 연결된 것을 나타낸다. 이로써 아니무스가 여성 의식에 알려질 수 있는 상태가 된다. 혹은 여성 자아는 아니무스를 인식할 수 있는 주체가 된 것이다.

주목해야 할 사실은 민담이 처음에는 구렁덩덩 신 선비 중심의 이야기였으나, 셋째와의 혼인이 이루어지자, 셋째 딸을 여성 주인공으로 내세워 이야기가 전개된다는 점이다. 이런 민담의 이야기 방식을 고려한다면, 혼인을 한 후 구렁덩덩 신 선비가 여성 의식과 연결되면서부터 이야기는 실제적으로 여성 주인공이 주체가 되어 아니무스와 어떻게 관계하는지를 다루고 있다고 하겠다. 여성의 개별 인격적 특성은 아니무스와 더불어, 아니무스와의 관계에서 구체화 되기 때문에 남성 인물상이 주인공처럼 묘사되었던 것이다.[137] 이제 이야기가 여성 주인공 중심으로 진행되면서, 아니무스는 오히려 여성 자아의 의식 수준에 따라 자신의 존재를 드러내게 될 것이다. 이는 여성 심리학적 관점에서 보면 매우 중요한 사실이다. 결국은 여성 인격의 주체로서 여성 주인공이 아니무스를 객체가 되도록 경험해야 하는 것이다. 또한 구렁덩덩 신 선비가 셋째와 결혼을 한 것은 아니무스가 모성상에서 벗어나게 된 것이고, 동시에 여성 자아가 모성상에서 벗어난 상태와도 같다.

혼인한 첫날밤에 구렁덩덩 신 선비는 드디어 구렁이 허물을 벗고 사람이 되었다. 구렁이의 허물을 벗고 사람이 되었기 때문에, 여성 의식과 진정한 만남이 이루어진 것처럼 보인다. 하지만 민담에서 보여주듯이 아직 둘의 관계는 제대로 이루어진 것이 아니다. 이는 겨우 여성 인격이 경험의 주체로서 객체 혹은 대상에 대해; 배우자에 대한 의식적 인식이 가능해진 것을 의미한다. 말하자면 자아의식이 이제야 내적으로든, 외적으로든 대상을 객체로서 경험할 수 있게 된 것이다.

(4) 구렁이의 껍질이 태워졌고, 셋째는 구렁덩덩 신 선비를 찾아 나섰다.

혼인한 후 구렁이의 허물을 벗게 된 구렁덩덩 신 선비는 셋째에게 허물을 태우지 말고 잘 보관하도록 당부하고 멀리 떠났다. 허물을 벗고 멀리 떠난 것은 아니무스가 원래의 위치로 되돌아 간 것에 해당한다. 아니무스는 외부 세계와 관계하지 않고, 내면 세계를 매개할 인물상이 되기 위하여 배경으로 물러난 것이다. 어쩌면 구렁덩덩 신 선비가 허물을 없애지 못하게 한 것은 의식화의 계속적인 진행을 저지하는 태도가 될 수 있다. 실제로 여성 자아가 자신의 고유한 입장을 제대로 갖추지 않은 상태라면, 자신도 모르게 무의식의 요구와 동일시 하게 된다. 자아가 무의식의 요구와 자신의 욕구를 구분할 수 있을 때, 자아의식은 주체로서 대상 세계든 내면 세계든 관계를 제대로 맺을 수 있다.[138] 셋째는 아직 여성 자아로서 주체적 입장이 아닌 것일까? 셋째는 신랑인 신 선비의 말이나 언니들의 요구에 좌우될 가능성이 크다. 이것은 여성 자아가 매 상황에서 유력한 존재의 권위와 힘에 의해 영향을 받을 수 있음을 나타낸다. 이런 의미에서 첫째와 둘째의 일관성 있는 의식적 태도, 즉 무의식에 대한 부정과 거부의 태도는 의의가 있다. 막내는 상대적으로 무의식과 친화력이 있어서 접근하기도 쉽지만, 동시에 그만큼 무의식적 정신과의 동일시도 쉽게 이루어진다. 오히려 구렁이에 대해 꺼려하는 첫째와 둘째 덕분에 무의식의 요구나 의도에 동화되지 않고, 그나마 여성 자아의 의식적 태도를 일관성 있게 독립적으로 유지할 수 있는 것이다.

첫째와 둘째가 구렁이의 허물을 태워 버리자, 셋째는 더 이상 무의식적 동일시가 불가능해졌다. 구렁이의 허물을 태워 없앤 것은 결과적으로 여성 의식으로 하여금, 아니무스와 동일시 하지 않도록 조치한 것이 되었다. 외적으로는 허물을 태운 것이 구렁덩덩 신 선비와의 관계를 상실하게 만든 원인인 것처럼 보인다. 그러나 껍질이 벗겨지고, 허물이 태워짐으로써 여성 의식 수준에서 경험할 수 있는 실제적인 아니무스의 존재가 폭로될 수 있었다. 허물이 태워지고 남편이 사라지자 사실상 여성 의식과 아니무스의 관계가 아직 제대로 이루어지지 못했음이 드러난 것이다. 어떤 의미에서든 냉혈 동물의 허물을 불로 태워 버리는 것은 전체적으로 큰 변화를 가져올 수 있는 작업에 해당한다. 불을 이용하는 태도는 파괴하는 행위만을 의미하지 않는다. 불의 열기를 통하여 요소들을 분해하거나 용해시킴으로써 변환을 가져오므로 창조적 작업이기도 하다. 여성들은 요리를 할 때처럼 불을 다루는 동안 보다 열

---

137 이런 점에 대해 ≪박씨 부인전≫, ≪춘향전≫에서 좀 더 자세히 살펴볼 수 있을 것이다.

138 C.G. Jung(1928), "Die Beziehungen zwischen dem Ich und dem Unbewußten", G.W. Bd. 7, Par. 269.
　　융은 자아가 사회적 역할의 페르조나와 구분을 해야 하는 만큼, 내면적으로도 무의식적 상들의 암시적 강제력에서 벗어나야 한다고 강조하였다.

정적이고 능동적인 주체로 변신한다. 불은 또한 리비도의 정서적 측면을 나타낸다. 불을 태우는 것은 정서적 상태로서 체험되어야 함을 의미한다. 셋째는 직접적 체험에 의하여, 특별히 정서적 경험들을 하면서 아니무스와 구분을 하게 되는 것이다. 이는 마치 행위를 통해서 자신의 욕구와 객관 정신의 요구의 차이를 인식하게 되는 것과 같다. 불로 구렁이 허물을 태워 버림으로써 무의식이 점유한 에너지가 의식에 흘러갈 가능성이 주어졌다. 이로써 여성 인격의 의식적 측면이 보다 더 주도적 역할을 수행하게 된다.

위의 내용을 다시 한 번 정리해 보자. 셋째가 신 선비와 결혼을 한 것은 여성 자아가 무의식적 동일시에서 벗어날 수 있는 기본적인 의식 수준에 이른 것이다. 결혼하자마자 신 선비는 사람으로 변신을 하였는데, 이는 여성 자아가 신 선비, 즉 아니무스를 객체로 인식할 수 있게 된 것이다. 실제로 아니무스의 형성은 내면에서 비롯되기 때문에 여성 자아와 구분하기 어렵다. 주로 동일시 되어 성격적 특성으로 알려지는 경우가 대부분이다. 언니들이 구렁이의 허물을 태우자 여성 주인공과 구렁덩덩 신 선비는 서로 헤어지게 되었다. 허물을 태운 것은 아니무스와의 무의식적 동일시 상태에서 실질적으로 벗어나게 하였다. 여성 자아는 대상 세계를 인식하거나 아니무스를 인식할 수 있는 수준에 이르렀으나 아니무스와 아직 제대로 관계를 맺지 못했던 것이다. 이제 셋째는 구렁덩덩 신 선비를 찾기 위해 집을 나서게 된다. 구렁덩덩 신 선비와의 만남을 위한 여정은 내면으로 향하는 것에 해당한다. 셋째가 구렁이 허물이 태워진 것에 대해 책임을 지는 것, 집을 떠나는 모습들은 전부 여성 자아가 인격의 주체로서 아니무스와의 만남을 주도하는 것이다.

(5) 셋째는 길을 떠났고, 도중에 밭가는 노인, 빨래하는 노파 등을 만나 구렁덩덩 신 선비의 행방을 물었다. 그들이 요구하는 것을 들어주었고, 마침내 구렁덩덩 신 선비를 만나게 되었다.

셋째는 사라진 신랑을 찾기 위하여 길을 떠났다. 밭을 갈고 있는 노인을 만나 구렁덩덩 신 선비의 행방을 물었다. 노인은 색시가 밭을 갈아 주면 가르쳐 주겠다고 하였다. 색시에게 밭을 대신 갈게 함으로써 여성 주인공으로 하여금 무의식적 정신이 주력하고 있는 활동에 참여하도록 유도하는 것이다. 무의식적 정신은 여성 인격의 기초로서 언제나 의식적 정신을 위한 예비적 준비를 하고 있다. 노인이 밭을 갈고 있었던 것은 언제인가 의식의 삶에서 거두어야 할 수확을 위한 것이다. 결과적으로 노인은 색시에게 기본적으로 무엇을 어떻게 해야 하는지를 일깨워 주었다. 색시로 하여금 대지를 일궈 의식의 삶을 풍요롭게 할 수 있는 생산 활동의 주체가 되도록 만든 것이다.

이어서 색시는 노파를 만나 빨래를 빨아 주어야 했다. 빨래는 기본적으로 여성 의식의 태도를 정화하고 쇄신하도록 요구하는 것이다. 색시는 흰 빨래는 검게, 검은 빨래는 희게 빨아야 했다. 이는 기존의 태도를 완전히 전환해야 한다는 요구이다. 특별히 여성 인격이 집단의식에 동화되어 있으면 아니무스와의 관계가 불가능하다. 자신도 모르게 집단의식에 편승하게 되면서 여성 인격은 외향적 태도에서 벗어날 수 없다. 셋째가 해야 했던 처리 방식은 여성 자아로 하여금 내향적이 되게 하는 것이다. 그것은 여성 주인공이 가지고 있던 기존의 가치관을 완전히 버림으로써 가능하다. 이러한 가치관의 전도는 여성 자아로 하여금 보다 손쉽게 내향적인 태도를 갖게 만든다. 이로써 다음 단계로의 이행에 성공한다.

흰 빨래를 검게, 검은 빨래를 희게 빨 수 있게 되었듯이, 의식의 태도가 근본적으로 변하게 되자, 색시는 흰 강아지를 따라가야 했다. 개는 가축 중에서 인간에게 제일 친화적이고, 또한 가장 충직한 동물이다. 색시가 기꺼이 강아지를 뒤따르는 것은, 여성 인격의 의식이 무의식과 동등한 수준으로 내려갈 준비가 된 것을 나타낸다. 동물의 인도에 따른다는 것은 의식의 주도력을 전적으로 무의식에 넘긴 것에 해당한다. 마치 눈을 감고 본능적 감각에 몸을 맡기거나 내면에서 울리는 소리에 주목하는 것과 같다. 여성 자아가 자신의 의지와 판단력을 모두 내려놓고, 어둠의 영역, 죽음의 세계에 진입할 수 있도록 자세를 낮추는 것에 해당한다. 앞서 여성 의식의 태도 변화, 가치관의 전도는 매우 중요했다. 결국 이렇게 강아지가 길을 안내하게 된 것은 여성 인격을 좌우하고 있는 의식의 희생으로 이루어진 것이다.

상징적으로 개는 이승과 저승의 경계에서 문지기 역할을 하는 존재이다. 이 민담에서도 개는 다른 세계로 안내하는 역할을 한다. 그것은 강아지와 색시를 태운 대야가 물속에 잠겼다가 다시 떠오르는 장면으로 묘사되었다. 강아지의 인도에 따라 색시는 대야에 올라탔고, 대야가 물속으로 하강했는데, 이런 모습은 이승과 저승의 경계, 의식과 무의식의 경계를 넘어서는 것과 같다. 물속으로 잠겼다가 다시 떠오르게 된 것은 의식의 경계를 넘어 무의식의 영역으로 진입한 것을 의미한다. 경계를 넘자 그곳은 구렁덩덩 신 선비가 사는 곳, 무의식적 정신이 주도하는 세계가 되었다.

색시가 구렁덩덩 신 선비를 만나러 가는 여정은 결국 무의식과의 실제적 접촉을 시도하는 내향화에 해당한다. 무의식과의 접촉은 여성 주인공이 주도력을 포기하고 본성에 모든 것을 내맡김으로써 가능하다. 무의식에 주도권을 넘기자, 이제 무의식이 자신의 영향력을 여성 자아에게 행사할 수 있게 된다. 이로써 무의식은 자신의 세계를 마음껏 펼쳐 보일 수 있다. 실제로 여성 자아가 무의식과의 관계에서 주도권을 상실하는 상태에 이르면, 자신의 입장을 유지할 수 없을 정도로 정신적 위기에 처할 수 있다. 그래서 강아지의 뒤를 따를 만큼 여성 주인공이 무의식에 대한 전적인 신뢰를 가질 수 있도록 준비시킨 것이다. 이런 신뢰를 통해서 여성 의식은 무의식의 파괴적 영향력에서 벗어나 아니무스와 실제적 관계를 맺을 수 있게 된다.

색시는 마침내 구렁덩덩 신 선비가 머물고 있는 곳에 이르렀다. 그 곳은 아니무스가 살고 있는 곳이면서, 동시에 아니무스가 매개하여 드러나는 세계이다. 의식의 세계가 개별 인격의 목적에 의해 선택되고 규정되는 곳이라면, 아니무스가 제안하고 있는 세계는 인간의 보편적 가치가 살아 있는 집단 정신의 이념 세계이다. 또한 인류가 삶에서 구현한 내용이 고스란히 보존되어 있는 기억의 저장소 같은 곳이다. 그곳은 구렁덩덩 신 선비라는 이름에서 이미 언급되었듯이 신성의 세계인 것이다. 이제 여성 인격은 내면 세계와의 접촉에 의하여, 새로운 정신 세계의 지평을 열게 된다.

(6) 셋째는 구렁덩덩 신 선비가 제시한 과제를 완수하여, 다른 두 부인과의 경쟁에

서 이겼다. 마침내 구렁덩덩 신 선비의 부인이 되었다.

　구렁덩덩 신 선비는 이미 두 아내와 함께 살고 있었다. 셋째인 색시에게 두 아내는 그림자에 해당하는 인물들이다. 이는 구렁덩덩 신 선비와 색시의 관계가 아직 완전히 동등한 수준에서 이루어지지 않았음을 보여준다. 그럼에도 신 선비는 두 아내와 관계를 맺고 있어서 여성 주인공에 매우 근접한 상태임을 나타내고 있다. 이렇게 두 아내의 등장은 여성 인격의 활성화 가능성을 나타낸다. 두 아내는 여성 인격의 실제적인 분화 수준을 반영하는 것이다. 색시는 두 아내와 경쟁을 하게 되는데, 이를 통하여 자신의 모습을 더 구체화 할 수 있게 된다. 다른 여성과의 경쟁적 관계에서 여성 인격은 더욱 의식적이 되도록 강화될 것이다. 이것은 무의식과의 관계에서 자아가 주도권을 무의식에 넘겨주면서 상대적으로 의식 저하의 상태에 있기 때문에 필수적인 처치이다. 과제를 성공적으로 완수하게 된다면, 여성 주인공은 의식의 주도권을 회복할 수 있을 것이다. 색시를 포함한 여성 셋과 남성 하나로서 전체성을 형성하는 넷이 된다. 색시가 주체로서 의식을 주도하면서 무의식과의 관계가 이루어질 것이다.

　구렁덩덩 신 선비가 제안한 세 과제들을 살펴보자. 첫 과제는 굽이 높은 나막신을 신고 삼십 리 밖까지 가서 은 동이로 물을 길어 오는 것이다. 그 물은 병을 낫게 하는 약수이다. 구렁덩덩 신 선비는 여인들에게 자연(본성)이 제공하는 진귀하고 가치 있는 것을 인간의 삶, 의식의 삶으로 끌어들일 수 있는 여성 의식이 되도록 요구한 것이다. 셋째는 섬세하고 신중한 태도로 이를 완수한다. 높은 굽을 신고도 물을 흘리지 않을 만큼의 신중함과 고도의 집중력을 유력하게 발휘하였다. 섬세한 주의력 및 집중력 등은 모두 잘 분화된 개별 인격의 특징에 해당한다. 이로써 셋째는 여성 의식의 실질적인 주체로서의 힘을 갖추게 된다.

　다음 과제는 호랑이 눈썹을 세 개 구해 오는 것이다. 색시는 산으로 들어갔고, 산 속에서 호랑이의 어머니인 노파를 만나 얻을 수 있었다. 호랑이는 가축이 아니라, 인간성과 아주 거리가 먼 숲 속에 사는 야생 동물이므로, 더 내밀한 심층의 본능적인 힘을 의미한다. 말하자면 여성 주인공이 호랑이의 털을 얻게 되는 것은 그런 본능적 층과 연결될 수 있을 뿐 아니라, 심지어는 그런 본능의 활력을 의식의 삶으로 가져올 수 있는 것이다. 여성 의식이 소유하는 것은 겨우 한 개의 털이지만, 그것은 어떤 의미에서 호랑이 한 마리에 해당하는 것이다. 의식의 시선으로 보면 작고 사소한 현상들이지만, 그 작은 일부분이 전체 정신과 관련되는 단서일 수 있다. 무의식적 정신들 간에는 단절이나 칸막이 없이 서로 연결되어져 있으므로 아주 작은 부분도 실제적인 무의식적 정신의 전체 의향을 환기할 수 있다. 호랑이가 동물의 왕이라고 할 정도로 강력한 본능적 힘을 가진 존재이듯이, 한 개의 털에 해당하는 사소한 무의식적 반응이 촉발된다면 매우 강력한 삶의 활력이나 엄청난 역동의 힘으로 발휘될 수 있다. 특히 눈썹은 털이 갖는 본능적 생동감뿐 아니라, 또한 '눈'을 보호하는 기능을 고려한다면, 자연에 내재한 빛의 특성, '자연의 빛(lumen naturae)', 자연(본성)의 지혜를 제공할 단서가 된다. 이 과제를 여성 주인공은 모성상의 도움으로 해결하고 있다. 이는 여성 주인공이 자연 모성 혹은 모성 자연과 근본적으로 신뢰가 있음을 보여준다. 호랑이는 매우 강력한 역동성의 동물이므로 무의식에서 의식으로의 이행이 이루어지는 순간에 동원될 강력한 본능적 저력이 될 것이다. 어떤 경우든 여성 자아는 모성상에 뿌리를 두어야 하는 것이고, 때로는 개인으로서 감당하기 어려운 삶의 과제를 해결하기 위해 본능의 힘에 도움을 청해야 한다. 아니무스는 여성 주인공이 그런 힘들과 연결될 수 있어야 한다고 일깨우는 것이다. 이것은 무의식이 주도하는 상태에서 다시 여성의 자아의식이 주도할 수 있도록 본능적 힘이 적절히 지지할 준비를 하는 것이다.

마지막 과제는 겨울철에 딸기를 따오는 것이다. 색시는 산 속에서 만난 노인의 도움으로 동굴 속에 자라고 있는 딸기를 딸 수 있었다. 한겨울에 자라난 딸기는 생명이 살 수 없는 차가운 언 땅에서 결코 꺼지지 않는 생명의 불씨와 같은 것이다. 또한 딸기는 이른 봄에 수확을 하는 대지의 열매로서 어려운 시기를 극복하고 마침내 의식의 삶에서 무엇인가 구체적으로 결실을 맺게 된 것의 상징이다. 눈이 덮인 땅은 어쩌면 여성의 지성적 정신 활동으로 인하여 생명력이 살아 숨 쉬던 대지를 얼어붙게 만든 상태를 나타낼 수 있다. 이것은 외적 혹은 내적으로 주도하는 집단 정신의 영향을 받아 억압되거나 소외되어 버린 심적 상태의 표현일 수 있다.[139] 여성 자아는 어떠한 상황이 되더라도 자신의 감정 및 정서를 상실하지 말아야 한다는 것이 겨울의 언 땅에서 딸기를 찾아내는 과제가 될 것이다. 아주 위급한 상황에 처하게 되면 고도의 긴장감, 무장된 태도들, 혹은 정신적 고양감 등으로 자신도 모르게 본성 및 본능과 단절된 상태가 될 수 있다. 그럼에도 여성 자아가 자신의 감정 및 정서를 잘 지킬 수 있다면, 그로부터 심혼의 생명력을 다시 회복할 수 있을 것이다.

무엇보다도 위의 세 과제는 모두 여성 주인공이 원래의 의식 수준을 회복하기 위해 꼭 필요한 것이다. 아니무스의 매개로 경험하게 된 내면 세계에서 여성 자아는 주도력이 상대적으로 상실되고, 무의식적 정신의 흐름에 전적으로 자신을 내맡긴 상태이기 때문이다. 마지막 과제에서 흰 눈이 덮여 있는 대지의 상태는, 모든 것이 온통 정화되고 새로워질 수 있도록 준비된 것을 의미할 수 있다. 또한 이는 여성 인격의 의식 수준이 현저하게 저하되어 생명력을 상실할 위기에 이른 것으로 볼 수도 있다. 색시가 딸기를 수확한 것은 여성 인격의 주도력이 되살아나서 의식의 수준을 원래대로 끌어올릴 수 있음을 의미한다. 세 과제를 완수하는 동안 여성 주인공은 점차 의식의 주도력을 발휘할 수 있을 만큼 충분히 능동적으로 변하였다. 붉은 색의 딸기를 획득하게 되었듯이, 여성 인격의 의식 수준은 다시 활력을 되찾을 수 있는 상태에 이른다.[140]

세 과제를 완수한 색시는 마침내 구렁덩덩 신 선비의 정식 부인으로 인정받게 되었다. 여성 인격은 의식의 주도권을 회복했으므로, 개별 인격적 특성을 의식에서 실현할 수 있게 된다. 이제부터 여성 자아는 구렁덩덩 신 선비(아니무스)와 더불어 활동할 것이다. 색시는 구렁덩덩 신 선비가 살고 있는 곳에서 그의 아내로서 자리매김이 되는데, 이는 인격의 중심이 더 이상 자아의식에 있는 것이 아니라, 전체 인격으

---

139 소위 아니무스에 사로잡힘(Besessenheit)과 같은 현상이 될 수 있다.

140 이는 연금술적 변용 과정에서 하양(albedo)에서 빨강(rubedo)으로 넘어가는 것을 의미한다.

로 옮겨졌음을 의미한다. 이로써 '대극의 합일'이 실현된다.

> … 만약 의식의 중심인 자아가 무의식을 대변하면서 무의식을 동화하고 있다고 가정한다
> 면, 이 동화 과정은 의식과 무의식이 서로 가까워지는 것이라고 생각할 수 있을 것이다.
> 이때 전체 인격의 중심은 더 이상 자아와 일치하지 않으며 의식과 무의식 사이의 중앙점
> 이 될 것이다. 이것은 새로운 평형점일 것이며, 전체 인격의 새로운 중심잡기이다. 아마
> 도 의식과 무의식 사이의 중간 위치 때문에 인격에 새롭고도 더욱 확고한 기반을 보장하
> 는 어떤 잠재적 중심이다. … [141]

맺는 말

민담 ≪구렁덩덩 신 선비≫에서는 남성 배우자가 동물 형상, 특히 구렁이 형상을
하고 있다. 구렁이 형상은 여성의 아니무스로서 시지기 원형에 기초하여 대극의 쌍
으로서 형성된 것이고, 모성상에 의해 여성의 의식에 알려질 수 있었다. 여성 주인
공은 모성상이 매개한 아니무스를 통하여 새로운 인격의 변화를 경험하게 된다. 구
렁이 형상의 신랑은 여성 주인공의 적극적인 수용적 태도 덕분에 인간의 모습으로
변모한다. 구렁이 형상에서 인간으로의 변모는 동시에 여성 인격의 변화에 상응하
는 것이기도 하다. 여성의 아니무스가 모성상과 연결되어 있는 한, 객관 정신으로
인식되기 어렵다. 아니무스가 객관적으로 인식되기 위해서는 여성 주인공이 모성
상에서 벗어나야 한다.

이 민담에서는 아니무스가 여성 의식에 알려질 수 있는 객체가 되기까지의 상태를
구렁이라는 상징으로 나타내었다. 구렁이가 이름을 갖게 되거나, 허물을 벗고 인간
이 되는 과정은 여성 자아의 자기 인식적 수준과 관계한다. 구렁이와 셋째의 혼인
은 아직 '대극의 합일'이 아니라, 여성 주인공이 비로소 대극적인 것을 인식할 수 있
는 의식 수준에 도달한 것임을 확인할 수 있다. 여성 주인공이 구렁이 신랑을 만나

기 위한 노력들은 실제적으로 대극적 관계를 실현하는 내용이다. 여성 주인공은 의식의 태도를 전환하여 무의식적 정신에 접근하면서, 그에 따른 새로운 의식의 입장을 갖게 된다. '대극의 합일'은 의식의 희생이 있은 후, 무의식이 다시 의식의 입장을 회복시켜 공동의 중심이 되도록 했을 때 가능해진다.

민담에서의 결혼은 여성의 자아의식과 아니무스와의 대극적 만남이며, 인격의 통합을 요구하는 심혼적 사건이다. 여성 의식이 아니무스를 객관 정신으로 인식하게 되면, 자아의식은 더 이상 자신이 전체 인격의 대표라는 입장을 고수할 수 없게 된다. 여성 자아는 아니무스와 나란히 기능하게 된다. 이로써 자아의식과 아니무스의 통합에 의한 제3의 인격으로 변화된다. 새롭게 태어난 여성 인격은 필요에 의해서 언제든지 보편적 인간 정신의 내용을 의식의 삶으로 가져오는 주체가 된다. 여성의 아니무스는 바로 그런 자연(본성)의 풍요롭고도 치유적인 생명력, 자연의 지혜를 가져오는 여성의 창조적 생산력을 매개한다. 이때 여성의 자아의식과 아니무스의 결합은 '신성혼'에 해당한다. 아니무스와의 결합으로 여성 자아도 신성을 획득한다. 내용적으로 그것은 전(全)인격적 존재를 의미한다.

다음의 그림은 대극의 합일에 관한 동양의 전형적 형상이다. 이는 음(陰)과 양(陽)의 의인화 된 형상인 여와-복희의 결합, 즉 양성체의 형상이다. 두 형상 모두 손에 각각 우주의 질서를 부여한 흔적으로 측량 도구를 들고 있듯이, 그들은 조물주와 같은 존재로서 세계의 중심에 있으면서, 하나의 통일체적 세계(unus mundus)를 형성한다. 민담의 결말에서 셋째가 성공적으로 과제를 완수하여 구렁이 신랑과 재회를 하게 된 것은 다음의 그림과 같은 형태가 될 것이다. 이것이야말로 여성의 자아의식과 아니무스의 만남, '대극의 합일'을 표현한 형상화이다. 그림에서 보듯이 여성과 남성 모두 신성한 존재로서, 구렁이 모습을 서로 공유한다. 이런 의미에서 구렁이는 개별적 인간 정신의 특징이 아니라, 집단적이자 보편적 정신의 상징적 표현임을 알 수 있다.

---

141   C.G. Jung(1928), "Die Beziehungen zwischen dem Ich und dem Unbewußten", G.W. Bd. 7, Par. 365.

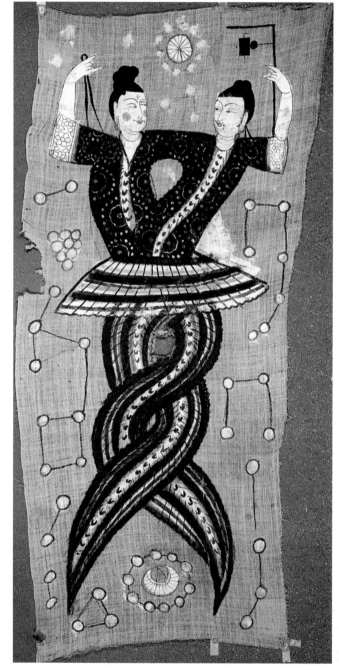

복희 ― 여와

한국 민담의 여성상

제7장

여성의 선택과 결혼

≪가믄장 아기≫

앞서 여러 민담에서 보았듯이, 여성은 발달사적으로 아동기는 물론이고, 사춘기를 넘어, 성인기에 이르기까지 모성상(母性像)과 동일시 되어 있는 경우가 대부분이다. 오늘날 현대의 여성이 사회적 지위나 역할로 보아 상대적으로 과거의 여성과 다르게 살고 있다고 하더라도, 여전히 여성들은 모성상의 지배를 받고 있다. 비단 여성뿐 아니라, 남성에게도 모성상 혹은 모성 원형은 언제나 초기 아동기의 생존을 위한 중요한 본능적 저력으로 작용한다. 모성상 혹은 모성 원형은 기본적으로 자아의식을 생산하고, 그것의 성장과 성숙을 돕는 기능을 하기 때문이다. 남성은 모성상과 분리가 제대로 이루어지지 않으면, 자아의식의 성장에 어려움이 있음이 바로 드러나지만, 여성에 있어서는 그런 문제가 크게 두드러지지 않는다. 그래서 많은 여성들은 일생 동안 모성상과 거의 구분하지 못하고 살아간다. 심지어는 사회적 제도조차 여성들에게 모성상과 일치하도록 요구해 왔다. 속담에서는 첫 딸을 살림의 밑천이라고 하여, 작은 엄마로 간주하였다. 첫 딸은 일찍부터 바쁜 어머니를 대신하여 동생을 돌보거나, 여러 집안일을 책임지는 경우가 많았던 것이다. 또한 민며느리 제도가 있을 정도로 딸을 일찍 시집을 보내어 어린 신랑을 돌보는 모성의 역할을 하도록 했다. 이처럼 사회 문화적으로 모성적 역할이 여성의 인격을 대변해 왔다.

모성상은 아동기의 여성과 남성 모두에게 본능적 활동의 기초가 된다. 특히 여아의 태도는 모성상에서 비롯된 수동성, 수용성, 관계성으로 나타나는데, 이것이 무의식적으로 여성의 개별 인격적 특징으로 간주되고 만다. 이런 점에서 여성은 상당한 부분 진정한 의미의 개인적 특성의 인격적 면모를 드러내지 못한다. 개인적 욕구는 물론이고, 심지어 여성의 개별적 능력들도 모성상에 기초한 경우가 적지 않다. 이런 모성상의 기초가 어떤 의미에서 여성으로 하여금 개인적 가치를 추구할 수 없게, 무의식적 특성이 지배하게 만드는 요인이 된다. 무엇보다 모성상과의 동일시는 여성 자신을 규정하기 어려운 인격의 특성, 즉 모호함을 갖게 함으로써 문제가 된다. 여성은 그 막연함과 모호함 때문에 자신을 열등하게 여기기도 한다. 이런 의미에서 여성의 그림자는 개인의 열등한 인격의 측면보다는 모성상과의 동일시에 의하여 제대로 구체화 될 수 없었던 개인적 요소로 이루어져 있다. 여성이 다른 여성에게 느끼곤 하는 부러움, 질투 등의 감정은 대부분 투사되어져 있는 자신의 소중한 개별적 인격의 특성을 환기하는 것이라 할 수 있다.

여성은 사회적 활동에서 남성들과 비교하면 상대적으로 책임이 적은 역할을 하는 듯하다. 이러한 소극적 참여로 인하여 개별 인격의 특성은 강조되지 않는다. 결혼 생활에서 양육 등과 같은 모성의 역할은 비교적 개별적으로 큰 책임을 요하는 경우이지만, 다른 사람을 돌보고 키우는 역할이므로 정작 자신을 성장 발전시키는 내용은 제외된다. 유능한 여성의 경우라면 여러 장면에서 자신의 개별 능력을 발휘할 수 있는 기회가 주어지기 때문에 오히려 주어진 역할과 동일시 할 가능성이 크다. 심지어 주어진 역할과 전적으로 동일시 함으로써 개인 인격의 모호함을 극복한 것으로 여기며 편안함까지 느낄 수 있다. 심지어 이런 여성은 모성 역할과 동일시 하면서 페르조나를 발전시키게 된다. 그래서 어느 순간 아니무스와의 동일시 및 사로잡힘의 상태에 이르게 된다. 모성 역할은 어느새 원칙과 철칙을 고수하는 아니무스로 대체되기 때문이다. 사실 아니무스는 페르조나에 보상성을 발휘하려는 것이었으나 전혀 인식되지 못하고 역기능적으로 작용하는 것이다. 모성 원형의 요구는 무차별적 동일시를 위한 것이 아니다. 그것은 기본적으로 내면의 요구처럼 기능한다. 그런 요구들로 인해 신체적 질환과 같은 어려움을 수반하거나, 심하게는 외부의 모성 역할에 몰두할 수 없게 되기도 한다. 이런 신체적 어려움은 여성 자신을 돌보게 하려는 목적을 갖고 있다. 모성상은 자아의식의 분화를 어렵게 만드는 요인이기도 하지만, 궁극적으로 여성의 의식화에 중요한 원동력이 된다. 모성 원형의 영향력은 언제나 여성 인격에 합목적적으로 작용한다.

민담에서 여성이 모성 원형과 동일시 된 경우, 종종 여성 주인공이 모성신(母性神)과 같은 초개인적 특성을 갖고 있는 것으로 표현된다. 이런 초개인적인 특성이 여성 주인공으로 하여금 독립적인 인격이 되게 하거나, 어려움을 극복할 용기 있는 태도를 갖게 한다. 모성 원형과의 관계에서 획득되는 초개인적 특성은 기본적으로 여성 자아가 자발적인 힘과 의지력을 발휘하여 부모상과 분리를 시도할 수 있게 한다. 이것은 또한 사회적 요구나 주변의 요구에 굴하지 않고 고유한 삶의 방향을 찾아가게 만드는 결단력으로 작용한다. 이로써 개별 인격적 가치를 획득할 기회로 이어짐은 물론이고, 무엇보다 배우자의 선택에서 주체적인 입장을 취할 수 있게 된다.

이제 소개할 민담 ≪마퉁이≫ 혹은 ≪가믄장 아기≫에서 여성 주인공은 스스로 부모상과 분리를 시도하고, 배우자를 찾아가서 청혼하는 모습이 특징적이다. 그와 같이 독립적이고 능동적인 여성 자아의 태도가 어디에서 기인하는지 살펴볼 수 있을 것이다. 민담에서 부모를 벗어나서 배우자를 찾게 되는 것은 앞서 살펴보았듯이 또 하나의 '대극의 합일' 및 '신성혼(hieros gamos)'으로 이해될 것이다.

민담 요약

≪가믄장 아기≫

옛날 옛적에 강이영성이라는 사내 거지는 윗마을에 살고, 홍은소천이라는 여자 거지는 아랫마을에 살고 있었다. 흉년이 들어 두 거지는 얻어먹기 힘들게 되었다. 윗마을 강이영성은 아랫마을이 풍년이 들었다는 소문을 들었고, 아랫마을 홍은소천은 윗마을이 풍년이 들었다는 소문을 듣게 되었다. 윗마을의 강이영성은 아랫마을로, 아랫마을 홍은소천은 윗마을을 향해 떠났다. 두 거지는 도중에 만나 부부가 되었다. 그러다가 딸아이가 태어났다. 거지 생활을 그만두고 품팔이를 해서라고 열심히 살려고 애썼지만, 가난에서 벗어날 수 없었다. 그러자 동네 사람들이 불쌍히 여겨 은 그릇에 밥을 해서 먹이며 그 딸아이를 돌봐 주었다. 그래서 그 아이의 이름은 은장 아기라고 불리게 되었다. 아이가 두 살이 되자 다시 부인이 딸을 낳았다. 이번에도 동네 사람들이 도와주었다. 이번에는 놋 그릇에 밥을 해서 먹이며 길렀기 때문에 놋장 아기라고 불리게 되었다. 다시 셋째 딸이 태어났다. 동네 사람들이 도와주었으나 이번에는 나무 바가지에 밥을 해다 먹였다. 그래서 가믄장 아기라 불리게 되었다. 셋째 딸이 두 살이 되면서 두 부부의 운이 트이게 되어 점차 잘 살게 되었다. 가믄장 아기를 낳고서 마침내 거지 부부는 천하의 거부가 되었다.

　세월이 흘러, 가믄장 아기가 열다섯 살이 되던 해에 부모는 딸들에게 누구의 덕으로 행위발신(行蔿發身)하냐고 물었다. 첫째 은장 아기는 '하늘님 덕, 지하님 덕, 아버님 덕, 어머님 덕'이라고 답하였다. 둘째 놋장 아기도 같은 대답을 하였다. 셋째 가믄장 아기에게 물어보니 대답이 달랐다. 가믄장 아기는 '하늘님 덕, 지하님 덕, 아버님 덕, 어머님 덕도 있지만, 배꼽 아래 선(배꼽에서 음부에 이르는 선)의 덕으로 먹고 있다'고 답하였다. 부모는 화가 나서 가믄장 아기를 집에서 나가라고 하였다. 가믄장 아기는 입던 옷과 얼마간의 양식을 검은 암소에 싣고 집을 나섰다. 불효자식이긴 하지만 부모는 섭섭하여 길 떠난 가믄장 아기를 다시 불러들이기 위해, 큰 딸에게 '가믄장 아기에게 식은 밥에 물 말아 놓은 것이라도 먹고 가라'고 전하도록 시켰다. 은장 아기는 가믄장 아기를 사랑하는 부모가 다시 불러들이고, 집과 재산을 나누어 줄 것이기 때문에 시기심이 생겼다. 그래서 은장 아기는 문 밖 노둣돌(下馬石) 위에 서서 '불쌍한 아우야! 어서 가 버려라, 아버지 어머니가 너를 때리려고 나오신다!'고 외쳤다. 가믄장 아기는 그 속셈을 알고 '불쌍한 큰 언니, 노둣돌 아래로 내려서거든 청(靑) 지네 몸으로 환생하소.'라고 중얼거렸다. 은장 아기가 노둣돌 아래로 내려서자, 지네 몸이 되어 노둣돌 밑으로 들어가 버렸다. 부모는 가믄장 아기를 데리고 올 은장 아기를 기다렸으나 소식이 없자 다시 놋장 아기를 불러 똑같이 시켰다. 둘째 놋장 아기도 시기심 때문에 두엄 위에 올라서서 '어머니, 아버지가 때리러 오니 빨리 가 버려라!'라고 하였다. 가믄장 아기가 그 속셈을 알고 '두엄 아래로 내려서거든 버섯 몸으로 환생하소.'라고 중얼거렸다. 놋장 아기가 두엄 아래로 내려서자 버섯이 되어 두엄에 뿌리를 박고 서 버렸다. 부부는 가믄장 아기를 데리러 간 놋장 아기를 기다렸으나 소식이 없었다. 불길한 예감이 스쳐서 문을 밀치고 밖으로 내달았다. 순간 액방(윗중방)에 눈이 부딪혀 부부는 봉사가 되어 버렸다. 그날부터 부부는 가만히 앉아서 먹고 입으며 지내게 되었다. 그러자 재산이 탕진되고 가난하게 되어 다시 거지가 되고 말았다.

집을 나선 가믄장 아기는 검은 암소에 옷과 쌀을 싣고 정처 없이 길을 떠났다. 날이 어두워지고, 머물 곳을 찾다가 다 쓰러져 가는 초가 하나를 발견하였다. 집에는 나이 든 할머니, 할아버지 부부가 있었다. 가믄장 아기는 날이 저물었으니 재워 달라고 부탁하였다. 노부부는 아들 삼 형제가 있어 지낼 방이 없다고 거절하였다. 부엌에라도 머물게 해 달라고 부탁하자 겨우 허락하였다. 알고 보니 마퉁이네 집이었고, 삼 형제가 마를 캐서 겨우 살아가고 있었다. 저녁이 되자 요란한 소리를 내며 삼 형제가 돌아왔다. 첫째와 둘째 마퉁이는 가믄장 아기를 보고 욕을 해댔다. 그러나 셋째는 검은 암소가 있고, 사람이 있다는 사실을 확인하고 하늘이 도우는 일이라며 반가워하였다. 가믄장 아기는 세 형제의 행동을 곁눈으로 살펴보았다. 첫째 마퉁이는 마를 삶아서 부모에게 머리 부분을 주고 자신은 살이 많은 잔등을 먹어 치우고, 손님인 가믄장 아기에게 꼬리를 주었다. 둘째 마퉁이는 마를 삶아서, 부모에게 꼬리를 주고 살이 많은 잔등은 자신이 먹어 치우고, 가믄장 아기에게는 머리 부분을 주었다. 막내 마퉁이는 마를 삶아서 부모에게 살이 많은 잔등이 부분을 주고, 가믄장 아기에게 머리 부분을 주고 자신은 꼬리만 먹었다. 마침내 가믄장 아기가 솥을 빌어, 솥을 깨끗이 씻은 다음 밥을 지었다. 기름이 번질번질한 밥을 떠서 상을 차려 먼저 노부부에게 올렸으나 '조상님 대에도 먹지 않았던 것'이라고 하며 먹지 않았다. 가믄장 아기는 큰 마퉁이에게 밥상을 차려 주었으나 '조상 대에도 먹지 않았던 벌레 밥이므로 먹지 않겠다고 하면서 도리어 화를 내었다. 둘째 마퉁이도 똑같이 화를 내며 밥을 먹지 않았다. 마지막 막내 마퉁이에게 밥상을 차려 주자 맛있게 밥을 먹었다. 첫째와 둘째 마퉁이는 동생이 맛있게 밥 먹는 모습을 보고서야, 먹고 싶어져서 동생에게 밥을 나누어 달라고 하여 얻어먹었다. 잠자리에 들 때가 되자 가믄장 아기는 혼자 자는 것이 섭섭하여 노부부에게 '나하고 함께 누울 아들 하나 보내 달라고 하였다. 첫째와 둘째 마퉁이는 거절하였으나 셋째 마퉁이는 기뻐하면서 승낙하였다. 가믄장 아기는 셋째 마퉁이와 혼인을 하였다. 막내 마퉁이를 목욕시키고, 새 옷을 갈아입혀 갓과 망건을 씌워 놓으니 절세 미남이었다. 막내 마퉁이가 새 옷차림으로 외출하면 큰 형이 꾸벅 절하며 형님이라 불렀고, 둘째 형도 절하며 형님을 몰라보았노라고 하였다. 가믄장 아기는 남편에게 마 파던 곳을 구경하고 싶다고 하였다. 큰 마퉁이가 파던 구덩이에는 똥이 가득하였다. 둘째 마퉁이가 파던 구덩이에는 지네, 뱀 등이 우글거렸다. 마지막 막내 마퉁이가 파던 구덩이에는 파내어 버린 자갈이 가득하였다. 가믄장 아기가 자세히 보니 버린 자갈은 금 덩이, 은 덩이였다. 검은 암소로 모조리 집으로 실어 가서 부자가 되었다.

부자로 잘 살게 된 가믄장 아기는 부모 생각이 간절했다. 눈이 멀고 거지가 된 부모를 찾아야겠다고 마음먹었다. 그래서 거지 잔치를 석 달 열흘 백일 간 열기로 하였다. 잔치가 시작되자 거지들이 찾아왔다. 가믄장 아기는 자신의 부모를 찾기 위해 열심히 살펴보았다. 백일이 되는 날 할머니, 할아버지 거지가 된 부모가 나타났다. 그러자 가믄장 아기는 일꾼들에게 거지 부부가 위쪽에 앉으면 아래쪽에 음식을 차리고, 아래쪽에 앉으면 위쪽에 음식을 차려 먹지 못하게 하도록 일렀다. 노부부 거지는 이리저리 자리를 옮겨 보았으나, 그릇 소리만 들었을 뿐 음식을 얻어먹지 못하자, 거지 잔치에서도 복이 있어야 얻어먹는 거라고 탄식하며 그냥 돌아가려 하였다. 그때서야 가믄장 아기는 거지 부부를 사랑방으로 모시고 상다리가 부러지도록 차려서 대접하면서 눈먼 거지가 된 사연을 말하도록 하였다. 거지 부부는 거지로 만나 딸 셋을 낳고 잘 살다가 셋째 딸 가믄장 아기를 내쫓은 이후 봉사가 되고, 다시 거지로 지내게 된 것을 털어놓았다. 가믄장 아기가 자신이 그 셋째 딸임을 밝히자 놀란 부부는 눈을 번쩍 뜨게 되었다.

위의 민담은 《평강 공주》 혹은 《바보 온달과 울보 공주》와 유사한 것으로 알려져 있다. 이야기를 간단히 소개하면 다음과 같다.

《바보 온달과 울보 공주》[142]

고구려에 온달이라는 남자가 살고 있었다. 그의 얼굴은 지독히도 못생겼고 가난하여 이 집 저 집 기웃거리며 구걸을 해야만 했다. 사람들은 그를 비웃고 조롱하며 '미친 온달' 내지 '우온달'이라고 불렀다. 종내에는 멍청하거나 떠돌이 같은 사람을 '바보 온달'이라고 불렀다. 때는 평선왕이 나라를 다스리고 있을 때였다. 그의 딸 평강 공주는 어릴 때 잘 울어서 왕과 왕비의 근심이 되었다. 왕은 공주가 울 때마다 '네가 크면 바보 온달에게 시집보낸다'고 입버릇처럼 말하였다. 공주가 자라서 16세가 되자 왕은 공주에게 배필을 정해 주려 하였다. 그러자 공주는 바보 온달에게 시집가겠다고 고집하였다. 왕은 화가 나서 공주를 궁궐에서 내쫓고 말았다. 쫓겨난 공주는 바보 온달을 찾아 나섰다. 마침내 눈먼 어머니와 살고 있는 바보 온달을 만나게 되었다. 처음에 바보 온달은 공주를 거절하였으나, 드디어 아내로 맞이하여 함께 살게 되었다. 어느 날 공주는 온달에게 나라에서 부리던 말 중 가장 여위고 병든 말을 사게 하였다. 온달이 그 말을 사오자, 공주는 정성스럽게 보살펴서 준마가 되게 하였다. 또한 공주는 온달에게 글공부와 무예를 연마하게 하여, 뛰어난 기량을 갖추게 만들었다. 공주는 온달로 하여금 부왕이 개최하는 3월 3일 사냥 대회에 참여하게

---

142 최인학 · 엄용희 엮음(2003), 『옛날이야기꾸러미 3』, 〈공주와 거지〉, 377~380쪽을 참고하라.

하여 가장 성적이 좋은 사냥꾼으로 인정받게 하였다. 이에 왕이 온달을 가까이 불러 이름을 물으니, 바로 공주가 결혼하려 했던 바보 온달임을 알게 되었다. 온달은 나중에 고구려의 장군이 되어 나라를 지키는 등 훌륭한 일들을 해내었다.

위의 이야기는 ≪가믄장 아기≫처럼 여성 주인공의 용기 있는 결단과 선택이 돋보인다. 평강 공주가 어릴 때부터 울곤 했던 것은 부성상의 지배 하에 있어서 불편한 여성의 심정을 정서적으로 표현한 것으로 보인다. 그럼에도 평강 공주는 오랜 부성상의 요구를 운명의 일부로 받아들였다. 공주는 운명처럼 되어 버린 사실을 실현하려고 바보 온달과 결혼하겠다고 한 것이다. 이로써 공주는 부성상에서 성공적으로 벗어나게 된다.

부성상의 왕은 어린 딸이 울 때마다 바보 온달에게 시집을 보내겠다고 하였다. 말하자면 아버지의 지배원리를 불편히 여기고 있다면, 공주를 자신의 울타리에 두지 않고, 낯선 영역, 즉 적과 같이 제외시키거나 평가 절하된 영역에 보내겠다고 위협한 것이다. 평가 절하된 남성 인물, 즉 바보 온달은 부성상과는 다른 가치관에 속한다. 온달은 부성상의 지배원리에서 벗어나 있는 새로운 남성 요소에 해당한다. 이는 이미 바보 온달이라는 표현에서 드러난다. 대부분의 민담에서 다루고 있듯이, 가장 어리석은 자가 생명력을 잃어버린 집단의식에 치유적인 내용을 제시할 가능성이 있는 것이다.

남성 심리학적 입장에서 보면, 평강 공주가 아니마로서 남성 인물상에 어떤 기능과 역할을 하는지 잘 드러난다. 앞서 ≪우렁 각시≫에서 보았듯이, 아니마는 새롭게 부상하는 남성 의식에 하나의 세계관을 갖도록 해 준다.[143] 여성 심리학적 입장에서 본다면, 여성 주인공이 부성상에서 벗어나 독립적으로 분화하여 개별 인격의 가치를 실현하는 내용에 해당한다.

이 민담은 ≪가믄장 아기≫ 혹은 ≪삼공 본풀이≫로 알려져 있지만, 종종 ≪마퉁이≫ 민담으로 소개되기도 한다. ≪삼공 본풀이≫ 혹은 ≪삼공 맞이≫는 큰 굿에 장고를 치며 노래하는 이야기이다. 여기서 '삼공'은 전상 즉 전생(前生)을 의미한다. 그래서 굿은 '전상 놀이'에 해당한다. '전상'은 술, 놀음, 도둑질과 같은 것에서 헤어 나오지 못하는 상태에 있음을 묘사한다. 고달픈 육체적 노동이 요구되는 직업에서 벗어나지 못할 때도 '전상' 때문이라고 한다.[144] 그래서 일반적으로 이 이야기는 한 개인의 운명을 좌우하는 전생은 결코 극복될 수 없다는 내용으로 이해되는 듯하다.

분석심리학적으로 전생은 '집단무의식'과 연관되는 것이라고 이해할 수 있다. 전생이 현생의 삶에 영향력을 갖는다고 묘사되는 것은 어쩌면 당연한 것일지도 모른다. '집단무의식'은 개별 인간의 선험적 조건이자, 인류가 살아온 경험의 축적으로 이루어진 것으로, 개별 인격의 기초이기 때문이다. 그 영역의 실질적 영향력은 자아의식의 태도에 따라서 상대적으로 작용한다. 그것은 끊임없이 변화하는 외부 현실에 반하여 늘 한결같이 작용하는 기초이므로, 때로는 어떤 강한 강제력을 가진 삶의 전제로서 기능한다. 이런 이유에서 '집단무의식'은 변화를 거부하는 강력한 보수성을 갖는다. 특히 자아의식이 분화되어 있지 않은 경우 그 보수성은 한 개인을 원시성에서 벗어나지 못하도록 만드는 모성적 점유력이 된다. 이것이 개인이 마음대로 변화시키기 어려운 삶의 전형, 즉 운명에 해당할 것이다.

신화적으로 표현하자면, 한 개인의 운명은 모성신들이 이미 정해 놓은 것들이다. '삼공'이라는 표현은 '전상'을 차지하는 신이라고 한다. 이런 의미에서 '삼공'은 모성신 및 모성상과 관계된 것이다. 운명을 정하는 모성신의 영향력은 한편으로는 인간의 개별적 자율성을 전혀 용납하지 않는 것처럼 보인다. 그러한 보수적 관습적 태도에서 벗어날 시도조차 하지 않는다면, 심혼적 빈곤함을 면하지 못하는 상태가 된다. 개별 자아가 모성신 및 모성상과의 관계를 어떻게 하느냐에 따라 의식의 삶을 풍요롭게 만들 수도 있다. 원래 모성신이 짜 놓은 운명은 개별 인간의 삶을 불행하게 만들려는 것이 아니다. 오히려 그 운명에 개별 자아가 주체적으로 참여하여 의식의 삶

---

143 이는 제IX장, 제X장에서 여성 심리학의 입장에서 다시 다루게 될 것이다.

144 현용준 지음(2005), 『제주도 신화』, 86쪽.

에서 제대로 이해하고 완수할 때, 개별 인격의 실현을 유도하는 전제가 된다. 결국 운명은 전(全)인격적 실현을 위한 본성의 길 자체를 의미한다. 운명은 모성신이 각 개별 인간에게 맞는 개별적 고유함을 실현하도록 제시해 놓은 것이므로, 각자가 운명을 삶의 과제로서 의식하여 개별적으로 완수해야 할 것이다. 이를 민담 ≪가믄장아기≫는 잘 보여주고 있다.

민담의 해석

(1) 옛날 옛적에 사내 거지는 윗마을에 살고, 여자 거지는 아랫마을에 살고 있었다. 흉년이 들어 사내 거지는 아랫마을로, 여자 거지는 윗마을로 향해 가다가 만나서 부부가 되었다.

민담은 남녀 거지의 만남으로 시작한다. 거지는 어떤 존재인가? 거지는 어떤 집단에서 제대로 정착하지 못하고 떠돌며 먹을 것을 구걸하는 존재이다. 그래서 거지는 집단의식에 제대로 속하지 않는 잉여의 존재와 같다. 이 잉여의 존재들은 집단의식의 삶에 동참하지 못하고 소외되기도 하지만, 동시에 집단의식의 지배원리에서 벗어나 있어서 자유롭기도 하다. 종종 그들은 상대적으로 다른 영역과 접촉하면서 새로운 가능성을 갖는다. 그들도 자신을 풍요롭게 해 줄 새로운 삶의 지배원리를 찾는다면, 집단에 적응하여 행복하게 살아갈 수 있을 것이다. 비록 거지는 집단의식에 전적으로 적응하지 못한 잉여의 존재이기도 하지만, 그럼에도 집단의식이 제공하는 양식을 공급받으려 애쓴다. 결국 그들은 주로 집단에서 소용없거나 남아도는 자원들을 제공받아서 연명을 하므로, 집단의식이 주목하지 않는 면들과 접촉하거나 소유할 가능성도 있다. 아마도 거지들에게 의식의 삶에 참여할 기회를 준다면, 그들은 집단의식에 필요한 보상적 내용을 제공할 수 있을 것이다. 이런 의미에서 거지는 집단의 삶을 근본적으로 변화시킬 수 있는 새로운 내용들을 의식으로 끌어들일 가능성이 있는 인물상이다.

민담에서 남녀가 각각 떨어져서 가난한 거지로 살고 있다가, 만남이 이루어져 부부가 되자 아이를 낳고 부자가 되었다. 이런 사실로 보아 가난이나 거지 생활은 남녀 관계의 부재에서 비롯된 것을 의미한다. 민담의 가난은 실제의 삶에 관한 것이 아니라, 심리적 가치에 상응하는 것임을 그 자체로 드러낸다. 남녀 관계의 부재는 어떤 변화나 생산이 이루어질 수 없는 심혼적 정체 및 빈곤 상태를 의미한다. 두 대극적 요소의 관계는 갈등과 불화를 조장할 수도 있겠지만, 언제나 새로운 변화 및 의식화를 가져오게 될 제3의 것을 형성한다. 민담은 아직 만남이 이루어지지 못한 두 요소의 특징을 거지로서 강조한 것이다. 이런 의미에서 민담은 이미 '대극의 합일', 즉 '신성혼'을 유도하고 있다.

또한 여성 심리학적 관점에서 본다면, 여성 거지와 남성 거지의 존재는 한 여성 인격에서 오랫동안 진행되고 있었던 심적 상태라고 할 수 있다. 빈곤의 상태는 여성 인격이 삶의 느낌이나 활력을 갖지 못하고 있는 상태, 소위 심혼적 빈곤 상태라고 할 수 있다. 심혼적 가난은 여성 의식이 자신의 뿌리와 단절되어 있거나, 다른 심혼적 요소와 관계를 맺을 수 없는 상태를 나타낸다. 민담에서 보듯이 심혼적 어려움은 외부 상황이 나빠지면 구체적으로 드러난다. 이로써 이전까지 전혀 의식하지 못했던 자신의 취약한 부분을 발견할 수 있다. 이때의 심혼적 문제는 내적인 것으로 간주되기보다는 주로 외부의 상황에 의한 것으로 인식하게 될 것이다. 또 다른 의미에서 본다면, 집단의식에 적응하지 못한 여성 의식의 전반적인 상태를 여성 거지로 묘사한 것일 수도 있다. 여성이 여러 이유에서 소외되어 의식의 삶 언저리에서 떠돌고 있는 것이다. 예를 들어 가부장 제도처럼 여성을 상대적으로 폄하하는 집단의식의 지배원리에 의해 주도권을 빼앗긴 대부분의 여성 자아의 입장이 될 수 있다. 개인적으로는 집단의식의 요구에 전혀 부응하지 못하는 여성 의식의 상태에 해당한다. 결국 두 경우 모두 여성 인격의 무의식성이 문제가 된다. 집단 정신과의 동일시는 언제나 개별 인격 가치의 부재가 되기 때문이다. 두 남녀 거지가 움직인 것은, 마침내 그런 상태를 벗어나려는 여성 인격의 전반적인 변화의 요구와 관련지을 수 있다.

거지는 분명 특정의 집단 혹은 집단의식에 속하지 않은 잉여의 존재이다. 거지라는 신분은 익명성으로 신성(神性)을 드러낼 수 있는 인물상이기도 하다. 많은 신화나 민담에서 신이나 왕이 거지나 방랑자로 신분을 감추고 나타난다. 이것은 '가장 저급한 것이 가장 고귀한 것일 수 있다'는 무의식의 역설적이고도 이중적 의미와도 통한다. 이 민담에서 익명의 신성에 해당하는 두 거지 남녀는 정체된 상태에서 벗어나기 위해 활동을 개시하여 만남을 이루었고, 드디어 새로운 삶의 조건을 마련하게 된다. 이러한 남녀 거지 부부는 '대극의 합일'을 유도하는 신성, 시지기 원형에 해당한다고 할 수 있다. 두 거지 남녀의 만남에 관한 것은 민담 ≪구렁 덩덩 신 선비≫에서 보았듯이, 여성 주인공이 등장하기 전의 무의식적 배경이 되는 내용들에 해당한다. 거지 부부는 ≪구렁 덩덩 신 선비≫의 노부부처럼 시지기 원형으로서 결합하여 제3의 요소를 생산한다. 이 요소는 장차 여성 인격이 될 것이고, 또한 '대극의 합일'을 위한 대극적 요소, 즉 남성 요소를 끌어들이게 될 것을 예고한다.

(2) 두 거지는 도중에 만나 부부가 되어 딸 셋을 낳았다. 첫째는 은 그릇에 밥을 먹여 은장 아기, 둘째는 놋 그릇에 밥을 먹여 놋장 아기, 막내는 나무 바가지에 밥을 먹여 가믄장 아기라고 부르게 되었다. 가믄장 아기를 낳고서 부부는 천하의 거부가 되었다.

남녀 거지의 만남은 풍성한 결실을 맺었다. 딸 셋을 낳았을 뿐 아니라, 천하의 거부가 되었다. 두 남녀 거지의 풍요는 근본적으로 관계의 회복에서 비롯된 것임을 알 수 있다. 이는 여전히 심층에서 은밀하게 이루어진 내용이다. 남녀 거지의 만남에 의해 딸들이 태어났다는 사실은, 비로소 전체 인격의 태도 변화에 의하여 이전까지 갖지 못했던 의식성을 획득하게 된 것을 의미한다. 부족함이나 빈곤함을 해결하기 위하여 무엇인가를 취하려 하고, 끌어들이는 것 자체가 대극적 요소에 이끌리게 한 것이다. 두 거지의 만남으로 세 딸이 태어나게 된 것으로 보아 우선적으로 여성 인격의 기초가 마련되었음을 알 수 있다. 숫자 3은 변화 및 분화를 하기 위한 역동성을 반영한다. 세 딸은 여성 인격의 의식적 분화를 위한 기본적 구성에 해당한다. 바야흐로 여성 인격이 구체화 될 기초가 마련된 것이다.

세 딸의 탄생은 동네 사람들도 관심과 축하를 보내는 중요한 사건이었다. 이것은 개별 여성 인격의 형성을 바라고 있는 전체 정신의 반응인 것이다. 여성 인격이 전면에 드러나게 된 것이다. 주변 정신 영역의 지지와 호응이 있듯이, 이제 여성 인격의 의식적 분화가 본격적으로 이루어질 시점에 이르렀다. 민담에서 세 자매로 표현되는 여성 인물상이 등장하면, 기본적으로 운명의 세 여신들을 환기시킨다. 운명의 세 여신들은 과거−현재−미래로 전개되는 삶의 현상적 측면을 관장하는 여성 신성(神性)이다. 마찬가지로, 민담에서도 세 딸들은 동네 사람들에게 여성 신성으로서 대접을 받았다. 세 여신들과 같이 세 딸들은 의식의 삶을 펼쳐낼 수 있도록 관심과 지지를 받은 것이다. 이런 심적 사건 및 변화는 실제로 느낌이나 기분의 변화로 경험할 수 있다. 전체 의식의 태도가 제대로 방향을 잡으면 저절로 안정된 느낌, 신뢰를 받는 느낌을 갖게 되는 것이다.

첫째가 태어나자 동네 사람들은 은 그릇에 밥을 해 먹였는데, 그것은 신에 대한 공양과 다름없는 대접이다. 말하자면 동네 사람들은 새로운 여성 인물에게 신성을 봉헌한 것이다. 두 거지 부부의 딸의 등장은 여신의 탄생으로 간주된 것이다. 흔히 금과 은은 해와 달, 왕과 왕비처럼 대비된다. 특히 은 그릇은 은뿐 아니라, 그릇이라는 여성의 특질이 함께 강조된다. 이것은 수용성, 창조적 생산력을 가진 자궁의 특성을 나타낸다. 은 그릇으로 대접을 받은 첫째는 고귀한 신분의 여성으로 주목을 받게 될 것이다. 이런 의미에서 부부의 첫째 딸은 여성 인격의 개별적 의식성을 실현할 인물상이 된다.

동네 사람들은 첫째에게는 은 그릇으로, 둘째에게는 놋 그릇으로, 셋째는 나무 바가지로 밥을 먹었다. 이는 겉보기에 동네 사람들의 세 딸에 대한 관심이 점차 줄어들어서, 나중에는 셋째에게 가장 낮은 대우를 한 것 같이 보인다. 그러나 심리학적으로 보면 이러한 차별화는 세 여성적 요소의 각기 다른 특성과 가치를 구분하여 인정한 것에 해당한다. 사람들이 세 딸에 대해 차별화 된 반응을 함으로써 의식의 분화된 태도가 형성된다. 세 딸의 개별적 구분은 여성 인격의 의식적 분화를 목표로 하고 있음을 나타낸다.

실제로 우리는 한 가족 내에서 형제 간의 서열을 종종 인격적 대우의 차별로 다루려는 경향이 있다. 같은 부모 밑에서 자라난 형제나 자매일지라도 서로 다른 개별적 인격의 특성이 드러난다. 이는 서열에 따른 차별화가 반영된 것이 아니다. 집단의 적응에 있어서 반응하는 개별 인격의 성향과 관계하는 것으로 이해될 수 있다. 예를 들면, 첫째가 외향적 특성을 나타내면, 둘째는 상대적으로 내향적이 된다. 혹은 첫째가 소극적이고 꼼꼼하면, 둘째는 적극적이고 대범한 성향을 발휘한다. 형제 간의 성격적 차이는 환경에 적응하면서 제각기 유력한 기능을 발휘하게 되고, 서로 반응적으로 상호 보완하기 때문이다. 각 개체는 집단의 무의식적 공동 관리 체계 하에서 각기 구성 요소로서 작용 및 기능하는데, 이것이 일부 개별적 성격적 특성으로 반영될 수 있다. 집단 전체에서 개별적 기능과 역할이 중복되지 않게, 서로 다른 영역을 분담하여 보다 분화된 의식의 기능을 발휘하게 되면서, 각 요소가 제각기 특성화되는 것이다. 집단 사회의 적응을 위해 요구되는 개별 특성은 첫째일수록 가장 주력하는 기능을 담당하게 되고, 나머지는 보조적 기능을 강화하는 방식으로 전개가 된다. 이 때문에 첫째가 중요한 듯이 보일 것이다. 이러한 기능과 역할에서 비롯된 특성은 실제적으로 개인적 특성의 본질은 아니다. 그래서 의식의 네 기능은 개별 인격의 참다운 특성이 아니다. 개별 인격의 특성은 오히려 실제적인, 개별적 경험의 구체화에서 드러나야 한다. 이런 의미에서 세 딸의 차별화는 개별 경험의 구체화를 위한 기본적인 구분에 해당한다.

민담의 주인공은 나무 바가지로 밥을 먹었던 셋째 딸 가믄장 아기이다. 가믄장 아기는 나무 바가지로 대접받았으므로 가장 주목을 받지 못한 듯하다. 그러나 나무 바가지로 대접받은 여성신은 보다 더 보편적 가치에 상응하는 신성임을 나타낸다. 은장이나 놋장도 여성적 가치를 부각한 것이긴 하지만, 은장보다는 놋장을 더 하위 계층이, 놋장보다는 나무 바가지가 가장 생활이 어려운 계층이 사용하는 그릇이다. 말하자면 나무 바가지야말로 원래 거지의 밥그릇이다. 제일 비천한 밥그릇으로 공양을 받았다는 것은 가장 하위의 정신 영역을 대표하는 여성 의식을 지칭하는 것이다. 이로써 가믄장 아기는 보다 더 보편적, 집단적 무의식적 정신 영역과 관계할 가능성을 시사한다. 상위 정신으로 고양될수록 의식은 첨예화 되고, 그럴수록 선택적이자 부분적인 특수를 강조하게 된다. 그래서 상위의 의식적 정신일수록 편협하고 불안정한 의식성을 유지하느라 예민하고 까다롭게 군다. 의도적으로 선택한 제한된 영역이므로 주변의 다른 영역에 의해 쉽게 상처받고 영향을 받는 것이다. 이에 반하여 보다 하위의 의식적 정신 영역은 상대적으로 포괄적인 범위를 차지하므로, 무난하고 안정적이며 지극히 평범하게 보일 수도 있다. 이런 평범함이 개별적 특수에서 벗어나 보다 집단적 보편성을 획득할 수 있는 특징이 된다. 나무 바가지, 즉 거지의 밥 그릇으로 대접을 받은 가믄장 아기는 가장 보편적인 가치를 반영하는 여성 인물상임을 미리 제시하고 있다.

은장 아기, 놋장 아기, 가믄장 아기의 탄생과 더불어 거지 부부의 삶은 변화되어, 마침내는 거지 생활을 청산하고 천하의 거부가 되었다. 세 딸은 삶을 풍요롭게 하는 실제적인 정신적 요소임이 분명하다. 모든 심적 에너지가 새로운 여성적 요소 중심으로 모여들게 된다. 세 딸의 부모가 부유하다는 것은 여성 인물상이 마음껏 활동을 시작할 수 있는 저력으로 작용할 것이다. 여기서 세 딸을 모두 '아기'라고 부르는 사실에 주목할 수 있다. '아기'는 물론 실제의 어린 아기를 의미하지는 않을 것이다. 그럼에도 '아기'라고 부르는 데에는 독립적인 인격체로서의 의미를 부여하지 않고 있음을 반영한다. 말하자면 삶의 에너지를 점유하고 있는 부모상이 부르는 이름인 것이다. 동시에 '아기'는 언제나 성장을 목적으로 하는 인물상에 해당한다. 이제 부모상으로부터 벗어나 독립적 인격의 주체가 되는 것이 필수적인 과제가 될 것이다.

(3) 가믄장 아기가 열다섯이 되자, 부모는 딸들에게 누구의 덕으로 행복하게 살고 있냐고 물었다. 은장 아기와 놋장 아기는 '하늘님, 지하님, 아버지, 어머니 덕'이라고 답하였지만, 가믄장 아기는 '하늘님, 지하님, 아버지, 어머니 덕도 있지만 배꼽 아래 선의 덕'이라고 답하였다. 화가 난 부모는 가믄장 아기를 집에서 내쫓았다.

여기서 열다섯이라는 나이에 관하여 이해해 보자. 여러 민담에서 열다섯의 나이를 언급한다. 앞서 ≪바리 공주≫에서도 열다섯이 되자, 딸을 버린 부모가 병이 나서 딸을 찾으러 나서야 했고, 그래서 버려진 딸 바리데기는 마침내 부모와 조우하게 된다. 일명 ≪숲 속의 잠자는 미녀≫로 알려져 있는 독일 민담 ≪들장미(Dornröschen)≫에서도 공주가 '열다섯이 되면 북바늘에 찔려 죽을 것'이라는 저주를 받는다. 하지만 그 저주는 완화되어, 공주는 열다섯 살에 북바늘에 찔려 백 년 동안 잠들어 있어야 했다. 민담에서의 15세는 실제 나이 열다섯 살을 의미한다기보다는, 숫자 15의 원형적 영향력이 반영된 것이라고 하겠다.

앞서 ≪바리 공주≫에서 살펴보았듯이, 주인공이 열다섯이 되었음은 바야흐로 모성 원형에 기초하여, 혹은 모성신의 영향력으로 여성 인물상이 활동을 개시할 시기에 이르렀음을 나타낸다. 이런 의미에서 여성 주인공과 모성신의 관계는 매우 긴밀하다. 모성 원형 혹은 모성신과의 긴밀한 관계는, 한편으로는 여성 인격이 강한 모성적 본능적 저력에 기초하여 개별 의식을 발전시킬 수 있는 기초 상태를 의미한다. 특별히 민담에서는 세 딸 중에 막내인 가믄장 아기가 열다섯이 되자 부모가 딸들에게 각자의 태도를 확인하였다. 셋째는 의식의 분화 순서상 가장 나중에 등장했기 때문에 가장 개별적 가치를 부여할 수 없는 여성 요소일 수 있다. 이런 셋째를 중심으로 이야기가 전개되는 것으로 보아 여성 자아의 의식적 분화가 셋째에 의해 이루어질 것임을 알 수 있다. 또한 셋째가 나무 바가지로 대접을 받았던 것을 고려하면, 여성 인격의 분화는 보편적인 기초에서 비롯되어 점차 구체화 될 것이다.

부모가 딸들에게 누구의 덕으로 살아가고 있냐고 물었다. 이러한 질문 자체가 무의식성에서 벗어나도록 하여 의식화를 촉구한다. 민담에서의 부모가 이런 질문을 던지는 것은 자신들이 부모로서 베푼 은혜를 딸들에게서 확인하고자 하는 것이 아니다. 여기서 부모상은 시지기 원형에 해당하므로 여성 인격의 의식적 분화를 유도하기 위해서 일종의 새로운 인식을 촉구하는 역할을 한다. 질문의 요지는 여성 인물들이 현재 어디에 기초하여 살아가고 있는가를 살펴보도록 제기된 것이다. 은장 아기와 놋장 아기는 '하늘님, 지하님, 아버지, 어머니 덕'이라고 답하였다. 이는 부모님의 은덕을 표현하고 있으나, 사실상 아동기 같이 부모상에 의존하고 있음을 밝힌 것이다. 심리학적으로 여성 자아의 수준이 여전히 '집단무의식'과의 '신비적 참여(participation mystique)' 상태에 있음을 나타낸다.[145] 이런 첫째와 둘째의 대답은 매우 관습적인 것에 해당한다. 그것은 부모상에 의존되어 있을 뿐 아니라, 기성세대의 사회 문화적 가치를 고스란히 답습하는 태도를 반영하고 있다. 은 그릇, 놋 그릇으로 대접받았던 것처럼, 이들은 어느새 이미 정해져 있는 집단의식의 내용에 물들어 있는 것이다. 이런 맥락에서 보면, 첫째와 둘째는 새로운 여성 인물상으로서의 의미를 상실한다.

셋째 가믄장 아기는 주어진 질문에 대해 '하늘님, 지하님, 아버지, 어머니 덕도 있지만 배꼽 아래 선의 덕'이라고 답한다. 이런 대답에서 셋째는 첫째와 둘째의 입장과는 기본적으로 다르다는 것을 나타낸다. 자신은 부모상에만 의존하고 있지 않다는 사실을 밝히고 있다. 이러한 가믄장 아기의 대답은 부모에 대한 배은망덕을 의미하는 것이 아니다. 오히려 가믄장 아기는 부모상에 기초하고 있지만, 자신은 또 다른 저력을 느끼고 있다고 대답한 것이다. 이런 차별화 된 대답 자체가 여성 인격의 의식적 수준 변화를 반영하고 있다. 셋째는 첫째와 둘째의 수준과 구분되는 무엇인가를 경험할 수 있는 상태에 이르렀음을 표명한 것이다. 이는 부모상의 영향력 밖으로 나아갈 준비가 된 것을 나타낸다. 이런 셋째의 반응은 자신에 관한 객관적 인식이 가능함을 제시한 것이다.

'배꼽 아래 선'은 무엇인가? 자신에게 주어진 고유한 운명 혹은 팔자를 의미하는가? 그렇다면, 가믄장 아기는 부모님에게 '자신의 팔자나 운명이 가난하게 살도록 정해진 것이 아니다'라는 답을 한 것이다. 말하자면 자신이 부를 누릴 수 있는 팔자나 운명을 타고났으므로, 부모와 상관없이 풍요로운 삶을 누릴 수 있다는 내용으로 볼 수 있다. 이런 대답에는 여성 주인공의 강한 자부심이 드러난다. 여성 자아는 부

---

145 집단무의식과의 신비적 참여란 주객의 구분이 안 되는, 동일시 상태를 의미한다.

모상에 의존하지 않고, 충분히 독립적으로 잘 지낼 수 있다는 사실을 밝히고 있다. 심지어는 부모의 풍요가 여성 주인공의 팔자나 운명 덕분일 수 있다고 표명하고 있는 것이다. 이것은 더 이상 부모상이 주도하는 때가 아니며, 모든 상황의 중심이 바로 자기 자신에게 있다는 인식을 나타낸다.

어떤 의미에서 가믄장 아기가 언급했던 '배꼽 아래로 향하는 선'은 탯줄 자국에 해당할 수도 있다. 탯줄은 모성 자궁으로부터 생명을 유지하는 데 필요한 모든 것을 공급받는 생명선이다. 여기서 모성 자궁을 굳이 개인의 육체적 탄생과 관련된 장기인 자궁으로 간주할 필요는 없을 것이다. 여러 번 언급되었듯이 신화나 민담에서의 수태 및 탄생 등은 모두 정신적, 심혼적 사건을 나타낸다. 가믄장 아기는 부모에 의존되어 있지 않으며, 오히려 모성신의 보호와 지지에 의한 자신의 존재를 인식하게 된 것으로 해명한다. 또한 여성에서 배꼽 아래 생식기에 이르는 선은 임신선이다. 여성이 임신이 되면 임신 기간 내내 아랫배에 나타나는 선이다. 말하자면 가믄장 아기는 스스로 주체 의식을 생산할 수 있는 상태나 수준에 있음을 표명한 것이기도 하다. 이로써 가믄장 아기는 모성상 혹은 모성신에 기초한 새로운 여성 의식의 주체라는 인식을 반영하고 있다.

가믄장 아기의 삶의 원동력은 소위 자신의 '뱃심'이라고 할 수 있다. 흔히 이를 '배짱'이라고도 말한다. 이는 자신에 대한 믿음, 신뢰에 관한 표현이다. 곧 자신의 본능적 저력을 믿고 있다는 의미이다. 이처럼 뱃심이나 배짱은 개별 인격의 고유한 가치를 의식한 표현이다. 비록 부모상이 개별 인격에 꼭 필요한 지지적 기반이지만, 개별적 가치를 추구하기 위해서는 그 힘과의 구분이 필수적이다. 가믄장 아기는 부모의 지지와 보호에서 벗어날 만큼 개인적으로 힘을 갖추고 있음을 분명히 표명한 것이다. 민담에서 부모는 가믄장 아기의 대답을 듣고 가믄장 아기를 집에서 내쫓았다. 가믄장 아기의 부모는 배은망덕 때문에 딸을 내쫓은 것이 아니다. 가믄장 아기의 대답에서 이제 홀로서기가 가능하다는 사실을 확인했기 때문에 독립을 하도록 허락한 것이다. 이로써 가믄장 아기는 독립된 인격체로서의 특징을 갖추기 위해 부모상과 구분을 시도한다. 이것은 앞선 민담들에서 보았듯이 영웅의 전형적인 '버려지기' 혹은 '내쫓김'의 주제로서 간주될 수 있다. 주인공 가믄장 아기는 부모상에서 벗어나게 됨으로써 자신이 속한 가족과 사회에서 고립된다. 이렇게 자신의 고유한 개별 인격을 실현하는 여정, '개인의 전(全)인격화(Individuation)' 과정이 시작된다.

(4) 가믄장 아기는 얼마간의 양식을 검은 암소에 싣고 길을 떠난다. 부모는 섭섭하여 은장 아기를 보내어 '식은 밥에 물 말아 놓은 것이라도 먹고 가라'고 하였으나, 은장 아기는 도리어 '어머니 아버지가 너를 때리려 하니 어서 가라'고 하며 내쫓으려 하였다. 다시 놋장 아기를 보내었으나 같은 태도로 가믄장 아기를 내쫓았다. 이를 알고 가믄장 아기가 은장 아기에게는 청 지네가 되고, 놋장 아기에게는 버섯이 되라고 중얼거리자 그렇게 되었다.

가믄장 아기가 집을 떠날 때 검은 암소에 양식을 싣고 떠나는 모습이 흥미롭다. 검은 암소는 모성신의 동물 형상 중 하나이다. 이쉬타르, 이시스 등의 모성신들은 언제나 암소의 형상으로 묘사되었다. 검은 암소를 데려감으로써 가믄장 아기의 본능적 저력이 가시화 된다. 가믄장 아기는 부모상과 분리가 되었지만, 검은 암소로 형상화 된 모성적 본능적 저력으로 무장한 것이다. 앞서 ≪콩쥐 팥쥐≫에서도 검은 암소가 등장했듯이, 이것은 개인심리학적 차원의 모성상이 아니다. 검은 색은 그 깊이를 알 수 없는 심연, 음(陰)의 비밀스럽게 감추어진 모성적 마술적 힘의 신비, 자연 모성의 생명력 등을 상징한다. 무엇보다도 암소는 인간의 삶에서 가장 친밀하고 유용한 동물인 것처럼, 여성 주인공이 의식의 활동을 할 때 강력한 본능적 저력으로 작용하게 될 것이다.

가믄장 아기를 떠나보내는 부모의 태도도 관심을 끈다. 부모는 한편으로는 딸을 내쫓아 버리면서도, 또 다른 한편으로는 떠나보낼 수 없어 붙들려고 하였다. 부모의 이런 이중적 태도는 전형적으로 근원적 무의식이 갖는 모순적 태도이다. 한편으로는 자아의식의 분리 및 분화를 촉구하지만, 다른 한편으로는 자신에서 떨어져 나가는 정신 영역들을 다시 되돌리려는 보수성이 작용한다. (사실 이러한 끌어당기는 힘이 단호한 태도를 갖게 하는 역동이 된다.) 변화를 원치 않는 강력한 보수성의 부모상을 대신하여 부모의 지배 하에 있는 첫째와 둘째가 나서는 듯했다. 그렇지만 언니들이 '어머니, 아버지가 너를 때리려 하니 어서 가라!'고 하여 오히려 가믄장 아기의 편을 든 것이 되었다. 이들도 새로운 여성 요소로서 가믄장 아기가 집을 떠나야 한다고 강조하는 것이다. 가믄장 아기는 집으로 돌아가지 않지만, 섭섭한 마음을 표현함으로써, 의식화 되기 위한 경계를 넘어서면서 갖는 갈등과 어려움을 보여주었다. 그럼에도 가믄장 아기가 계속 자신의 길을 떠날 수 있었던 것은, 도리어 첫째와 둘째가 가믄장 아기 편에 서서 부모상에서 벗어나려는 방향을 지지했기 때문이다. 이로써 여성 주인공은 주저하면서도 비로소 부모상이 보호하고 있는 영역의 경계를 넘어 분화를 시도하는 방향으로 나아간다.

민담에서 가믄장 아기는 인간을 동물이나 식물 등의 형상으로 변환시킬 수 있는 능력을 가진 모성신의 모습이 있음을 보여주었다. 가믄장 아기가 언니들에게 청 지네가 되거나 버섯이 되라고 하자, 그대로 되었다. 그것은 동식물을 좌우하는 모성신과 같이, 모성적 마술적 영향력으로 무장된 상태(즉 검은 암소를 데리고 가듯이)의 실질적 효력을 보여준 것이다. 가믄장 아기가 언니들에게 지네나 버섯이 되라고 하자 그렇게 되었는데, 이는 가믄장 아기 중심으로 주변 인물상들이 재배열되는 것을 나타낸다. 동시에 집을 떠남으로써 부모의 영향력이나 심지어 언니들의 간섭 등도 미칠 수 없는 수준에 이르게 된 것을 의미한다.

은장 아기와 놋장 아기는 가믄장 아기로 하여금 더 이상 부모 곁에 머물지 못하게 하였다. 이것은 두 언니가 가믄장 아기의 인격적 발전을 위해 지지적 태도를 보여준 것으로 이해해야 할 것이다. 이런 의미에서 은장 아기와 놋장 아기도 계속 새로운 여성 의식의 성장 및 분화를 위한 방향성에 참여하고 있다. 그래서 가믄장 아기가 언니들에게 지네나 버섯이 되라고 했던 내용도 부정적 의미를 갖지 않는다. 그것은 언니들도 더 이상 부모상에 속할 것이 아니라, 자연의 생명체처럼 여성 주인공의 본능적 저력의 일부가 되도록 조치한 것이다. 여기서 우리는 여성 3인조의 형상이 여성 자아의 의식적 분화를 반영하는 것임을 다시 한 번 확인하게 된다. 두 언니는 사라지고 가믄장 아기가 여성 의식의 대표 주자로서 본격적으로 자신의 고유한 활동을 개시한다.

(5) 두 부부는 가믄장 아기, 놋장 아기, 은장 아기를 기다렸으나 아무도 오지 않자, 불길하여 문밖으로 내달았고, 순간 액방(윗중방)에 눈이 부딪혀 봉사가 되었다. 그때 이후 모든 재산은 탕진되고, 두 부부는 다시 거지가 되었다.

가믄장 아기, 놋장 아기, 은장 아기의 부모가 눈이 멀고 다시 가난하게 된 것은 그들의 세 딸들이 곁을 떠났기 때문이다. 민담은 이로써 두 부부가 딸들 덕분에, 특별히 가믄장 아기 덕분에 풍요롭게 삶을 누릴 수 있었음을 보여준다. 가믄장 아기가 실제적으로 여성 인격의 주체이기 때문에, 그녀가 등장하는 곳은 삶의 활력이 넘치지만, 그녀와 관계를 상실하면 의미를 상실하고 만다.[146]

부부가 눈이 멀고 다시 거지가 되었음은 결국 두 가지 의미를 갖는다. 하나는 가믄장 아기가 부모상에서 벗어나게 됨으로써 부모상은 배경으로 물러나 더 이상 영향력을 갖지 않게 된 것을 의미한다. 다른 하나는 눈이 멀고 다시 거지가 됨으로써, 집단의식에 속하지 않는 잉여의 인물상이 되었다고도 할 수 있다. 다시 거지가 된 부부는 집단의식의 언저리에서 새로운 가능성을 구하게 된다. 눈이 보이지 않는 부부는 원래 외부 세계가 아니라 내면 세계를 지지하는 존재이다. 이제 부부는 주인공 가믄장 아기를 내면적으로 지지하는 힘으로 작용할 수도 있다. 부모가 가난하게 되었듯이, 부모가 점유했던 리비도가 주인공 가믄장 아기에게로 집중될 것이다.

부모의 곁을 떠난 가믄장 아기는 개별적 인격의 가치를 실현할 여성 의식으로서 삶의 여정을 시작한다. 가믄장 아기의 여정은 한편으로는 외부의 실제적인 삶의 현장으로 나아가기 위한 것이 될 수 있고, 또 다른 한편으로는 내면 세계로 향하는 것

---

146 무의식적 정신은 자아의식과 연결될 때 드러날 기회를 갖는다.

이 될 수 있다. 가믄장 아기가 검은 암소를 이끌고 도달한 장소는 고립되어 있는 마퉁이네였다. 가믄장 아기를 마퉁이네로 이끈 것은 검은 암소이거나, 배경으로 물러난 눈면 부모상이라 할 수 있다. 검은 암소는 전체성을 위한 매개자로서, 부모상은 대극을 하나로 통합하려는 시지기 원형으로서 기능하기 때문이다.

(6) 가믄장 아기는 머물 곳을 찾다가, 노부부가 살고 있는 초가 하나를 발견하였다. 그곳은 마퉁이의 집이었는데, 노부부에게는 마를 캐서 먹고 사는 아들 삼 형제가 있었다. 가믄장 아기는 그곳에서 머물게 해 달라고 노부부에게 부탁하였다.

가믄장 아기가 도착하게 된 초가집의 인물들에 대하여 이해해 보자. 이 초가에 살고 있는 이들은 대대로 마를 캐서 연명해 온 마퉁이네다. 노부부는 마를 캐는 세 아들을 데리고 있으면서 오랫동안 외부 세상과 단절된 채 살아가고 있었다. 이들의 고립은 심리학적으로 여성 인격의 주체 의식과 관계가 이루어지지 않았음을 나타낸다. 가믄장 아기, 놋장 아기, 은장 아기의 세 자매가 부모와 더불어 살았던 곳과 노부부와 세 아들이 살고 있는 곳이 서로 동떨어져 있는 것처럼, 여성 의식과 무의식적 정신은 서로 관계없이 독자적으로 존재해 왔던 것이다. 여기서 그러한 관계의 단절은 이야기의 시작에서 이미 보았듯이, 가난함과 고립 및 소외를 가져옴을 다시 한 번 확인할 수 있다.

가믄장 아기가 부모상에서 벗어나자 남성 요소를 데리고 있는 마퉁이네 노부부가 강조된다. 세 마퉁이의 부모인 노부부 또한 신의 쌍인 시지기 원형의 심상에 해당한다. 마퉁이네 노부부의 등장은 앞서 가믄장 아기의 부모가 배경으로 물러나면서 이루어진 것이다. 이제 마퉁이네 노부부가 남성 요소들을 준비하여 대극의 합일을 유도하는 원형의 역할을 하고 있다.

마퉁이네 노부부는 세 아들을 데리고 있었기 때문에 가믄장 아기를 끌어들이게 된 것이다. 여기서 세 마퉁이는 가믄장 아기의 세 자매와 대극이 되는 요소이다. 말하자면 여성 의식에 대한 대극, 즉 아니무스이다. 실제로 여성 인격이 수동적이고 의존적인 상태에서 벗어나 독립적인 태도를 가져야 할 때, 아니무스가 활성화 된다. 여성 자아가 주도적이 되면서, 부모상은 배후로 물러나게 되지만, 부모상 대신 아니무스가 무의식적 영역을 대표하면서 여성 자아에 반응하게 된다. 이 민담에서 남성 요소들이 따로 고립되어 있었던 것처럼, 여성 주인공도 전혀 남성 요소들과 접촉이 없는 상태에 있었다. 여성 인격 전체가 낮은 개별 의식 수준에 머물러 있는 것이다. 여성 의식의 분화된 정도에 따라 아니무스 또한 그의 수준에 상응하여 분화하게 될 것이다.

여기서 아니무스가 마퉁이로 등장하는 상황을 좀 더 살펴보자. 마를 캐며 살고 있는 마퉁이는 서양 민담에서 숲이나 산속에 사는 난쟁이들과 같은 존재이다. 난쟁이들은 숲이나 산에 살면서 금이나 보석이 있는 광맥을 알고 있고, 약초 등 인간 삶에 유용한 자연의 산물을 활용하는 존재로 알려져 있다. 마찬가지로 ≪서동요(薯童謠)≫에서 서동이 나중에 공주를 만나 백제 무왕이 되지만, 공주를 만나기 전에는 마를 캐며 살았다. 서동이도 자연의 자원을 의식의 삶으로 끌어들일 수 있는 인물임을 의미한다. 공주와의 연결됨은 모성 자연의 자생적 자원들을 삶의 실제적 현장으로 이끌어 내기 위한 것이다. 그래서 서동은 공주에 의해 의식의 장에 새로운 인물로 부각된다. 이 민담에서도 마퉁이는 마를 대대로 캐어 왔다. 여기서 마는 사람이 심거나 가꾸지 않았으나 저절로 산 속에 자라난 뿌리 식물로서, 식사 대용이 될 수 있어서 자연 모성의 보살핌이 기본적으로 반영된다. 오랫동안 고립된 채 마를 캐고 있었던 마퉁이네는 인간 사회와 연결되지 않은 채 지내고 있으나 원시적으로 고립된 상태만을 특징짓는 것이 아니다. 그들은 사회 문화적 혜택을 전혀 누리지 못하지만, 자연이 제공하는 것만으로도 충분히 살아갈 수 있음을 증명하고 있다. 자연 및 대지는 모성으로서 인간을 부족함 없이 먹이고 입히는 것이다. 이런 내용은 특히 가믄장아기의 부모가 인간 집단 사회에서 겪었던 가난을 고려한다면, 마퉁이네의 상태는 상대적으로 자연 모성의 지지와 보호에 의해 자족적인 삶이 가능하다는 일종의 보상적 가치를 반영하고 있다. 가믄장 아기의 부모처럼 사회 문화적 가치에만 의미를 둔다면, 매 순간의 상황에 따라 삶의 풍요로움이 주어졌다 사라지는 등 불안정하게 되고 만다. 그러나 마퉁이네처럼 자연, 대지에 뿌리 두고 있는 삶은 언제나 변함없이 안정적인 삶이 유지될 수 있는 것이다. 이것이 가믄장 아기가 마퉁이네에 이르게 된 이유이다. 가믄장 아기는 새롭게 탄생한 여성 인격으로서 인간의 삶이 근본적으로 무엇으로 보증되는가를 확인할 필요가 있었던 것이다.

비록 여성 아니무스인 마퉁이가 그 자체적으로 자족적인 삶을 살고 있더라도 인간성과는 먼 상태이다. 여성 의식이 아니무스와 연결이 되어야만 자연의 풍부한 생산적 자원을 의식의 삶에 끌어들일 수 있다. 자연의 창조적 생명력을 의식의 삶으로 끌어들이기 위해서는 여성 의식의 참여는 필수적이다. 이제 의식의 삶의 빈곤에 대한 근본적인 해결은 자연의 풍요로운 생산력을 담보하고 있는 영역과 연결시켜 줄 아니무스에 달려 있다. 여성 주인공인 가믄장 아기는 본능적으로 이를 알아차리고, 적극적으로 마퉁이들과 관계를 맺으려 시도한다.

(7) 첫째 마퉁이는 가믄장 아기의 등장을 좋아하지 않았고, 마를 삶아 부모에게 머리 부분, 자신은 살 많은 가운데 부분, 가믄장 아기에게는 꼬리 부분을 나누어 주었다. 둘째 마퉁이도 가믄장 아기의 등장을 좋아하지 않았고, 마를 삶아 부모에게 꼬리 부분, 자신은 가운데 부분, 가믄장 아기에게는 머리 부분을 주었다. 막내 마퉁이는 검은 암소와 가믄장 아기의 등장을 반가워하였고, 마를 삶아 부모에게 가운데 부분, 가믄장 아기에게 머리 부분, 자신은 꼬리 부분으로 나누었다.

마퉁이 부부는 가믄장 아기를 쉽게 받아들이려 하지 않았다. 이는 무의식적 정신이 가진 전형적 폐쇄성 및 보수성을 나타낸다. 군이 의식과 연결될 필요가 없을 정도로 자족한 것이다. 혹은 너무도 오랫동안 인간의 의식성과 접촉이 없었기 때문에, 무의식의 자율성이 커져 버린 것을 반영하고 있다. 이 때문에 가믄장 아기의 적극성은 매우 중요하다. 가믄장 아기는 주저하지 않고 마퉁이네에 머물게 해 달라고 청하였다. 이런 요청은 여성 주인공이 가능한 주도하지 않고, 무의식적 정신의 활동을 허용하는 수용적 태도에 해당한다. 이로써 무의식적 정신이 자신을 표명할 수 있게 기회를

한국 민담의 여성상

제공한다. 가믄장 아기가 세 마퉁이에게 접근하여 자세히 살피는 것은 바로 세 마퉁이의 다양한 표현 방식이 드러나게 하는 것이다. 그것은 모두 실질적으로 활동하는 무의식적 정신에 어떻게 접근할지를 정하려는 여성 주인공의 자세를 나타낸다.

가믄장 아기는 마퉁이 세 아들의 모습을 잘 관찰하였다. 세 명의 마퉁이가 제각기 다른 특성을 나타내는 것은 하나로 통합되지 못한 아니무스의 수준을 의미할 수도 있다. 비록 첫째와 둘째 마퉁이가 자기중심적인 모습을 보이더라도, 세 마퉁이의 서로 다른 태도 역시 아니무스의 분화를 나타내는 다양한 특성들에 해당한다. 여성은 이러한 분화된 특성의 아니무스를 통하여 분별력이 생겨나고, 오성 능력이 발달하게 된다. 아니무스에 힘입어 이성적 판단력, 결단력 및 적극적 실행력을 갖추게 되므로, 개별적 인격의 특성은 더 구체화 된다. 그래서 세 마퉁이의 차별화는 다양한 방식으로 사고하고 기능할 수 있게 만든다.

그 밖의 다른 관점을 고려해 보자. 여성 인물상이 부모상에서 벗어나게 되자, 비로소 아니무스와의 실질적 대면 가능성이 생겨났다. 이런 대면의 순간 여성 자아는 소위 아니무스에 사로잡히기(Besessenheit) 쉽다. 원시적이고 미분화 된 아니무스일수록 무차별적 동일시가 될 가능성이 크다. 마퉁이가 원시적 아니무스의 모습인 것은 미분화 된 여성 의식의 수준에 상응하는 것이다. 이런 의미에서 가믄장 아기가 마퉁이 (아니무스)를 자세히 살피는 일은 필수적이다. 이것으로 자아의식과 아니무스를 구분할 수 있기 때문이다. 첫째와 둘째의 태도는 여성 주인공에 우호적이지 않고 다른 사람을 배려하지 않는 모습을 보여주는데, 이것은 아직 관계하기 어렵다는 것을 나타낸다. 서로 관계하기 어렵다는 사실은 여성 자아가 아니무스를 객관 정신으로서 알아차릴 수 없는 수준을 의미한다. 가믄장 아기는 세 마퉁이의 태도를 구분하고, 인간성을 배려하는 셋째 마퉁이를 알아차림으로써 드디어 아니무스와 관계를 맺을 수 있게 된다. 이런 과정을 거치면서 여성 자아는 주체로서 외부에서든 내면에서든 객체에 대한 인식이 가능한 의식 수준을 갖추어 간다.

세 마퉁이의 서로 다른 모습을 살펴보면, 첫째 마퉁이는 가믄장 아기의 등장을 좋아하지 않았을 뿐 아니라, 마를 삶아서 자신이 가장 좋은 부분을 먹었다. 그럼에도 가믄장 아기에게 꼬리 부분을 나누어 주었다. 둘째도 역시 가믄장 아기의 등장을 좋아하지 않았지만, 가믄장 아기에게 머리 부분을 주었다. 이는 좀 더 가믄장 아기를 고려한 것이다. 마지막 막내 마퉁이는 가믄장 아기를 보자 '하늘이 도우는 일'이라고 하며 반가워했을 뿐 아니라, 가믄장 아기에게 머리 부분을 내주었다. 세 마퉁이는 자신들이 삶은 마를 각기 내어 놓으며 가믄장 아기와의 관계를 받아들였다. 먹을 것을 나누어 주는 것은 관심을 표명하는 것이고, 심지어는 의미를 부여하며 관계를 받아들이는 태도에 해당한다. 이로써 마퉁이들은 여성 인격과 연결된 무의식적 정신 영역으로서 기능할 수 있게 된다. 이상의 세 마퉁이가 제각기 캔 마를 가져와 나누어 먹는 태도는 무의식적 정신도 의식과의 접촉에서 차별화 된 반응을 한다는 사실을 말한다. 가믄장 아기가 마를 먹는 것은 한편으로는 더 하위의 정신 영역, 즉 무의식적 정신과 관계를 맺는 것이고, 또 다른 한편으로는 태도의 변화를 위하여 전체적인 의식 수준을 하향 조정하는 것과도 같다. 그러나 이러한 의식 수준의 하향 조정은 인격 전체의 위기가 될 수 있다. 그래서 이번에는 가믄장 아기가 나설 차례이다.

(8) 세 마퉁이의 특징을 잘 살펴본 뒤, 가믄장 아기는 솥을 빌어 밥을 지어 노부부에게 올렸으나, 조상님 대에도 먹지 않았던 밥이라고 먹지 않았다. 첫째 마퉁이와 둘째 마퉁이도 조상 대에도 먹지 않았던 벌레 밥이라며 먹지 않았다. 셋째 마퉁이는 밥상을 차려 주자 맛있게 밥을 먹었다. 셋째 마퉁이가 밥을 맛있게 먹자, 첫째와 둘째도 셋째에게 밥을 나누어 달라고 하여 밥을 먹었다.

가믄장 아기는 솥을 빌어 밥을 짓고서 밥상을 차려 마퉁이 식구에게 제공하였다. 여성 주인공이 주체적으로 아니무스와 보다 적극적으로 관계하려고 시도하는 것이다. 자아가 주체로서 아니무스를 객관적으로 인식할 뿐 아니라, 본격적으로 서로 조응할 수 있는 관계가 되도록 하는 것이다. 가믄장 아기가 밥을 차려 주었을 때, 마퉁이 형제들의 부모는 손을 대지 않았다. 노부부는 조상 대에도 먹지 않았던 밥이라고 하였는데, 이는 얼마나 오랫동안 서로 관계가 단절되어져 있었는지를 나타낸다.

심지어 밥을 벌레 밥이라고 한 것은, 의식의 삶에서 일상적으로 통용되는 의식주의 관점과 매우 다른 무의식적 정신의 입장을 표명한 것이다. 비록 사회 문화적 가치와 동떨어진 상태이긴 하지만, 결코 부족함이 없는 자연 친화적 자족적 삶을 다시 한 번 강조한 것이다. 차려 준 밥을 거절함으로써 노부부는 그런 세계를 보증하는 부모상으로 계속 머물 것이다. 굳이 그들이 여성 의식과 직접 관계할 필요는 없을 것이다.

첫째와 둘째도 노부부와 마찬가지로 거절하였다. 가장 우호적인 셋째에 의하여 비로소 가믄장 아기의 밥상이 받아들여졌다. 민담에서는 여성 주인공의 섬세한 감수성과 친화력으로 무의식적 정신에 접근하는 것이다. 셋째 마퉁이는 첫째와 둘째보다 더욱 쉽게 여성 의식에 접근할 수 있다. 첫째와 둘째는 상대적으로 더 보수적 태도를 취하고 있어서 의식과 접촉하기 어려운 것이다. 셋째가 맛있게 밥을 먹자, 첫째와 둘째도 함께 밥을 먹었다. 이로써 세 마퉁이 모두 여성 의식에 접촉할 기회를 갖는다.

가믄장 아기가 상에 밥을 차려 각자에게 제공한 것은 매우 지혜로운 여성 자아의 태도를 보여준다. 상을 각자에게 개별적으로 차려서 대접한 것은 여성 자아가 주도적인 위치에서 서로 다른 가치를 부여하며 관계하는 태도에 해당한다. 의식의 주체로서 무의식에 대해 개별적이고도 차별적인 관심을 갖고 관계할 수 있는 것이다. 이는 전체 여성 인격의 의식적 실현을 위해서는 반드시 필요한 작업에 해당한다. 세 마퉁이가 밥을 먹게 되는 것은 여성 자아의 의도에 호응하고 드디어 관계하려는 무의식적 정신의 반응이 될 것이다. 여성 인격의 의식적 주도에 따라 아니무스의 활동을 참여시킬 수 있는 것이다. 동시에 여성 의식이 무의식의 요구와 의도를 알아차리고 그에 상응하는 의식 활동을 펼칠 수 있음을 의미한다.

드디어 가믄장 아기는 혼자 사는 것이 섭섭하니 '나하고 같이 누울 아들 하나 보내 달라'고 노부부에게 청하였다. 가믄장 아기의 이런 적극적인 태도는 여성 인격이 의식적 수준을 그대로 유지하면서 심혼적 관계를 맺을 수 있게 하는 것이다. 가믄장 아기는 노부부에게 세 명의 마퉁이들 중 누구와 구체적 관계를 맺어야 하는지를 알려 달라고 하였다. 이미 셋째 마퉁이가 유력한 후보이긴 하지만, 노부부가 나서서 셋째 마퉁이를 정해 주자 비로소 개별 여성 의식의 입장도 구체적으로 드러난다. 어떤 경우든 무의식적 정신과의 관계에서 의식이 일방적으로 이끌지 않는 것이 필수적이다. 전체성을 위한 관계의 요구는 반드시 내재된 목적에 따른 것이어야 한다. 이처럼 노부부는 시지기 원형으로서 대극의 합일을 위한 매개적 역할을 하고 있다.

첫째, 둘째 마퉁이의 거부하는 태도는 여성 자아와 관계하지 않으려는 특성을 나타내고 있다. 이것은 종종 여성 의식의 개별적 활동에 대하여 비판하고 부정하기 쉬운 아니무스의 특징이 될 수 있다. 이 민담에서 보듯이, 여성의 원시적 아니무스는 보수적이어서 처음에는 좀처럼 여성 의식에 긍정적으로 반응하지 않는다. 원시적 아니무스의 보수적 성향은 여성 자아가 의식화 하거나 변화하려는 경향을 원하지 않는 것처럼 나타난다. 그래서 개별 여성 의식이 분화된다고 하더라도 언제나 무의식이 갖는 모성적 보수성의 영향 하에 있게 된다. 이런 보수적 성향으로 여성은 외부의 사회적 활동보다는 가족 중심의 관계를 지향하게 되는 것이다. 그럼에도 셋째 마퉁이가 보이는 우호적 태도는 가믄장 아기에서 발휘되고 있는 모성 본능의 저력에서 기인한 것이다. 이는 가믄장 아기가 데리고 온 검은 암소 등의 영향으로 볼 수 있다. 여성의 아니무스가 거부적이고 비판적인 태도를 취하면, 여성 자아는 주변뿐 아니라 자기 자신과도 관계를 맺을 수 없다. 이런 의미에서 모성 본능과 단절된 여성은 아니무스와의 관계가 불가능하다. 여성은 본능적으로 작용하는 모성적 수용력에 기초하여 아니무스와 관계를 맺는 것이다.

(9) 가믄장 아기는 마침내 셋째 마퉁이와 혼인을 하였다. 가믄장 아기는 셋째 마퉁이를 씻기고 새로 옷을 갈아입혀 완전히 다른 사람이 되게 하였다. 첫째, 둘째 마퉁이가 셋째에게 형님이라고 부르며 절을 하였다. 그리고 가믄장 아기는 세 마퉁이가 마를 캐던 곳으로 구경을 갔다. 첫째 마퉁이의 구덩이에는 똥이 가득하였고, 둘째 마퉁이의 구덩이에는 지네, 뱀이 우글거렸다. 셋째 마퉁이의 구덩이에는 자갈이 가득했는데, 자세히 보니 그 자갈들은 모두 금 덩이, 은 덩이였다. 검은 암소로 그것을 모두 집으로 실어 와서 부자가 되었다.

가믄장 아기와 셋째 마퉁이의 혼인이 이루어졌다. 드디어 여성 주인공은 개별적 인격을 제대로 발휘할 수 있는 의식의 주체가 된 것이고, 그에 상응하는 아니무스와도 연결되었다. 마퉁이를 씻기고 새로 옷을 갈아입히는 것은 아니무스와 여성 의식과의 실제적 관계를 위한 것이다. 아니무스가 옷을 제대로 갖춘 모습은, 아니무스의 힘과 의식의 영향력을 삶에 반영할 수 있게 된 것을 의미한다. 첫째와 둘째 마퉁이가 셋째에게 형님이라고 한 것은, 셋째를 중심으로 아니무스가 하나의 통일된 상태로 기능하게 된 것을 보여준다. 이제 아니무스는 여성의 의식에 대해 실질적인 영향력을 가지면서도, 결코 여성 인격을 사로잡지 않는 조화로운 관계를 맺게 된다.

세 마퉁이가 오랫동안 작업하던 구덩이의 묘사를 살펴보자. 첫째 마퉁이의 구덩이에는 똥이 가득하였다. 이러한 장면은 종종 여성의 꿈에 등장하는 화장실 풍경과도 같다. 꿈에서 사용하려는 화장실에 남성이 있어서 두려워해야 하거나, 혹은 변기에 용변이 지저분하게 쌓여 있는 광경이 펼쳐진다. 원래 여성 자아가 잘 분화되어 자신의 정신 활동을 건전하게 발휘할 수 있다면, 아니무스는 여성의 정신에 활력을 불어넣어 자발적이고 창의적인 착상을 하게 만든다. 이러한 아니무스의 창조적 정신 활동은 일상생활의 다양한 국면에서 여성의 지혜로운 응용력으로 발휘될 것이다. 그러나 아니무스가 여성의 개별 의식과 제대로 관계하지 않으면 머릿속에서 수없이 떠오르는 공허한 생각들, 공상들로 활성화 될 뿐이다. 민담에서 묘사하고 있듯이 그것은 첫째 마퉁이의 구덩이에 가득한 똥에 해당할 것이다.

둘째 마퉁이의 구덩이에는 지네와 뱀이 우글거렸다. 지네와 뱀은 모두 대지에 서식하는 생명체이다. 지네와 뱀은 한편으로는 독충, 독을 품은 파충류로서, 치명적인 위험을 초래할 수 있지만, 다른 한편으로는 병을 고치는 약재로 쓰이는 동물이다. 이런 이중적 특성은 실제 아니무스의 영향력이 어떻게 작용할 수 있는지 잘 나타낸다. 살아있는 생명체로서 우글거리는 상태는 아니무스의 활동이 어떤 방식으로 활성화 되어 작용하고 있으나, 여성 자아가 이를 제대로 알아차리지 못하고 있어서 무익하게 무의식적으로 부정적으로 작용하게 된 생각들과 같다. 예를 들면, 다른 사람들을 음해하는 생각들, 은밀한 부정적 사고, 무언가를 차지하려는 전략 등을 자신도 모르게 품거나 행하고 있는 것과 같다. 이런 생각들은 다른 사람을 향한 것처럼 보이지만, 실제적 그의 부정적 영향력은 고스란히 자신에게로 돌아간다. 그 밖에 아니무스의 활동이 활성화 되더라도 실제의 삶의 현장에 적용되는 것이 아니라, 독특한 특정의 사고 내용에 몰두되어 있는 상태일 때도 해당된다. 그래서 때로는 여성의 정신 활동이 극단적인 정신적 이념으로 치달아 현실감을 상실하게 되는 상태가 될 수 있다.

마지막 셋째 마퉁이의 구덩이에서 가믄장 아기는 자갈이나 돌들을 발견하였다. 그러나 그것은 자갈이나 돌이 아니라 금 덩이와 은 덩이였다. 마퉁이네가 조상 대대로 캐 오던 것은 사실 금과 은처럼 인간의 삶에 가장 보배로운 것이었음을 나타낸다. 여성 주인공이 이들을 찾아오지 않았다면, 여성 의식이 그것의 가치를 인식해 주지 않았다면, 전혀 드러날 수 없었을 것이다. 이는 여성 의식이 적극적으로 아니무스가 속한 세계와 관계를 시도함으로써 얻어진 결과이다. 아니무스가 속한 세계는 인류가 누려 온 보편적 가치들, 가장 고귀한 인간성의 실현 가능성이 고스란히 보존되어 있는 영역이다. 이제 여성의 아니무스는 인간 삶의 다양한 현장에서 여성 인격이 풍부한 정신의 자원을 활용할 수 있도록 언제나 지혜와 기지를 발휘할 것이다. 또한 무의식적 정신이 점유하고 있던 삶의 자원, 보배로운 가치의 것들이 자연스럽게 의식의 삶으로 흘러들어가게 될 것이다. 가믄장 아기가 셋째 마퉁이와 연결되자 여성 의식은 삶에 필요한 리비도를 제대로 공급받을 수 있게 되었다. 여성 의식은 풍부한 자연의 자원을 인간성에 유익하도록 창의적인 생산 작업을 할 수 있는 것이다. 이로써 여성 요소와 남성 요소와의 관계 상실에서 비롯되었던 가난은 극복된다.

(10) 가믄장 아기는 거지 잔치를 하여 늙은 부모님을 찾으려 하였다. 장님이 된 거지 부부는 잔칫상에서 이리저리 자리를 옮겨 가며 음식을 먹으려 했지만 제대로 얻어먹지 못하자, 자신들의 팔자를 탓하였다. 가믄장 아기가 눈먼 부모를 사랑방으로 모시고, 거지가 된 사연을 말하게 한 뒤, 자신이 가믄장 아기임을 밝혔다. 두 거지 부부는 그 사실에 놀라 눈을 뜨게 되었다.

가믄장 아기와 셋째 마퉁이의 결혼으로 이야기는 끝나지 않았다. 여성 의식은 아니무스와의 관계에서 풍요로운 의식의 삶을 실현하게 되었다. 그러나 가믄장 아기는 눈이 멀고 다시 거지가 된 늙은 부모를 찾으려고 거지 잔치를 하였다. 이것은 마치 심청전에서 심청이 원님과 행복한 결혼을 하고서도 눈먼 아버지를 찾기 위해 잔치를 베푼 것과 같다. 여기서 가믄장 아기의 부모는 집단의 삶 언저리에서 살고 있는 잉여의 인물상들로서, 집단의 삶이 풍요로우면 저절로 풍족한 생활을 보증받는다. 그들의 삶이 기본적으로 어려움 없이 유지될 수 있다는 것은 집단의 삶, 의식의 삶이 안정되고, 생동감이 넘치는 상태임을 의미한다. 말하자면 여성 인격 전체의 안정적인 활동이 보증되는 것과 같다. 잉여의 인물상들까지 함께 한다는 것은 필요하면 경우에 따라서 의식의 범위가 훨씬 더 확대될 수 있음을 의미한다. 이제 여성 의식은 융통성 있게 다양한 영역을 관장할 수 있는 주체가 될 것이다.

　가믄장 아기는 눈먼 거지 부부로 나타난 부모에게 그들이 거지가 된 사연을 말하도록 하였다. 이를 통하여 부모는 가믄장 아기가 떠난 후 그들이 눈이 멀고 다시 거지가 되었음을 인정하게 된다. 부모상은 가믄장 아기가 실제적으로 인격의 주체임을 인정한 것이다. 부모상의 영향력이 언제나 여성 자아보다 더 강하기 때문에 가믄장 아기는 자신의 고유한 힘과 영향력을 분명하게 표명할 필요가 있다. 어떤 집단 정신과의 관계에서도 흔들리지 않고 늘 개별 인격의 가치를 유지할 수 있어야 하기 때문이다.

　우리의 전통적인 도덕적 가치관에서 보면, 한 개인의 탄생, 성장 및 성숙 과정에서 보살펴 주신 부모님의 은덕을 잊을 수는 없다. 일반적으로 우리는 부모의 은덕을 인정하면서도, 동시에 삶의 모든 절망적 순간 역시 부모의 탓으로 돌리고 원망하게 된다. 스스로 의식하고 있든 안 하고 있든, 부모에 대한 보호와 지지를 기대하면서 그만큼 원망의 내용들도 함께 갖는 것이다. 민담의 가믄장 아기는 개인의 삶의 가치나 의미의 생산이 부모에서 비롯되는 것이 아니며, 오히려 각자 자기 인식적 태도를 갖고 책임 있는 선택을 하면서, 그에 따라 의식이 적극적 실천을 하도록 해야 한다는 사실을 보여준 것이다. 각자 주체 의식을 갖고 개별적 삶의 가치를 인식하게 될 때 풍요로운 의식의 삶이 보증될 수 있다는 사실을 제시한 것이다.

  가믄장 아기의 부모가 눈을 뜨고 보게 된 삶의 현장은 바로 가믄장 아기가 제시하는 세계관이다. 가믄장 아기의 부모는 기존의 가치관에 의지하여 근근히 살아가고 있었다. 그들의 가치관은 의식의 삶이 누구의 도움이나 지지에 의하여 이루어지는 것이라는 신념에 해당한다. 가믄장 아기는 일부러 부모가 받을 잔치 상을 제대로 받지 못하게 만들어, 어떤 인식에 이르게 하였다. 그들의 가난은 자신들이 주체가 되지 못하여 주변에 의해 좌우되는 문제에서 비롯된다는 사실이다. 가믄장 아기가 나무 그릇으로 가장 적게 대접을 받아야 했던 이유도 여기에서 분명해진다. 스스로 자신의 삶을 책임 있게 가꾸어야 했던 것이다. 집단 정신의 영향을 가장 적게 받은 가믄장 아기는 진정한 인격의 주체가 되어 의식의 삶을 실현한다. 그 이후에 거지 부부가 제대로 받게 된 잔치 상은 가믄장 아기가 제공하는 세계상의 풍요로움에 해당한다. 가믄장 아기가 제시하는 세계관은 자기 인식적 차원으로 이끄는 것이었고, 이로써 그들도 무의식적 상태에서 벗어나 새로운 의식성을 획득할 수 있게 된다. 이러한 부모상의 변화는 여성 인격이 모든 정신 영역과 통할 수 있는 역량을 갖춘 전(全)인격적 존재가 되었음을 의미한다.

  가믄장 아기의 부모에 대한 태도는, 흔히 부모-자식의 혈연적 관계에 기초하여, 각 개인의 삶의 행과 불행을 집단적 내용으로 다루었던 전통적인 세계관에서 벗어나게 하는 중요한 이슈이다. 더 나아가 민담은 여성 주인공을 내세워, 의식의 삶이 전적으로 여성 인격이 주체적으로 내리는 결단과 선택에 의해 실현된다는 사실을 강조하고 있다. 이런 의미에서 운명은 부모와 관련된 것, 집단사회적인 것이 아니다. 오히려 운명은 개인적 가치를 가장 잘 인식하여 실현하도록 인도하는 내면의 요구인 것이다. 모든 사람들에게 주어진 운명은 제각기 자신의 고유한 삶의 가치를 발견하도록 이끄는 인간 자연(본성)의 법칙인 것이다. 다만 그것이 내면에서 이미 주어진 선천적 혹은 선험적 자연(본성)의 법칙이어서 개인적인 것을 제약하는 듯이 보이는 것이다. 부모상이 자녀의 존재를 보호와 지지라는 명목으로 사로잡는 힘으로 작용하지만, 부모상은 언제나 자녀에 해당하는 존재를 낳고 키워서 성숙하게 하려는 목적을 갖고 있다. 민담에서도 가믄장 아기의 부모는 가믄장 아기를 쫓아내어 스스로 자신의 운명의 길을 완수할 수 있게 하였다. 때가 되자 가믄장 아기는 부모를 떠나서 자신의 고유한 삶의 길을 찾아 나선 것이다. 인간 자연(본성)의 법칙은 개별적 의식의 분화를 요구하면서, 그 의식성으로 개인의 인격적 가치를 실현하도록 하는 목적의미를 내포하고 있다.

이제 가믄장 아기의 세계관에는 마퉁이네가 포함되어 있다. 가난과 눈멂의 원인은 비단 가믄장 아기가 속한 여성 의식의 문제만은 아니었던 것이다. 그것의 원인은 삶의 풍요를 지원할 수 있는 근원적 세계와 단절되어 있었기 때문이다. 마퉁이(아니무스)와의 연결은 자연(본성)이 점유하고 있는 생명력 및 창조적 활력을 되찾게 하여 전체 의식의 수준을 끌어올렸다. 가믄장 아기에 의해 민담의 인물상들이 모두 의식의 삶에 동참하게 된 것은 전(全)인격적 실현에 해당한다. 나머지 정신의 요소들도 함께 하므로, 여성 자아의 의식성은 보편적 이념의 수준에 도달한다.

맺는 말

민담 《가믄장 아기》는 여성 주인공이 '배꼽 아래의 선'을 믿고 부모상에서 떨어져 나와 자신의 개별적 자유의지를 발휘하면서 남성 배우자를 만나 행복한 삶을 살게 되었다는 내용이다. 여기서 여성 주인공은 '배꼽 아래의 선'을 소위 팔자로 표현하였다. 팔자는 자신에게 주어진 개별적 운명을 의미한다. 특별히 '배꼽 아래의 선'은 여성 자신을 낳은 어머니에게 나타나거나, 임신 시에 자신의 복부에 나타날 수 있는 것이므로, 모성성에 뿌리를 둔 여성 고유의 운명 혹은 '팔자'를 상징한다. 이 민담에서 '팔자'라는 운명론에 관한 관점을 재고할 수 있다. '팔자'란 흔히 타고난 것인데, 종종 그것은 부모-형제-자매의 혈연관계에서 벗어날 수 없게 하는 것, 한 개인의 행복과 불행이 미리 정해져 있다는 것으로 간주된다. '팔자'를 그렇게 이해하면 그것은 개인의 전(全)인격적 실현과는 정 반대의 길로 인도할 것이다. 이런 의미의

'팔자' 타령은 집단 정신에 동화되는 것이고, 그에 영향을 받으면서 개인 인격의 가치가 상실되는 내용에 해당한다.

분석심리학적으로 다시 강조한다면, '팔자'나 '운명'은 개인에게 주어진 고유한 삶의 여정을 지칭한다. 이미 태어날 때부터 한 개인이 어떻게 살아야 하는지가 정해져 있다면, 이는 전(全)인격적 실현의 길로 이해되어야 하는 것이다. 개별적 인간은 문자 그대로 '팔자대로 살아야 한다'는 의미를 갖는다. '팔자대로 산다'는 것, 혹은 '운명에 따른다'는 것은 자신의 본성의 힘에 뿌리를 두고 의식의 삶에 개별적으로 참여하는 것을 의미한다. 그것은 자신의 내면의 소리가 인도하는 대로 따르는 것이다. 이는 거의 대부분 집단적 상황에서 벗어나 홀로 고립되는 어려운 선택일 것이다. 오히려 우리는 자신의 운명이 가리키고 있는 길로 나아가기를 꺼려하고, 주변의 부모, 형제 및 유력한 환경적 상황에 기대어 살아보려고 한다. 운명의 길은 홀로 독립적으로, 본능적 저력으로 극복하는 생명의 길이다. 배꼽 아래의 선을 강조한 여성의 운명 혹은 '팔자'는 자신에 대한 신뢰, 즉 본능적 저력을 바탕으로 개별적 가치를 마음껏 펼쳐 내어야 한다는 것이다. 결국 배꼽 아래의 선은 여성의 인격이 기초하는 여성 신성에 해당한다.

여성 자아가 여성 신성 및 모성 본능의 저력으로 무장하여 부모상에서 벗어나자 자연스럽게 아니무스에 인도된다. 가믄장 아기는 아니무스와의 관계에서 적극적인 태도를 취하였다. 이런 태도는 자녀에 대한 모성애는 물론이고, 남녀와의 관계에서 사랑의 감정을 일으키게 하는 에로스(eros) 원리가 작용한 것이다. 이 에로스는 실제적인 남녀 사이의 관계를 특징짓는 '사랑'이기도 하지만, 또한 심혼적 관계를 야기하는 '사랑'의 감정이다. 이 '사랑'의 감정은 모성적 신성력에서 비롯된 것이므로 개인적인 것이 아니다. 이는 여성 자신은 물론이고 주변을 끌어들이는 무의식적 영향력이다. 심지어 그것은 보상적이거나 치유적인 내용으로 의식의 수준 전체를 변화시킨다. 이런 의미에서 여성의 사랑은 낯선 것, 어리석은 것, 주목받지 못하는 것을 의식의 삶으로 끌어들여 인격을 변화하게 만드는 힘이다. 그리고 그와 더불어 자신도 전(全)인격적으로 성장하는 것이다.

여성의 사랑은 강한 면보다 약한 면을 더 사랑하고, 똑똑한 이의 어리석은 면을 더 사랑한다. (…) 여성의 사랑은 궁극적으로 전체성을 목적으로 하며, 이것이야말로 여성의 진정한 삶의 의지이다. 여성이 사랑을 통하여 진정으로 도달하려는 것은 전(全)인격적 존재이다.[147]

---

147 C.G. Jung(1927), "Die Frau in Europa", G.W. Bd. 10, Par. 261.

제8장

●

오누이 민담
≪해와 달이 된 오누이≫

우리나라 민담에서 오누이를 다루는 경우는 그리 많지 않다. 몇 안 되는 민담 중 ≪해와 달이 된 오누이≫는 비교적 널리 알려져 있는 민담이다. 이 민담은 오누이가 힘을 합쳐 두려운 대상, 호랑이를 극복한다는 점에서 어쩌면 *그림* 형제의 독일 민담 ≪한스와 그레텔≫과 비교할 수 있을 것이다.

오누이가 등장하는 민담은 근친상간적 주제를 다루는 경우가 될 수 있다. 그러나 실제로 민담에서 근친상간적 주제를 발견하기란 쉽지 않다. 더욱이 우리나라의 유교적 전통이 '남녀칠세부동석(男女七歲不同席)'을 강조하기 때문에, 오누이뿐 아니라, 부모-자녀 간의 근친상간적 관계도 거의 언급되지 않는 듯하다. '남녀칠세부동석'은 남성 혹은 아들은 어머니 및 누이에게, 여성 혹은 딸은 아버지 및 오라버니에게 의존할 수 없게 만드는 사회제도적 장치가 될 수 있다. 아울러 여성과 남성을 비교하거나 상대적으로 폄하하지 않고, 각각의 가치와 역할을 인정하려는 태도가 반영되어 있다. 이런 가르침은 여성과 남성을 한 자리에 나란히 두지 않는다는 문자적 의미가 아니라, 여성은 여성 고유의, 남성은 남성 고유의 인격적 특성을 갖추게 하려는 높은 문화적 처치로 보인다.

한국 민담의 여성상

비록 우리 사회에서 근친상간적 관계가 부각되지는 않더라도, 민담의 이야기가 오누이에 관한 것이라면, 남녀의 관계를 저절로 고려하게 된다. 이런 민담의 오누이 관계 역시 실제 인간 관계를 나타내는 것이 아니라, 심혼적 관계를 의미하는 것이다. 심혼적 관계로서의 오누이는 '대극의 합일'을 위한 대극의 쌍을 나타낸다. 남녀 쌍으로서 가장 가까운 유대 관계의 표명은 오누이로 이루어진 부부 관계이기 때문이다. 이들은 한 어머니 혹은 한 부모에서 비롯된 대극의 쌍이기 때문에, 궁극적으로 서로의 동질성을 강조하며 통일체적 결합을 목표로 삼고 있다.

전 세계적으로 오누이 민담으로 소개된 것을 살펴보면, 그 오누이가 우주 부모(kosmische Eltern)인 경우가 대부분이다. 여기서 우주 부모란 표현은 최초의 인류의 부모가 되는 존재, 인간성을 가진 것의 전제를 총칭한다. 그들은 신성, 신의 쌍(시지기)으로서 원형상에 해당한다. 우주 부모의 쌍은 음(陰)과 양(陽), 하늘과 땅, 형상적으로 표현하면 해와 달, 금과 은, 혹은 인간성을 반영하면 왕과 왕비로 지칭할 수 있을 것이다. 이때의 왕과 왕비는 오누이로서 근친상간적이다. 이들 오누이로 드러나는 우주 부모는 대극의 쌍으로서 모든 현상계의 기초이다. 정신의 현상은 두 대극, 즉 의식과 무의식의 관계에 의해서 펼쳐지는 다양한 양상의 형상화에 해당한다. 이런 의미에서 오누이로 묘사되는 대극의 쌍은 세계상 및 현상이 펼쳐지기 위한 전제라고 할 수 있다. 그것이 근친상간적이라는 것은 원래 하나에서 둘로, 둘로 나뉘어진 것이 다시 하나가 되는 관계 양상을 포괄적으로 반영한 표현이다.

우리나라 민담 ≪해와 달이 된 오누이≫를 다루기 전에 오누이가 우주 부모로서 최초의 인류를 생산하는 중국의 신화 ≪여와(女媧)-복희(伏羲)≫를 살펴보자. 이집트에 ≪이시스-오시리스≫ 신화가 있다면, 중국에는 ≪여와-복희≫의 신화가 있다. 여기서 이시스와 오시리스처럼 여와와 복희도 남매이면서 부부로서 알려져 있다. 중국에서는 여와-복희의 쌍으로 묘사된 신화 이전에 여와와 복희가 제각기 독립적으로 존재하던 신성(神性)으로 묘사되어져 있다. 주로 여와-복희가 쌍으로 등장한 신화는 한대(漢代)에 이르러 나타나기 시작하였다. 오늘날의 여와-복희의 쌍으로 나타

난 형상들은 한대에 주로 그려진 것들이다.[148]

여와-복희의 쌍이 되기 이전, 여와나 복희가 중국 신화 속에서 각기 어떻게 묘사되었는지 잠시 살펴보자. 복희(伏羲)는 태양신이자, 문화를 가져온 영웅 혹은 신성으로 나타난다. 복희는 팔괘(八卦)를 그려 세상 만물의 변화에 대한 이치를 밝혀 주었다고 한다. 또한 인류가 불을 사용하도록 하였고, 농경을 할 수 있게 가르쳤으며, 물고기와 새를 잡는 법까지 알려주었다고 한다. 말하자면 복희는 신이자 왕으로서 인류에게 문화적인 면을 갖추어 인간답게 살도록 한 것이다. 중국 고대의 왕들은 스스로 자신들을 태양신으로서 복희이거나, 또는 복희와 관계되는 존재로 부각하였다.

여와(女媧)는 달의 신으로, 복희의 누이라고 하지만, 복희를 의미하는 희화(羲和)를 희아(羲娥)로 이르기도 하여 여와와 복희가 동일한 인물일 수 있다고 한다. 종종 여와-복희의 쌍에 대한 설명에서도 그들이 동일 인물이거나 쌍둥이일 수 있음을 제시한다.[149] 그럼에도 여와는 가장 고태적인 모성신의 모습을 특징적으로 갖고 있다. 여와는 천지창조가 있던 시기에 황토로 인간을 만들었다고 한다. 또한 여와는 인류를 위하여 혼인 제도를 세워 남녀가 짝을 지어 살도록 하였기 때문에 고매(高媒) 혹은 신매(神媒), 즉 혼인의 신으로 알려져 있다. 그 밖에 여와는 홍수가 났을 때 인간에게 닥친 재앙을 막아주기 위해 네 기둥을 세워 거대한 보호 장치를 제공하였다는 내용도 널리 알려져 있다. 이처럼 여와는 인류를 여명기의 어두움에서 지키고 보살펴 주는 모성적 창조주이자 인류의 보호자이다.

앞서 여와와 복희는 각기 독립적으로 존재하던 신성이었으나, 후대에 이르러서는 여와-복희의 쌍으로 등장하게 되었다고 언급하였다. 이런 여와-복희 쌍은 의식적 분화에 의하여 분열되어 있는 정신 상태에 대해 다시 통합을 요구하는 심혼적 관계의 이념을 표상한 것이다. 심지어 이들은 원래 오누이가 아니었음에도 어느새 근친 상간적 관계로서 드러난다. 이들의 쌍은 언제나 근원을 환기시키고, 대극의 통합적 결합을 목적으로 하기 때문에 동양의 시지기 쌍의 형상적 전형이 되었다.

다음은 중국에 널리 알려져 있는 ≪여와-복희≫ 신화이다. 이 신화에서 여와-복희는 인간의 시조, 인류의 부모로서 묘사되어 있다. 여기서 여와-복희 남매의 결합에 의하여 생겨난 존재로부터 인류가 시작된다.

중국 신화 요약

≪여와−복희≫[150]

　큰 비가 올 것같이 바람이 거세고 천둥이 하늘에서 울리고 있었다. 한 남자가 집 밖에서 일하고 있었고, 그의 아이들인 오누이도 밖에서 놀고 있었다. 남자는 큰 비가 와도 지붕이 새지 않도록 푸른 이끼를 지붕의 나무껍질 위에 깔았다. 마침내 큰 비가 오고 천둥이 쳤는데, 이는 뇌공(雷公)이 인간 세상에 자신의 위세를 떨치며 인간을 위협하는 듯하였다.

　그러자 남자는 미리 만들어 놓은 쇠 철장으로 된 둥우리를 꺼내어 열어 놓았다. 호랑이를 잡는 쇠스랑을 손에 들고 기다리고 있다가 푸른 얼굴의 뇌공이 날아오자 얼른 쇠스랑을 휘둘러 그의 허리를 찔러 쇠 둥우리 속에 가두어 버렸다.

　뇌공이 쇠 둥우리에 갇혀 꼼짝을 못하게 되자, 남자는 그의 아이들에게 뇌공을 지키라고 하였다. 남자는 시장에 가면서 아이들에게 뇌공에게 절대로 물을 주어서는 안 된다고 당부하였다. 남자가 집을 나서자, 뇌공은 거짓으로 신음하면서, 물 한 그릇을 달라고 아이들에게 졸랐다. 나이가 더 많은 아들이 안 된다고 하였다. 뇌공은 물 한 그릇이 안 되면 한 잔만 달라고 청하였으나, 그것도 거절당했다. 그러자 부엌에 솥 닦는 솔에 묻은 물 몇 방울만 달라고 청하였다. 그러자 나이가 더 어린 누이는

148　제VI장 끝 부분의 여와−복희의 그림을 참고하라.

149　하신(何新) 지음, 홍희 엮음(1999), 『신의 기원』, 76~77쪽을 참고하라.

150　원가(袁珂) 지음, 전인초 · 김선자 엮음(1996), 『중국 신화전설 I』, 157~169쪽 요약.

가엾다는 생각에 솥 닦는 솔에 묻은 물 몇 방울을 가져다주었다. 뇌공은 물을 마시자 기뻐하며 고맙다고 인사하고 쇠 우리를 뚫고 달아나면서, 자기 입 속에서 이빨 하나를 뽑아 두 아이에게 주었다. 그 이빨을 땅에 심어서 씨앗처럼 싹이 트고 식물로 자라나면, 그것의 열매 속에 숨어서 재난을 피하라고 알려 주고 떠났다.

남자가 돌아와서 뇌공이 도망간 것을 알게 되자 놀라며 재난이 닥칠 것이라고 걱정하였다. 급하게 밤낮으로 애써 쇠로 된 배를 한 척 만들어 재난에 대비하였다. 두 아이도 뇌공이 준 이빨을 땅에 심었다. 땅 속에서 그것의 새싹이 나와 무럭무럭 자라나 열매를 맺었는데, 그것은 엄청나게 큰 호리 박이였다. 두 아이가 그 박을 집으로 가져가 호리 박 뚜껑을 따 보니 셀 수 없이 많은 이빨로 가득했다. 그것을 모두 파 버리고 속으로 들어가 보니 둘이 숨기에 꼭 알맞은 크기였다.

갑자기 날씨가 변하여 어두운 하늘에서 엄청난 비가 내리기 시작하였다. 물이 넘쳐 땅 위의 모든 것이 잠겨 망망 대해로 변하였다. 그러자 남자는 쇠로 만든 배 속에 숨었고, 두 아이는 호리 박 속에 숨어서 각기 표류하게 되었다. 홍수가 심해서 그 물길이 하늘에 이르렀다. 쇠 배를 탄 남자가 배를 조정해 하늘의 문에 이르렀다. 그는 아홉 층의 하늘이 울리도록 문을 두드려 들어가게 해 달라고 청하였다. 그러자 천신(天神)들이 수신(水神)에게 명하여 물을 빼라고 하였다. 갑자기 물이 빠지자 남자가 탄 쇠 배는 땅으로 떨어져 산산 조각이 났고, 그래서 남자는 죽고 말았다. 오누이가 숨은 호리 박도 땅에 떨어졌으나 호리 박이 부드러워 다친 데 없이 무사히 살아났다. 그들은 모든 인류가 사라지고 유일하게 살아남은 생존자가 되었다.

오누이는 함께 사다리를 타고 하늘나라에 올라가 놀곤 하였는데, 세월이 흘러 어른이 되자 오빠는 누이와 결혼하고 싶어 했다. 누이는 큰 나무 주위를 돌면서 오빠가 자신을 잡으면 결혼을 하겠다고 하였다. 오빠는 누이를 쫓아가는 척 하면서 반대 방향으로 나무 주위를 돌아서 누이를 잡았고, 그래서 둘은 결혼을 하게 되었다. 부부가 된지 얼마 되지 않아 누이가 공처럼 생긴 둥근 살 덩어리 하나를 낳았다. 부부는 그 살 덩어리를 잘게 다져 종이에 싸서 갖고 있었는데, 사다리를 타고 하늘로 올라가다가 바람에 날려 종이가 벗겨지면서 살 덩이들이 사방으로 흩어졌다. 그것이 땅에 떨어지자 모두 사람이 되었다. 사람들은 각기 살 덩이들이 떨어진 곳에 있는 사물의 이름을 성(姓)으로 삼게 되었다.

위의 신화에서 보듯이 오누이의 근친상간적 결혼으로 드러나는 주제는 언제나 두 가지의 내용을 동시에 충족시킨다. 하나는 오누이의 결혼은 대극적 정신 요소의 합일로서 제시될 수 있다. 다른 하나는 오누이의 결합으로 제3의 요소, 즉 인류가 탄생된다는 것이다. 이는 인류의 기원 신화로서 창조 신화와 같다. 인류의 기원 신화는 집단의식의 탄생을 나타낸다. 집단의식은 항상 하나의 세계상과 더불어 등장한다. 인간의 삶은 늘 의식의 장에서 펼쳐지는 것이기 때문이다. 인류의 첫 의식의 탄생 및 새로운 의식성의 획득이 반드시 대극적 정신의 합일에서 비롯된다는 사실에 주목할 필요가 있을 것이다. 대극적 정신의 합일은 또한 홍수 신화와 관계한다. 의식과 무의식의 통합에 의해 의식의 해체가 이루어지는데, 그것이 주로 홍수의 주제로 묘사된다.

다음은 한국의 민담 ≪오누이≫인데, ≪여와−복희≫와 비슷하게 홍수의 주제와 근친상간적 관계를 다루는 내용이 잘 드러나 있다.

≪오누이≫[151]

옛날 큰물이 져서 이 세상이 온통 바다로 화하여 한 사람의 생존한 자도 없게 되었다. 그때에 어떤 오누이 두 사람이 겨우 살아남아 백두산 같이 높은 산의 상상봉에 도착하였다. 물이 다 걷힌 뒤에 오누이가 세상에 나와 보았으나 인적이라고는 구경할 수 없었다. 만일 그대로 있다가는 사람의 씨가 끊어질 수밖에 없지만, 그렇다고 오누이 사이에 결혼을 할 수도 없었다. 얼마 동안을 생각하다 못하여 오누이는 제

151 신화아카데미 지음, 조현설 엮음(2001), 『세계의 창조신화』, 218쪽 재인용 (한문적 표현을 약간 수정하였음)

각기 마주 서 있는 두 봉우리 위에 올라가서 누이는 암망(구멍 뚫어진 편의 맷돌)을 굴려 내리고 오라버니는 수망을 굴려 내렸다. 그리고 그들은 제각기 하느님께 기도를 하였다. 암망과 수망은 이상하게도 산골 밑에서 마치 사람이 일부러 포개 놓은 것처럼 합하였다. 오누이는 여기서 하느님의 의사를 짐작하고 서로 결혼하기로 결심하였다. 사람의 씨는 이 오누이의 결혼으로 인하여 이어지게 되었다. 지금 많은 인류의 선조는 실로 옛날의 그 오누이라고 한다. (1923年 8月 11日 咸興府 何東里 金浩榮氏 談, 손진태; 8)

중국 신화 ≪여와-복희≫와 한국 민담 ≪오누이≫는 오누이의 근친상간적 관계뿐 아니라, 홍수에 관한 주제도 공통적으로 나타난다. 홍수의 주제는 창조 신화 및 창세 신화와 나란히 등장하는 경우가 많다. 이때의 홍수는 초기 인류의 집단의식 수준이 불안정하여, 근원적 무의식이 모처럼 의식화 된 정신 영역을 덮쳐 버린 상태를 나타낼 수도 있다. 반드시 초기 인류의 의식 수준이 아니어도, 취약한 집단의식 수준이라면 무의식적 정신의 침범으로 의식성을 상실하는 상태가 될 수 있다. 그럼에도 거대한 홍수는 엄청난 양의 리비도가 채워지는 것이고, 그러면서 의식이 해체되어 전체 요소들이 통합되는 상태에 이른 것이다. 홍수가 끝나 물이 완전히 빠져 나간 후 육지가 드러나면, 다시 의식성을 획득하는 것과 같은 효과가 될 수 있다. 이것은 새로운 인격의 탄생, 세계상의 창조로서 간주된다. 이런 의미에서 홍수는 의식과 무의식적 정신 영역의 관계 및 통합과 관련된 현상이라고 할 수 있다. 홍수의 주제는 종종 인격의 분열이 있었다가 회복되는 환자들의 환상, 신병을 앓았다가 회복한 샤먼의 큰 꿈에서도 볼 수 있다. 또한 정신 수행 및 명상 등에서 소위 '깨달음'으로 간주되는 현상의 전조이기도 하다.

이제 중국 신화 ≪여와-복희≫를 살펴보자. 한국 민담의 ≪오누이≫는 중국 신화의 뒷부분과 유사하므로, 자연스럽게 함께 이해될 수 있을 것이다. 오누이의 관계는 심혼적 관계로서 해석될 것이다.

≪여와–복희≫의 해석

(1) 한 남자가 어린 아들과 딸을 데리고 살고 있었다. 그는 지붕을 매만지면서 뇌공에 의해 인간 세계에 닥칠 재난을 예감하고 있었다.

남자는 아이들을 데리고 있어서 부성상에 해당한다. 부성상은 아이들을 낳고 기르는 모성적 역할이 아니라, 전체 상황을 통제 관리하며, 외부의 위험에서 지키는 역할을 한다. 부성상은 집단의 사회 문화적 가치 및 규범을 전수하고, 집단의 삶이 유지될 수 있도록 원칙과 철칙을 제공한다. 또한 부성상은 각 계기와 상황에서 실제적으로 필요한 법과 질서를 제시하고 적용하도록 한다.[152] 신화에서 이런 부성상과 더불어 살고 있는 아이들은 어떤 조건이 되면 성장과 변화를 야기할 수 있는 가능적 인물상이다. 부성상은 한편으로는 아이들이 전체적으로 안정적인 상태를 유지하도록 노력하지만, 또 다른 한편으로는 아이들과 맞이하게 될 변화에 대해서 방어하거나 저항하는 힘을 행사할 수 있다. 이런 의미에서 부성상은 언제나 새로운 세대의 주인공과 갈등을 일으킨다. 새롭게 등장하는 인물상들은 자연히 기존의 가치를 고수하려는 기성세대인 부성상에 저항하게 되고, 심지어는 부성상을 극복해야 한다. 영웅의 부친 살해는 새로운 시대의 인물로서는 일종의 과제에 해당한다. 이는 모성과의 근친상간적 관계를 획득하기 위해서가 아니다. 오히려 새로운 이념을 허용하지 않으려는 부성상의 위협에 맞서 새로운 가치관을 확립해야 하는 것이다.

남자는 지붕을 매만지면서 뇌공에 의해 닥칠 재난을 대비하고 있다. 남자가 지붕을 매만지는 행위에서도 부성상의 특징이 잘 드러나 있다. 집은 안전한 삶의 보금자리를 제공하는 공간이다. 지붕은 그런 보금자리의 실제적인 공간을 구체화 하면서, 외부의 여러 위협으로부터 보호하는 기능을 한다. 햇살과 비는 물론이고, 외부

---

152 제II장에서 다루었던 부성상 및 부성 콤플렉스를 참고하라.

자연의 영향력을 막아주는 지붕을 손보고 있는 남자는 철저하게 자신의 영역을 지키려고 경계하면서 대비한다. 이처럼 철통같이 경계하며 지키려는 남자의 태도와는 달리, 뇌공은 그런 부성상의 세계를 침범하는 낯선 힘으로서, 통제권 밖에서 어떤 영향력을 가하려고 하는 것이다. 이에 대해 남자는 자신의 영역이 침범당하지 않도록, 그래서 자신의 지배원리를 그대로 고수하려는 보수적인 힘의 화신이다. 뇌공의 영향력이 임박했다는 사실은 남자에게 어떤 재난이 일어날 조짐으로 나타난다.

(2) 큰 비가 오고, 천둥이 치고 바람이 불면서 뇌공이 인간 세계에 엄청난 재해를 일으키려 하였다. 남자는 쇠스랑으로 뇌공을 잡아 쇠 둥우리 속에 집어넣어 가두어 버렸다.

천둥이 치고 큰 비바람이 부는 것은 전형적으로 심혼적 변동을 알리는 현상이 된다. 기상 및 기후와 같은 자연 현상의 변화는 종종 창조적 생산이 있을 전조이다. 큰 비는 전 지역에 수분을 제공하는 것이므로, 전체적인 변화를 야기하는 리비도 공급의 효과를 가져온다. 바람이 부는 것은 마치 영감을 불어넣듯이 정신의 활력이 생겨나면서, 새로운 요소의 유입이 가능해지는 것이다. 이런 장면들은 흩어져 있던 심적 에너지가 모여들어서, 생명력이 움트기 위한 진동이 시작되는 시점을 나타낸다. 점점 여러 요소들이 응집되면서 힘을 갖추어 의식의 수면으로 드러나려는 역동적 활동성을 갖게 된다. 서양의 연금술에서는 창조적인 생산 및 탄생을 위해서 모든 질료들이 구성 요소들처럼 조합이 이루어지는 상태를 제1의 물질(prima materia)이라고 부른다. 이것은 아직 형상이 구체화 되지 않은 상태로서 요소들이 무질서하게 집합하고 있음을 나타낸다.

여기서 창조적 생산 및 탄생이 임박한 심적 상태가 되도록 실제적으로 주도하는 존재는 뇌공이다. 뇌공은 인간 세계에 재해를 일으키는 듯이 보이지만, 모든 요소들을 끌어들여 드디어 무언가를 위한 준비를 하는 것이다. 그의 형상은 푸른 얼굴을 하고, 등에는 날개가 있고, 눈은 사납게 빛나는 광채를 내뿜는 것으로 묘사되어 있다. 이는 그리스 신화의 제우스나 헤르메스에 해당하는 형상이다. 날개가 있다거나, 얼굴이 푸르다거나, 드높은 창공의 공기를 가르며 움직임을 만들어 낸다거나, 광채를 발휘하는 눈 등은 전부 정신 활동과 관련된 특성을 반영하고 있다. 비와 번개를 부르는 뇌공의 활동으로 전체의 상황은 심적인 요소들로 가득 채워지게 된다. 번개가 예기치 않게 순간적으로 내리치는 강렬한 빛의 요소가 특징인 것처럼, 그것은 갑자기 깨닫게 되는 일종의 통찰과 같이 의식적 정신의 일부가 되는 것이다. 말하자면 일부의 무의식적 정신의 활동이 매우 활성화 되었다가, 마침내 폭발적인 힘을 발하면서 의식에 도달하게 된 순간에 해당한다. 이처럼 뇌공은 바야흐로 무의식적 정신이 경계를 넘어 의식적 정신이 될 수 있게 하는 역동으로 작용한다.

오누이의 아버지인 남자는 임박한 변화의 조짐을 알아차리고 이를 막아 보고자 했다. 그는 정신의 변화를 원하지 않는 부성상이다. 그가 뇌공을 잡아들였다. 그는 미리 쇠 둥우리를 만들어 놓고 쇠스랑을 이용하여 뇌공을 잡아 가두어 버렸다. 여기서 남자가 철장으로 만든 쇠 둥우리는 억압을 위한 장치이다. 심적 변화가 일어나지 못하게 억압하려는 이성적, 합리적 태도가 쇠로 된 도구를 사용하는 것으로 묘사된 것이다. 남자는 쇠를 활용하여 필요한 도구를 생산하는데, 쇠 둥우리뿐 아니라, 홍수가 났을 때 사용할 쇠 배도 만든다. 남자는 도구를 자체적으로 생산함으로써 문화적 수준을 갖춘 실질적인 집단의식의 주체임을 나타낸다. 남자는 가능한 변화를 겪지 않도록 방어적 조치를 취한 것이다. 쇠는 그의 완고하고 변함없는 철칙, 원칙, 보수성에 상응하는 질료이다. 남자가 쇠스랑으로 뇌공을 잡아 가둠으로써 일단은 변화를 부르는 모든 정신적 활력을 억누르고 통제할 수 있게 되었다.

흥미롭게도 뇌공을 잡아 들여 쇠 둥우리에 가둔 것이, 한편으로는 임박한 재해의 위기를 모면할 수 있게 하였으나, 다른 한편으로는 남자가 데리고 있는 아이들과 뇌공이 서로 접촉하는 계기가 되었다. 결과적으로 남자는 자신도 모르게 뇌공을 아이들 가까이로 데려온 것이다. 남자의 행위는 변화를 원하지 않는 보수적 성향을 나타내는 것이지만 자신도 모르게 의식화를 촉진하는 구체적 작업에 동참하게 된 것이다. 이는 아이들을 데리고 있는 부성상의 이중적 측면에 해당한다.

(3) 남자가 자리를 비우면서 뇌공에게 물을 주어서는 안 된다고 아이들에게 주의를 주었다. 뇌공은 물을 청하였고, 오누이 중 오라버니는 거절하였으나, 누이는 부엌의 솥 닦는 솔에 묻은 몇 방울의 물을 가져다주었다.

남자가 자리를 비운 것은 뇌공을 젓갈로 담그려고 향료를 사러 가기 위해서였다. 젓갈을 담그려는 남자의 모습을 보면 역시 정신의 가치를 어떤 형식으로 유지하는 문화적인 측면에 관여하고 있음을 알 수 있다. 말하자면 오랫동안 사회적으로 누려온 전통적 관습적 삶의 태도를 고수하는 특징을 나타낸다. 젓갈은 오랫동안 보존하면서 먹는 음식이기 때문이다. 남자는 뇌공을 음식으로 만들어 먹으려 함으로써, 이제 막 변화를 조장하는 정신적 활동을 자신의 것으로 끌어들이려 한다. 이미 지적했듯이 남자는 한편으로는 통제를 가하지만, 다른 한편으로는 변화를 받아들이려는 어떤 태도를 갖고 있기 때문이다. 다만, 그것도 자신의 통제 하에 원하는 방식대로 이루어져야 하는 것이다.

남자는 시장에 가면서 뇌공에게 물을 주지 말라고 아이들에게 당부한다. 물은 뇌공이 몰고 올 비의 질료적 측면이므로, 물을 주는 것은 뇌공에게 힘을 공급해 주는 것과도 같다. 남자는 활성화 시킬 수 있는 질료를 차단하여 가능한 뇌공의 활동을 억압하려 했다. 이것은 아이들과 뇌공의 관계가 원활히 이루어질 수 없도록 미리 조치한 것이다. 아이들로 하여금 뇌공의 요구에 거절이나 부정을 하도록 한 것은, 비단 뇌공을 멀리하라는 것만은 아니다. 아이들이 처음으로 거절이나 부정을 하는 주체가 될 수 있음을 시사하는 것이다. 그래서 아이들에게 긍정이나 부정의 선택이 가능해진다. 아이들은 외부의 요구에 반응할 수 있고, 또한 그에 따른 선택과 결정을 할 능력이 생겨난다. 뇌공이 등장하기 전까지 아이들은 자신에게 어떤 가능성이나 변화가 있는지 모르는 수준에 머물러 있었다. 이제 아이들은 뇌공을 지키면서 선택과 결정을 할 수 있는 권한을 갖게 되었으므로, 어느새 조금씩 의식의 주체로서의 특징을 갖추게 된다. 심지어 아이들의 거절과 부정은 부성상인 남자에게로 향할 수 있게 되는 것이다.

남자가 아이들에게 요구한 금지 사항은 오히려 의식의 주목을 끄는 결과를 가져온다. 혹은 오누이는 바야흐로 선택을 위한 갈등을 하게 된다. 이런 갈등 자체가 의식화를 촉진시킨다. 이전에는 전혀 의식하지 못했던 사실에 대해 관심을 갖게 되고, 그에 대해 갈등하면서 새로운 의식의 태도 및 방향감이 생겨나는 것이다.

남자가 떠나고 나자, 뇌공은 아이들에게 물을 달라고 요구하였고, 결국에는 뇌공의 요구가 충족되었다. 이와 함께 아이들은 뇌공과 특별한 관계를 맺게 되었다. 여기서 오누이와 뇌공의 거래를 구체적으로 살펴보자. 뇌공은 처음에는 한 그릇의 물을 요구했다가 거절당하자, 점차 줄여서 몇 방울의 물을 청한다. 뇌공이 마지막에 부엌의 솥을 닦는 솔에 묻어 있는 몇 방울의 물을 요구하면서 아이들의 책임과 부담을 줄여주는 조정과 노력을 하는 것처럼 보인다. 뇌공의 이러한 단계적 조정은 오누이에게 다양한 선택의 가능성을 제시하는 것과 같다. 이런 과정에서 오누이는 자연스럽게 선택을 위한 조정 과정을 익히게 된다. 또한 독립된 인격체로서 결정을 내릴 수 있는 주체의 입장을 갖게 된다. 이것은 모두 의식적 정신 영역이 갖추어야 할 응용력 및 결단력의 기초가 될 것이다.

뇌공의 요청을 오라버니는 거절했으나, 누이는 솔에 묻은 몇 방울의 물을 주기로 하였다. 여기서 오라버니와 누이가 제각기 다른 태도를 갖는 것도 의의가 있다. 이런 차이 자체가 의식의 입장을 더욱 구체적이게 한다. 이 차이는 의식화가 되려는 정신과 무의식적인 상태로 남으려는 태도에서 드러난다. 오라버니는 뇌공의 요청을 거절함으로써 일부 부성상의 측면을 유지하는 태도를 취하고, 누이는 솔에 묻은 소량의 물이라도 뇌공에게 제공하려 하면서 뇌공의 입장을 지지하였다. 이런 미묘한 입장의 차이에서 보듯이, 의식화를 원하지 않는 무의식적 정신의 알력이 작용하고 있다. 결과적으로 뇌공의 요구를 충족시키게 되자, 전체 정신의 상황은 새로운 국면을 맞이하기에 이른다.

그러면 뇌공에게 주어진 물은 무엇인가? 다시 말하면, 뇌공이 마시고자 했던 물은 그가 발휘하려는 실제적인 힘, 영향력이다. 그것은 심한 비가 되어, 온 대지를 물에 잠기게 할 수 있는 강력한 심적 자원이다. 물은 물질의 가장 기본이 되는 구성 요소 혹은 원소로서, 어떤 것을 형상화 하거나 구체화 시키는 기본 질료가 될 것이다. 비가 내리고 대지를 적시면, 대지는 풍요로운 생명력을 품게 되고, 여러 생명체를 잉태할 준비 상태에 이른다. 비가 내려 수분이 가득 채워지는 것은 전체적으로 정신에 활기를 불어넣는 상태, 즉 활성화 되는 상태를 의미한다. 뇌공은 아이들과의 거래에서 몇 방울의 물을 요구하였다. 물은 원래 부분으로 나눌 수 없는 액체의 특성이 있듯이, 아무리 적은 양이더라도 전체를 불러들일 수 있는 강력한 힘이 있다. 이는 전형적인 무의식적 정신의 특성이다. 의식적 정신은 서로 칸막이가 쳐진 것처럼 나누어져 있어서 부분이 전체를 대신할 수 없지만, 무의식적 정신은 서로 연결되어 있어서 작은 부분도 전체와 관계할 수 있다. 예를 들면 정서 반응은 부분적이 될 수 없고 언제나 전체적으로 반응하게 만든다. 그래서 정서 반응은 대부분 의식의 수준을 전체적으로 조정하는 효과를 가져온다. 뇌공이 요구했던 몇 방울의 물은 홍수와 같은 엄청난 수분, 즉 전체를 불러들이기에 충분한 것이다. 이제 물은 기존의 정신 수준 전체를 변하게 하는 매체, 용해제로서 기능한다.

뇌공이 갇혀 있던 쇠 우리에서 목마름을 호소한 것은, 남자의 힘이 지배하고 있는 세계관에서 느끼는 실제적인 느낌, 즉 억압적 분위기, 무미건조함, 부동성, 생명력 없음, 무기력감 등을 시사한다. 뇌공은 자연에 내재한 창조적 생명력을 발휘하므로, 의식적 정신을 개선 및 변화시키고자 하는 본능적 충동 및 정신의 배경적 힘으로 작용할 것이다. 이런 측면에서 어쩌면 뇌공은 자연 모성, 모성 자연의 한 측면으로 볼 수 있다. 이런 힘을 수용하게 되는 인물은 자연의 모성적 생산적 생명력에 보다 가까운 누이가 될 수밖에 없다. 그래서 누이의 여성적 수용력이 뇌공에 대해 우호적으로 반응을 한 것이다. 뇌공은 오누이를 나란히 새로운 인격의 대표 주자로서 내세우려 한다. 실제적으로 의식의 삶을 이끌어 갈 주체는 두 남녀 인물상으로 구체화 되어야 하는 것이다. 결국 남자는 뇌공을 억압하고 있었던 것이 아니라, 실질적으로 새로운 인격의 주체가 될 오누이를 억압하고 있었던 것이다. 뇌공은 오누이를 움직이게 만드는 힘으로 작용하려 하지만, 이를 남자가 허용하지 않으려 한 것이다. 뇌공과 관계하면서 오누이는 보다 능동적으로 변화 과정에 참여하는 태도를 취하게 되었다. 이런 의미에서 뇌공은 물을 원했다기보다는 오누이의 능동적 참여를 끌어내려는 목적이 있었다고 볼 수 있다.

(4) 쇠 우리를 **빠져나온** 뇌공은 오누이에게 자기 입에서 이빨 하나를 뽑아 주었다. 그것을 씨앗처럼 땅에 심으면 식물로 자라 커다란 열매를 맺게 될 것이고, 재난이 닥치면 그 열매 속에 숨으라고 조언을 하였다. 남자가 집에 돌아와 뇌공이 도망친 것을 알게 되자, 재난이 닥쳐올 것을 예감하고 쇠로 된 배를 만들었다. 오누이는 이빨을 심어서 열린 큰 호리 박을 따서 그 속을 파내어 숨을 준비를 하였다.

뇌공이 도망을 가자, 큰 재난이 닥칠 것을 대비하여 남자는 쇠로 배를 만들고, 오누이는 큰 호리 박을 준비하였다. 오누이의 호리 박은 뇌공이 도망가면서 뽑아 준 그의 이빨을 땅에 심었더니 자라나게 된 것이다. 뇌공은 도움을 준 오누이에게 본능적, 모성적 힘을 사용할 수 있도록 이빨을 제공한 것이다. 이런 면에서 뇌공은 자연 모성에 속하는, 모성의 역동적 측면에 해당한다. 이빨은 마치 씨앗처럼 대지에서 무럭무럭 자라나 큰 호리 박 열매를 맺었다. (여기서도 부분이 전체를 환기하는 효과를 발휘하고 있다.) 뇌공이 넘겨 준 모성적 본능적 힘은 엄청난 크기로 성장한 식물의 형상으로 드러났다. 식물의 성장은 언제나 본능에 뿌리를 두는 정신의 성장과 발달에 비교된다. 씨앗에서 시작하여 꽃이나 열매를 맺는 과정 전체는 무의식적 정신이 형상화 되어 마침내 의식에서 실현됨을 상징할 수 있기 때문이다. 이처럼 뇌공은 오누이에게 인격의 성장 및 분화를 위한 첫 실마리를 넘겨주고, 그것이 어떻게 전개될 것인지 대략 보여준 것이다. 그것으로 자연(본성)의 생명력이 어떤 형상으로 펼쳐지며 발휘될 것인지 미리 제시한 것이기도 하다.

식물의 열매가 박이라는 점이 흥미롭다. 대부분 박은 거대한 원환의 모습으로 지붕 위에서 자라기 때문에 보름달로 오해를 받는다. 보름달로 간주되는 박은 식물의 생명력을 둥근 형태로 품고 있어서 그 자체 음의 기운을 대표하는 달과 같다는 것이다. 박의 둥근 형태는 무엇인가를 내부에 감추고 있는 모습인데, 손상 받지 않는, 혹은 노출되지 않은 비밀들의 전체로서 형상화 된 것이다. 연금술에서는 이런 둥근 형태에 대해 원소 혹은 질료들의 통합적 상태로 간주하여 혼돈(chaos)이라고 한다. 또한 이러한 상태는 전체를 감싸고 있는 형태이므로, 거대한 주머니, 모성의 자궁으로 간주된다. 커다란 구(球)의 형상은 하나의 세계를 생산하는 자궁의 상징이 될 수 있다. 박을 가르게 된 경우는 하나의 세계가 창조되는 출산에 해당한다. 그래서 박은 무엇인가를 생산하는 거대한 용기가 된다. 연금술에서 이것은 탄생, 죽음 및 변환이 일어나는 연금술의 그릇(vas hermeticum)에 해당한다. 둥근 형상에서 태어난 존재는 인류의 기원적 존재, 인류의 부모 쌍으로 알려져 있다.

여기서 오누이가 딴 박은 호리 박이었다. 호리 박의 형상은 두 사람이 나란히 들어가 누울 수 있는 크기에 상응하는 것이다. 호리 박의 씨앗이 이빨이었던 것처럼, 호리 박 열매의 내부는 이빨로 가득하였다. 상징적으로 살펴보면, 이빨은 신체 부위로서, 가장 딱딱하고, 변하지 않아서 죽음과 재생의 상징이 되기도 한다. 이빨 자체는 골격을 이루는 뼈와 함께 버티고 지탱하는 육체의 본능적인 힘, 동물적 본성의 기초를 나타낸다. 이빨은 실제적으로 물어뜯고, 분쇄하는 기관인데, 이런 모습의 강조는 집어삼키고 갈가리 찢는 모성적 특성에 해당하는 것이다. 호리 박 속 이빨들이 있는 공간은 거대한 괴물의 구강이자, 삼키는 모성의 입 안에 해당한다. 호리 박 속 이빨들로 가득한 상태는 잘게 분쇄시키는 파괴적인 힘이 형상화 된 것이기도 하지만, 그 이빨들 또한 식물의 씨앗일 수 있다는 점으로 보아 전적으로 자연의 창조적 생산력으로 채워져 있음을 의미할 수 있다.

오누이가 호리 박 속에 들어간 모습은 근친상간적 관계를 나타낸다. 모성에 의해 삼켜짐으로써, 모성 자궁으로 들어가게 된 것이기 때문이다. 모성 자궁에 의하여 오누이는 탄생 혹은 재탄생의 가능성이 생겼다. 이런 민담의 근친상간적 관계는 의식을 탄생시키기 위한 것이다.

오누이가 호리 박을 준비하는 동안 남자는 쇠로 된 배를 만들었다. 남자가 사용하는 재료는 여전히 쇠이다. 앞서 쇠스랑, 쇠 철장, 이번에는 쇠로 된 배를 만든 것이다. 돌이나 나무와 같은 자연물은 인간의 의도가 제한적으로 반영된다. 이에 비해

쇠는 형을 뜬다면, 상대적으로 인간의 의도대로 원하는 도구를 만들 수 있는 재료이다. 이는 일종의 의지의 산물, 신념의 산물이 된다. 일단 형상화가 이루어지면, 쇠는 견고하고 확실한 모양을 한결같이 유지한다. 여기서 남자는 거의 창조주처럼 주도력을 발휘하여, 마음대로 도구를 생산할 수 있었다. 뇌공을 사로잡았듯이, 그의 의지력은 매우 강하고, 다른 것과 소통할 수 없을 정도로 일방적이거나 경직된 태도를 나타낸다. 남자가 만든 쇠 배는 그런 태도를 반영하여 이루어진 도구이다. 이제 남자의 의도대로 움직이게 될 탈 것이 마련되었다. 남자는 뇌공에게 도움을 받은 오누이와 달리, 스스로 위기를 극복하기 위한 만반의 준비를 갖춘다.

(5) 홍수가 시작되자 남자는 쇠로 된 배를 탔고, 오누이는 호리 박 속에 숨었다. 물이 차올라 마침내 하늘의 문까지 이르게 되었다. 남자가 하늘의 문을 열어 달라고 청하였지만, 천신들은 두려워하며, 급히 수신에게 청해 물을 빼도록 하였다. 남자의 쇠 배는 단단하여 바닥으로 떨어지자 산산 조각이 났으나, 호리 박은 부드럽게 떨어져 오누이는 무사히 살아남았고, 유일한 생존자가 되었다.

뇌공이 재난을 예고했듯이, 드디어 엄청난 비로 인하여 홍수가 일어났고 모든 것이 물속에 잠기게 되었다. 이는 기존의 정신 수준을 제대로 유지할 수 없는 상태가 된 것이고, 또한 상대적으로 배경이 되는 정신 영역이 활성화 된 것을 의미한다. 주도하고 있던 정신 영역은 리비도의 유입으로 와해, 해체, 용해의 상태에 이르게 된 것이다. 수면에 떠 있는 남자의 쇠 배는 활성화 된 무의식적 정신의 활력에도 크게 영향을 받지 않고 잘 버티고 있는 어떤 의식적 태도에 해당한다. 심지어 남자는 차오르는 물이 하늘의 문에 닿자 문을 열어 달라고 청하기까지 하였다. 남자는 무의식적 정신의 활력을 자신의 의지력에 적용시켜, 그 힘을 유력하게 활용하려 한 것이다. 마치 의식의 강한 의지력으로 추진하다가 스스로 고양되어 자아가 거의 팽창 상태에 이른 것과 같다. 실제로 무의식적 정신은 처음에는 일방적인 의식의 의지력을 꺾으려고 대립적이거나 방해하는 힘으로 작용한다. 하지만 더 이상 통제를 할 수 없게 되면, 오히려 의식에 전적으로 힘을 실어 주는 방향으로 전환하여 팽창 상태를 극대화 시킨다. 의식 수준이 이런 팽창에 이르면, 자신을 방해하는 힘이 사라졌으므로, 자칫 자신의 의도대로 모든 것이 이루어진다고 믿게 된다. 이 상태는 시간이 지나면 거대한 무의식적 정신과 동화되므로, 어느새 자기 자신을 잃어버린다. 어느 순간 힘을 실어 주던 무의식적 정신이 의식을 해체하여 무력화 시키기 때문이다. 이 민담에서도 남자의 팽창 상태는 거의 신과 같은 고양감으로 드러났다. 그는 물이 불어나자 하늘의 문에 접근할 정도로 자신의 수준을 끌어올렸다. 천신들이 두려워 물을 빼 버리도록 조치를 취하자 차올랐던 물이 갑자기 사라졌다. 이는 팽창 상태에서 무의식적 정신이 채우고 있던 리비도가 제거됨으로써 갑자기 수축에 이른 것과 같다. 자신의 힘으로 착각하고 있던 순간 리비도가 빠져 나가면서, 인격의 붕괴를 경험하게 된다. 갑작스럽게 물이 빠져 나가자 사내는 배와 함께 바닥으로 추락하고 말았다.

신화적 내용을 더 보충하면, 남자는 쇠 배를 타고 아홉 겹(층)으로 이루어진 하늘 문에 도달하였다. 이것은 주도하던 남성의 의식이 자신의 심혼적 위기를 오히려 기회로 삼은 것이다. 동양 연금술에 의하면 아홉 겹의 하늘(九天)은 양(陽)의 기운이 끝까지 다 채워진 것을 나타낸다. 남자가 아홉 겹의 하늘에 이르러 하늘의 문을 두드린 것은 대지를 채운 물을 양의 기운(자신이 주도하는 의식의 힘)으로 간주한 것이다. 그래서 뇌공이 풀어 놓은 대지의 물을 자신의 목적에 부합하게 이용할 수 있다고 여길 만큼 남자는 고양되어 있었다. 갑자기 천신들의 청으로 물이 빠짐으로 인해 상황은 완전히 역전된다. 소위 '양이 차면 음으로 기운다'라고 할 수 있는 전환이 일어났다.[153] 가득 채우던 물이 완전히 빠져나가자 남자를 지탱했던 모든 힘이 사라져 버린 것이다. 쇠의 배는 땅으로 떨어져 산산 조각이 났다. 남자가 지배하던 세계 전체도 함께 사라졌다. 모든 물이 빠져나간 후에 드러난 대지는 이전의 상태를 의미하는 것이 아니다. 구천으로 묘사된 것과 남자가 하늘의 문을 두드린 것은 모두 새로운 정신의 수준에 이르려는 과정을 의미한다. 사실 남자도 기대에 차서 의식의 지평을 새롭게 열고자 시도한 것이다. 비록 실패하였으나 결과는 남자가 지배하던 세계가 극복되고, 새로운 정신 수준으로 이행하게 된다. 물이 빠지고 육지가 드러난 것은 어떤 수준의 새로운 의식의 장이 펼쳐지게 된 것을 의미한다. 남자는 사라지고, 오누이가 바로 그 새로운 정신의 수준에서 활동하는 주체가 된다.

오누이의 호리 박은 바깥의 극적 변화에도 전혀 영향을 받지 않았다. 호리 박이 가볍게 땅으로 내려온 덕분에, 오누이는 무사히 호리 박 밖으로 나올 수 있었다. 그들이 호리 박 밖으로 나온 상태는 씨앗이 대지의 어둠을 뚫고 싹을 피우게 된 것과 같다. 또한 홍수를 이겨 낸 그들의 여정은 태양-영웅이 서쪽 바다에서 지는 해처럼 물속에 잠겼다가, 괴물에게 삼켜져 밤의 긴 항해를 거친 후, 마침내 괴물을 극복하고 동쪽에서 뜨는 아침 해처럼 등장한 것에 해당한다. 이때 떠오르는 태양-영웅은 어둠-괴물을 극복하고 다시 태어난 존재이다. 호리 박에서 벗어나게 된 오누이도 홍수-괴물을 극복한 영웅이라 할 수 있다.

여기서 호리 박 속에 있었던 오누이의 모습을 좀 더 살펴보자. 이미 지적하였듯이 호리 박은 원래 이빨들로 채워져 있던 공간이고 형상적으로 괴물의 입 혹은 거대한 자궁에 해당한다. 그래서 오누이가 호리 박 속에 숨어 있었던 상태는 괴물에게 사로잡힌, 혹은 잡아먹혀 버린 상황을 나타낸다. 동시에 이것은 물이 지상을 덮어 모든 것이 물에 잠긴 상태와 같다. 호리 박을 빠져 나온 것, 삼킨 괴물에서 벗어난 것은, 가득 찬 물이 모두 빠지고 세상이 다시 드러나게 된 것과 같다. 오누이가 호리 박을 빠져 나온 것도 정신적 탄생이 이루어진 것이라고 할 수 있다. 이때의 호리 박은 남녀의 오누이 둘을 하나로 품은 모성의 자궁이다. 호리 박은 거대한 하나의 알, 세계의 알이고, 그 속에 우주의 부모 쌍을 채우고 있다. 바야흐로 그들이 호리 박 밖으로 나오게 되면 비로소 하나의 세계가 펼쳐지게 된다. 오누이는 세계의 알 속에 하나로 결합하고 있는 우주 부모의 형상이다. 그들은 한편으로는 서로 나누어져 대극을 형성할 존재이면서, 또 다른 한편으로는 '대극의 합일'을 유도하게 될 존재이다. 여기서 오누이가 호리 박 속에서 밖으로 나온 묘사는 '대극의 합일' 후를 나타내는 것은

---

153 이를 '대극의 반전', 즉 에난치오드로미(Enantiodromie)라고 한다. 하나가 지나치게 상대를 억압하면서 팽창하면, 어느 순간에 극적인 반전이 일어나는 현상이다.

아니다. 물론 이들은 우주 부모, 시지기 원형, 통합의 이념을 의식에서 실현하도록 유도하는 전제로서 작용할 것이다. 민담에서 홍수가 끝나고 호리 박에서 나온 오누이 부부는 우주 부모로서, 의식의 삶을 펼쳐 낼 대극의 쌍이다. 이들 오누이는 하나에서 둘로 나누어지는 존재, 분열, 구분, 다름의 특성을 반영하는 대극 쌍으로 기능한다. 이는 많은 신화에서 하나의 원을 상하로 갈라서 하늘과 대지로 만들거나, 한 몸으로 붙어 있던 우주 부모를 둘로 나누어서 세상을 열어야 했던 것과 같다. 호리 박에서 태어난 오누이처럼, 이제 새로운 수준의 정신 세계가 시작된다.

(6) 유일하게 지상에 살아남은 오누이는 하늘 사다리를 타고 하늘나라에 가서 놀았다. 그러다가 그들은 어른이 되어 결혼을 하였다.

호리 박에서 나온 오누이는 남자가 관리하고 있던 세계관에서 벗어나 새롭게 펼쳐진 정신 영역을 이끌어 갈 주체이다. 하늘 사다리를 타고 하늘나라에 올라가 놀곤 하는 오누이 상태는 어느 정도 의지력이나 의도성을 발휘할 수 있는 정신 활동을 하고 있으나, 여전히 어떤 정신의 수준에 도달하지 못한 상태에 머물러 있다. 사다리를 오르내리고 있는 것으로 보아 점진적인 변화 및 성장을 시도하고는 있지만, 보다 더 상위의 정신 수준을 획득할 무엇인가가 필요한 것이다. 이런 의미에서 오누이가 이끄는 세계는 아직 완전한 주체적 의식 수준에 이른 상태는 아니다.

세월이 지나 오누이가 어른이 되자 둘은 마침내 결혼을 하게 된다. 그 둘의 근친 상간적 관계는 오라버니와 누이가 큰 나무를 가운데 두고 빙빙 돌면서 도망치고, 쫓아가는 역동에서 시작되었다. 같은 방향이지만 서로 다른 속도로 움직이게 되면서 서서히 차별화가 이루어지는 것이다. 하루는 누이를 쫓던 오라버니가 반대 방향으로 몸을 돌려서 누이와 정면으로 마주치도록 함으로써 남녀의 만남이 이루어지는 데 성공하게 된다. 오누이가 함께 빙빙 돌았던 큰 나무는 생명력의 축, 우주의 중심, 세계의 중심을 나타내며, 모든 정신의 활동을 생산하고 보증하는 생명의 나무이다. 오누이의 원환적 움직임은 생명력에 의해 활성화 된 두 정신 영역의 활동을 반영한 것이다. 처음에 그들이 나무를 중심으로 같은 방향으로 돌고 있었던 것은, 정신 활동이 의식과 무의식의 구체적인 구분 없이 그 자체로 활성화 된 것을 나타낸다. 서로 방향을 반대로 하여 달리게 되자 대극적이 되었다. 반대로 달려 서로가 분리됨으로써 만남이 가능해진 것이다. 말하자면 서로가 관계를 맺을 수 있는 객관적 존재가 된 것이다.

앞서 오누이가 하늘 사다리를 타고 놀았을 때는 아무런 일도 생기지 않았다. 상승과 하강의 활동성은 전혀 도움이 되지 않았던 것이다. 오히려 둘의 놀이에서 제각기 활동성을 달리했을 때 비로소 변화가 일어났다. 오누이의 활동성은 중심을 맴도는 원환 운동으로 전환되었지만, 둘은 같은 방향을 취하지 않았다. 누이의 방향은 원래 생명력이 흘러가는 방향, 즉 본능의 흐름에 따르는 방향이다. 오라버니는 그에 반하여 의식의 의도와 의지력을 발휘하는 역행적 방향이다. 동양 연금술적으로 보자면, 누이는 음(陰)의 기운을 유지하고, 오라버니는 자연 본성을 극복하는 양(陽)의 기운을 발휘하는 것인데, 이것이 의식화 방향의 정신 활동이다. 오라버니가 방향을 바꾸자 의식 수준의 변화를 가져왔다. 계속 오누이가 한 방향으로 나란히 달리고 있다면, 활성화 된 정신의 무한 반복적 흐름의 활동만 있게 될 것이다. 이것은 시간이 흘러도 언제나 무의식성으로 드러나는 정신 활동이 되고 만다. 오라버니가 결정적으로 방향을 전환하여 누이에게 접근함으로써, 정신은 새로운 인식의 계기를 맞이한 것이다.

이상의 방식으로 이루어진 오누이의 만남도 근친상간적이다. 그들은 같은 호리 박속에 있었으므로, 한 자궁에서 태어난 오누이 부부인 것이다. 한국 민담 ≪오누이≫에서는 차마 오누이로서 근친상간적 부부관계를 결정할 수 없어서 돌을 굴리지 않았던가. 여러 번 강조되었듯이 민담, 신화 및 꿈에서 다루는 성애적 주제는 심혼적 관계를 나타내는 것이다. 근친상간적 관계는 원래 하나에서 둘로 나뉘었다가 다시 하나의 통합적 관계로 되돌아가는 것을 묘사하기 위한 것이다. 근친상간적이 된다는 것은 서로 하나로 통합 가능한 동종성을 강조하는 것이다. 다시 하나로 통합되면 이전의 하나가 아니며, 새로운 정신의 수준, 새로운 의식성을 생산하게 된다.

(7) 오누이가 부부가 되자, 누이는 둥근 공처럼 생긴 살 덩어리를 하나 낳았다. 그것을 잘게 다져 종이에 싸서 몸에 지닌 채 하늘 사다리에 오르다가 갑자기 바람이 불어 살 덩이들이 사방으로 흩어졌다. 땅에 떨어진 살 덩이들은 모두 사람이 되었다. 사람들은 살 덩이들이 떨어진 곳에 있는 사물의 이름으로 자신의 성을 삼게 되었다.

오누이의 근친상간적 결합에 의하여 제3의 요소가 등장하였다. 둥근 공처럼 생긴 살 덩어리라고 했는데, 이 둥근 공도 새롭게 펼치게 될 하나의 세계상의 상징이다. 이 살 덩어리 전체는 세계 알(Welt-Ei)에 해당한다. 그 원환 혹은 세계 알 속에는 삶으로 펼쳐질 실제적인 내용이 들어 있다. 수많은 창세 신화에서 보여주듯이, 세계 알에서 거대한 거인이 나오거나, 인류가 생성된다. 여기서 세계 알에서 내용물이 드러나게 된 것은 대극의 합일이 이루어졌기 때문이다. 세계 알에서 나온 살 덩어리는 인간의 의식에 상응하는 세계상이다.

무엇보다 오누이 부부는 낳은 살 덩어리를 잘게 칼로 잘라서 종이에 쌌고, 그것을 지니고 하늘 사다리로 올랐다. 둥근 살 덩어리는 세계 창조가 있기 전 모든 원소들의 집합에 해당하는 혼돈의 덩어리(massa confusa)로 간주될 수 있다. 둥근 형태의 살 덩어리는 여전히 근원적 집단 정신의 총체적 통합 상태를 유지하고 있음을 나타낸다. 이를 칼로 잘게 다졌다는 것은 하나로 뭉쳐 있는 통합적 힘을 해체하는 것이고, 각 부분 조각들은 기본 원소가 될 수 있다. 잘게 자름으로써 전체 정신의 의식화 및 의식적 분화를 더욱 촉진시킬 수 있게 된다. 하늘로 오르다가 바람이 불어 살 덩이들이 사방으로 흩어졌다. 바람이 부는 것도 변화를 위해 정신적 상황이 조성된 것을 의미한다. 사방으로 흩어진 살 덩어리의 조각들은 곧 지상에 이르자 사람이 되었다. 대지에서 살덩어리의 조각들은 비로소 인간으로 변하게 되었는데, 그것은 인간성 속에서 실현되어야 할 정신 요소들을 의미한다.

더 보충하면 땅으로 떨어진 살 덩이들은 모두 인간이 되었을 뿐 아니라, 그들은 떨어진 곳에 있는 사물의 이름을 따서 제각기 다른 성을 갖게 되었다고 한다. 이와 같은 묘사는 전형적인 창세 신화적 모티브에 해당한다. 거대한 태초의 창조주, 예를 들어 중국의 창조주 반고(盤古)는 여러 조각으로 나뉘어져서 죽었는데, 그의 몸은 인간이 살아갈 대지와 산천초목이 되었다. 둥근 덩어리의 살을 칼로 다지거나, 반고에게 구멍을 내어 죽게 하는 것은 모두 무의식적 정신이 가진 원시적 총체적 응집력을 해체시켜 제각기 형상들을 부여하기 위한 것이다. 그러한 해체를 통하여 인간이 중심이 되는 하나의 세계, 하나의 의식의 장이 펼쳐지게 된다. 둥근 살 덩이들의 조각조각이 인간이 되는 것은, 무의식적 정신이 점차적으로 의식적 정신으로 변환되는 것을 나타낸다. 분화된 의식은 각각의 조각이 되는 것, 전체의 부분이 되는 것, 어떤 것으로 규정되는 것, 개별적 특징을 갖는 것에 해당한다. 사람이 된 살 덩이들이 대지의 사물들을 성으로 갖게 되었듯이, 의식은 대지의 사물들을 대상으로 인식하는 주체가 된 것을 나타낸다.

오누이 부부의 결합은 새로운 인간 의식의 지평을 열게 하였다. 바야흐로 인류의 탄생이라는 결과를 가져와서, 인간 의식의 삶이 시작됨을 알린다. 오누이는 우주의 부모, 인류의 부모이다. 이상에서 보듯이 중국의 ≪여와-복희≫ 신화는 창세 신화의 하나로서 전형적으로 세계 창조에 관한 신화소를 담고 있다. 신화에서의 세계 창조는 지구의 탄생과 관련된 세계 창조가 아니다. 이는 모두 인간 집단의 의식의 탄생과 관계한다. 여와-복희의 자녀로 태어난 인류는 물리적, 육체적 존재로서의 개별 인간을 의미하는 것이 아니다. 한 집단의 역사적 시작을 알리는 의식성의 획득에 관한 것이다.

이미 지적하였듯이, 오누이의 근친상간적 주제와 홍수는 밀접한 관계가 있다. 말하자면 홍수는 '대극의 합일'에서 비롯된 심혼적 현상을 반영하는 것이다. 가장 전형적으로 비교할 수 있는 신화로서 성서에 나오는 ≪노아의 방주≫ 이야기가 있다. 노아가 방주에 각 생명체의 쌍을 싣고 물위를 표류하고 있는 상태는 단순히 초기 인류의 의식 수준의 불안정한 상태를 묘사하고 있는 것만은 아니다. 모든 생명체의 쌍을 확보한다는 것은 대극적 요소의 원형을 보존하는 것이므로, 궁극적으로는 '대극의 합일'을 지향하는 것이다. 이로써 도달하고자 하는 궁극 목적은 '대극의 합일'로 획득되는 의식성이다. 수메르 신화 ≪길가메쉬≫에서도 세상 전부를 사라지게 한 홍수에서 살아남은 우트나피쉬팀(Utnapishtim)은 그의 아내와 함께 죽지 않고 영원히 살아 있는 존재, 즉 불사의 존재로 간주되었다. 그래서 길가메쉬는 그들에게서 조언을 얻어 불로초를 구하여 돌아온다. 결국 홍수가 지나간 뒤 도달한 곳은 단순한 육지, 즉 처음으로 생성된 의식이기보다는, 대극의 합일을 실현하여, 새롭게 탄생된, 새로운 수준의 의식성을 의미한다. 다시 말해 홍수 신화로 드러나는 내용은 초기 인류의 의식의 탄생 및 정립에 관한 표상으로서, 세계의 창조 및 인류의 생성과 기원을 나타내기도 하지만, 동시에 같은 원형적 주제로서 대극의 합일에 의한 새로운 의식성의 탄생을 반영하는 것이기도 하다. 홍수와 같이 대지가 침수된 상태는 모든 요소들이 한 데 모아져서 형상화를 도모하는 배양기(Inkubation)에 해당한다.[154] 물 위에 표류하는 배 또한 민담의 둥근 박처럼 새로운 정신을 생산하려는 모성 자궁이 될 수 있다. 홍수 뒤에 생존한 오누이나, 노아의 방주에서 살아남은 생명체들은, 정신의 요소들의 통합으로서 하나의 통일된 의식성을 획득한다. 이는 홍수 뒤에 마침내 발견하게 된 육지에 해당한다. 이때의 육지는 전(全)인격적 실현에 상응하는, 자기(Selbst) 상징의 하나이다.

다음의 한국 민담은 오누이 민담으로 가장 널리 알려져 있다. 이 민담에는 오누이가 각각 해와 달이 되는 것 외에도 수수 알이 붉은 이유를 다루고 있어서 일종의 기원 신화에 해당한다. 오누이가 해와 달이 된다는 내용인데, 앞서 ≪여와-복희≫의 오누이처럼 인류의 부모가 되지는 않지만, 이들 오누이는 전형적으로 '대극의 합일'을 다루는 인물상임을 알게 될 것이다.

민담 요약

≪해와 달이 된 오누이≫[155]

옛날 가난하게 사는 어머니와 삼 남매가 있었다. 어머니가 품팔이를 하여 얻어 온 양식으로 겨우 지내고 있었다. 어느 날 품팔이를 하러 집을 나서면서 어머니는 '아무나 문을 열어 주어서는 안 된다'고 당부하였다. 일을 마친 어머니가 품삯으로 받은 떡을 함지에 담아 머리에 이고 첫째 고개를 넘으려 하였다. 이때 커다란 호랑이가 갑자기 나타나 어머니를 단숨에 삼키려고 하였다. 그래서 어머니는 머리에 이고 있던 떡을 내놓았다. 호랑이는 떡을 다 먹고는 숲 속으로 사라졌다. 어머니가 둘째 고개를 넘으려 할 때였다. 아까 그 호랑이가 다시 나타나 입을 벌렸다. 어머니는 자신의 왼팔을 내 주었고, 호랑이는 왼팔을 베어 먹고 사라졌다. 어머니가 셋째 고개를 넘으려 하자, 다시 그 호랑이가 나타나 입을 벌렸다. 어머니는 자신의 오른팔을 내 주었고, 호랑이는 오른팔을 베어 먹고 사라졌다. 어머니가 넷째 고개를 넘으려 하자, 다시 그 호랑이가 나타나 입을 벌렸다. 어머니는 자신의 왼발을 내 주었고, 호랑이는 왼발을 베어 먹고 사라졌다. 다섯째 고개를 넘을 때도 호랑이가 나타나자 오른 발까지 내어 주어야 했다. 마침내 손발 없는 어머니가 데굴데굴 구르며 여섯째 고개에 이르렀다. 또다시 그 호랑이가 나타났고, 이번에는 어머니를 단숨에 삼켜 버리고 말았다. 그러고 나서 호랑이는 어머니의 옷을 입고 삼 남매가 있는 집으로 찾아갔다.

어린 삼 남매는 문 밖에서 문을 열어 달라는 소리를 들었다. 큰 아이는 어머니 목소리가 아니라고 하였다. 호랑이가 밭에서 새를 쫓아서 목이 쉬었다고 했으나 아이들은 문을 열어 주지 않았다. 호랑이는 동네로 내려가서 참기름을 훔쳐 먹고 맑은

---

154 개인적 차원에서 홍수의 경험은 우울 상태에 해당한다. 의식에 지원하던 리비도의 공급을 중단함으로써 의식은 정체 및 침체 상태에 이르고, 상대적으로 무의식은 모든 정신 요소를 끌어들여, 새로운 인격의 창조를 준비하게 된다.

155 최인학·엄용희 엮음(2003), 『옛날이야기꾸러미 2』, 29쪽.
이 이야기의 다른 유형들을 참고해 보면, 세 남매 중 막내를 갓난아기로 묘사하거나, 어머니가 넘던 고개가 열두 고개라고 하거나, 하늘에서 내려온 줄이 금줄과 썩은 동아줄이라고 하거나, 호랑이가 떨어졌을 때 수수의 알이 아니라, 수수의 대가 붉어졌다는 등으로 묘사한다. 또한 ≪해와 달이 된 오누이≫의 마지막 부분에서 달이 된 누이가 밤이 무서워서 바꿔 달라고 하여 누이가 해가 되고 오빠가 달이 되었다고 한다. 누이는 부끄러워서 사람들이 자신을 쳐다보지 못하도록 했다거나, 셋째도 하늘에 올라가 별이 되었다고도 한다.

목소리가 나도록 하여 문을 열어 달라고 하였다. 아이들이 손을 내밀어 보라고 하였다. 호랑이의 손을 보자 엄마 손이 아니라며 문을 열어 주지 않았다. 그러자 호랑이는 털을 밀고 엄마 손처럼 꾸며서 내밀었다. 마침내 아이들이 문을 열어 주자 호랑이가 집안으로 들어왔다.

집안으로 들어온 호랑이는 부엌에서 음식을 준비하는 시늉을 하면서 막내를 데리고 들어가서 삼켜 버렸다. 부엌에서 뼈다귀 깨무는 소리를 들은 오누이가 호랑이에게 무엇을 먹는지 물었다. 호랑이는 부잣집에서 얻어 온 볶은 콩을 먹고 있다고 하였다. 아이들이 볶은 콩을 달라고 하자 막내의 손가락 한 개를 방안에 넣어 주었다. 이것을 본 오누이는 호랑이에게 속은 것을 알아차리고 어떻게든 도망쳐야겠다고 생각하였다. 오빠가 꾀를 내어 볼일 보러 가겠다고 하였다. 호랑이는 방안에서 처리하라고 하다가 마침내 나가서 해결하도록 허락하였다. 오누이는 마당으로 나와 우물 곁에 있는 높은 나무 위로 올라가 숨을 죽이고 숨어 있었다.

호랑이는 오누이를 기다리다가 사라진 것을 알아차리고 찾아 나섰다. 호랑이는 마당 가운데 있는 우물 안을 들여다보다가 오누이 모습이 물에 비친 것을 보았다. 호랑이는 오누이가 우물 안에 있다고 생각하였다. 호랑이가 우물 안 오누이를 조리로 건질지 함지박으로 건질지를 고민하자, 누이가 우스워 크게 소리 내어 웃고 말았다. 호랑이는 그때서야 오누이가 나무 위에 있다는 것을 알아차리고 나무에 오르려 하였다. 호랑이는 너무 미끄러워 나무에 오를 수 없게 되자 오누이에게 어떻게 하면 오를 수 있는지 물었다. 오라버니가 앞집에서 들기름을 얻어 바르고 오르면 된다고 답하였다. 호랑이는 앞집에서 얻어 온 들기름을 바르고 나무에 오르려 하였으나 미끄러워서 오를 수 없었다. 이번에는 누이가 뒷집에서 자귀를 얻고 앞집에서 도끼를 얻어 나무를 찍은 다음 그걸 딛고 올라오면 된다고 답하였다. 호랑이는 자귀와 도끼를 구해 와서 나무를 찍어 오르기 시작하였다. 오누이는 더 높은 나뭇가지로 올라갔고, 마침내 더 올라갈 수 없게 되자 두 손을 모으고 하느님께 빌었다. "하느님, 우리를 살리시려면 새 동아줄을 보내 주시고, 우리를 죽이시려면 썩은 동아줄을 내려 보내 주세요." 그러자 하늘에서 새 동아줄이 내려왔다. 오누이는 그것을 붙잡고 하늘

한국 민담의 여성상

로 올라갔다. 이것을 본 호랑이도 오누이를 흉내 내어 두 손을 모아 빌었다. "하느님, 나를 하늘로 올라가게 하시려면 새 동아줄을 내려 보내 주시고, 나를 올라가지 못 하게 하시려면 썩은 동아줄을 내려 보내 주세요."라고 하였다. 마침내 동아줄이 내려왔고, 그것을 타고 하늘로 오르려 하였으나 썩은 줄이어서 끊어지고 말았다. 호랑이는 수수 밭에 떨어졌고 그의 몸에서 난 피가 사방으로 번졌다. 오늘날 수수 알이 빨갛게 된 것은 그 호랑이 피 때문이라고 한다. 한편, 하늘로 올라간 오누이는 하느님의 명령으로 오라버니는 해님이 되고 누이는 달님이 되었다.

위의 민담을 보면, 어머니가 집을 비우자 호랑이가 어머니로 변장하여 오누이를 해치려는 내용인데, 이는 독일 민담 ≪늑대와 일곱 마리의 새끼 염소(Der Wolf und die sieben jungen Geißlein)≫와 아주 유사하다. 어머니로 변장한 동물이 늑대라는 점 등 조금의 차이가 있지만, 위협적 동물-모성상의 특징이 잘 드러나 있다. 이 독일 민담을 간단히 소개해 보면 다음과 같다.

≪늑대와 일곱 마리의 새끼 염소≫

엄마 염소가 일곱 마리의 새끼 염소들을 데리고 살았는데, 어느 날 엄마 염소는 먹이를 구하러 숲으로 가면서 늑대를 집안에 들이지 않도록 당부하였다. 늑대가 변장하더라도 쉰 목소리와 발의 생김새를 보고 알아차리도록 주의를 주었다. 엄마 염소가 집을 떠나자 곧 늑대가 나타나서 엄마처럼 행세했지만 아이들은 목소리와 발을 보고서 다르다며 문을 열어 주지 않았다. 그러자 늑대는 목에는 분필 가루를, 발에는 하얀 밀가루를 사용하여 마침내 어린 염소들을 속이고 집안으로 들어왔다. 새끼 염소들은 엄마가 아니라 늑대인 것을 알게 되자, 각각 뿔뿔이 흩어져 몸을 숨겼다. 첫째는 식탁 아래로, 둘째는 침대 밑으로, 셋째는 오븐 속으로, 넷째는 부엌 안으로, 다섯째는 찬장 속으로, 여섯째는 세면기 속으로, 일곱째는 시계 상자 속으로 들어가 숨어 있었다. 늑대가 여섯 마리의 새끼 염소를 찾아 통째로 삼켜 버렸지만, 시계 상자 속에 숨은 막내만은 찾지 못한 채, 배가 불러 풀밭 나무 밑에서 깊은 잠이 들었다. 집으로 돌아온 엄마 염소가 이 모든 사실을 알아차리고 자고 있는 늑대의 배를 갈라 여섯 마리의 새끼 염소를 되찾은 후, 대신 돌을 채워 넣었다. 잠에서 깬 늑대는 목이 말라 샘가로 가서 물을 마시다가 돌들이 앞으로 쏠려 물에 빠져 죽고 말았다.

위의 이야기에서, 엄마를 가장하고 나타나 새끼 염소를 잡아먹는 늑대와 ≪해와 달이 된 오누이≫에서 오누이를 해치려는 호랑이는 집어 삼키는 무서운 동물 어머니의 형상을 공통적으로 나타낸다. 하지만 ≪늑대와 일곱 마리의 새끼 염소≫에서, 엄마 염소는 늑대에게 해를 받은 적이 없고, 오히려 집으로 돌아와 새끼들을 삼킨 늑대를 처치한다. 그 밖에 오누이가 자신들의 힘으로 무서운 모성의 위협에서 벗어나는 주제를 다루고 있는 민담으로는 ≪한스와 그레텔≫을 들 수 있다. 우리에게 잘 알려져 있듯이, ≪한스와 그레텔≫에서 오누이는 부모에 의해 버려져 숲 속을 헤매다가 과자로 만들어진 집을 발견하게 된다. 과자 집의 주인인 마녀가 아이들을 따뜻하게 맞이하여 보살펴주는 듯하다가 결국은 잡아먹으려 하였다. 그러나 오누이가 지혜를 발휘하여 마녀를 물리치고 무사히 집으로 돌아온다는 내용이다. ≪한스와 그레텔≫에서 단순히 무서운 모성을 극복하는 것만을 보여주는 것은 아니다. 무서운 모성을 극복한 오누이는 모성이 점유한 보물을 획득하여 집으로 돌아와서 풍요로운 생활을 누릴 수 있게 된다. 말하자면 무서운 모성을 반드시 해결해야 할 목적의미가 있는 것이다. 이제 민담에서 오누이가 모성상을 극복하고 도달하려는 것이 무엇인지 살펴보자.

민담의 해석

(1) 가난하게 사는 어머니와 삼 남매가 있었다. 어머니는 아무에게나 문을 열어 주지 말라고 당부하고 품팔이를 하러 집을 떠났다.

한국 민담의 여성상

이미 지적했듯이, 많은 민담들이 아버지 없이 어머니가 홀로 아이를 돌보며 살아가는 장면으로 시작된다. 이때의 홀어머니는 처녀이거나 과부(Witwe, widow)이다. 아이가 있는데도 처녀-어머니로 묘사되는 것은, 처녀-여성이 초월적 존재, 즉 비가시적 남성신(男性神)과의 관계에서 수태를 하기 때문이다. 이때의 수태는 바람이나 빛에 의하여 이루어진다.[156] 이와 유사하게 과부-어머니가 남편을 여의고 혼자 아이를 키우는 것으로도 묘사된다. 여기서 과부라고는 하지만, 남성 배우자의 실제적 상실이 아니라, 남성 배우자가 부재하는 경우를 말한다. 오랫동안 배우자 없이 아이를 보호하고, 길러 온 모성이 강조됨으로써, 이들은 처녀-어머니, 과부-어머니가 된 것이다. **융**은 이런 모성상과 고아(Waise, orphan)를 연결시켰다. 처녀-어머니, 과부-어머니의 손에 자라는 아이는 사회적으로 매우 고립되고 소외된 상태로서 고아와 다름없기 때문이다. 고독하게 고립되고 소외된 상태는 집단 정신과 구분되는 상태이므로, 그 자체 새로운 정신적 탄생을 나타낸다. 이런 고아의 형상에는 언제나 지지와 보호를 아끼지 않는 모성상이 함께 하고 있다.[157]

처녀-어머니, 과부-어머니로 그려지는 모성상은 실제 개인의 인간 어머니가 아니고, 낳고 기르고, 보살피고 지지하는 무의식적 정신 활동을 의인화 하여 표현한 것이다. 이런 모성상에 대해 고대 이집트에서는 이시스, 기독교적 전통에서는 마리아로 형상화 되었다. 이시스나 마리아를 내세우는 이유는 이들이 아들을 홀로 생산하고, 기르는 특성이 있기 때문이다. 그런가 하면 처녀-어머니, 과부-어머니는 자신이 생산한 아들과 근친상간적 관계를 맺는 것으로 묘사된다. 이런 형상은 중근동 지역의 모성신 숭배 제의에서 두드러진다. 처녀-어머니에서 태어난 아들 혹은 아들신은 어느 정도 성장하면 어머니와 근친상간적 관계를 맺어 어머니를 수태하게 만들

---

156 이런 점에서 기독교 신화에서 다루고 있는 마리아의 처녀 수태의 내용은 기독교만의 유일한 내용이 아니다. 그리고 이러한 처녀 수태는 정신적 탄생을 위한 것이지, 실제적인 개별 인간의 자궁에서의 출생을 의미하지 않는다.

157 C.G. Jung(1968), *Mysterium Coniunctionis*, G.W. Bd. 14/I, Par. 14.

고, 자신은 죽음에 이른다. 이렇게 수태한 어머니가 다시 아들을 생산함으로써 배우자이자 아버지는 스스로 새로워진 존재가 된다. 처녀-어머니, 과부-어머니와 아들의 근친상간적 관계는 정신이 스스로를 생산하여 자신을 타자로 만들고, 그 타자인 자신과 다시 결합하는 정신의 자기 순환적 활동을 표상한 것이다. 이는 우로보로스(Uroboros)라고 부르는, 뱀이 자신의 꼬리를 물고 있는 형상으로 그려진다.

처녀-어머니, 과부-어머니와 아들의 관계는 모자(母子) 관계이지만, 근친상간적이 되면, 더 이상 아들이 아니라 연인의 관계로 나타난다. 심지어 기독교 신화에서도 두 가지 모습을 모두 확인할 수 있다. 예수의 탄생과 관련하여 아기 예수와 어머니 마리아의 모습이 강조된다. 여기서는 아기를 안고 있는 모성상이 강조된다. 이때에도 아기는 인간 예수라기보다는 새롭게 탄생한 정신의 인격화 된 형상을 나타낸다. 또한 예수의 죽음과 관련하여 죽은 예수의 모습을 안고 비통해 하는 마리아의 모습이 표현되어 있다.[158] 성인이 된 예수의 모습이 마리아의 무릎에 안겨 있는 것은 도상학적으로나 상징적으로 어머니와 아들의 모습은 아니다. 아들의 죽음을 슬퍼하는 마리아의 모습은 나이 든 모성상이 아니라, 오히려 젊은 아내의 형상에 더 부합한다. 그리고 십자가에 못 박힌 예수의 상은 모성과 근친상간적 혼인을 한 결혼식에 해당한다.[159] 나무에 매달려 죽은 예수의 모습도 어머니의 품에서 죽은 아들신의 전형적 모습이다. 십자가는 상하좌우의 만남을 통한 화해 및 통합의 상징이다. 십자가에 매달려 있는 아들신은 모성적 생명력의 결실이자 통합에 대한 결실 혹은 정수(Essenz, 精髓)이기도 하다. 모성의 품에서 아들이 죽음을 맞이하거나, 아들 연인과의 근친상간적 관계를 나타내는 형상은 의식과 무의식적 정신의 통합이고, 결과적으로 의식을 통해 무의식적 정신을 밝히는 자기 자신의 인식(cognitio sui ipsius)에 대한 상징인 것이다.[160] 이러한 복잡한 상징의 해명들은 어쩌면 한국 민담 ≪해와 달이 된 오누이≫와 무관한 듯 보일 것이다. 민담에서 아이들은 모성상에 의해 길러지고 있는 새로운 정신 요소이다. 이 새로운 정신 요소가 부각되고 의식화 됨으로써, 모성과 아이들의 관계는 장차 의식과 무의식의 대극적 관계로 드러날 것이다.

다시 ≪해와 달이 된 오누이≫의 첫 장면으로 돌아가 보자. 어머니와 삼 남매가 가

난하게 살고 있었다. 앞서 살펴보았듯이, 홀어머니의 보살핌을 받고 있는 삼 남매
는, 모성상이 생산해서 기르고 있는, 바야흐로 의식화 될 정신 요소들이다. 홀어머
니와 아들의 관계에서, 아들은 의식의 삶에서 정신적 내용을 실현할 주체이다. 이
민담에서는 아들이 아니라 삼 남매가 나오는데, 어쩌면 홀어머니와 세 아들의 구도
가 내용적으로 더 적절하게 보일지도 모른다. 세 아들일 경우, 남성 인물상들로서
남성 인격의 의식적 분화를 위한 가능적 요소가 될 것이다. 여기서는 세 형제가 아
니라, 남매가 등장하면서, 남녀 즉 오누이 형상을 부각하고 있다. 말하자면 모성상
은 궁극적으로 오누이 형상을 지지하고, 의식화가 되도록 유도하는 것이다.

이야기에서 오누이를 강조했는데, 삼 남매 중 셋째는 오누이 사이에서 생겨난 제3
의 요소로 간주될 수 있다. 이런 사실은 이집트 신화 ≪이시스-오시리스≫를 참고
할 수 있다.[161] 이시스와 오시리스는 태어날 때 세트 혹은 티폰과 네프리스 남매들로
이루어진 네 쌍둥이였다. 그러나 실제로 그들은 다섯 쌍둥이로 태어났다. 이시스와
오시리스 사이에 한 명의 아기가 생성되어 함께 태어났기 때문이다. 그 아기를 아우
에리스(Aueris) 혹은 헤루우르(Heru-ur, 늙은 호루스)라고 불렀다. 이는 나중에 이시스
와 오시리스의 사이에서 태어날 아이, 즉 호루스를 미리 제시하고 있으므로, 호루
스의 전신인 것이다. 신화에서 이시스는 누이, 아내, 모성의 특성을 모두 나타낸다.
이시스는 세트에 의해 열네 조각으로 나뉘어져 버려진 남편이자 남자 형제인 오시
리스의 몸체를 찾아 나선다. 그와 관계하여 오시리스의 몸을 조각 낸 세트는 이시스
의 하수인, 즉 무서운 파괴적 모성의 한 측면에 해당한다. 이시스는 한편으로는 남

---

158 이를 피에타(pieta)라고 한다.

159 C.G. Jung(1968), *Mysterium Coniunctionis*, G.W. Bd. 14/I, Par. 26.

160 C.G. Jung(1968), *Mysterium Coniunctionis*, G.W. Bd. 14/II, Par. 322.

161 태양신 라(Rea)의 아내인 하늘신 누트(Nut)가 대지의 남신 게브(Geb)와 몰래 인연을 맺어 아이를 낳았다. 그들은 오
시리스(Osiris), 이시스(Isis), 아우에리스(Aueris), 세트(Seth) 혹은 티폰(Typhon) 그리고 네프리스(Nephrys)이다. 신화는 네
쌍둥이 형제 자매에 관한 내용이지만, 다섯 쌍둥이로 태어났다.

편 오시리스를 죽음에 이르게 하지만, 다른 한편으로는 그를 되살려서 근친상간적 관계를 맺고 수태하여 아들 호루스를 낳는다. 이시스와 오시리스의 결합에 의하여 제3의 요소인 호루스가 생산되었고, 호루스는 이집트 민족의 삶, 민족의 대표인 파라오의 전신이 된다. 네 쌍둥이 남매의 등장은 결국 호루스의 생산이 목적이었던 것이다. 호루스는 네 남매와 나란히 처음부터 네 요소의 통합의 정수, 혹은 이시스와 오시리스의 결합으로 생겨난 제3의 요소에 해당한다. 말하자면 호루스는 대극의 화해 및 합일에 의해 이루어진 결실인 것이다.[162]

≪해와 달이 된 오누이≫에서도 삼 남매 중 셋째는 오누이의 관계에서 생산될 제3의 요소를 미리 제시하는 선취(Vornehmen)에 해당한다. 이 민담 또한 제3의 요소인 새로운 의식의 탄생을 목표로 하고 있음을 알 수 있다. 이런 의미에서 민담을 홀어머니와 아들, 그리고 오누이와의 근친상간적 관계로서 고려하여 이해할 수 있다. 이들의 관계는 분화를 위하여 대극적 갈등을 나타내기도 하고, 또한 통합을 위하여 서로 협조와 조화를 나타내기도 한다. 특히 어머니와 자녀 관계는 분화를 위한 것으로, 오누이 관계는 '대극의 합일'로서 다루어질 수 있을 것이다.

민담에서 어머니는 집을 비울 때 아이들에게 아무에게나 문을 열어 주어서는 안 된다고 당부한다. 바야흐로 모성상이 아이들의 곁을 떠나야 할 때가 된 것이다. 비록 먹을 것을 구하러 가는 모습을 취하고 있지만, 새롭게 부상하는 인물상들을 위해 자리를 비켜 주어야 하는 것이다. 집을 떠나면서 '아무에게나 문을 열어 주지 말라고 한 당부는 두 가지의 의미를 가질 수 있다. 우선은 문을 열지 않도록 하여 새로운 정신 요소들인 삼 남매에게, 아무런 경험도 일어나지 못하게 차단하려는 모성의 은밀한 의도가 작용한다. 모성상은 한편으로는 자리를 비우면서 삼 남매에게 스스로 어떤 것들을 경험하도록 허용하지만, 다른 한편으로는 은근히 그러지 않기를 바라는 모성상 특유의 보수적인 소유욕, 점유력을 발휘한다. 실제로 이 단계에서 자아의 입장은 무엇인가 새롭게 도전을 하고픈 욕구가 일기도 하지만, 동시에 어떤 관심도 표명하고 싶지 않은 양가적 상태에 빠져 든다. 낯선 것, 새로운 것을 접하기 꺼려하는 모성상의 보수성이 작용하기 때문이다. 그렇지만 이때 새롭게 부상하는 주인공들은 기존의 상태를 고수해서는 안 될 것이다. 비록 그 경험이 부정적 결과를 가져올지라도 이제는 자신을 붙잡고 있던 상태에서 벗어나기 위하여 금지된 것을 해야만 한다.[163]

민담에서 주인공들은 언제나 금지된 것을 해야 하는 일종의 영웅들이다. 주인공들은 금지 사항을 지키지 않아서 목숨이 위태로운 상태에 이르기도 하지만 기존의 의식 수준을 넘어서 새로운 경험을 할 수 있게 된다. 무엇보다 모성상은 자신 외에는 허용하지 말라고 요구하였다. 이런 모성상의 금지는 세상과 통하는 문, 다른 가능성의 통로를 차단하는 것이다. 모성상은 아이들을 보호라는 이름으로 소유하고 통제하려고 한다. 그런데 금지된 것을 감히 시도함으로써 모성상에서 벗어나 개별적 입장이 생겨날 수 있다. 실제적으로 문을 열어 주게 될 주체는 아이들인 것이다. 모성상이 집을 떠나자 아이들에게 선택적 자유가 주어졌다. 또한 아무나 문을 열어 주어서는 안 된다는 점에는 심지어 모성 자신에게도 문을 열어 주어서는 안 된다는 사실도 포함된다. 아이들은 자신들이 주체가 되어 판단하면서, 선택하고, 평가하고, 결정해야 한다. 어머니가 집을 떠나자 아이들은 자연스럽게 모성상에서 벗어날 기회를 갖는다. 오히려 모성상의 당부는 결국 본격적으로 모성상을 극복해야 할 때가 되었음을 알려준 것에 해당한다. 이제 집은 어머니가 떠나면서 아이들만의 공간이 되었다. 그곳은 새롭게 부상하는 주인공들이 자신을 안전하게 보호할 수 있는 장소가 된다.

(2) 일을 마친 어머니가 떡을 함지에 담고 머리에 이고 고개를 넘어 오다가 호랑이를 만났다. 어머니는 처음에는 떡을, 그 다음에는 팔과 다리를 내어 주어야 했다. 마침내 호랑이는 팔과 다리 없이 구르며 고개를 넘어오는 어머니를 단숨에 삼켜 버린

---

162 졸고(拙稿) 〈이시스−오시리스 신화의 분석심리학적 해석〉, 심성연구 17: (1), 2002, 15~58쪽을 참고하라.

163 이는 앞서 ≪여와−복희≫에서 아버지가 잡아 가둔 뇌공에게 절대로 '물을 주지 마라'고 오누이에게 당부했던 것과 같은 양상임을 확인하게 된다.

후, 어머니의 옷을 입고 삼 남매가 있는 집으로 찾아왔다.

한국 민담에서 호랑이는 꽤 자주 등장하는 동물상에 해당한다. 왜 호랑이인가? 여러 민담에서 대체로 호랑이는 인간이 되고자 하기보다는 인간에게 매우 위협적인 존재로 인식되어져 있다. 그럼에도 때때로 호랑이는 인간과 우호적 관계를 맺을 수 있는 기회를 갖는다. 민담 ≪호랑이와 의형제를 맺은 사람≫에서 한 나무꾼이 자신을 잡아먹으려는 호랑이에게 무릎을 꿇고 인사를 하면서 '형님'이라고 부르자, 호랑이는 자신이 예전에 사람이었을지 모른다고 생각하였다. 그로부터 호랑이는 멧돼지를 잡아 그 사람의 집 마당에 놓아 주곤 했다고 한다. 다른 민담에서는 한 사람이 길을 가다가 중을 만나 사귀어 의형제를 맺었는데, 나중에 알고 보니 자신의 어머니를 잡으러 가던 호랑이였다. 그 호랑이에게 부탁하여 어머니의 옷을 입힌 소를 대신 잡아가고 어머니를 살릴 수 있었다.[164] 이런 이야기들을 보면 호랑이는 가장 무섭고 위협적인 동물이지만, 또한 인간미가 있으며, 인간의 삶에 깊이 관여하는 모습도 보이고, 심지어는 스스로 인간의 모습을 취하기도 한다. 이야기 속 호랑이의 모습처럼 인간 세계와 동물 세계가 함께 하고 있는 묘사들은, 의식과 소통하는 무의식적 정신의 활동을 반영하는 것이다. 무의식적 정신은 기회가 되면 의식적 정신에 자신의 의도를 제시하기도 하지만, 대체로 의식에 도움이 되는 본능적 저력으로 작용하고 있음을 보여준다.

그리고 대부분 우리나라의 옛 이야기는 '옛날 옛날에 호랑이 담배 피우던 시절에 ○○가 있었는데 …'로 시작한다. 담배를 피우는 호랑이는 우리의 정신적 기초인 집단무의식이 활성화 된 모습을 나타낸다. 특히 담배를 피운다는 것은 '집단무의식'이 활성화 되어 이미지를 생산하고 있는 상태(Imagination)를 의미한다. '집단무의식'의 활동은 심상으로 드러나고, 마침내 언어의 옷을 입으면 이야기가 되는 것이다. '집단무의식'의 자발적 활동이 일종의 스토리텔러(storyteller)가 된다는 것이다. 그것의 형상이 우리나라에서는 호랑이다. 아메리카 대륙의 인디언들은 그런 스토리텔러를 자연스럽게 모성상으로 묘사한다.[165] 그것은 거대한 모성신의 형상으로 보이는데, 그

몸 전체가 대지로 간주되어 여러 어린 아이들, 인간의 형상들이 매달려 있다. 모성신은 대지에 살고 있는 자녀, 즉 인간에게 어떻게 살아야 하는지 알려주는 것이다. 흥미롭게도 언제부터인가 대한민국의 영토 전체를 토끼나 호랑이로 묘사하고 있다. 이처럼 대지를 나타내는 호랑이 형상도 모성-대지의 측면에 해당하는 것으로 볼 수 있다. 또한 아득한 추억처럼 따뜻한 화로 가에 앉아 아이들에게 고구마나 밤을 구워주며 옛 이야기를 들려주는 할머니의 모습을 그리게 된다. 담배를 피우는 호랑이는 이야기를 들려주는 할머니와 같은 존재이자, 모성상의 일부이다.

그 밖에 한국 사람이라면 누구나 ≪단군(檀君)≫ 신화에 등장하는 호랑이를 기억할 것이다. ≪단군≫ 신화는 한국의 창세 신화 혹은 건국 시조 신화이다. 잘 알려져 있듯이, 인간의 삶을 이롭게 하려고 하늘에서 내려온 환웅(桓雄)에게 사람이 되겠다고 찾아온 곰과 호랑이가 있었다. 환웅은 그들에게 쑥과 마늘을 주고 동굴 속에서 백일을 지내도록 하였다. 곰은 그것을 견뎌 내어 여성이 되었으나, 호랑이는 견뎌 내지 못하고 뛰쳐나가서 사람이 되지 못하였다고 한다. 이 신화에서 곰과 같이 호랑이는 인간(여성)이 되고자 했던 동물상이다. 여인이 된 곰이 아이를 갖고 싶어 해서 단군왕검의 어머니가 되었던 것처럼, 호랑이도 인간성을 획득하는 데는 실패했지만, 곰과 같은 모성상이 될 가능성이 있다. 또한 『삼국유사』에서 후백제를 세운 견훤은 태어나서 호랑이의 젖을 먹었다고 전해지는데, 여기서도 호랑이가 모성상의 특징을 나타내고 있다.

호랑이가 모성상으로 간주될 수 있음은 고대 중국의 신화나 민담에서도 쉽게 확인할 수 있다. 예를 들어 서왕모(西王母)는 호랑이를 타고 있거나 호랑이와 함께 등장한다. 혹은 서왕모가 호랑이로 묘사된다. 서왕모는 동왕공(東王公)과 짝을 이루는 여신이다. 동쪽의 태양, 양(陽)의 측면을 강조한 남성신이 동왕공이라면, 서왕모는

---

164 최인학 · 엄용희 엮음(2003), 『옛날이야기꾸러미 2』, 66~67쪽.

165 책의 표지는 한국형으로 형상화 된 스토리텔러이다. 베일로 둘러싸여 있는 모성의 몸은 대지이고, 그의 몸에 매달린 아이들은 모성의 자녀, 즉 인간이다.

서쪽의 달, 음(陰)의 측면을 강조한 모성신이다. 중국이나 한국에 알려진 설화에서 달을 잡으려는 호랑이와, 그 호랑이의 날카로운 발톱에서 도망쳐 빠져 나오는 달이 묘사되기도 한다. 이는 우리가 살펴보려는 민담 ≪해와 달이 된 오누이≫의 내용과 유사한 내용의 형상화이다. ≪해와 달이 된 오누이≫는 그렇게 형상적으로 각인될 만큼 오래된 이야기라고 할 수 있다. 몇몇 중국학자들은 호랑이의 호(虎)가 일부 민족에게서 우토(于菟)라고 하여, 토끼로 간주될 수 있으므로, 신화에서 자주 등장하는 달 속의 토끼는 호랑이일 가능성이 있다고 주장한다.[166] 그래서 달 속 옥토끼가 방아를 찧는 모습은 할머니 혹은 호랑이가 방아를 찧는 모습이 될 수도 있을 것이다. 후대에 와서 서왕모는 보다 완화된 인간적인 모성의 모습을 갖추게 되었지만, 원래는 죽음과 어둠을 제공하는 공포의 부정적 모성신이었다. 우리가 살펴보고 있는 민담에서도 호랑이는 중국 신화 속 서왕모와 같이 무서운 태모(太母)의 모습을 환기하기에 충분하다.

이상에서 보듯이 호랑이는 모성적 특성이 두드러지긴 하나, 형상적으로든 상징적으로든 남성적 특성과 여성적 특성을 함께 갖는다. 고양이 과(科)의 호랑이는 어두운 곳에서도 잘 적응하고 밤에는 시력이 몇 배나 높아져 뛰어난 사냥꾼으로 인식되는 점으로 보아 음(陰)의 동물에 속한다. 우리나라 민화에서 호랑이와 까치가 함께 있는 장면이 있는데, 이때에도 새로운 태양을 깨우는 까치에 비해 호랑이는 해를 가리려 하는 어두움, 즉 파괴적인 음의 특징을 갖고 있다. 하지만 호랑이의 노란색 털과 강렬하게 빛을 발하는 눈동자, 그리고 사냥을 위하여 어떤 동물보다 집요하고 강력한 몸놀림 등이 있는 것으로 보아 양(陽), 남성성 및 태양성을 나타낸다. 호랑이의 이러한 남성적 특성도 때로는 모성상에 소급될 수 있다. 모성 원형이 주로 활동성을 강조할 경우에, 그 역동적 힘이 남성적 특질로서 드러나기도 한다.

다시 이야기로 돌아가 보면, 아이들의 먹을 것을 구하기 위해 집을 나선 어머니는 아이들을 보호하고, 지지하고 키우는 긍정적 모성상에 해당한다. 호랑이는 그런 긍정적 모성상을 잡아먹고, 자신이 모성적 역할을 대신하면서 아이들까지 잡아먹으려 하였다. 이는 긍정적 모성상에서 부정적 모성상으로의 이행을 나타낸다. 일반적으로 부정적 모성상은 아주 거대하고 위협적인 괴물의 형상으로, 주로 삼키거나 갈가리 찢어서 죽이려는, 그래서 게걸스럽게 먹어 치우는 '무서운 모성상(die fressende Mutter, terrible mother)'으로 묘사된다. 모성상이 긍정적으로 지지하는 한, 누구든 보호와 보살핌을 받을 수 있겠지만, 모성상이 부정적으로 변하는 순간 그로부터 필사적으로 멀리 도망가거나, 적극적으로 대항하여 싸워서 이겨야 하는 것이다. 이미 살펴보았듯이 긍정적 모성상에서 부정적 모성상으로의 변환은 그 자체 목적의미를 갖고 있다. 또한 긍정적 모성상이냐, 부정적 모성상이냐는 전적으로 모성과 관계하는 자녀에 해당하는 인물상의 태도에 의해 정해진다. 긍정적 모성상이 주도할 때에는 자아 및 의식적 정신이 상대적으로 어리고 취약한 경우이다. 자아는 모성의 지지적 보호 장치 안에서 힘을 키우며 성장해야 한다. 말하자면 모성에 힘입어 최대한 자신의 힘을 길러야 하는 것이다. 자아가 충분히 강화되어 주도적으로 되면 모성상은 더 이상 지지와 보호를 하지 않는다. 이때 모성상은 부정적으로 바뀌어 오히려 자아를 밀어 내며, 심지어는 제거하려고 한다. 이런 부정적인 모성상의 영향력은 대부분 자아의 홀로서기에 해당하는 의식의 분화에 필수적인 힘으로 작용한다. 그래서 자아는 부정적 모성상으로부터 내쫓기고, 추적당하고, 위협을 당하면서 분리를 시도하는데, 이를 극복하려고 노력하는 가운데 차츰 독립적인 힘과 능력을 갖춘 주체로 성장한다. 더 나아가 부정적 모성상이 자아를 추적하고 죽음에 이르게 하더라도, 궁극적으로 그 죽음은 새로운 탄생, 재탄생에 이르게 한다. 자아는 부정적인 죽음의 어머니를 통해서 재생의 변환을 꾀할 수 있다.

이 민담에서는 고개를 넘던 어머니가 처음에는 호랑이에게 떡을 내놓아야 했고, 다음에는 자신의 신체의 일부를 차례로 넘겨주어야 했다. 다른 유형에서는 열두 고개를 넘으면서 결국 어머니의 몸이 열두 조각으로 나뉘어져 호랑이에게 잡아먹히고 마는 모습으로 묘사되기도 한다. 호랑이가 여섯 고개를 넘을 동안 모성을 조각내어

---

166 하신 지음(1999), 『신의 기원』, 261쪽.

먹어 치우는 과정에서, 모성이 갖고 있던 원초적 구심력은 상실된다. 이로써 모성상이 사로잡고 있던 존재들이 지배력에서 벗어나게 된다. 바야흐로 그 존재들은 자유롭게 개별적 활동을 시작할 수 있게 된다. 이런 의미에서 보면 집을 나서던 어머니가 근원적인 점유력을 갖고 있던 모성상이라면, 호랑이는 모성적 영향력의 재조정을 위해 등장한 모성 상징인 것이다.

어머니가 호랑이에게 조금씩 잡아먹히면서 점차 동물로 변환이 일어났다. 이러한 변화는 기본적으로 힘의 통합 및 재조정을 가져온다. 어머니에서 동물, 즉 호랑이의 형상으로 바뀜으로써 리비도는 더 하위의 영역으로 이동하게 된다. 대부분 상징의 이행은 무의식적 정신이 의식에 접근하기 위하여 이루어진다. 그래서 주로 동물에서 인간으로 형상적 변화가 일어난다. 그런데 여기서는 오히려 어머니의 형상이 동물로 바뀌었다. 이것은 모성 본능이 자아(의식)의 본능적 충동이나 욕구 그 자체가 되기 위해 변환을 한 것이다. 세 남매를 주체로 내세우고 모성상은 배후의 세력으로 물러나려는 것이다. 집을 떠나기 전의 어머니는 의식이 될 정신 영역(아이들)을 대신하여 의식을 점유하고 있던 상태의 모성상에 해당한다.

다시 설명하면, 자아를 낳고 기르던 집단무의식(모성)은 때가 되면, 즉 자아가 독립적인 활동을 시작하게 될 무렵, 자아를 내세우며 뒤로 물러나 본능적 저력이 된다. 이로써 자아는 강력한 내면의 욕구 및 무엇인가를 열정적으로 추구할 수 있는 동기를 갖는다. 본능적 충동이 자아의 욕구가 됨으로써 자아는 주체로서 무엇인가를 욕망할 수 있게 된다. 아동기에 모성 본능이 이처럼 아동의 내면에서 본능적 욕구로서 자리를 잡게 되어야 자아(의식)가 활동을 개시할 수 있다. 만약 모성 본능이 자아의 본능적 욕구로 자리잡지 못하면, 오히려 모성 본능은 자아를 위협하는 힘으로 작용한다. 학령기 전의 아동들이 종종 마녀나 괴물에 쫓기는 꿈을 꾸는 경우가 있다. 이 무렵이 모성적 보호 장치가 아동기 자아의 본능적 저력으로 변환이 일어나야 하는 시기이기 때문이다. 민담에서 어머니를 삼킨 호랑이의 등장은 바야흐로 모성 본능이 자아의 욕구 및 본능적 저력이 될 것이냐, 혹은 자아를 위협하는 무의식의 영향력이 될 것인지가 정해지는 순간이다. 그 결과는 자아의 반응 및 태도에 따

라 좌우될 것이다.[167]

고개를 넘을 때마다 호랑이가 나타나 어머니의 몸을 한 조각씩 먹어 치운 것은, 모성상이 스스로 새로운 상징으로 변환하는 것이다. 모성은 자신이 낳아 기르던 아이들, 즉 새로운 정신 요소를 이제 독립적으로 만들어 의식적 정신이 되도록 요구하려는 것이다. 모성상은 호랑이라는 형상으로 변하여 한편으로는 위협하고 추적함으로써 의식화를 촉구하고, 다른 한편으로는 다른 방식으로 지지하고 보존할 수 있는 본능적 저력이 되려는 것이다. 이처럼 '집단무의식'의 활동성은 결코 무목적적이 아니고, 자신의 고유한 목적을 위하여 스스로 형상을 바꾸어 가면서, 정신의 의식화를 추진하고 있다. 모성상의 변화가 있듯이, 이는 의식화 되려는 정신의 성향이 더욱 구체화 되는 것을 의미한다. 이제 삼 남매는 모성과의 관계에서 모성상을 새롭게 맞이한다.

(3) 호랑이가 맑은 목소리를 내고, 손의 털을 민 다음, 오누이를 속이고 집안으로 들어왔다.

호랑이는 어머니를 먹어 치운 후, 어머니의 옷을 입고 집으로 돌아와 아이들에게 문을 열어 달라고 하였다. 아이들은 어머니로 변장한 호랑이를 그냥 반기지는 않았다. 어머니의 당부가 그랬듯이 아이들은 보다 능동적인 반응을 하도록 바뀌었다. 이미 모성상이 아이들의 곁을 떠나면서 상황은 달라진 것이다. 모성상이 호랑이에게 잡아먹혀 버렸기 때문에, 원초적인 모성적 장악력이 사라짐으로써, 아이들, 즉 새로운 주인공들의 개별적인 표명이 가능해진다. 그래서 집으로 돌아온 모성상에 대해

---

167 호랑이 형상에서 남성적 특징과 여성적 특징이 함께 있듯이, 고태적 모성상에서는 남성적 특성이 함께 강조되어 나타난다. 모성 원형의 활동에서 주로 역동성이 강조되면, 마치 모성의 남자 형제와 같은 모습이 되거나, 그에 상응하는 남성상을 동반한다. 이것은 자아가 무의식적 상태에서 바야흐로 의식화를 위해 무의식과 의식 사이의 경계의 문턱을 넘을 때, 활성화 되어 있는 무의식적 정신의 영향력 자체를 나타낸다. 이 민담에서도 호랑이의 위협적인 형상은 두 가지의 효과를 고스란히 반영하고 있다.

경계를 하며, 그들만의 요구를 그 자체로 드러내기 시작한다.

　처음에 호랑이는 어머니의 옷을 입고 나타나서 어머니라고 속이려 하였다. 아이들은 즉각 가짜임을 알아차렸다. 이러한 '알아차림'도 의식화의 방향을 예고하는 인식에 해당한다. 말하자면 아이들은 비교와 차이를 통하여 의식의 분화를 하고 있다. 아이들은 어머니의 모습을 기억하면서, 비교를 통하여 구분할 수 있을 만큼 인식적 수준이 높은 상태이다. 호랑이는 아이들의 지적을 받아들여 참기름을 훔쳐 먹고 목소리를 맑게 하거나, 손에 난 털을 밀면서 전적으로 어머니와 유사하게 보이려 노력하였다. 심리학적으로 보면, 호랑이의 이러한 노력은 자신이 잡아먹은 어머니처럼 보이도록 하려는 것이 아니다. 이미 잡아먹은 것 자체에는 동화가 포함되어져 있다. 호랑이의 노력은 상징적 변환을 시도하면서, 의식과 새로운 관계를 맺으려는 모성상의 특성으로 이해해야 할 것이다. 의식에 접근하기 위해 가능한 아이들이 좋아하는 태도로, 가능한 인간성에 유사한 모습을 갖추는 것이다. 털은 동물적 본능을 나타내는 것으로, 털을 제거하는 것은 본능을 희생하는 것에 해당한다. 무엇보다 손은 의식의 구체적 활동성에 가장 부합하는 신체 부위이므로, 털을 제거한다면 더욱 정교하게 기능하게 될 터이다. 이처럼 호랑이가 인간의 모습에 가깝게 꾸미면서 집안으로 들어오려 하듯이, 무의식적 정신은 상징을 통하여 인간성, 즉 의식과 관계하려 한다.

　호랑이가 어머니의 목소리를 내고자 애쓰는 데에는, 비단 의식에 접근하려는 의미만은 아니다. 이는 본능의 영역이 의식과 관계하여 때로는 정신적 활동이 될 수 있음을 시사한다. 심지어 모성 본능의 표명이 언어적으로 나타날 수 있음을 의미한다. 언어적 표현으로 드러남으로써 자연스럽게 의식적 정신 활동에 참여할 수 있는 것이다. 다시 말해 본능적 욕구를 언어로 표현할 수 있게 되면, 본성적 요구는 정신 활동과도 함께 하게 되는 것이다.

　호랑이-어머니가 집안으로 들어갈 수 있게 된 것은, 아이들이 어머니의 모습을 객관적으로 인식하게 되면서 가능해진다. 자신을 돌보아 주던 모성상에 대한 객관적 인식은, 모성상과의 동일시 및 의존 상태에서 벗어나는 수준에 이르렀음을 나타낸다. 아이들은 모성의 달라진 모습을 알아차릴 만큼 판단력, 분별력이 생겨났다. 아이들은 본격적으로 더 분화된 수준을 위한 여러 활동을 시작하게 된다. 아이들은 호랑이에게 인간적인 모습을 요구하면서 자연히 자신들이 주도권을 갖는다. 모성상은 새로운 의식의 주인공들이 요구하는 대로 변화를 거듭해 간다. 이처럼 무의식적 정신은 자아의식 중심으로 재배열될 수 있다.

(4) 호랑이가 집안으로 들어 와 셋째를 부엌으로 데리고 가서 삼켜 버렸다. 이를 알아차린 오누이는 호랑이로부터 벗어나기 위해 방에서 빠져 나와 우물 곁 나무로 올라갔다.

호랑이–어머니가 찾아온 집은 더 이상 모성상이 이전에 아이들을 보호하고 보살피던 공간이 아니다. 그곳은 이제 아이들이 주도하는 공간이 되었다. 아이들이 호랑이–어머니가 집으로 들어오게 허락하자, 한 지붕 아래 같이 머물게 된 상태이다. 집안에 들어온 모성상은 특별히 부엌을 차지하였다. 그리고 삼 남매 중 오누이는 방 안에 머물러 있었다. 오누이와 모성이 공간적으로 서로 분리되어 있으므로 아직은 서로 관계를 맺지 못하고 있는 상태라 할 수 있다. 이는 일부 정신 영역은 의식성을 획득하여 변화된 상태를, 나머지는 전혀 변화하지 않고 있는 상태를 의미한다. 혹은 일부는 성장해 나가는 면모를, 다른 일부는 성장을 원하지 않는 면모가 번갈아 가며 나타나는 상태로서 이해될 수 있다.

호랑이–어머니는 셋째를 데리고 부엌으로 들어가 요리를 하는 척 하면서 셋째를 삼켜 버렸다. 이것은 비록 모성–본능이 새롭게 성장하고 있는 의식 영역을 위한 본능적 저력이 될 준비를 하고 있지만, 근본적으로 모성–본능은 상대적으로 강력한 원초적 본능이므로, 의식화 되려는 신생의 정신 영역에 매우 위협적일 수 있음을 보여준다. 그럼에도 부엌을 차지하였듯이 모성적 본능은 기본적으로 의식(자아)에 생산적이자 창조적인 활력을 불어넣기 위한 만반의 준비를 하고 있다. 그러나 동시에 의식(자아)을 사로잡아 위태롭게 만들 수도 있는 것이다. 이미 지적했듯이, 셋째는 오누이가 대극의 합일로서 생산할 제3의 요소인데, 이를 삼켜 버린 모성은 오누이의 의식적 분화 및 통합을 저지할 수 있음을 드러낸 것이다. 그래서 오누이에게 호랑이-어머니는 반드시 극복되어야 할 위협적 존재가 된다. 셋째가 없어지고 오누이만 남게 되자 오히려 대극적 특성이 두드러졌다. 일차적으로 대극은 사로잡으려는 어머니-무의식과 이에서 벗어나려는 아이들-의식으로 강조되어 있다.

호랑이-어머니의 등장으로 집은 어느새 모성의 점유력이 작용하는 위험한 공간이 된 듯하다. 오누이는 모성상에 사로잡혀, 삼켜질 위기에 처한 것이다. 오누이가 이를 알아차리고 자발적으로 꾀를 내어 용변을 보러 가겠다고 하였다. 용변을 보려는 화장실 또한 창조적 발상이 일어나는 공간이다. 용변은 즉각적 생리적 요구를 해결해야 하는 강렬한 신체 반응이듯이, 오누이는 무엇인가 하지 않으면 안 되는 상황에 이른 것이다. 의식화 되려는 정신의 측면은 무엇인가 임박한 상황을 해결하기 위한 구체적 활동을 하면서 발전하게 되는 것이다. 용변을 보겠다는 꾀를 낸 오누이의 태도를 보면 무엇인가 스스로 생각을 해낼 수 있는 주체임을 시사한다. 이처럼 호랑이-어머니의 영향력은 한편으로는 오누이를 위협하는 파괴적인 힘이지만, 또 다른 한편으로는 그런 힘들을 가하여 오누이로 하여금 무엇인가를 생각하고, 결정하게 만드는 정신 활동의 원동력이 된다.

아이들은 화장실을 간 것이 아니라, 호랑이를 피해 우물 곁 나무 위로 올라갔다. 우물은 사람이 땅 깊숙이 파 내려가서 수원지를 찾아 물이 솟아나도록 한 곳이다. 그래서 우물은 내밀한 본능적 세계, 지하 세계의 생명력과 접촉하는 장소이다. 말하자면 근원적인 것과 관계를 맺을 수 있으므로, 힘의 회복과 치유가 이루어질 수 있는 곳이다. 근원적인 힘과 결합하면 어떤 어려움이 있더라도 본능적 힘으로 극복해낼 수 있다. 우물 곁에 높다랗게 자라난 나무는 근원적 생명력을 형상화 한 것이다. 대지 깊은 곳에서부터 천상으로까지 높이 뻗어 있는 나무는 세계의 축(axis mundi), 우주의 축으로 간주된다. 무엇보다 땅속 깊은 곳에 뿌리를 두고 하늘을 향하여 자라는 나무는, 본능 세계에서 시작하여 정신 세계로 펼쳐 낼 수 있는 전체 생명력의 상징이 된다. 결국 우물과 나무가 함께 있는 장소는 세계의 중심(omphalos)인데, 심리학적으로는 인격의 중심에 해당할 것이다. 오누이가 이곳으로 옮겨 간 것은 모성상에 의존하지 않고 홀로서기를 하기 위해서이다. 또한 의식의 새로운 방향잡기(Orientation)를 해야 하기 때문이다.

오누이가 우물 곁 높은 나무에 매달려 있는 모습은 생명의 근원지에 전적으로 의존하고 있는 상태이다. 그래서 모성의 보호 장치 안에 안전하게 머물고 있는 모습이 될 수 있다. 모든 인간은 어떤 위기의 상황에 처하게 되면 언제나 생명의 근원지를 찾는다. 근본적으로 생명이 어떻게 보호되어야 하는지는 개인의 개별적 대처로서 해결될 수 없다. 위기에 처하면 본능적으로 생명을 보전할 방법을 구하게 된다. 하지만 오누이는 단순히 매달려서 도움을 청하는 유아적 자세에서 머물러 있지 않았다. 스스로 유리한 장소를 찾아 옮겨 왔듯이 오누이는 주도적인 입장을 취하며 반응하고 있다.

나무 위의 오누이는 무서운 어머니로부터 추적당하여 아무런 해결책 없이 죽음에 내몰리게 된 것처럼 보인다. 원래 어린이 형상은 본능적 근원적 생명력으로 무장하고 있기 때문에, 아무런 보호 장치가 없어도 살아남게 되는 불굴의 존재이다.[168] 오누이는 어려움에 처해서 대응하는 동안, 이전까지 결코 없었던 본능적 힘이 활성화되어서 적극적이자 능동적인 태도를 갖게 된다. 바야흐로 우물 곁 나무 위에서 위험한 상황을 견디고 있는 오누이는 불굴의 존재로서 전적으로 본능의 지지를 받으며, 인격의 주체로서 상황을 경험하게 된다.

정리하면, 오누이가 나무 위에 올라간 것은, 자아와 무의식의 관계를 재조정하기 위한 것이다. 오누이가 올라간 나무는 인격의 중심축으로서 자아와 무의식이 서로 관계할 수 있는 장이 된다. 이러한 위치의 설정은 의식이 주도권을 갖고 무의식적 정신을 허용하면서 관계를 맺도록 하는 것이다. 오누이가 우물 곁 나무 위로 올라가 숨은 상태는, 무서운 모성을 피하여 다시 모성의 안전 장치로 숨어 들어간 것이

---

168   C.G. 융의 〈어린이 원형에 관하여(Zur Psychologie des Kindarchetypus)〉(G.W. 9/I)를 참고하라.

아니다. 오히려 무서운 모성에서 벗어날 수 있는 위치로 옮겨간 것이다. 우물 및 나무의 상징적 의미에서 살펴보았듯이, 우물 곁 나무는 다른 세계로 나아가는 통로가 될 수 있다. 나무가 하늘을 향하여 뻗어 있듯이, 그런 생명력과 함께 도약을 위한 시도를 할 수 있다. 이제 상황은 의식(자아)의 적극적인 참여와 주도에 의해 새로운 의식 수준으로 향하게 된다. 오누이는 그런 가능성을 갖고 나무 위로 올라가 도약을 시도한다. 이를 위해서는 의식(자아)의 일방적 노력만으로는 안 되고 반드시 무의식이 함께 해야 한다.

(5) 사라진 오누이를 찾으러 우물 곁에 온 호랑이는 오누이가 나무 위로 올라간 방법을 알아내어 오누이를 따라잡기에 이르렀다.

호랑이-어머니는 오누이가 도망친 것을 알아차리고 찾아 나섰고, 드디어 우물 가에서 오누이의 모습을 발견하였다. 처음에 호랑이-어머니는 물에 비친 그림자를 우물 속에 숨은 오누이로 알고 어떻게 물속에서 건져낼까 궁리하였다. 이러한 호랑이-어머니의 태도는 아직 위협적이지 않으며, 오누이가 무서운 추적자를 아직 정면으로 직면하지 않은 상태를 나타낸다. 호랑이-어머니가 오누이를 우물 속에 있는 것으로 감지하는 인식 수준은 마치 초기 아동기나 원시 심성의 의식 수준을 반영하는 것이다. 이는 마치 어린 아이가 거울에 비친 모습을 실제의 모습으로 착각하고 다가가서 관계하는 태도에 해당한다. 혹은 어린 아이가 외부 대상에 자신의 심적 사실을 투사하고, 그것을 대상의 특성으로 간주하고 있는 상태일 수 있다. 모성상은 새로운 정신적 요소가 여전히 자신의 보호 장치 안에 머물러 있다고 여기는 것이다. 만약 오누이가 우물 속에 숨은 상태라면 오히려 호랑이-어머니의 추적하는 무의식적 힘이 더 강력하게 작용하게 된 것으로 볼 수 있다. 그러나 오누이는 보다 유력한 상위의 위치에 있음으로써 주도권을 갖고 객관적으로 바라볼 수 있는 것이다. 호랑이-어머니가 어떻게 오누이를 우물 속에서 꺼낼 것인가를 고민하는 것은 본능적 정신이 보다 의식 수준에 접근하려고 시도하는 것을 의미한다.

오누이는 호랑이-어머니의 어리석은 모습에 제각기 다른 반응을 하였다. 서로가 쫓고 쫓기는 관계이기는 하지만 반응적이다. 그러한 서로의 반응적 태도에서 의식과 무의식의 입장이 구체화 된다. 오라버니는 호랑이를 경계하는 태도를 보인 반면, 누이는 더욱 천진하고 유아적 친근함을 보였다. 이런 누이의 태도는 결과적으로 호랑이에게 유리하게 작용하게 된다. 이와 같은 오라버니-남성과 누이-여성의 태도의 구분은 자아의식의 분화라는 관점에서는 의의가 있다. 자아의식이 선택적으로 다양하게 반응할 수 있는 것이다. 이것은 각기 지성과 감성, 사고와 감정 등으로 작용하는, 주체의 분화된 기능이 될 것이다.

누이의 태도는 위협적 호랑이-어머니에 대해 우호적이었다. 앞서 중국 신화 ≪여와-복희≫에서도 마찬가지로 누이가 우호적 반응을 하였다. 이는 누이가 근본적으로 모성상에 뿌리를 두고 있기 때문이다. ≪한스와 그레텔≫에서도 같은 내용을 살펴볼 수 있다. 숲 속의 마녀는 오누이를 과자 집으로 끌어들여 따뜻하게 환영하고 안심시킨 다음, 한스를 가두고 그레텔에게 부엌일을 시킨다. 마녀는 둘의 존재를 구분하여 각자에게 다른 역할을 부여한 것이다. 마녀는 그레텔에게 한스를 잘 먹여서 살찌우는 모성적 역할을 대신하게 한 것이다. 이 민담에서 오누이는 서로 다른 반응을 하지만, 궁극적으로는 하나의 목적에 이르게 한다. 오라버니는 호랑이-어머니에 우호적이지 않은 데 반하여, 누이는 호랑이에게 계속 추적할 수 있도록 자신들의 위치를 알려주었다. 이처럼 누이는 모성성에서 비롯된 추진력과 연결되기도 하고, 동시에 도망가는 오라버니와 더불어 의식화 되려는 정신에도 관여한다. 누이의 이런 이중적 특성은 모성상에서 완전히 분리되지 못한 여성 요소의 특성처럼 보여질 수 있다. 그렇지만 동시에 누이의 이런 모습은 일방적으로 추적해 오는 모성 본능을 중재하여, 서로 소통적 관계가 되도록 이끌면서 의식화에 이르게 하는 것이다. 이로써 오누이의 관계에서도 구분이 이루어진다.

호랑이-어머니는 나무에서 자꾸 미끄러져서 오르지 못하자 어머니의 상냥한 목소리를 흉내 내어 나무 위로 올라갈 수 있는 방법을 물었다. 그러자 오라버니는 더 미끄러지도록 들기름을 바르고 올라오라고 하였다. 그렇게 하여도 오를 수 없게 되자,

호랑이-어머니는 다시 방법을 물었고, 드디어 누이가 알려준 대로 자귀와 도끼를 사용해 나무 위로 올라오게 되었다. 여기서도 남매가 서로 다른 반응과 역할을 하는 것을 알 수 있다. 오라버니는 호랑이-어머니가 더 따라잡지 못하도록 방어하는 태도를 취하였다. 비록 호랑이-어머니가 추적할 수 없게 한 것이지만, 그럼에도 오라버니는 호랑이-어머니에게 하나의 발전된 방법을 제시한 것이다. 말하자면 호랑이에게 인간의 도구를 사용하도록 제안한 것이다. 들기름이 더욱 미끄러지게 하는 윤활유가 되긴 했어도, 호랑이는 인간과 같은 수준의 무엇인가를 활용할 수 있었다. 이는 원시적 수준에서 벗어날 수 없었던 본능적 측면을 의식의 삶에 적용하도록 유도하는 결과를 가져온다. 오라버니는 다른 방법을 가르쳐 주면서 주도권을 유지하고, 또한 저급한 수준의 본능적 정신을 억압할 수 있음을 보여주었다.

호랑이-어머니가 마침내 오누이를 거의 따라잡을 수 있게 된 것은, 제대로 도구를 이용할 수 있게 되었기 때문이다. 호랑이-어머니의 도구 사용은, 모성적 본능이 인간 의식에 적용 가능한 수준이 된 것을 나타낸다. 자아가 주체로서 저급한 수준의 무의식적 정신을 억압하지 않고, 의식적 정신 활동에 동참하도록 허용하고 끌어들인 것이다. 호랑이-어머니는 자귀와 도끼를 사용하여 나무에 쉽게 올라 왔는데, 자귀와 도끼는 모두 남성이 사용하는 도구로서 의의가 있다. 또한 날카로운 날은 자르는 기능이 있어서 의식의 합리적 기능 및 의지력을 발전시키는 도구이다. 이러한 도구를 사용하게 된 호랑이-어머니의 태도는 본능적 정신 영역이 의식에 적용될 수 있게 변화를 거듭하고 있음을 보여준다. 이제 본능적 저력은 필요에 따라 의식(자아)의 자발적이자 능동적 정신 활동의 원동력이 될 것이다.

이상에서 보듯이 호랑이-어머니의 위협적 추적에서 한편으로는 오누이가 제각기 다른 반응적 태도를 보이면서 분화 발전하였고, 또 다른 한편으로는 호랑이-어머니 자신도 점진적으로 인간 의식에 동화되는 모습으로 발전하였다. 그래서 호랑이-어머니가 오누이를 거의 따라잡을 수 있게 되었을 때, 모든 리비도의 방향은 하나로 통일된다. 말하자면 무의식적 정신 활동이 의식과 관계하려는 의도가 분명해진다. 오누이가 두 손을 모으고 원하는 것을 빌었듯이, 여러 정신의 요소들이 공통의 방향감을 갖게 되면, 나머지 무의식적 정신도 그에 따르게 되는 것이다. 민담에서 위협을 느낀 오누이가 하늘을 향하여 동아줄을 보내 달라고 청하자 자연히 호랑이-어머니도 같은 요구를 하였다.

(6) 호랑이에 쫓겨 나무 꼭대기에 이른 오누이가 두 손을 모으고 하늘에서 내려오는 동아줄을 청하였고, 줄이 내려오자 그것을 붙잡고 하늘로 올라갔다. 호랑이도 똑같이 동아줄을 청하였지만, 썩은 동아줄이 내려왔고, 그것을 붙잡고 올라가다가 아래로 떨어지고 말았다.

민담에서 나무 꼭대기로 올라간 오누이는 쫓아오던 호랑이-어머니에 의해 새로운 국면에 이르게 된다. 오누이는 나무 끝에 매달려 호랑이-어머니를 맞이하게 되었다. 말하자면 오누이는 마치 거대한 어둠의 괴물 속에 사로잡혀 있는 태양이나 영웅과도 같이 어려움에 처한 것이다. 이 상황은 근친상간적 관계, 즉 대극적인 것과의 만남에 관한 것이다. 여러 신화에서 영웅들이 필연적으로 생명을 위협하는 괴물과 싸움을 하거나, 혹은 죽음의 나락과 같은 심연의 동굴로 들어서는 것은 모두 근친상간적 관계를 나타낸다. 이는 심리학적으로 의식과 무의식의 만남을 의미한다.
여기서 만남의 장소를 다시 환기할 필요가 있다. 우물 곁 나무 꼭대기에서 이루어지는 두 힘의 만남은 특별한 의미를 갖는다. 이미 살펴보았듯이 우물 곁 나무는 천상과 대지 및 지하를 관통하는 장소이기 때문에 근원으로 돌아가는 하강과 새로운 의식 수준으로의 상승이 모두 일어날 수 있다. 나무 꼭대기에서 이루어지는 근친상간적 관계는 정신의 새로운 도약을 가져온다. 이런 의미에서 이 곳은 제3의 통합적 정신이 탄생될 수 있는 통로가 된다. 오누이가 위기를 모면하기 위하여 동아줄이 내려오기를 비는 것 같이 보이지만, 사실상 모성적 저력에 힘입어 여성 요소와 남성 요소가 함께 더 상위의 정신 영역으로 도약을 시도하는 것이다. 쫓아오던 호랑이-어머니는 그러한 이행을 가능하게 만드는 강력한 무의식의 추진력이 된다.
모성과 오누이의 만남, 즉 의식(자아)과 무의식의 만남에서, 오누이가 주도하는 것은 매우 중요하다. 의식(자아)이 주도함으로써, 인격의 붕괴 없이 무의식적 정신과 관계할 수 있다. 이를 다르게 표현하면, 오누이, 호랑이-어머니 모두 하나의 방향으로 나아가면서 정신의 통일 상태를 지향하게 되는데, 이런 통합 과정에서 잘못하면 의식(자아)이 위기를 맞이할 가능성이 있다. 의식(자아)과 무의식의 만남에서 강력한 무의식적 정신의 힘이 의식(자아)을 분해 및 용해시킬 수 있기 때문이다. 전체 인격적 통합은 반드시 의식(자아)의 붕괴 없이 이루어져야 한다. 오누이가 줄곧 주도권을 발휘하면서 추적하는 호랑이-어머니를 견제하는 이유는 무차별적 통합이 되지 않게 하는 것이고, 의식(자아)의 수준을 상실하지 않게 하는 것이다. 호랑이-어머니가 의식에 접근하면서 인간성을 획득하고자 하는 것도 의식(자아)을 파괴하지 않고, 의식(자아)과 통합되기 위한 것이다. 그래서 먼저 오누이가 정신적 상승을 위한 동아줄을 바랬고, 다음으로 호랑이-어머니도 오누이가 했던 그대로 동아줄을 요구했다. 이로써 두 정신 영역의 통합이 이루어진다.

하늘에서 내려온 동아줄은 무엇인가? 한편으로는 오누이의 의존적 특성을 반영하는 듯이 보인다. 이때의 동아줄은 의존하고 매달릴 수 있게 하는 도구일 것이다. 또한 간절한 소망으로 하늘로부터 내려오는 동아줄은 어둠을 가르고 비추는 태양의 빛과도 같다.[169] 해결할 수 없이, 궁지에 몰린, 어떤 어둠, 심적 부담, 대책 없는 상태를 벗어나려 하지만, 의식적 노력이나 의도는 전혀 도움이 안 되는 경우가 있다. 이때 본능적 저력, 근원적 생명력에서 힘이 발휘된다. 이것은 의식의 수준을 이전과 다른 상태에 이르게 하기 때문에, 종종 깨달음, 통찰과 같은 양상으로 경험된다. 오누이가 하늘에서 동아줄이 내려오도록 기원하는 것은 의식의 방향성을 잃지 않으려는 것이다. 하늘에서 내려오는 동아줄은 의식과 무의식을 관통하는 의식의 빛이 될 것이다. 그것은 두 정신 영역 모두를 통합하는 전체 정신의 새로운 중심으로 자리잡게 된다.

하늘에서 내려온 동아줄은 새 동아줄과 썩은 동아줄로 나뉘어진다. 오누이에게 내려온 새 동아줄은 의식화의 방향으로 이끄는 정신의 내재적 목적성에서 비롯된 형상화이다. 이것은 의식적 정신이 본성에 부합하고, 무의식적 정신과 관계하게 됨으로써 전체 정신의 궁극 목적으로 인도되는 것을 의미한다. 오누이는 호랑이-어머니에 쫓기면서 새 동아줄을 간절히 바랬고, 동아줄이 주어지자 모든 것이 해결되었다. 하늘에서 동아줄이 내려온다는 것은 의식화 되려는 정신의 일방적인 노력으로만 의식성을 획득할 수 없음을 나타낸다. 전(全)인격적 변화는 모두 자아(의식)와 무의식적 정신의 공동 작업으로 이루어져야 한다. 오누이에게 새 동아줄이 주어진 것은 의식화 되려는 정신과 무의식에 남으려는 정신과의 갈등이 극복된 화해로 일어난 결과이다. 정신의 통합과 더불어 공통의 중심을 갖게 됨으로써 새로운 의식성을 획득하게 된다. 이로써 실제 자아는 의식의 확장 및 의식의 해방감을 경험하고, 뜻밖의 통찰에 이른다.

(7) 호랑이는 수수 밭에 떨어졌고, 수수 알이 빨갛게 된 것은 호랑이 피 때문이었다. 하늘로 올라간 오누이는 각각 해와 달이 되었다.

민담에서 호랑이-어머니도 새 동아줄을 원하였다. 그러나 하늘에서 썩은 동아줄이 내려왔다. 여기서 썩은 동아줄은 의식의 빛에 이르지 못하는 바람이자 방향성을 나타낸다. 썩은 동아줄을 붙잡고 따라가게 된 호랑이-어머니는 결코 의식의 문턱을 넘어서지 못하는 정신 영역이 되고 말았다. 호랑이-어머니는 사실상 의식화 되지 않는 정신 영역이라 할 수 있다. '집단무의식'은 그 자체 개별적 인격의 기초에 해당되므로 의식화 될 필요가 없다. 그것은 한결같이 개별 인격의 기초로서 기능할 것이기 때문이다. 그것은 의식(자아)의 요구에 따라 필요하다면 언제나 의식의 삶에 참여할 수 있다. 이는 호랑이-어머니가 수수 밭에 떨어져 수수의 알을 빨갛게 만들었다는 사실에서도 확인할 수 있다. 호랑이-어머니의 피는 인간이 섭취하는 곡식을 붉

---

169 Ami Ronnberg & Kathleen Martin edt.(2010), *The Book of Symbols*, p. 516.
"Associated with plant fibers growing upwards toward the sun, the rope is mythically solar and fertile (…)."

게 물들임으로써 다른 방식으로 의식의 삶에 동화된다. 수수와 같은 곡식은 인간의 식탁에서 음식으로 섭취되어 인간의 피와 살이 되어 함께 하는 것이다. 이 또한 의식에 동참하는 모성 본능의 특징이자, 개인 인격의 기초임을 의미한다. 결과적으로 우물 곁 나뭇가지 끝에서 동아줄을 타고 오누이는 하늘로 올라갔고, 호랑이-어머니는 대지로 돌아온다. 호랑이에서 수수로의 상징적 이행은 어쩌면 리비도가 보다 더 하위의 생명체로 귀환된 것을 나타낸다. 그렇게 더 낮은 단계의 정신 영역으로 되돌아간 모성적 본능은 보편적 정신의 기초로서 자리잡게 된다. 그러한 기초적 생명력으로 여전히 개별 인간의 정신을 지지한다.

정리해 보면, 생명의 위기를 느끼는 극적인 순간에 하늘에서 새 동아줄이 내려와 오누이를 구조한 것은 자기(Selbst)로서 통합되게 한 것을 나타낸다. 인도 힌두교에서는 동아줄을 '내면의 지배자', 즉 아트만으로 간주한다. 동아줄은 자기와 연결되게 하는 매개이기도 하지만, 동시에 곧 자기 실현의 형상화이다. 오누이가 동아줄을 타고 하늘에 오르게 된 것은 모성과의 근친상간적 관계에서, 모성의 자궁으로 귀환한 영웅이 마침내 밤의 기나긴 여정을 마치고 새 아침, 새로운 탄생을 맞이한 것과 같다. 오누이와 호랑이-어머니와의 관계는 '대극의 합일'을 의미하며, 그 결과는 오누이가 하늘에 올라가 제각기 해와 달이 되는 것으로 형상화 되었다. 달이 되어 밤을 밝히는 누이는 이제 무의식적 정신을 대변하게 된다. 그래서 모성상은 더 이상 필요 없게 된 것이다. 무의식적 정신은 자신의 고유한 양상으로 의식의 삶에 참여할 수 있음을 의미한다. 해가 되어 낮을 밝히는 오라버니는 무의식적 정신과 긴밀한 관계를 맺으면서 전체 의식의 삶을 주도하게 된 것을 나타낸다.

맺는 말

민담 ≪해와 달이 된 오누이≫에서 오누이 형상이 등장하지만, 둘의 관계에서는 대극적 특성은 그리 강조되지 않은 듯이 보인다. 오히려 대극적 특성은 호랑이-어머니와 오누이의 관계로서 드러났다. 이런 대극적 특성도 근친상간적 관계를 의미한다. 모성과의 대극적 관계 혹은 근친상간적 관계는 두 가지 양상으로 나타난다. 한편으로는 모성상과의 관계에서 모성상을 극복해야 하는 것이고, 또 다른 한편으로는 비록 위협적인 힘으로 작용하지만, 모성상과의 관계에서 통합적 인격을 형성하는 결합을 실현해야 하는 것이다. 물론 후자의 경우 이미 모성상을 극복한 경험이 있으므로 모성상에 사로잡히거나 먹히지 않고 관계할 수 있다. 앞서 살펴본 오누이 민담에서는 특별히 누이의 역할이 돋보인다. 누이는 한편으로는 호랑이—어머니를 돕고, 다른 한편으로는 오라버니를 돕는다. 누이는 모성의 파괴적 측면을 완화하고, 의식의 수준을 고려하면서 관계하게 만드는 아니마의 특성을 나타낸다.

이 민담에서도 호랑이 형상의 모성상은 궁극적으로 오누이를 주체로 내세워 대극의 합일을 유도하는 역할을 하고 있음을 알 수 있다. 호랑이—어머니는 오누이를 위협하면서도 그들이 인간 정신의 내재적 목적을 실현할 수 있도록 끌어들인다. 그리고 모성상 자신도 인간의 의식에 부합하도록 인간성을 획득하기 위하여 노력한다. 이처럼 모성은 어떤 형태로든 자연의 정신, 본성의 정신으로서 인간성을 지키고, 인간성이 의식에서 실현될 수 있도록 지지한다. 그래서 썩은 동아줄을 잡고 추락하여 기꺼이 인간성의 기초가 되어 주는 것이다.

≪해와 달이 된 오누이≫에서 오누이는 어린이의 형상을 환기시킨다. **융**은 어린이 형상을 어린이 원형에서 기인하는 것으로 보았다. 그래서 어린이 상은 자라지 못하거나 미숙한 인격을 의미하는 것이 아니다. 그것은 의식과 무의식으로 나누어지기 전(前), 즉 전(前)의식적 정신 상태를 환기하는 원형상이다. 궁극적으로 어린이 상은 근원적 상태 및 본능적 영역과 연결하는 기능이 있다고 본 것이다. 동시에 어린이 형상 그 자체가 자아(의식)와 무의식의 결합으로 이루어진 제3의 요소이다.[170] 민담에서 셋째는 바로 제3의 요소로서 새롭게 드러나게 될 통합적 인격을 미리 제시

170　C.G. **융**의 〈어린이 원형에 관하여(Zur Psychologie des Kindarchetypus)〉(G.W. 9/I)를 참고하라.

한 것이었다. 모성상이 셋째를 먹어 치운 것처럼 보이지만, 모성상이 함께 함으로써 성공적인 대극의 합일이 가능해진다. 해와 달처럼 비인격적 특성으로 묘사되는 것은 전(全)인격적 실현이 또한 보편적 인간성을 나타내는 하나의 전형이기 때문이다.

제9장

·

여성과 아니무스

≪요술 쓰는 색시≫

    민담을 여성 주인공 중심으로 이해하다 보면 저절로 여성의 아니무스와 마주치게 된다. 여성 주인공은 결말에 가서 남성 인물상을 배우자로 맞이하고 행복한 결혼생활로 끝을 맺기 때문이다. 이야기의 궁극 목적이 마치 남성 배우자를 만나 결혼을 하는 것처럼 보인다. 이는 계속 강조해 왔던 '대극의 합일'의 주제에 관한 것이다. 비록 여성 주인공이 결혼한 후에 왕비가 되지 않더라도, 여성 주인공의 위상은 언제나 집단의 삶에 근본적인 변화를 가져올 정도로 높아진다. 의식은 무의식적 정신과의 통합으로 의식 영역이 확대됨은 물론이고, 새로운 인식에 이르게 되기 때문이다. 이런 의미에서 아니무스는 여성의 '자기 인식(Selbst-Erkenntnis)'에 필요한 대극의 쌍이다. 이제 여성 주인공 중심의 민담에 등장하는 남성 인물상 중 특히 아니무스로 지칭되는 남성성에 대해 간단하게 살펴보자.

    융은 남성의 아니마는 모성상에서, 여성의 아니무스는 부성상에서 비롯된다고 하였다. 남성의 아니마에는 모성적 특성이, 여성의 아니무스에는 부성적 특성이 드러나는 것이다. 그래서 남성은 모성-아니마가, 여성은 부성-아니무스가 주도할 수 있다. 그러나 아니마와 아니무스의 형성에 대해 좀 더 고려하면 반드시 모성상과 부성상만이 그 뿌리가 되는 것은 아니다. 아니마, 아니무스를 형성하게 하는 또 다른 요인을 들면, 남성과 여성의 내면에는 이미 조상 대대로 남녀 파트너에 대해 갖고 있는 전형적 태도들, 유전된 집단의 상이 내재해 있다는 점이다.

융이 텍스트에서 밝히고 있듯이, 아니마, 아니무스는 자아의식의 분화가 이루어지면, 부모상의 영향력이 상대적으로 약화되고, 뒤로 물러나면서 상대화 된 대극의 인물상으로 등장한다.[171] 만약 자아가 부모상과 제대로 분리가 이루어지지 않으면 아니마, 아니무스는 모성상과 부성상의 특징을 그대로 갖게 된다. 자아의식이 자신의 고유한 힘과 영향력을 발휘할 수 있게 충분히 조직화 및 체계화 되면, 부모상은 더 이상 관여하지 않게 되므로, 전체 인격의 구조는 새로운 체제로 변화된다. 그래서 무의식은 주로 아니마, 아니무스를 내세워 자아의식과 관계한다. 이런 의미에서 아니마, 아니무스에서 부모상의 내용은 오히려 지양될 수밖에 없는 것이다. 실제로 남성의 아니마가 모성-아니마이거나, 여성의 아니무스가 부성-아니무스이면 증상 콤플렉스가 될 가능성이 크다.

그 밖에 아니마, 아니무스의 형성에 있어서 각 개별 인간이 전적으로 여성성 혹은 남성성의 특성만을 갖지 않는다는 사실도 함께 한다. 여성은 여성성과는 다른 요소, 여성성에 속할 수 없는 요소, 마찬가지로 남성은 남성성과는 다른 요소, 남성성에 속할 수 없는 요소도 있는 것이다. 이처럼 자아에 속하지 않는, 낯선 정신이라고 할 수밖에 없는 요소들이 남성의 아니마, 여성의 아니무스의 일부가 될 수 있다. 그것은 근본적으로 자아의식에 속할 수 없는 정신 영역, 반드시 구분되어야 할 정신 영역에 대한 표현이 될 수 있다. 아니마, 아니무스를 대극적이라고 부르는 데에는 근본적인 차이, 즉 의식과 무의식이라는 차이가 있음을 의미한다. 둘은 양립할 수 없는 두 정신 영역을 나타낸다. 그럼에도 자아는 아니마, 아니무스와 동일시 되기 쉽다. 자아가 동일시 되어 아니마, 아니무스와 구분이 안 되는 상태를 '사로잡힘(Besessenheit, posession)'이라고 한다.

일반적으로 낮의 정신 활동을 하는 자아 입장에서는 아니마, 아니무스의 존재를 객관적으로 알아차리기 어렵다. 하지만 꿈에서는 쉽게 확인 가능하다. 꿈 장면에서 꿈 자아는 주변의 등장 인물들을 경험하게 되는데, 아니무스는 남편이나 파트너에 상응하는 이성의 인물이 될 수 있다. 분명 그들은 '내'가 아닌 것이다. 하지만 대낮에는 그런 꿈의 인물들이 함께 기능하고 있어도, 이에 대해 자아의식은 전혀 알아차리지 못한다. 자아는 그것을 객관적으로 인식하지 못하고, 주로 내면에 형성되어 있는 자신의 성격적 특성으로 여긴다. 말하자면 자아는 자신이 누구인지 모르고 있는 상태에 있는 것이다. 흔히 '나답다', '자기답다'라는 표명은 자아가 다른 정신의 요소들과 구분함으로써 가능하다. '자기 인식'은 자기 자신을 타자, 객체와 혼돈하지 않고 진정으로 자신을 알아차리는 것을 의미한다. 이런 의미에서 아니마, 아니무스는 말 그대로 '나'와는 다른 실제적 객관적 정신 요소이다.

앞서 소개된 여러 민담들에서도 아니무스의 형상이 잘 드러나 있다. 민담에서 여성 주인공과 관계하는 아니무스를 살펴보면, 여성의 아니무스가 부성상에서 기인하기도 하지만, 시지기 원형에서 비롯되기도 한다. ≪구렁덩덩 신 선비≫에서는 노부부, ≪마퉁이≫에서는 거지 부부 및 마퉁이네 노부부가 여성 주인공의 대극의 쌍을 내세웠다. 시지기 원형의 요구에 의해 여성 의식과 아니무스의 만남이 이루어지는 것이다. 아니무스가 시지기 원형에 의하여 제시되면, 부성-아니무스와는 다른 양상의 아니무스가 등장한다. ≪구렁덩덩 신 선비≫에서 노부인은 구렁이로 태어난 아니무스를 항아리에 담아서 보관했다가 여성 주인공이 나타나자 보여주었다. ≪마퉁이≫에서 아니무스인 세 마퉁이 형제는 대대로 모성-대지와 밀착된 채 외부 세계와 동떨어져 살고 있었다. 두 경우 여성의 아니무스는 부성상이 아니라, 모성상에 더 밀착되어 있는 것처럼 보인다. 그 이유는, 여성 인격 자체가 언제나 모성상에 기초하기 때문이다. 다르게 표현하면, 여성 인격이 모성상에 동화되어 있는 만큼이나 아니무스도 상대적으로 분화되기 어려운 상태에 있는 것이다. 아니무스의 분화가 이루어지기 위해서는 여성 자아가 모성상과 먼저 분리되어야 한다. 계모의 등장이 두

---

171   C.G. Jung(1923), "Die Beziehungen zwischen dem Ich und dem Unbewußten", G.W. Bd. 7, Par. 296~304.

드러진 민담 ≪손 없는 색시≫, ≪콩쥐 팥쥐≫에서 보았듯이, 여성 주인공이 모성상에서 벗어났을 때 비로소 배우자인 아니무스와의 만남이 이루어진다. 모성상의 극복은 여성 자아가 독립적으로 의식의 주체가 되는 순간이고, 이로써 또한 아니무스에 대한 객관적 인식도 가능해진다. 여성 자아가 모성상과 분리되지 않으면, 여성의 아니무스는 원시의 수준에서 벗어나지 못한다.

여성 자아가 모성상에서 벗어나야만 아니무스와의 관계가 가능해진다는 사실의 의미는 다음과 같이 이해할 수 있다. 모성상과의 분리에 의하여 여성 자아는 비로소 외부의 대상에 해당하는 낯선 것, 나와는 다른 것, 전혀 새로운 것 등을 받아들일 수 있는 의식 수준에 이르는 것이다. 모성상을 극복하지 못한 여성은 근원적 무의식의 보수적 점유력에 사로잡혀서 진정한 객체의 의미를 알지 못한다. 이것은 객체나 대상에 자신의 정신의 내용을 투사하고, 그것을 타인의 특성으로 간주하거나, 타인을 자신으로 착각하는 '신비적 참여' 상태에 있음을 의미한다. 여성 자아는 모성상을 극복하고서야 외부 세계에서 대상을 객관적으로 경험할 수 있고, 동시에 내면 세계의 객체, 즉 아니무스도 제대로 인식할 수 있다.

그러면 여성의 아니무스가 부성상에서 기인하는 경우를 조금 더 살펴보자. 부성상에서 비롯되는 아니무스는, 아니무스로 분화되기보다는 부성-아니무스가 된다. 이는 사실상 부성 콤플렉스의 여성과 다를 바 없다. 부성적 특성이 주도하므로, 여성 자아는 상대적으로 자신의 고유한 특성을 발휘할 수 없게 된다. 우리가 ≪심청전≫과 ≪바리데기 공주≫에서 살펴보았듯이, 여성 자아는 부성상의 내용을 고스란히 실현하게 된다. 이로써 부성-아니무스의 여성은 저절로 아니무스에 사로잡힌 상태가 된다.

이미 언급하였듯이 부성상과 긴밀한 관계에 있는 여성들은, 일찍부터 외향화 되고, 사회적 가치에 눈을 뜨게 된다. 부성상은 모성적 본능적 보호 장치에서 벗어나도록 종용하고 외부 세계에 적극적으로 참여하여 투쟁적으로 사회적 역할을 수행하게 만든다. 그래서 이 유형의 여성은 자신이 이룩해 온 것들에 대해 당연히 개인적 가치가 있다고 믿는다. 이 경우 여성은 그 누구보다도 의식화 되어 있고 독립적으로 보이기 때문에, 그에 따라 아니무스도 상당히 분화되어 있으리라 짐작할지도 모른다. 그러나 실은 매우 개별적으로 보이는 자아의식의 내용들은 집단 정신으로 채워져 있고, 대부분 집단 사회의 이념에 따른 역할로서 정해진 것들이다. 개별 능력이나 역할로 강조된 인격적 특성은 사실 전혀 개인적 인격에 관한 것이 아니다. 오히려 여성 자아의 개별적 특성은 희생되어진 것이고, 부성-아니무스가 여성의 인격을 대신해 온 것이다. 여성 자아는 자신이 누구인지 모른 채, 사회적 역할에 전적으로 동일시 되어 있거나, 어떤 특정의 이념과 신념에 찬 인물상으로 기능할 수밖에 없게 된 것이다.

다시 강조하면, 부성상은 언제나 외부 세계로 이끄는 역동이고, 사회 문화적 가치를 그대로 물려받게 하는 동인이다. 부성상은 본능적 요구를 억누르게 하고, 자아의 개별적 가치를 부각시키기 때문에, 특별히 남성에게는 남성 의식의 성장 분화를 위해서 유력하게 작용한다. 그래서 남성 자아는 모성상을 극복하고 쉽게 부성 세계에 편승할 수 있게 되는 것이다. 그러나 여성의 경우 부성상의 영향으로 외향화 되면 여성 자신에게는 불리한 결과를 가져온다. 여성은 원래 모성상의 보호와 지지를 받으며 거의 동화되어 성장하는 동안 여성적 특질을 획득한다. 이로써 남성보다 상대적으로 개별 의식의 분화라는 측면에서는 불리할 수 있지만, 전적으로 외향화 되지 않아서 자신을 잃어버리지는 않는다. 부성-아니무스에 의하여 여성 인격이 희생되는 경우 자궁암, 유방암과 같은 여성 질환이나 뇌종양, 갑상선 질환, 자가 면역 질환 등 다양한 신체 질환에 시달리게 된다. 이런 저런 어려움 때문에 모든 것을 포기하고 새로운 인생을 시작해야 하는 경우가 생긴다. 이처럼 부성-아니무스에 의하여 희생된 자신을 회복하기 위해서는 부성상으로 이룩해 온 인격의 내용을 전적으로 부정해야 할 것이다. 오랫동안 자신의 인격으로 간주해 왔던, 그것도 열심히, 성실하게 가꾸어 온 것을 포기하게 될 때 비로소 원래의 자기 자신으로 돌아갈 수 있다. 여성의 인격의 뿌리는 모성상이므로, 모성-본능의 손길에서 회복되어야 하는 것이다.

여성의 부성-아니무스는 집단 사회, 집단의식과 함께 작용한다. 외부 세계에서 통용되는 가치관, 여러 법칙과 원칙들, 또는 집단사회적으로 유용한 지식과 정보로 이루어진 것들을 지지하는 등 여성으로 하여금 외향적 활동에 주력하게 만든다. 결국 부성-아니무스는 아니무스의 본래적 의미와 일치하지 않는다. 여성의 아니무스는 원래 내면 세계를 대변할 수 있는 객체 정신의 특징을 갖고 있다. 그것은 외부의 집단의식의 내용으로 채워질 수 없는 것이다. 이런 점에서 부모상을 극복하고서 관계하게 되는 여성의 아니무스는 부성상과 구분된다.

융은 여성의 아니무스가 제시하는 것을 '의견들(Meinungen, opinions)'이라고 지적하였다. 아니무스의 내용이 주로 여성들이 어릴 때부터 관습적으로 습득하게 된 것들, 사회적으로 늘상 통용되어 온 사실들로 이루어져 있다고 본 것이다. 여성들은 그것을 '당연히', '사람은 모름지기' 등등의 표현을 하면서 어떤 확신에 찬 사실들로 제시하는데, 이는 전혀 학습되어진 것이 아닌데도 언제나 이미 알고 있는 것처럼 주장하는 것이다.[172] 이런 태도는 마치 외부에서 끌어들인 지식이나 상식인 것처럼 보이나, 이미 심성 속에 내재하고 있던 것들을 통해서 저절로 알아차려진 것이므로, 상당히 주관적이고 개인적 견해일 가능성이 높다. 객관적 전거가 없이 확신에 차서 내용을 표명하는 것이지만 전적으로 주관적 견해는 아니다. 오히려 그것은 내면 세계의 객체(원형들)가 갖고 있는 보편적 가치에 뿌리를 두고 있는 것이다. 그래서 여러 상황에서 여성들은 '그럴 줄 알았다' 등으로 표현한다. 그것은 결코 주관적 견해로서 폄하될 수 없는 것이다. 또한 그것은 완전히 객관적으로 증명될 수 있는 것이 아니다. 그것은 심상이나 현상을 단서로 삼아서 알게 되는 것들로서 외부에서 입력된 정보나 개념적, 추론적 사고와는 근본적으로 다른 근거에서 비롯된다.

여성의 아니무스는 내적 자연(본성)의 법칙, '집단무의식'의 '본능'과 '원형'의 고유한 목적의미를 실현하는 내용에 기초한다. 필요에 따라 여성 인격의 창의적 착상이 되기도 하는데, 그것은 외부에서 주어진 정보 및 지식과는 다른 것이다. 이런 의미에서 여성의 아니무스는 남성의 의식에서 다루어지고 있는 지식들, 이념들을 제시하는 것이 아니다. 오히려 외부 세계에서 편파적으로 강조된 남성 의식을 보완 및 보충하려는 목적으로, 내면의 객관 세계에서 비롯된 것을 제공하는 것이다. 이런 보상성을 고려하면, 여성의 부성상과 아니무스의 내용은 저절로 구분될 수 있다. 다르게 표현하면, 사회 문화적으로 학습되어진 내용으로 정신 활동을 펼치면 도리어 여성은 상대적으로 남성 인격을 흉내 내는 것이 되거나, 혹은 자신도 모르게 남성화 된다고 보아야 한다. 남성과 동등한 교육을 받고 있는 현대의 여성들은 이미 남성과 같은 의식 수준에 이르렀기 때문에 상당히 개념적, 추론적 사고를 할 가능성이 크다. 그러나 여성의 사고 활동을 자세히 살펴보면, 학습된 것과 사뭇 일치하지 않는 경우가 많다. 여성의 사고 활동에는 기본적으로 정서적 요소 및 내면의 객관 정신의 요소가 함께 작용하기 때문이다. 이런 의미에서 여성이 제시하는 자료나 정보에는 객관적 자명성이 종종 결여될 수도 있다. 이것은 여성의 사고의 열등성을 의미하는 것이 아니고, 궁극적인 목표와 의도가 다르다는 것을 지적하는 것이다.

　어떤 의미에서든 여성의 아니무스는 하나의 원형상이다. 그것은 실제의 남성 파트너, 즉 남편 혹은 배우자로 간주될 수 없다. 오히려 여성의 이성 파트너에 투사되어 실제의 객체의 특성을 잘못 인식하게 만드는 동인이다. 우리는 아니마 혹은 아니무스에 대해 객관적으로 다룰 수 있게 해 준 분석심리학에 감사해야 할 것이다. 그렇지 않다면, 우리는 모든 경우에서 상대방에게 무의식적으로 투사하고 있는 내용들을 떠넘기고 말 것이다. 분석심리학을 접하지 않은 사람들의 경우 과연 여성의 아니무스 혹은 남성의 아니마를 상상이나 할 수 있겠는가? 심지어 분석심리학적 이해를 가진 사람조차도 자신의 내면에서 작용하고 있는 아니무스 혹은 아니마를 제대로 알아차리지 못한다. 이론적으로 현상을 논의하는 것과 실제로 개별적으로 자신의 내면에서 제대로 경험하면서 알아차리는 것은 서로 다른 것이다. *융*이 아니무스 혹은 아니마가 부모상처럼 분리되거나 뒤로 물러나 있지 않고 자아의식과 나란히, "의식에 연합된 채 보존되어 있다"고 했듯이,[173] 자아의식과 구분되기 매우 어렵다. 이런 까닭에 성인기에 이르면 페르조나와 동일시 된 자아는 동시에 아니무스 혹은

172　앞서 제II장에서 다룬 부성상(Vater Imago)의 내용을 참고하라.

173　C.G. Jung(1928), "Die Beziehungen zwischen dem Ich und dem Unbewußten", G.W. Bd. 7, Par. 296.

아니마와도 동일시 되어 있다. 그래서 대부분 성인기의 개별 인격은 페르조나와 아니무스 혹은 아니마를 동시에 드러내고 있다고 할 수 있다. 말하자면 자아가 페르조나와 자신을 구분하지 못하듯이, 마찬가지로 내면에서 비롯되는 아니무스 혹은 아니마와의 구분도 불가능한 것이다.[174]

　분석심리학적으로 개인의 전(全)인격적 실현이 '대극의 합일'로서 이루어진다고 할 때, '대극의 합일'은 자아가 페르조나와 아니무스 혹은 아니마와의 동일시에서 벗어나야 가능하다. 융은 페르조나와의 동일시는 쉽게 처리할 수 있으나 아니무스 혹은 아니마와의 동일시가 해결되기 어렵다고 여러 번 강조하여 지적한 바 있다. 무엇보다 아니무스 혹은 아니마를 객관 정신으로 인식할 수 있어야 한다. 아니무스 혹은 아니마를 객관적인 것으로 알아차리려면 우리의 내면에서 작용하고 있는 것이 전부 자아에서 비롯되는 것이 아님을 인식해야 할 것이다. 이를 위해서 자아는 스스로 자신에게 정직한 입장을 취해야 한다. 자신을 과장하지 않고, 외부의 기대에 부응하지 않고, 역할과 동일시 하지 말아야 하듯이, 또한 내면의 요구를 모두 실현하려 하기보다는 '정말 이것이 내가 원하거나 행하고 싶은 것인가'를 반성적으로 질문해야 한다. 심지어는 내가 원한다고 할 때도 그 주체가 누구인지 알아야 할 것이다. 자신을 스스로 영향력 있는 인물로 끌어올려서, 그 인물이 원하는 것을 내가 원하는 것으로 착각할 수 있기 때문이다. '나'는 언제나 개인적 특성을 잃지 않는 주체여야 하는 것이다. 결국 아니무스 혹은 아니마와의 대극적 관계가 이루어진다는 것은, 자아가 자신의 개인적인 입장, 개별의 가치를 제대로 인식하고 있음을 의미한다. 자신을 착각하고, 과장하고, 팽창되어 있거나 혹은 위축되고 모호한 상태라면 결코 대극적 관계를 이룰 수 없다.

　민담에서 심혼적 관계로서 여성 주인공과 남성 배우자의 관계가 어렵게 이루어지는 이유는 결코 과장된 것이 아니다. 그러한 심혼적 관계의 어려움은 언제나 여성 자아의식의 태도에 기인하는 것임을 잊어서는 안 되겠다. 자아가 특정의 원형상에 영향을 받거나 동화되어 있음으로써 관계의 어려움이 생기는 것이다. 그래서 융은 '그림자', 즉 '개인무의식'의 통합을 우선적으로 강조하였다. '개인무의식'은 자아의

　　　　　　　　　　　　　　　　　　　한국 민담의 여성상

식이 인격의 개별적 특성을 열등하거나 불리하다고 여기고 억압함으로써 생긴 영역이다. 자아가 자신의 개별적인 가치를 충분히 인식하게 될 때 비로소 아니무스 혹은 아니마의 존재가 객관적으로 알려진다.[175] 예를 들어 주의 깊게 귀를 기울이면, 내면에서 어떤 인물상이 소리를 내고 있는지 알 수 있을 것이다. 스스로 비난하는 듯하지만, 사실 그 목소리가 나를 비난하거나 종용하고 있다는 사실까지 알아차리기 시작한다. 또한 그것이 나를 대신하여 다른 사람에게 말하고, 의견을 제시한다는 것을 발견하게 될 것이다. 이러한 실제적 경험에서 자기 자신을 내면의 다른 인격들과 혼돈하지 않게 될 때 개별 인격의 특성이 의식의 삶에서 정직하게 드러날 수 있다. 결국 여성의 아니무스는 '대극의 합일'을 요구하는 인물상이다. 동시에 자아에게 자기답도록 요구하는 인물상이다. 그것은 자아로 하여금 자기 인식적 차원에서 내면의 타자를 인정하도록 요구하는 것이다.

이제 다루게 될 민담은 ≪요술 쓰는 색시≫[176]지만, 흔히 고대 소설 ≪박씨 부인전≫으로 알려져 있다. 이 이야기에서 아니무스의 역할은 그리 부각되지 않는다. 여성의 아니무스가 주인공처럼 강조될 필요는 없기 때문이다. 아니무스가 지나치게 강조되어 영웅으로 드러난다면, 그것은 아니무스에 사로잡힌 여성 유형이 될 것이다. 여성 인격의 주체가 구체화 되면, 그래서 객관 정신을 제대로 인식할 수 있게 되면, 아니무스는 인격적 특성을 갖기보다는 심리적 기능으로서 작용한다. 민담 ≪요술 쓰는 색시≫에서 이를 확인할 수 있다.

우리나라 고대 소설은 익명의 저자가 쓴 것이므로, 그 자체 민담적 요소가 있다. 그것은 글을 모르는 일반 서민들, 특히 여성들을 대상으로 널리 알려졌던 이야기이므로 민담의 특성이 강하다. 그럼에도 고대 소설은 서술 형식으로 기록된 이야기 특

---

174 C.G. Jung(1928), 같은 책, Par. 308~309.

175 C.G. Jung(1928), 같은 책, Par. 310~311.

176 최인학 · 엄용희 엮음(1928), 『옛날이야기꾸러미 3』, 248쪽.

유의 양식이 그렇듯이,[177] 일종의 역사적 사건을 다루고 있어서 당시의 실제 인물의 활약처럼 묘사된다. 소설 ≪박씨 부인전≫은 조선 인조 대왕 때 이귀라는 재상과 그의 아들 이시백에 관한 이야기로 기록하고 있다. 이시백은 실제의 인물이었고, 그의 부인은 윤씨였다고 한다.[178] 소설 ≪박씨 부인전≫에서는 주인공 박씨 부인만 빼고, 거의 대부분의 사람들을 역사적 인물로 배치하여 시대 정신을 반영하는 듯하다.[179] 심지어 시대 정신의 요구를 충족시키는 내용을 인물들에게 부여하고 있다. 소설의 이런 특성은 민담과 구별된다. 민담은 시대 정신을 반영한다기보다는, 오히려 시대 정신을 보상할 내용을 포함하고 있다. 말하자면 시대 정신의 문제점을 치유할 내용을 보편적 인간의 삶으로 다루고 있는 것이다.

여기서는 소설 ≪박씨 부인전≫ 대신 민담 ≪요술 쓰는 색시≫를 해석하게 될 것이다. ≪요술 쓰는 색시≫에서는 남성 인물상이 조선 선조 때의 특정 인물이 아니라, 참봉의 벼슬을 하고 있는 사람으로 일반화 하고 있다. 또한 이참봉을 찾아온 사람이 소설 ≪박씨 부인전≫에서는 박처사(부성상)였으나, 민담 ≪요술 쓰는 색시≫에서는 노파(모성상)가 찾아와 딸의 혼사를 주선하는 내용 등 서로 조금 다르게 전개된다. 어쩌면 이 민담을 남성 주인공 중심으로 이해해 볼 수도 있다. 박씨 부인을 아니마로 이해하여 진정한 대극의 만남이 이루어지는 내용으로 다룰 수 있을 것이다. 그러나 민담의 전체 이야기 진행이 전적으로 얼굴이 못생긴 색시 중심이기 때문에, 여성 주인공의 민담으로 다루어 보도록 하자. 이미 지적하였듯이 여성의 아름다움은 여성의 개별 인격의 특성을 나타내는 중요한 요소임을 확인할 수 있을 것이다.

민담 요약

≪요술 쓰는 색시≫[180]

옛날 이참봉이라는 사람에게 외아들이 있었는데 아주 사내답고 재주가 뛰어났다.

하루는 머리가 하얀 노파가 찾아와서 자신의 딸과 정혼을 청하였다. 이참봉은 노파의 태도에 신뢰를 갖게 되어 그 자리에서 정혼을 하였다. 이참봉의 아들이 열네 살이 되자, 이참봉은 좋은 날을 택해 장가를 보내려고 하였다. 그래서 아들을 정혼한 사돈댁으로 보냈는데, 그 곳은 금강산 만물상이었다. 이참봉의 아들이 금강산 만물상으로 찾아갔으나 금강산 만물상 꼭대기에는 아무도 없었다. 사흘째 되는 날 올라가 보니 만물상 꼭대기에 흰 옷을 입은 세 사람이 나타났다. 색시의 부모와 색시였는데, 색시는 장옷을 벗지 않고 얼굴을 가리고 있어서 얼굴을 볼 수 없었다. 신랑은 색시의 얼굴을 보려 했으나, 색시가 수줍어한다고 하여 얼굴도 보지 않고 색시를 집으로 데려왔다. 혼인 잔치 후 신랑이 색시를 집으로 데려와서 얼굴을 보니 너무 망측스러워 놀랐다. 콩 마당에 굴려놓은 것 같이 구멍이 뚫려 있는 얽음방이였다. 색시를 본 집안사람들은 질색을 하고 도망을 쳤다.

　그로부터 신랑은 색시를 보지 않고 아침부터 밤까지 공부만 하였다. 그러자 색시는 시아버지 이참봉에게 조그마한 집을 하나 따로 지어주면 그 곳에서 살겠다고 하였다. 이참봉은 그렇게 해 주었다. 하루는 이참봉이 궁중의 큰 잔치에 참여하기 위하여 학을 수놓은 조복을 입어야 했다. 잔칫날이 이틀 후였으므로 수를 놓을 시간이 부족했다. 그러자 얽음방이 색시가 보름 걸릴 수를 이틀 만에 놓아서 조복을 완성하였다. 임금이 이참봉 조복의 수를 보고 칭찬하였으나, 또한 "조복에 수를 놓은 사람은 배 주림을 받고 있으니, 이후로는 쌀을 한 말씩 해서 밥을 지어주라"고 하였

177　민담과 달리 문자로 기록된 소설, 서사 등에는 주인공들이 구체적인 인물로 묘사된다.

178　주재우 지음(2007), 『박씨부인전』, 51쪽.

179　주재우 지음(2007), 『박씨부인전』, 104~107쪽을 참고하라.
　　소설 ≪박씨 부인전≫은 소설 ≪임경업전≫과 밀접한 관계가 있다고 하며, 심지어 일부 필사본에는 마지막에 계속되는 이야기를 ≪임경업전≫이라고 밝혔다고 한다. 임경업은 박씨 부인의 남편으로 묘사된 실제의 역사적 인물 병조판서 이시백이 명나라 황제의 요청으로 명나라에 출장을 떠날 때 군사를 이끌고 갔던 장수이다. ≪박씨부인전≫이나 ≪임경업전≫ 모두 병자호란 때에 겪은 굴욕적인 조선의 운명을 소설 속에서 구하려 하는 군담소설로 알려져 있다.

180　최인학 · 엄용희 엮음(2003), 『옛날이야기꾸러미 3』, 248~254쪽.

다. 집에 돌아온 이참봉이 살펴보니 며느리가 굶주리는 기색이므로 그날부터는 한 끼에 한 말씩 밥을 지어 주라고 하였다. 얽음방이 색시는 집 뒤에 향 나무 한 그루를 심었다. 그 나무는 몇 달이 안 되어 하늘까지 자라났다. 어느 날 이참봉이 며느리 집에 들어서니 갑자기 뇌성벽력이 일어나고 소나기가 퍼붓고, 커다란 구렁이가 나타나 입에서 불을 내뿜었다. 이참봉이 놀라서 물으니 색시는 그것은 노향나무에 의한 것으로, 뇌성벽력은 향 나무에 바람이 부는 것이고, 구렁이가 불을 내뿜는 것도 나무에 단 붉은 헝겊이라고 설명하였다.

신랑은 얽음방이 색시의 집엔 얼씬도 하지 않고 아침부터 저녁까지 공부에 전념하여 과거 시험에 장원급제를 하였다. 그러자 얽음방이 색시는 친정집에 다녀오겠다고 하였다. 사흘 만에 얽음방이 색시는 아버지를 모시고 돌아왔다. 아버지와 돌아온 색시는 반달같이 아름다운 모습으로 변해 있었다. 마침내 색시는 신랑이 공부에 전념하는 데 방해가 될까 하여 일부러 얼굴을 추하게 하고 있었노라고 고백하였다. 신랑은 색시가 아름다운 모습을 되찾았다는 소식을 듣고 색시의 집으로 찾아가서 살펴보니 과연 그러하므로, 문을 열고 들어가 아내에게 그 동안 무시했던 태도를 용서해 달라고 청하였다. 이후부터 두 사람은 아주 의좋은 부부가 되었다.

부부의 이야기가 멀리 퍼져 중국 황제에게 알려졌다. 황제는 색시의 특별함에 대해 불쾌하게 여겨 중국 제일가는 힘세고 지혜가 많은 여장군을 불러 색시를 죽이도록 명령하였다. 색시는 이를 미리 알고서 몸종에게 독주와 약주를 담게 하고, 여장군이 왔을 때 극진히 대접하는 체하면서 여장군에게 독주를 주고 자신은 약주를 마셨다. 여장군은 술에 취해 잠이 들었으나 눈을 부릅뜨고 자고 있었다. 색시가 여장군의 품에 품고 있는 비수를 꺼내자 그 비수는 갑자기 제비가 되어 날아오르더니, 색시를 향해 목을 노리며 내려왔다. 색시는 요술로 그 비수를 막아내고, 소리를 질러 여장군을 깨웠다. 여장군은 아무나 손에 쥘 수 없는 비수가 이미 색시의 손에 넘어간 것을 알고 놀랐다. 마침내 여장군은 색시를 해치려 했음을 자백하고 용서를 구했다. 색시는 여장군에게 중국으로 돌아가서 황제로서 올바르지 않은 일을 시도했음을 전하도록 하였다. 중국의 황제는 화가 나서 이번에는 재주 있고 힘센 형제 장군을 수만 명의 군사와 함께 보내어 색시를 해치고자 하였다.

　먼저 형 장수가 색시의 집 앞마당에 나타나서 색시를 죽이겠다고 위협하였다. 색시는 몸종에게 비수를 주면서 형 장수를 없애고 오라고 하였다. 몸종은 무서워 떨었으나 시키는 대로 형 장수에게 맞섰다. 형 장수가 검으로 몸종을 내리치려 했으나 몸이 굳어 검을 들지 못하자, 몸종이 비수를 들고 형 장수의 목을 베었다. 그것을 노향나무의 맨 위 가지에 걸어 놓았다. 아우 장수는 형의 목이 노향나무에 걸린 것을 보고 화가 나서 수만 명의 군사를 이끌고 색시의 집으로 쳐들어갔다. 그러자 향나무에서 갑자기 바람이 불기 시작하더니 뇌성벽력이 치고 소나기가 퍼부어 큰 홍수가 생겨났다. 군사들이 물에 빠져 허우적거릴 때 커다란 용이 나타나 찬 바람을 불어 홍수의 물을 얼어붙게 하였다. 아우 장군과 군사들은 모두 얼어 죽고 말았다.

민담의 해석

(1) 옛날 이참봉이라는 사람에게 외아들이 있었는데 아주 사내답고 재주가 뛰어났다. 하루는 머리가 하얀 노파가 찾아와서 자신의 딸과의 정혼을 청하였다. 이참봉은 노파의 태도에 신뢰를 갖게 되어 그 자리에서 정혼을 허락하였다.

　이야기는 사내답고 재주 많은 아들을 둔 이참봉으로부터 시작한다. 주인공은 나중에 등장할 색시인데, 왜 이야기의 시작이 이참봉과 아들, 즉 남성으로 시작하는가? 이를 여성 심리학적으로 이해해 보면, 여성 인격 전체를 이끌어 가고 있는 것이 여성 자아가 아님을 의미한다. 이참봉은 집단 사회에서 특정의 지위를 갖고 있는 남성 인물이자 부성상이므로, 여성의 인격은 상대적으로 집단의식의 보편적 가치에 편승된 상태로서, 개별적으로는 무의식적이라고 할 수 있다. 물론 여기서 무의식적 상태는 부정적 의미의 무의식성이 아니라, 아직 전혀 개인적 인격의 가치를 인식할 수준이 아니라고 볼 수 있다. 이야기에서 이참봉이 아들을 데리고 있다는 사실을 주목하면 두 가지의 가능성을 시사한다. 만약 남성 심리학적 관점에서 본다면, 이참봉의 아들은 집단의식의 쇄신과 변화를 위한 새로운 정신 요소로서 제시된 것을 나타낼 것이다. 말하자면 새로운 남성 의식, 집단의식의 분화 가능성이 주어진 것이다. 그러나 여성 심리학적 관점에서 본다면, 오히려 여성의 아니무스가 먼저 전면에 드러난 상태에 해당한다. 여성 인격 전체가 집단의식의 요구와 주도에 의해 좌우되고 있으므로, 전혀 개인적 인격의 특성을 드러내지 못하고 있는 것이다. 이참봉과 그의 아들이 전면에 내세워져 있는 것처럼, 여성은 대부분 자신과는 다른 특성의 인격으로 집단의식에 순응적으로 적응하고 있는 것에 해당한다.

여성의 인격을 남성상으로 대신 내세우고 있는 경우는 실제의 삶의 현장에서 많이 볼 수 있다. 이러한 여성의 사회적 참여는 거의 여성성을 희생하게 만들고, 남성과 같은 인격의 특성을 발달시키게 한다. 그것은 개별의 의식적 태도를 강조하는 듯 보이지만, 주로 능력, 역할, 기능에 주력하는 상태이므로, 다른 인격적 특성이 전면에 부각된다. 이는 곧 사회적 요구에 부응하는 것인데, 민담에서는 이참봉이라는 집단 사회의 인물로서 대신하고 있다. 이런 부성상에 아들이 있음은 기존의 의식의 태도에 변화가 찾아올 것을 예고하는 것이다. 노파가 이참봉의 집에 나타나게 되자 변화를 맞이할 실제적 상황에 이른다.

노파는 모성상으로서 바야흐로 여성 주인공을 주선하고 있다. 그 동안에 낳고 기르고 보살펴 온 여성 인물을 서울의 이참봉에게 소개하는 것은, 이제 여성 인격이 의식의 주체가 될 때가 된 것을 나타낸다. 실제로 한 개인에게서 이런 상황이 발생할 때가 있다. 부모님의 기대 및 사회적 요구에 충실히 따르며 생활해 왔으나, 어느 날부터인가 서서히 심정적으로 만족스럽지 않고, 무어라 할 수 없는 느낌들이 생겨나서 변화가 필요하다는 것을 저절로 알게 된다. 왠지 그 동안 나름 열심히 살아온 모습들이 나 자신과 동떨어졌다는 자각이 생겨난다. 이런 심적 상태에서 자신의 내면에서 올라오는 심정에 주목하게 될 수 있는데, 이것이 노파가 찾아 와서 딸을 소개하는 장면에 해당한다. 여성 인격의 주체를 제대로 내세우려는 것이다.

무엇보다 간과할 수 없는 사실은 여성 주인공은 모성상에, 아니무스는 부성상에

각기 기초한다는 것이다. 아니무스가 부성상에 속해 있음으로써 여성 주인공과 전혀 관계하고 있지 않다. 이는 여성의 조상들이 경험한 남성 요소의 특징들에서 비롯된 아니무스와는 다른 특성을 나타낸다. 오히려 집단의식의 가치를 고스란히 반영하고 있는 이참봉은 아들과 함께 여성 인격의 의식 상황을 대변하고 있으므로, 전혀 여성 인격에 대한 고려가 없는 상태이다. 어쩌면 유교적 전통 사회에 적응한 여성들의 일반적인 의식 수준을 나타낸 것이리라. 사회적으로 요구되는 여성의 역할은 여성 인격과 상관없는 것이 될 수 있다. 이런 의미에서 노파는 여성 인격의 요소를 보존하고 있는 모성상임을 알 수 있다. 또한 모성상이 개별 인격의 변화를 주도하고 있음을 확인할 수 있다.

이참봉과 노파는 각기 아들과 딸을 데리고 있다. 남성-아버지-아들과 여성-어머니-딸의 두 대립적 요소가 나란히 고유한 입장을 취하면서 둘의 만남을 주선하려 한다. 이로써 이야기는 궁극적으로 '대극의 합일'을 목적으로 삼고 있는 것이다. 이참봉과 노파가 앞으로 있을 혼사를 위해 미리 언약하는 것은 심리학적으로 '대극의 합일'을 위한 선취(Vornehmen)에 해당한다. 이는 한편으로는 여성이 의식의 주체가 되는 것을 목표로 하고, 다른 한편으로는 여성 의식이 아니무스와의 만남을 유도하게 되는 것이다.

(2) 이참봉의 아들이 열네 살이 되자, 이참봉은 좋은 날을 택해 장가를 보내려고 하였다. 그래서 아들을 정혼한 사돈댁으로 보냈는데, 그 곳은 금강산 만물상이었다.

노파가 이참봉 댁에 나타나 딸의 혼사를 거론하자 이참봉은 기꺼이 이를 수락한다. 이로써 여성 인격의 면모를 반영할 수 있는 기회가 주어진다. 이참봉은 비록 여성 인격의 의식성을 표면적으로 대신하고 있지만, 여성 주인공의 등장에 대해 우호적이다. 부성상과 모성상이 관계를 수락하면서 우선 여성 인격의 주체가 될 인물상이 등장할 수 있게 된다. 드디어 이참봉은 좋은 날을 택해 아들을 사돈댁으로 보냈다. 이참봉의 아들을 여성 주인공이 있는 장소로 보내는 것이기 때문에, 여성 주인공은 비로소 의식에 접근할 기회를 갖는다. 이는 모두 새로운 의식의 태도를 취하기 위한 조치이다.

이참봉 아들은 아직 여성의 개별 의식이 등장하지 않은 상태에서 여성 인격을 대신하고 있는 인물상이다. 이 남성 인물상이 열네 살이 되었다는 것은 마침내 실질적인 변화를 맞이할 때가 되었음을 의미한다. 14는 7을 기초하는 수이다. 7은 일곱 행성으로 이루어진 고대적 천체 우주관을 반영하는 숫자이다. 각 행성마다 특성이 다양하게 발휘되어 총체적으로 하나의 장(場)이 마련된다는 점에서 의식성을 실현하는 숫자를 나타낸다. 14는 7의 배수로서 다양한 요소들이 그 자체 의식의 장에 펼쳐질 수 있도록 충분한 준비의 기간이 흘렀음을 반영한다. 또한 14는 달의 주기를 나타내는 숫자이기도 하다. 보름달이 되었다가 다시 새로운 보름달이 되기까지의 시간을 예고하듯이 전형적으로 여성 요소의 변화와 관계하는 수이다. 이참봉의 아들의 성장을 특별히 달의 주기성에 기초한 숫자로 나타냄으로써, 이참봉의 아들이 여성 인격을 대변하고 있음을 알 수 있다. 혼인을 위해 색시가 있는 곳으로 보내졌는데, 이는 여성 인격이 드러날 수 있게 하는 적극적 작업이 된다.[181]

여성의 꿈에 실제로 남성이 등장하여 다른 여자와 결혼을 하려는 장면이 드물지 않게 보고되고 있다. 이는 여성의 꿈 자아가 다른 남자와 결혼하려는 것과는 다른 양상이다. 결혼을 주도하는 인물이 남성이라는 점에 주목할 필요가 있다. 남성이 주도하여 혼인을 하려고 여성을 찾는 경우는 상실되었거나 물러나 있는 여성 요소를 회복하기 위한 것이다. 민담에서도 직접 신랑이 될 이참봉의 아들이 색시를 찾아 간 것은 여성 요소를 전면으로 끌어내기 위한 시도라고 할 수 있다.

여성 주인공은 아직 모성적 무의식적 기초에 머물러 있는데, 그곳이 집단의식과 동떨어져 있다는 의미로서, 민담에서는 금강산 만물상으로 묘사되었다. 여성 주인공이 의식의 주체가 되기에는 아직 상당한 거리가 있다. 이참봉의 아들은 노파인 모성상의 매개를 통해서 여성 주인공을 의식의 장으로 끌어들이려 한다. 그러면 금강산 만물상은 어떤 곳인가? 금강산은 우리나라에서 가장 아름답고 영험한 산 중의 하나이다. 만물상은 또한 금강산에서 빼어난 경치를 자랑하는 곳이다. 만물상이라는 표현은 거대한 병풍바위가 온갖 형태를 나타내고 있는 모양을 의미한다. 비록 아주 동떨어진 산 속이지만, 그곳은 인간 삶의 여러 다양한 장면들이 펼쳐질 수 있도록 제공되는 표상의 근원지인 것이다. 말하자면 그곳은 비가시적 세계, 감각적 세계를 초월한 이데아의 세계, 이상향의 세계에 해당한다. 실제 삶 속에 펼쳐질 형상의 원형이 있는 곳, 곧 신성의 세계이다. 빼어난 산의 경치는 생명의 신성함이 살아 있는, 자연과 본능이 그 자체 생명력으로 충만하여 자족한 모성 자연의 기초에 대한 묘사이다. 여성 요소는 바로 이곳에서 의식의 삶의 주인공이 될 준비를 한다.

금강산을 배경으로 하는 여성 인격은 전혀 부족함이 없는 상태에 있음을 의미한다. 말하자면 여성 인격의 등장이 늦어진 것은 외압이나 억압에 의한 것이 아니다. 오히려 때가 되자 노파가 자발적으로 나타나 이참봉 아들과의 혼인을 주선하고 본격적으로 여성 인격을 내세우려 하는 것이다. 무엇보다 여성 인격의 출발점이 자연-모성의 신성이 살아 있는 금강산 만물상이므로, 이것은 여성의 전(全)인격적 실현을 위한 전제가 된다. 여성은 궁극적으로 자신의 신성을 의식적 인격으로 실현하게 될 것이다. 노파와 더불어 있는 곳, 즉 모성의 지지와 보호가 있는 곳은 언제나 개인 인격을 실현하는 데 있어서 본능적 기초로서 작용하게 된다. 여성 주인공은 이와 같은 본능적 저력을 활용하여 실제적인 의식의 삶을 두려움 없이 헤쳐 나갈 수 있다. 이렇게 신성력으로 보증되는 본능적 측면의 예는 아동기의 전능한 상태를 고려해 볼 수 있다. 아동은 매우 취약한 자아의식의 수준이지만 결코 두려움을 느끼지 않는다. 이런 아동기의 전능한 상태는 성인기에 이르러 자기 자신에 대한 깊은 신뢰로서 경험하게 된다. 이는 모두 모성 본능의 절대적인 지지에 의한 것이다. 민담에서 여성 주인공도 어떤 어려움이 있더라도, 충만한 생명력과 모성적 신성력으로 극복해 나갈 것을 미리 제시하고 있다.

---

181 ≪바리 공주≫에서 다루었던 숫자 7의 상징을 참고하라.

(3) 이참봉의 아들이 금강산 만물상으로 찾아갔으나 금강산 만물상 꼭대기에는 아무도 없었다. 사흘째 되는 날 올라가 보니 만물상 꼭대기에 흰 옷을 입은 세 사람이 나타났다. 색시의 부모와 색시였는데, 색시는 장옷을 벗지 않고 얼굴을 가리고 있어서 얼굴을 볼 수 없었다. 신랑은 색시의 얼굴을 보려 했으나, 색시가 수줍어한다고 하여 얼굴도 보지 않고 색시를 집으로 데려왔다.

색시를 데리러 이참봉 아들이 금강산 만물상에 간 것은, 여성 요소를 의식으로 끌어들여 개별 인격적 특성을 드러내도록 하는 것에 해당한다. 색시를 만나기 위해 사흘 동안 찾아다니는 것, 즉 세 번의 시도는 전체 의식의 의향을 확립하는 결과를 가져온다. 그래서 여성 요소를 의식의 주체로 내세우겠다는 전반적인 의식의 태도가 확고해진다. 드디어 여성 인격을 전면에 내세울 수 있게 되는 것이다. 색시는 색시의 어머니, 아버지와 함께 등장하였다. 색시가 색시의 부모와 함께 나타난 것은 의식의 주체가 되려는 여성 인물상을 지지하는 기본적인 '집단무의식'의 반응으로 볼 수 있다. 이제 전체 정신은 여성 의식의 구체화를 위한 본격적인 활동을 개시할 것이다. 물론 색시의 부모는 시지기의 원형으로서 색시와 이참봉의 아들을 연결시킨다. 이로써 금강산에서의 혼인이 이루어진다. 혼인은 주인공 색시의 등장을 위한 것이지만, 의식적 인격을 대변하는 이참봉의 아들이 여성 인격을 인정한 것에 해당한다. 이는 기존의 의식의 태도를 바꾸어 막연하게나마 변화를 경험할 수 있게 된 것을 의미한다.

색시가 얼굴을 내내 가리고 있다는 점을 살펴보자. 베일을 쓴 모습은 하나의 세계를 감싸는 여성 신성의 영향력을 의미한다. 베일을 뒤집어 쓴 여성은 모성적 신성력의 보호 장치 속에 있음을 나타낸다. 혹은 구체적인 형상화로 드러나지 않은 모성의 신성력 그 자체를 의미할 수도 있다. 중근동 지역에서 여성은 자신을 베일로 가리고 생활하는데, 이에 대해 일반적으로 여성을 폄하하여, 남성에 예속된 상태로서 개별적 자유가 구속된 이슬람 문화의 습속으로 해명한다. 그러나 베일을 가리는 데에는 언제나 여성 신성, 특히 모성신의 신비를 표명하는 것이다. 현대적 관점에서 보면,

그런 모습은 여성의 개별적 가치가 전혀 고려되지 않은, 억압적 사회 문화적 처치로서 여성들에게 강요된 것이라고 할 것이다. 하지만 원래 그것은 여성 신성의 비개인적 특성, 모성 원형의 특성이 강조된 것이다. 오히려 베일에 가려진 여인은 한 개별 남성의 소유가 될 수 없음을 나타낸다. 전적으로 자신을 온전히 드러내지 않기 때문에 개별적 특성이 드러나지 않는다. 베일에 감추어진 여성은 자기 자신에 대해서도 무의식적이다. 이때의 비개인성, 무의식성은 저급하거나 원시적이라는 의미가 아니고, 모성 신성과 동화되어 있는 여성 인격의 특성을 의미한다. 베일은 운명의 여신들이 펼치는 우주 천체, 천공이 되기도 한다. 우주 천체 및 천공을 둥글게 표상하는데, 이는 모두 의식을 둘러싸고 있는 무의식적 정신의 상징적 표현이다. 운명의 여신들이 짜던 천들도 모두 이 베일의 일부이다. 성모 마리아가 둘러쓰고 있는 베일 및 망토도 모두 천공에 해당하는 것이다. 푸른색 망토에 별의 모양들이 가득 수놓인 것은 지구를 감싼 우주 공간 전체를 나타낸다. 모성신의 베일은 현상 세계를 보호하는 보호막과 같고, 동시에 모든 현상이 펼쳐지게 허용하는 장(場)이 된다. 베일이 감싸고 보호하는 기능을 갖고 있듯이 모성신의 보호 아래 인간은 안전하게 삶을 펼치는 것이다. 이처럼 베일은 인간성의 배경이 되는 모성 신성의 실루엣을 의미한다.[182] 여성 주인공이 베일에 싸여 등장한 것은 아직 개별적 인격의 실체를 드러내지 않고 있음과, 동시에 여성 신성의 영향력 특히 모성적 특성 – 인간을 기르고 보호하는 – 을 발휘하게 될 것을 미리 제시하는 것이다.

또 다른 의미에서 여성 주인공은 스스로를 보호하듯 베일 속에 모습을 숨기고 있다. 실제로 베일을 써 보라. 오히려 자기 자신에게 온전히 집중할 수 있다. 베일은 자신의 개별적 가치를 지킬 수 있는 장치가 된다. 이참봉과 아들이 여성의 의식을 대신하고 있었듯이, 아직 여성 인격이 전면에 드러날 만큼의 의식 수준이 아니므로 쉽게 외부의 지배원리에 영향을 받을 가능성도 있다. 이때의 베일은 자신을 지키고 보호하며, 외부의 영향력으로부터 객관적 거리를 유지할 수 있게 해 준다. 이로써

---

182   E. Neumann(2004), *Ursprungsgeschichte des Bewußtseins*, S. 64.

스스로 관계의 수위를 조절하면서 외부 상황에 거리를 두고 단계적으로 접근할 수 있는 것이다. 이것은 모두 여성 인격의 소극적이자 수동적 태도 및 보수성에 기초하는 모성 자연의 지혜로운 처방이 된다.

신체 중에 특별히 얼굴은 개인적 특성을 나타내는 가장 중요한 부위이다. 또한 얼굴은 여성의 개별 인격의 의식적 태도와 의향이 가장 구체적으로 드러나는 곳이다. 얼굴을 전혀 노출하지 않음으로써, 지배적인 집단의식에 아직 어떤 태도를 취해야 할지 드러낼 수 없거나 정하지 않은 것에 해당한다. 이는 아직 개별적으로 여성 인격의 측면을 드러낼 수 없음을 의미한다. 이참봉의 아들은 비록 색시의 얼굴을 볼 수는 없었으나 그녀를 데리고 한양으로 돌아왔다. 이제 여성 인격은 의식적 구체화를 위한 본격적인 작업이 가능해진다.

(4) 혼인 잔치 후에 신랑이 색시를 집으로 데려와서 얼굴을 보니 너무 망측스러워 놀랐다. 콩 마당에 굴려놓은 것 같이 구멍이 뚫려 있는 얽음뱅이였다. 색시를 본 집 안사람들은 질색을 하고 도망을 쳤다.

신랑은 혼인 후에 색시를 금강산 만물상에서 집으로 데려왔다. 신랑의 집에 온 것은, 여성 자아가 부모상에서 벗어나게 된 것과 같다. 여기서 의식의 장은 한양, 집 등으로 묘사되어 있다. 이곳은 복합적으로 드러나는 실제적 삶의 현장이므로, 외부 세계와 접촉할 수 있는, 일상의 삶이 가능한, 인간 관계가 구체화 되는 곳이다. 색시가 속해 있었던 금강산 만물상은 의식의 장과 동떨어진 세계로서, 아직 나와 너, 외부와 내면 등의 구분이 불가능한 정신 수준을 나타낸다. 한양으로 옮겨 오자 여성 주인공의 실체가 전면에 드러나게 된다.[183] 심리학적으로는 여성의 개별 인격의 의식 수준을 알게 되는 것과 같다. 베일에 싸인 실체가 드러남으로써 집단의식과 얼마나 동떨어진 상태인지 알 수 있게 된다.

드디어 드러난 색시의 얼굴은 온통 '얽음뱅이'였다. 색시의 얼굴이 망측스러워 모두 놀라고 말았다. 흔히 '얽음뱅이'는 마마의 흔적과 같은 것을 나타낸다. 마마의 흔적은 아동기에 앓았던 질병의 자국이다. 민담에서는 색시의 그런 모습을 '콩 마당에 굴려놓은 것 같이 구멍이 뚫린 얼굴'이라고 묘사하였다. 실제로 마마는 콩 크기의 농포가 가득한 종기가 생기는 질병인데,[184] 회복 후에도 종기의 자국이 크게 남아서, 예부터 그런 흔적을 가진 여성은 시집 가기가 어려웠다. 또한 마마는 무서운 모성신, 죽음의 모성신에 해당한다.[185] 색시의 얼굴은 어쩌면 마마인 무서운 모성신의 모습을 환기시키는 것일지도 모른다. 이런 색시의 외형은 집단의식에서 받아들이기 어려운 낯설고, 이질적인 인격적 특성을 묘사한 것이리라. 심한 종두의 자국을 빗대어서 '콩 마당에 굴려놓은 것 같다'고 한 것이겠지만, 심리학적으로는 아직 개별적 인격의 의식 수준에 이르지 못한 상태를 나타낸다. 말하자면 전혀 사회 문화적 가치에 노출된 적이 없는 여성 주인공의 의식 수준을 반영한 것이다. 소위 심리학적으로 여성 인격이 개별적으로 분화될수록, 의식적 분화가 이루어질수록 아름답다고 표현한다. 개별 인격의 의식 수준이 제대로 확보되면 달과 같이 아름답다거나, 꽃이 활짝 핀 것 같다고 하는 것이다.

특별히 '추하다'는 점에 주목해 본다면, 심리학적으로는 의식에 접근하기 어려운 상태, 이해하기 어려운 상태, 인간성에 부합하지 않는 상태, 분화가 안 된 상태를 나타낸다. 다른 사람이 쉽게 접근하지 못하게 함으로써, 소중한 무엇인가를 은밀하게 감추거나, 거리를 두며 자신을 보호하고 있는 상태가 될 수도 있다. 이 또한 여성 주인공이 가진 신성력, 익명성, 초개인적인 특성을 나타낸다. 가장 저급한 것은 가장 고귀한 것과 통한다. 이런 추한 색시의 모습은 부족함이나 열등감이 아니다. 그것은 기존의 의식 수준에서는 이해될 수 없는 전혀 다른, 낯선 것이기 때문이다. 집단의

---

183 우리는 ≪우렁 각시≫에서도 같은 사실을 확인할 수 있다. 우렁이를 집으로 가져 와서 물독에 넣어 두자 우렁이는 어여쁜 각시로 변화될 수 있었다.

184 마마(媽媽)는 천연두(天然痘)로서 심한 전신 증상은 물론이고, 피부 및 점막에 수포 및 농포가 생기게 하여 그 흔적이 얼굴에 크게 남는다. 이것은 제1종 법정 전염병으로 인위적으로 종두(種痘)를 하여서 오늘날 거의 볼 수 없는 질병이 되었지만, 예방 접종이 있기 전까지는 매우 치명적인 전염병이었다.

185 앞서 살펴보았듯이 홍역 및 마마는 아동기의 치명적인 질병이다. 이는 생명을 관장하는 모성신과 관계한다.

식의 지배원리에 대극적으로 작용하고, 보상적 내용을 반영하는 것이라면 더욱 부정적으로 드러난다. 모든 사람이 색시를 보면 도망을 가고 말았는데, 이 모든 것도 목적과 의미를 갖는다. 가장 보잘 것 없는 것으로 시작하는 것은 가장 내밀한 기초에서 은밀히 시도하는 여성 인격 분화의 첫 걸음에 해당한다. 가장 비천한 모습은 가장 하위의 보편적 기반에서 비롯되는 것을 의미한다. 하위로 갈수록 보다 근본적으로 심혼의 집단적이자 보편적 특성을 반영할 수 있다.

'추함'을 개인적으로 적용해 보면, 아직 자기 자신에게 무의식적 상태를 의미한다. 부모상 및 금강산 만물상과 같은 비개인적 수준의 무의식성에서 벗어나기 시작한 여성 주인공은 아직 개별적으로 자신의 특성을 발휘할 기회가 전혀 없었다. 가장 추한 얽음방이의 모습은 아직 개별적 체험의 내용이 없는 무의식적 정신 수준을 나타낸다. 바야흐로 개별적인 구체적 경험들에 의해서 여성 인격의 실질적 모습을 갖추게 될 것이다.

(5) 그로부터 신랑은 색시를 보지 않고 아침부터 밤까지 공부만 하였다. 그러자 색시는 시아버지 이참봉에게 조그마한 집을 하나 따로 지어주면 그 곳에서 살겠다고 하였다. 이참봉은 색시가 원하는 대로 해 주었다.

민담에서는 신랑이 색시의 추한 모습에 실망하여 완전히 공부에만 전념한 것으로 묘사한다. 그러나 마침내 여성 주인공이 얼굴을 드러내었듯이, 여성 인격의 주체가 전면에 부각될 수 있는 것이다. 이에 따라 여성의 인격을 대신하던 이참봉의 아들은 뒤로 물러나게 된다. 이제 남성 인물상은 점차 여성의 아니무스로서 특징을 갖추기 시작한다. 이참봉의 아들이 스스로 공부에 전념하게 된 것은 아니무스의 분화의 시작을 알리는 것이다. 여성 인격이 전면에 나서서 의식의 삶을 책임지려 하자, 신랑은 아니무스로서 자신의 고유한 위치로 돌아간 것이다. 여성의 아니무스는 원래 외부 세계에 적용하는 인물상이 아니다. 여성 의식이 주체가 될 수 있게 아니무스는 내면적으로 적용할 수 있는 태도로 전환된다. 이것은 한 여성이 외부 세계, 집단의식의 요구를 따르다가 비로소 자기 자신에게 눈을 돌리게 된 것과 같다. 여성 주인공은 의식의 중심으로서 외부 세계와 내면 세계를 모두 경험하는 주체가 된다.

민담에서는 색시가 시아버지에게 자신이 살 집을 따로 지어줄 것을 청한다. 이는 여성 주인공의 주체적 태도에 해당한다. 겉보기에는 사람들이 색시를 꺼려하기 때문에 스스로 자청하여 따로 살 곳을 마련하는 듯하지만, 색시는 여성 인격의 주체로서 자신이 원하는 공간을 확보하려는 독립적이고 능동적 태도를 취한 것이다. 자신만의 집을 지어 독립적 공간을 확보하는 것은 개별 인격의 고유한 가치를 정립할 수 있는 확고한 기초를 마련하는 것이다.

소설 ≪박씨 부인전≫에서 보면, 색시는 초당을 그냥 짓지 않는다.

동쪽에는 푸른 색 기운에 맞도록 푸른 흙으로 나무를 북돋우게 하였고, 서쪽에는 흰 색 기운에 맞도록 흰 흙으로 북돋우고, 남쪽에는 붉은 색 기운에 맞도록 붉은 흙으로 북돋우고, 북쪽에는 검은 기운에 맞도록 검은 흙으로 북돋우고, 중앙에는 노란 기운에 맞도록 노란 흙으로 북돋우게 하였습니다.

시간을 잘 맞추어 물을 정성스럽게 주니, 나무들이 하루가 다르게 잘 성장하였습니다. 신기하게도 오색구름이 자욱하게 머물고 나뭇가지는 용이 서린 듯하고, 잎사귀에는 호랑이가 호령하는 듯하며, 각종 새들과 무수한 뱀들이 서로 모여 있으니 그 신기한 재주는 말로 다 표현할 수 없었습니다.[186]

위의 구절에서 보듯이 색시는 초당을 음양오행에 맞추어 짓는다. 그것은 좌 청룡, 우 백호, 북 주작, 남 현무로 사방을 정하고, 중앙에는 황금의 대지로 전체의 중심을 잡는 구조이다. 이것은 모든 것을 물리칠 수 있는 마방진이자, 전체를 하나로 아우르는 만달라(Mandala) 형상에 해당한다. 색시의 초당은 어떤 경우에도 조화와 질서를 잃지 않는 소우주의 형상이 된 것이다. 심리학적으로 이제 여성 인격은 온전히

---

186 주재우 지음(2007), 『박씨부인전』, 40~41쪽.

자신에게 집중할 수 있는, 독립적인 개별 인격의 기초를 마련한 것에 해당한다. 장차 여성 자아는 집단의식의 요구에 좌우되지 않고 자신의 목소리를 낼 수 있게 될 것이다. 이로써 여성 자아는 사회 문화적 가치에 능동적으로 참여하면서, 외부 요구에 그냥 따르는 것이 아니라, 자신의 고유한 방식으로 접근하여, 대상 세계에 조화롭게 적응할 수 있을 것이다.

소설 ≪박씨 부인전≫에서는 이 초당을 '피화당'이라고 하였다. 시아버지가 왜 '피화당'이라고 하느냐고 묻자, 색시는 사람이 사는 데에는 길흉화복은 늘 있으므로, 그것을 미리 대비하기 위해서라고 밝힌다. 이는 색시가 나중에 있을 변고를 미리 알고 있어서 대비한 것으로 묘사된다. 심리학적으로는 색시의 그런 지혜로운 대비보다는, 오히려 만달라 형상의 공간을 마련했다는 데 주목할 가치가 있다. 그 곳은 대지의 흙과 나무가 어우러져서 만들어진 공간인데, 자연-모성의 생명력뿐 아니라, 자연 모성의 신성력이 인간의 삶에 작용할 수 있게 하는 테메노스(temenos, 聖域)가 된다. 이로써 자연의 힘, 본성의 힘이 의식의 필요에 따라, 서로 소통하면서, 다양하게 의식에 제공될 수 있는 것이다. 마방진 형상의 만달라 중심에 집, 탑, 절과 같은 성소, 성을 짓는 것도 모두 같은 이유에서 그렇게 하는 것이다. 이런 의미에서 '피화당'이라고 한 것은 주변의 혼란스러운 영향력에서 벗어난다는 의미가 아니다. 삶에서 늘상 있기 마련인 길흉화복을 겪어 낼 수 있는 여성 인격의 기초이자 전체성의 윤곽을 나타내는 것이다. 만달라 형상처럼, 인격의 중심에 기초하여 실제적으로 다양한 삶의 현장에서 개별적 특성을 펼쳐 낼 수 있는 여성 의식이 된 것이다.

(6) 하루는 이참봉이 궁중의 큰 잔치에 참여하기 위하여 학을 수놓은 조복을 입어야 했다. 잔칫날이 이틀 후였으므로 수를 놓을 시간이 부족했다. 그러자 얽음방이 색시가 보름 걸릴 수를 이틀 만에 놓아서 조복을 완성하였다. 임금이 이참봉이 입은 조복의 수를 보고 칭찬하였으나, 또한 "조복에 수를 놓은 사람은 배 주림을 받고 있으니, 이후로는 쌀을 한 말씩 해서 밥을 지어주라"고 하였다. 집에 돌아온 이참봉이 살펴보니 며느리가 굶주리는 기색이므로 그날부터는 한 끼에 한 말씩 밥을

지어 주라고 하였다.

원래는 이참봉이 임금이 초대한 궁중의 잔치에 참여하게 된 것이지만, 결과는 얽음방이 색시의 존재가 인정받는 내용으로 전개된다. 나라의 임금은 부성상이 기초하는 세계관의 실질적 대표인데, 민담에서 보듯이, 여성 요소의 가치와 의미를 소홀히 하지 않는다. 임금이 베푼 잔치에서 아름다운 수(繡)를 놓은 조복을 입고 참석한다는 것은 여러 가지 복합적인 요소가 함께 어우러진다는 것을 의미한다. 훌륭한 옷으로 남성 세계의 지위나 품위를 나타내는 것만이 아닌 것이다. 그 조복은 남성 당사자와 함께 살아가고 있는 여성 배우자 등의 정성어린 손길로 만들어지는 것이기 때문이다. 그것은 여성의 섬세하고 숙련된 기술이 발휘된 여성 고유의 산물이다. 이런 의미에서 남성 세계의 가치, 나아가서는 사회 문화적 가치를 지키기 위해서는 반드시 여성 의식의 참여 및 지지와 성원이 필요하다는 사실을 나타낸다. 결국 임금의 잔칫날은 단순히 남성의 사회적 지위만을 인정하는 것이 아니라, 여성의 남성 세계에 대한 반응 및 간접적 참여를 함께 드러내는 행사임을 알 수 있다. 이것이야말로 집단의식의 최고의 교양이자 의식 수준을 반영하는 문화 행사인 것이다.

이참봉이 새 옷을 입고 궁중 잔치에 가는 내용은, 여전히 여성 주인공이 의식의 주체가 되지 않은 상태를 반영한 것일 수 있다. 조복을 입고 궁중에 가야 하는 이참봉의 상황은 여성 주인공에게 의식의 장에 참여할 자격이 있는지를 시험하는 과제와 같다. 앞서 색시가 의식의 삶을 위한 중심잡기로서 초당을 마련했으므로, 모든 상황은 본격적으로 의식의 중심으로 배열된다. 비록 이참봉이 전체 여성 의식을 대신하는 듯하지만, 실제적으로 얽음방이 색시의 존재가 제대로 부각된다. 시아버지 이참봉이 색시가 솜씨를 발휘한 조복을 입자, 오히려 색시가 주목받게 되었다. 여성 자아가 주체가 되지 않으면, 능력을 발휘하더라도 주체로 부각되기보다는 주변의 다른 사람을 유력하게 만드는 경우가 대부분이다. 이런 경우 자신은 열심히 했는데도 아무도 자신을 알아주지 않는다고 호소하는 것이다. 말하자면 여성 주인공이 여성 인격의 주체가 됨으로써, 모든 삶의 정황은 여성 주인공이 주목받을 수 있게 전환되는 것이다.

색시는 조복을 이틀 만에 완성하여 사람들을 놀라게 하였다. 민담에서 자주 시간성이 실제와 다르게 평가되는 것을 보게 된다. 피안의 세계에서 3년 보낸 것이 실제 인간 세계에서는 30년이 지나갔다는 등의 묘사가 그렇다. 민담에서는 보름 걸릴 일이 색시에 의해 단 이틀 만에 해결되었다. 아마도 이것은 상당히 오랜 시간을 공들여서 해야 하는 정교한 수작업이지만, 색시는 짧은 시간에 손쉽게, 그것도 뛰어난 작품처럼 완성했다는 의미가 된다. 의식이 주도하고 있는 시·공간의 개념과 무의식 혹은 총체적 정신 영역이 고려하는 시·공간의 개념은 서로 다르다고 할 수 있다. 시간을 양적인 연속성으로 다루는 의식의 관점에서 셈하는 것이 아니라, 질적으로 형상화 되는 것을 뜻한다. 질적으로 형상화 되면, 각 숫자는 외연적 연장의 물리적 양을 나타내는 기호가 아니다. 각 숫자는 하나의 상징이 된다. 예를 들어 하나에 하나를 보태어 둘이 되는 것이 아니라, 하나를 반으로 나누어 둘이 되고, 그 둘이 다시 나뉘어져서 여덟 혹은 열여섯이 되더라도, 그것은 여전히 하나로서 간주되거나, 수십 개를 모아도 늘 하나로서 간주될 수 있다. 이런 의미에서 민담에서의 둘과 보름은 같음을 나타낼 수 있는 시간의 상징에 해당한다. 그래서 색시가 자신에게 주어진 일을 어떤 식으로든 제대로 수월하게 소화해 낸다는 사실을 나타낸다. 여기서의 이틀은 실제적 2일을 의미하는 것이 아니라 하루나 이틀이 걸릴 정도로 오래 걸리지 않았다는 것을 의미한다.

민담은 색시가 남다른 재주가 있다는 사실을 강조한다. 색시의 이러한 측면은 어쩌면 마술적이자 초개인적 인격의 특성을 갖고 있음을 의미할 것이다. 이런 초개인적 특성은 이미 지적하였듯이 모성-신성에서 비롯되는 것이다. 색시의 인격적 면모는 모성-신성에 기초하고 있으므로, 언제든 필요에 따라 초개인적 힘을 끌어낼 수 있다. 이것은 실제로 극단의 상황에 처하게 되면 자신도 모르게 본능적으로 초인적인 힘이 나오는 것과 같은 원리이다. 색시는 모성-신성과 연결되어 있어서 어떤 과제이든 어려움 없이 실행할 수 있는 것이다. 물론 이러한 힘은 개인적 목적에 의하여 인위적으로 발휘되는 것이 아니다. 반드시 여성 자아의 절실한 요구와 심혼적 합목적성에 부합하는 것이어야 한다.

옷에 수를 놓는 일도 실을 자아 천을 짜는 일과 같이 전형적인 여성의 작업이다. 그것은 의식의 삶에서 구체적으로 무엇을 실현할 것인지 형상화 하는 것에 해당한다. 이 일에 대해 남다른 재능을 발휘할 수 있는 것은, 무의식적 정신의 의식화 방향과 그대로 의식의 의지력이 일치하기 때문이다. 얽음방이 색시가 뛰어난 솜씨로 수놓은 학은 결국 색시의 세계관을 표명하는 것이다. 그래서 임금은 수놓은 사람의 솜씨를 칭찬하게 되었고, 심지어 그 수놓은 사람의 심적 상태를 알아차리기까지 하였다. 말하자면 여성 자아는 삶의 현장에서 자신의 의도나 의향을 전달할 수 있을 정도의 수준에 이르게 된 것이다. 무엇보다 여성은 민담에서 보듯이 자신의 의향을 직접 행동이나 언어로 표현하기보다는, 일상에서 수행하고 있는 과제나 작업 등에서 반영할 수 있다. 삶의 여러 현장에서 능동적이자 창의적으로 솜씨를 발휘하여, 자신의 존재를 표명하면서, 그것으로 다른 사람에게 영향력을 행사할 수 있는 것이다.

얽음방이 색시가 굶주리고 있다는 것은 무엇인가? 바야흐로 여성 자아가 주체로서 구체적으로 자신의 욕구를 표명할 수 있게 됨으로써 나타난 현상이다. 배고픔은 가장 기본이 되는 욕구의 표현이다. 나아가서 이것은 대상에 대한 관심과 세상에 대한 의욕이 되며, 상징적으로 여러 가지를 수용할 준비가 되어 있음을 의미한다. 임금이 색시에게 한 끼에 한 말씩 밥을 지어 주도록 한 것은 전적으로 여성 자아의 욕구를 지지한 것이다. 음식을 섭취하는 것은 개별적 존재의 힘을 갖추는 것이다. 또한 음식의 섭취는 일종의 동화(Assimilation)로서 대상이나 모르는 것을 이해하여 의식의 내용으로 만드는 작업이기도 하다. 한 말을 먹고 소화한다는 것은 엄청난 이해력과 수용력을 갖춘 여성 인격이 될 것을 의미한다. 임금이 색시의 심정을 이해하고, 배고픔을 해결하라고 한 것은 본격적으로 여성 인격의 주체를 의식의 장에 전면으로 내세울 수 있게 지지한 것이다. 식사를 제대로 하게 된 색시는 자신의 의향을 밝히면서 활동을 하는 주체가 된다.

(7) 얽음방이 색시는 집 뒤에 향나무 한 그루를 심었다. 그것은 몇 달이 안 되어 하늘

까지 자라났다. 어느 날 이참봉이 며느리 집에 들어서니 갑자기 뇌성벽력이 일어나고 소나기가 퍼붓고, 커다란 구렁이가 나타나 입에서 불을 내뿜었다. 이참봉이 놀라서 물으니 색시는 그것은 노향나무에 의한 것이며, 뇌성벽력은 나무에 바람이 부는 것이고, 구렁이가 불을 내뿜는 것은 나무에 단 붉은 형겊일 뿐이라고 설명하였다.

얽음방이 색시는 독립적인 자신의 공간을 확보하여 그곳에 향 나무 한 그루를 심었다. 색시는 그곳을 모성 신성력이 살아 있는 실제적 공간으로 조성한 것이다. 이제 그곳은 색시의 주도력이 고스란히 발휘될 수 있는 공간이다. 특히 그곳은 향 나무의 향기로 공간 전체를 채울 수 있듯이, 어떤 분위기로서 그녀의 영향력을 발휘할 수 있다. 색시는 실제적으로 그 공간 전체가 하나의 생명 기관이 되어 반응하도록 만들었다. 향 나무를 심어 어떤 마술적 힘이나 영향력이 발휘되게 한 것으로 보아, 색시가 자신의 본능적 저력을 의식의 삶에 적용할 만큼 충분히 힘을 기르고 있음을 나타낸다. 이렇게 본능적 힘이 왕성한 활동력을 갖게 된 것은 색시가 한 끼에 한 말씩 밥을 먹어 욕구 충족이 제대로 되었기 때문일 것이다. 색시의 공간에 자리 잡은 향 나무 한 그루는 상징적으로 세계의 중심에 위치한 세계수에 해당한다. 이것은 개별 인격의 중심에 뿌리를 두고 펼치게 되는 본능적 생명력의 상징이다. 시아버지가 그곳에 나타나자 향 나무는 저절로 반응하여 위협적인 형상으로 변하였다. 본능적인 힘이 외부의 요구에 충분히 반응적이며, 심지어 자기 보호적 장치로서 작동할 수 있다는 것을 보여준다. 이로써 어떤 실제적 어려움이 있을지라도 개별적 인격이 제대로 지켜질 수 있다. 이처럼 얽음방이 색시는 인격의 주체가 되어 어떤 외부 환경의 요구에도 능동적으로 적용할 수 있게 된 것이다. 시아버지의 방문은 실제적으로 초당이 어떻게 기능하는지 드러나게 하였다. 이제 어떤 경우든 부성상 및 집단의식은 여성 인격을 침해하지 못한다. 여성 인격은 독립적으로 자신의 세계관을 펼치면서 살아갈 수 있다.

(8) 신랑은 얽음방이 색시의 집엔 얼씬도 하지 않고 아침부터 저녁까지 공부에 전념

하여 과거 시험에 장원급제를 하였다. 그러자 얽음방이 색시는 친정집에 다녀오겠다고 하였다. 사흘 만에 얽음방이 색시는 아버지를 데리고 돌아왔다. 아버지와 돌아온 색시는 반달같이 아름다운 모습으로 변해 있었다. 마침내 색시는 신랑이 공부에 전념하는 데 방해가 될까 하여 일부러 얼굴을 추하게 하고 있었노라고 고백하였다.

앞서 임금의 충분한 지지가 있은 후이므로, 여성 인격은 보다 더 적극적으로 의식의 주체로서 기능하는 수준으로 발전한다. 신랑이 모든 외부 활동을 차단하고, 심지어 색시와의 관계도 단절한 채 공부를 한 것은 아니무스의 내향적 적용을 위한 준비과정이었다. 드디어 신랑이 장원급제를 하였는데, 이는 여성의 아니무스가 객관적으로 인정되는 것을 의미한다. 객관적으로 아니무스가 인식되는 것이야말로 내향적 적용이 가능해지는 것이다. 이로써 아니무스의 활동은 독자적으로 이루어지며, 여성의 자아의식과 동일시 되지 않는다. 서로 객관적으로 거리를 둘 수 있을 때, 여성 의식은 아니무스의 도움을 받아 적극적 태도를 취할 수 있다. 우선은 자아의식이 삶의 현장에서 다양한 경험을 쌓고, 제대로 기능할 수 있게 물러나 있어야 할 것이다.

민담에서 색시는 비로소 남편이 자신에게 현혹되어 공부를 등한시 할까 봐서 추한모습으로 지냈다고 밝힌다. 색시의 이러한 지혜로운 처방은 개인적인 입장에서 비롯된 것이기보다는, 여성의 조상들이 아득한 시간에서부터 집단 사회에서 함께 하고 있는 남성에게 제공해 왔던 것이다. 이처럼 개별 여성이 남성과 관계하는 방식은 인간 집단의 사회 관습적 제도에서 나오는 것이 아니라, 여성 속에 내재해 있는, 선험적으로 주어진 정신의 기초에서 기인한다. 이런 것이 여성 의식으로 하여금 저절로 알아차리게 하고 실행하도록 만든다. 아니무스의 장원급제는 어떤 식으로든 여성 자아에게 집단의식에 참여할 수 있도록 보증해 준 것에 해당한다. 여성 의식은 아니무스에 힘입어 객관 정신이 제공하는 인간의 보편적 이념을 집단의식에 제공할 수 있게 되는 것이다.

무엇보다 색시가 아름다운 본래의 모습을 회복했다는 데 주목해 보자. 앞서 색시가 추한 모습을 유지한 것은 아직 여성 인격의 의식이 제대로 집단의식의 수준으로까지 이르지 못했기 때문이거나, 의도적으로 그러한 수준을 유지했던 것이다. 이제 아니무스가 여성 자아와 제대로 관계할 수 있는 수준에 이르렀듯이, 여성 자아는 자기 자신에 대한 신뢰가 기본적으로 생겨나고, 스스로 만족하고 자족한 느낌을 갖게 된다. 이런 상태는 스스로 충분히 개인적으로 알아차리게 될 정도의 변화일 것이다. 실제로 한 개인이 인격의 주체로서 자아의식이 충분히 분화되어 안정적으로 자신의 힘과 영향력을 발휘할 수 있게 되면 외형적으로도(신체 외관상) 활짝 피어난다. 사람들은 그런 사람에게 저절로 '훤하다', '아름답다', '보기 좋다'고 한다. 누구나 그 사람이 자기답게 잘 살고 있음을 인정하게 된다. 이에 대해 민담에서는 색시가 더 이상 얽음방이가 아니라, 자신의 본래적 모습을 되찾은 것으로 묘사하였다. 우리는 여기서 여성에서 '자기다움'이 곧 '아름다움'에 해당하는 것임을 알 수 있다. 다시 강조하면, 색시가 '아름답다'고 표현한 것은 여성 인격이 고유한 자신의 모습을 제대로 드러낼 수 있게 되었음을 의미한다.

(9) 신랑은 색시가 아름다운 모습을 되찾았다는 소식을 듣고 색시의 집으로 찾아가서 살펴보니 과연 그러하므로, 문을 열고 들어가 아내에게 그 동안 멸시했던 태도를 용서해 달라고 청하였다. 이후부터 두 사람은 아주 의좋은 부부가 되었다.

색시가 아름다운 모습을 되찾자 자연스럽게 신랑이 색시를 찾아왔다. 그래서 둘은 사이좋은 부부가 되었다. 여성 의식과 나란히 아니무스가 기능할 수 있게 된 것이다. 신랑은 색시에게 그 동안의 태도를 용서해 달라고 청하였다. 이런 태도는 실제 여성 심리에서 보면 자기 자신과의 화해의 태도로서 경험될 수 있다. '아, 나는 오랫동안 나 자신에 대해 잘 몰랐구나', '아, 나는 오랫동안 나를 스스로 인정하지 않았구나' 등을 깨닫게 된다. 자신을 스스로 비난하고, 열등하게 여기거나, 다른 사람들과 비교하면서 스스로 위축되어 있었던 점 등, 그렇게 자신에게 행하던 여러 부적절한 태도를 인식하고, 마음으로 화해를 하는 경우이다. 이전까지 자기 자신을 평가하고 비판하는 인격은 남성 인격일 것이다. 자기 폄하, 자기 비판의 상태를 알아차리고, 자신을 있는 그대로 수용하게 된 것이다. 심지어 그 과정에서 자신의 가치를 새롭게 발견하고, 자신감까지 얻게 된다. 이제 남성 인격은 자기 비판을 하기보다는 여성의 오성 능력을 발전시키도록 돕는다. 이 모든 과정은 여성 인격의 자기 인식과 같은 결과를 가져온다.

각자 자신에게 소홀했던 순간에 취하던 자신의 태도를 살펴보라. 우리는 어느새 자신에 대해 타자의 입장이 되어 바라보고 있다. 이는 자신을 대상으로 삼고 있거나, 심지어 아니무스와 동일시 된 상태로서 평가하고 있는 것이다. 평가하고 바라보고 있는 자신은 오히려 아니무스, 즉 신랑의 입장이 된 것이고, 자아는 주체가 될 수 없는 추한 모습의 객체가 되고 만다. 추하다고 여겨졌던 것은 어쩌면 자기 자신을 대상으로 여기고 있는 불편하고도 부적절한 상태를 반영하는 것이리라. 아름다운 모습을 되찾게 된 것은 여성 자아가 자신의 주체적 관점을 회복한 것을 의미할 수 있다. 신랑을 용서한 색시의 입장이 되는 것은, 오히려 여성 의식의 중심에서 아니무스를 객관적으로 경험할 수 있음을 의미한다. 여성 인격의 주체로서 아니무스를 인식하는 것이야말로 진정한 관계를 맺는 것이다.

(10) 부부의 이야기가 멀리 퍼져 중국 황제에게 알려졌다. 황제는 색시의 특별함에 대해 불쾌하게 여겨 중국 제일가는 힘 세고 지혜가 많은 여장군을 불러 색시를 죽이도록 명령하였다.

색시 이야기가 멀리 퍼져 이웃 중국에 알려졌다. 이것은 무엇을 의미하는가? 색시의 힘과 영향력이 그만큼 막강함을 의미하는가? 앞서 신랑의 아버지 이참봉과 임금은 매우 우호적으로 작용하는 집단의식의 주도 세력이었다. 또한 이참봉과 임금은 색시가 주체로서 자리를 잡자 배경으로 물러났다. 여성 주인공의 개별 인격적 특성이 분명해지자, 멀리서 중국 황제의 힘이 관여한다. 황제는 집단의식 전체를 관리하는 가장 상위의 남성 인물상에 해당한다. 황제는 실제적으로 외부에서 작용하고 있는 집단의식의 이념적 실체일 것이다. 이것은 여성이 개인적인 삶을 살아가면서 경험할 수 있는 실제적 외압과도 같은 것이다. 현대 사회는 어떤 식이든 여성에게 외부에서 어떤 힘을 가하는 남성적 제도적 장치가 주도한다. 우리는 이를 이미 여러 측면에서 부성상으로 간주한 적이 있다. 이런 외압의 중심을 민담에서는 중국 황제로 묘사하고 있다.

흥미롭게도 황제는 색시를 제거하기 위하여 여장군을 보냈다. 이것은 새롭게 부상한 여성 인격의 사회적 참여를 막거나, 그의 영향력을 억압하려는 것처럼 보인다. 여장군이 색시 앞에 나타난 것은 여성 의식이 실제 삶의 현장에 참여하면서 생기는 여러 갈등적 상황에 해당할 수 있다. 사회적으로 이미 여성에게 기대하고 있는 것, 요구하고 있는 것과의 대결 같은 것이다. 이때 여장군은 사회 문화적 요구에 가장 잘 부응하고 있는 여성의 전형에 해당한다. 바야흐로 색시를 제거하러 온 여장군에 의하여 색시의 개인성이 집단의식에서 실제적인 평가를 받을 수 있는 계기가 된다. 소설 ≪박씨 부인전≫에서는 여장군이 한국 기생으로 신분을 속이고 신랑에게 접근하는데, 이를 알아차린 박씨 부인이 그녀를 대접하는 척하면서 힘겨루기를 하였다. 분석심리학적으로 여장군은 색시의 그림자에 해당할 것이다. 강제적으로 갈등 구도를 만들어서 다양한 방식으로 여성 자아의 개별적 특성을 시험하는 것이다.

황제가 보낸 여장군이 신랑에게 접근하고, 신랑이 여장군을 끌어들임으로써 저절로 색시와 삼각관계가 되었다. 신랑은 여성의 아니무스로서 어떤 경우든 매개적 역할을 한다. 주로 삼각관계에서는 여성 의식의 그림자를 끌어들인다. 여기서 그림자인 여장군은 중국 황제가 보냈듯이 여성 의식의 주체가 된 색시에게 집단의식에서 통용되고 있는 여성의 특성을 제시한다. 색시는 여장군과의 힘겨루기에서 사회적으로 통용되는 여성적 특성을 경험할 기회를 갖게 된다. 이로써 여성 의식은 또 다른 여성적 특성을 통합하고, 의식화 하게 된다.[187]

(11) 색시는 이를 미리 알고서 몸종에게 독주와 약주를 담게 하고, 여장군이 왔을 때 극진히 대접하는 체하면서 여장군에게 독주를 주고 자신은 약주를 마셨다. 여장군이 술에 취해 잠이 들었으나 눈을 부릅뜨고 자고 있었다. 색시가 여장군의 품에서

비수를 꺼내자, 그 비수는 갑자기 제비가 되어 날아오르더니, 색시를 향해 목을 노리며 내려왔다. 색시가 요술로 그 비수를 막아내었고, 소리를 질러 여장군을 깨웠다. 여장군은 아무나 손에 쥘 수 없는 비수가 이미 색시의 손에 넘어간 것을 알고 놀랐다. 마침내 여장군은 자신이 색시를 해치려 했음을 자백하고 용서를 구하였다.

색시는 자신을 해치고자 하는 여장군을 집으로 불러들여 상황을 통제할 수 있는 유력한 입장을 취한다. 이는 색시가 주도하면서 사건을 겪을 수 있을 정도로 분화된 의식의 수준을 보여준다. 색시는 이미 상대의 의도를 잘 알고 있었다. 색시는 하위의 무의식과 연결되어 있어서 현상이 어떻게 드러나고, 무엇을 목적으로 하는지 직관적으로 알아차릴 수 있는 것이다. 색시는 자신의 영향력을 제대로 발휘할 수 있기 때문에 전체 상황을 필요에 따라 자유롭게 조정하게 된다. 그래서 색시는 여장군을 맞아 독주를 마시게 하였고, 여장군의 품에서 자신을 해칠 칼(비수)을 제거할 수 있었다.

칼로 무장되어 있는 여장군의 모습은 여성이 집단 사회의 일원이 되어, 사회적 역할을 함으로써 남성처럼 무장된 것을 나타낸다. 칼을 품고 있듯이 합리적, 이성적 도구를 사용하도록 학습되어진 상태를 의미한다. 만약 부엌과 같은 장소라면, 칼은 요리와 같이 여성 고유의 창조적 생산을 위한 도구가 될 것이다. 하지만 칼이 남성처럼 투쟁하는 데 적용된다면, 자신도 모르게 지성의 힘으로 평가하고 비판하는 태도를 갖게 된다. 그것은 비판적 도구로서 사용되어 자신과 타인을 상처 입히게 된다. 여장군처럼 자신을 위하여 사는 것이 아니라 자신도 모르게 위기의 상황에 내몰리도록 이용당한다. 무엇보다 집단의식의 시선으로 보고 있기 때문에 자신은 물론이고, 주변의 여성들까지 폄하하는 상태이다. 사실상 남성이 여성을 부정적으로 대하는 내용보다 여성이 이웃의 여성들에게 잘못 처신하는 경우가 더 많다. 자면서도

---

187 앞서 다루었듯이 아니무스가 다른 여성과 관계하는 삼각관계는 언제나 여성적 특성, 여성 요소를 더 풍부하게 만들기 위함이다. 이로써 오히려 그 관계에서 여성 자아는 아니무스에 사로잡히지 않을 수 있다.

한 눈을 뜨고 자는 여장군의 태도를 보면 사회적 인격이 되기 위해 심하게 각성되고, 긴장하여 마음껏 쉼을 누리지 못했던 것을 그대로 보여주고 있다.

색시는 이 모든 상황을 감수하고, 지혜롭게 조정하는 힘을 발휘한다. 색시는 무장 상태를 해결하려고 여장군에게 술을 먹여 잠들게 하였다. 그리고 여장군이 가슴에 품었던 칼을 제거하려 했다. 비수를 여장군의 품에서 빼내자, 그것은 새가 되어 날아올랐다. 비수의 또 다른 모습은 제비인 것이다.[188] 제비는 모성신 상징의 하나이다. 이집트의 《이시스-오시리스》 신화에서 이시스는 티폰에 의해 나일강에 버려진 오시리스의 관을 찾아 나선다. 이시스는 오시리스의 관이 떠내려가다가 비블로스 지역에서 멈춰 나무와 함께 자라나 큰 나무처럼 되었는데, 그것이 나중에 왕궁의 기둥이 된 것을 알게 되었다. 그 관을 되찾으려 왕궁으로 찾아갔고, 왕자의 유모가 되어 지내고 있었다. 유모가 밤마다 왕자를 불 위에 올려놓는다는 소문이 돌자, 왕비는 몰래 유모가 왕자를 돌보는 장면을 엿보다가 놀라고 말았다. 왕자는 불 위에 올려져 있고 이시스가 제비가 되어 방안을 날고 있었던 것이다. 이시스는 어린 왕자를 불사의 존재로 만들기 위해 불 위에 올려놓고 어떤 비의적 처치를 하고 있었던 것이다. 제비는 불사의 존재로 만들 수 있는 모성신 이시스의 또 다른 모습이었다. 제비는 동양에서도 현조(玄鳥)의 하나로 음(陰), 어두움, 근원적 모성성의 상징이다. 어쩌면 원래 제비였던 것이 칼이 되었던가? 제비와 같은 새의 상징성은 모성적 특성이 여성에게서 일종의 직관력 등으로 작용할 수 있음을 의미한다. 전체를 둘러싸는 모성적 수용력은 여러 부분들이 궁극적으로 어떻게 서로 연결되는지를 포착할 수 있는, 직관적 인식 능력처럼 된다. 모성에 뿌리를 둔 여성의 이러한 직관 능력이 특정의 이유로 방어나 공격을 위한 정신 활동이 되었던 것이다. 때로는 그것은 봄을 알리는 제비의 특성처럼 문득 창의적인 발상이 생겨나 기존의 사고 활동으로는 결코 발견할 수 없는 새로운 인식에 이르게 할 수도 있다. 이런 직관적 창조적 정신 활동이 외압적 요구에 적용되면서 오히려 투쟁적 도구로서 전락하고 말았던 것이다.

색시가 검을 회수하자 원래의 모습인 제비로 돌아왔으나 여전히 위협적 영향력을 갖고 색시를 공격하였다. 색시가 주문으로 그것을 막아 내고서야 파괴적 영향력이 사라졌다. 이때의 주문은 여성의 정신 원리에 따르도록 이끄는 처방이다. 여성의 로고스는 내재적 원리에 따르는 것인데, 외향적으로 적용되면 파괴적인 영향력을 갖는 정신 활동이 된다. 색시는 주문을 읊조리면서 내면의 리듬에 따를 수 있도록 만들었다. 말하자면 색시는 자신의 본능적 저력에 힘입어 중심을 잡고 외향적으로 적용된 정신 활동을 바로잡았던 것이다. 색시는 여장군의 가슴에서 날카로운 비판적 도구를 빼냄으로써 온갖 사회적 요구에 의해 유린되었던 상태에서 벗어나게 하였다. 그렇게 색시가 자유롭게 되도록 도와주자 여장군은 원래의 모습으로 되돌아왔다.

(12) 색시는 여장군에게 중국으로 돌아가서 황제로서 여성을 해하고자 하는 것이 올바르지 않음을 전하도록 하였다. 중국의 황제는 화가 나서 이번에는 재주 있고 힘센 형제 장군을 수만 명의 군사와 함께 보내어 색시를 해치고자 하였다.

여성이 집단의식에 적응을 넘어서 순응하게 되면 저절로 남성화 되고, 남성 원리의 하수인이 된다는 사실을 황제가 보낸 여장군에서 확인할 수 있다. 색시는 여장군을 극복했던 것처럼, 사회적 요구에서 비롯된 여성상과의 갈등에서 결코 흔들리지 않는 여성 인격의 주체라는 인식을 분명히 한다. 심지어 황제에게 여성 요소를 억압하지 말도록 알리려 했다. 색시가 여장군을 통해 황제에게 말을 전하도록 시키는 것은 여장군이 오히려 여성 인격을 대변할 수 있게 만든 것이다. 이처럼 색시는 집단의식의 수준에 상응하는 자신의 고유한 목소리를 낼 수 있는 것이다. 그럼에도 황제는 이번에는 남성적 힘을 동원하여 직접 통제적 영향력을 행사하려는 태도를 보였다. 형제 장군과 수만 명의 군사의 등장은 정치적, 사회 문화적 집단의식이 얼마나 남성적으로 활성화 되어 있는지를 나타낸다. 형제 장군 또한 여성들이 실제적으로 집단 사회에서 경험하는 외압의 특성이 될 것이다. 두 명의 장수는 실제적 압력의

---

188 소설 ≪박씨 부인전≫에서 그 단검을 비연도(날아다니는 제비 칼)라고 묘사하고 있다.

가중됨을 나타내며, 수만 명의 군사는 그것의 집단적 특성을 의미한다. 이로써 집단 사회의 환경이 여성들에게 얼마나 불리한 여건으로 작용하고 있는지 보여주고 있다. 여성이라면 누구나, 집단의 삶을 살아가려면 어쩔 수 없이 이러한 위협에 시달리게 된다고 할 것이다. 현대 사회에서 이는 공공연한 사실이다. 인간의 의식적 삶은 사회 문화적으로 계속 진보할 수밖에 없다. 그 과정은 언제나 본능적인 것, 모성적인 것, 여성적인 것을 억압하고 문화적인 것, 남성적인 것, 정신적인 것을 강조하며 변화해 가는 것이다. 색시의 집으로 장수들이 쳐들어오는 것은, 집단 사회적 요구가 개별 여성의 삶에 엄청난 압력과 폭력적 영향력으로 작용할 수 있음을 의미한다. 이것은 주로 강력한 사회 문화적 지배원리의 일방적 요구로서 주어지므로, 여성 인격은 매 순간 위기에 처할 수 있는 것이다.

(13) 먼저 형 장수가 색시의 집 앞마당에 나타나서 색시를 죽이겠다고 위협하였다. 색시는 몸종에게 비수를 주면서 형 장수를 없애고 오라고 하였다. 몸종은 무서워 떨었으나 색시가 시키는 대로 형 장수에게 맞섰다. 형 장수가 검으로 몸종을 내리치려 했으나 몸이 굳어 검을 들지 못하자, 몸종이 비수를 들고 형 장수의 목을 베었다. 그것을 향 나무의 맨 위 가지에 걸어 놓았다.

황제가 보낸 형제 장수가 나타나서 색시를 위협하게 되자, 색시도 몸종을 보내어 그들을 상대한다. 앞서 여장군을 상대한 색시는 이미 다른 특성의 여성적 측면을 통합한 상태이다. 말하자면 여장군과 같은 집단의식에 적응 및 순응된 여성 인물의 특징을 수용하여 보다 더 폭넓은 처리 능력을 발휘할 수 있게 된 것이다. 이제 몸종을 내세워서 남성 인물상들을 처리하려 한다. 몸종으로 내세워진 여성 인물상은 보다 더 실제적이고 현실적인 해결 능력을 갖춘 여성 주인공의 또 다른 모습이다. 싸움이 있게 된 장소는 역시 색시의 공간이다. 이곳에 장수가 침범한 것은 여성 의식을 위협하는 실제적인 낯선 힘이 된다. 색시는 몸종을 내세워 방어하는데, 그 공간 자체가 여성 인격을 지키는 힘으로 작동한다. 형 장수가 머리를 잃고 마는 것은 어쩌면 당연할 것이다. 여성 인격은 본성의 보호 장치 안에 안전하게 머물러 있기에 남성적 외압은 전혀 작용할 수 없다. 이곳은 모성적 신성력이 살아 있는 여성 인격의 전체이기 때문이다. 이곳에 머무는 한, 여성의 권위와 위력은 언제나 보증될 수 있는 것이다. 이곳은 인격의 중심이 의식의 활동 전체를 관장할 수 있어서 외부의 어떠한 요구나 압박에도 흔들림이 없이 온전하게 자신을 지킬 수 있다.

몸종은 색시가 지시한 대로 형 장수의 목을 베어 향 나무에 걸어 두었다. 장수의 목을 벤 것은 위협적으로 강조된 남성 요소를 제거한 것에 해당한다. 특히 여성에게 가장 치명적으로 위협이 되는 것은 지성을 강조하는 정신 원리인데, 이를 제압하고 제거한 것이다. 나무에 목을 걸어 두거나 시체를 걸어 두는 행위는 생명의 나무에 봉헌하고, 근원으로 되돌리는 일종의 의례적 행위이다. 죽은 사람을 나무에 걸어서 자연스럽게 자연으로 되돌리는 장례를 생각해 보라. 심지어 나무에 걸린 목이나 시체는 열매와 같은 가치를 갖는다. 원래 인간의 지성과 이성은 자연(본성)의 생명력을 바탕으로 의식에서 실현되는 정신의 열매여야 하는 것이다. 이미 살펴보았듯이 초당의 향 나무는 일종의 세계수에 해당한다. 세계수는 언제나 생명력을 보유하고, 창조적인 인간의 삶이 풍요롭게 펼쳐져 의식의 삶에서 열매와 같은 실현의 결실을 맺도록 지지한다. 결국 색시의 대처는 일방적으로 강조되었던 남성 요소를 제거하여 균형을 이루도록 근원으로 소환을 한 것이다.

여기서 색시가 직접 나서기보다 몸종을 내세웠다는 점을 좀 더 주목해 볼 필요가 있다. 몸종은 삶의 현장에 직접 참여하는 색시의 한 측면이다. 색시는 여성의 활동을 둘로 나누어서 분담하여 처리하고 있다. 한편으로는 직관적으로 알아차리고 전체적으로 조정하는 보다 상위의 정신 활동을 하는 경우와, 또 다른 한편으로는 현장에서 융통성 있게 기능하는 실천적 활동으로 구분한 것이다. 이러한 태도는 여성이 사회적인 참여를 하더라도 완전히 순응하지 않고 현명하게 자신의 입장을 지킬 수 있는 분별력을 갖추는 상태를 의미한다. 이로써 고도의 분화된 여성 의식의 수준을 유지하는 것이다.

(14) 아우 장수는 형의 목이 향 나무에 걸린 것을 보고 화가 나서 수만 명의 군사를 이끌고 색시의 집으로 쳐들어 왔다. 그러자 향 나무에서 갑자기 바람이 불기 시작하더니 뇌성벽력이 치고 소나기가 퍼부어 큰 홍수가 생겨났다. 군사들이 물에 빠져 허우적거릴 때 커다란 용이 나타나 찬바람을 불어넣자 홍수처럼 넘쳐나던 물이 차갑게 얼어붙었다. 아우 장수와 군사들은 모두 얼어 죽고 말았다.

　여기서 다시 한 번 색시의 집이 어떤 곳인지 알 수 있다. 초당의 향 나무는 인격의 중심으로서 자연(본성)의 생명력을 실질적으로 드러낼 수 있는 상징이다. 색시는 모든 자연의 힘, 즉 바람과 비, 천둥 등을 사용하여 아우 장수와 군사들을 처치하였다. 이것은 여성 인격이 모성–본능에서 제공하는 신성력을 삶의 위기의 순간에 적극적으로 활용할 수 있다는 것을 의미한다. 특히 다시 아우 장수와 군사들이 복수를 위해 쳐들어 온 것은, 이미 다루었듯이 집단의식에서 강요하는 집단적 힘이 한 번이 아니라 여러 번 혹은 매 순간 여성의 개별 인격에 계속 위협적으로 작용할 수 있음을 나타낸다. 이를 방어할 수 있는 힘은 오로지 여성 인격의 기초를 이루는 건강한 본성의 힘, 흔들리지 않는 본능적 저력이다. 색시의 공간에 군사들이 들어오자, 뇌성벽력이 치고 소나기가 내려서 홍수가 나게 한 다음, 물에 잠긴 군사들에게 매서운 찬바람을 불어넣어 얼어 죽게 만들었다. 이와 같은 내용은 여성이 자연 본성의 힘을 어떻게 사용할 수 있는지 구체적으로 보여준 것이다. 여성이 끌어들이는 힘은 '오뉴월에도 찬 서리를 내리게 한다'는 말처럼 기상 변화로 상징화 된다. 이는 여성의 분화된 정서 반응을 나타내는 표현이다. 여성의 감정 반응은 모성 본능에 기초하고 있어서 경우에 따라서는 강렬한 정서 반응으로 작용할 수 있다. 강한 정서 반응이 되면 주변을 전염시키는 강력한 힘을 갖게 되어서, 전체 의식 수준을 끌어올리거나 낮출 수 있다. 민담에서도 강력한 정서 반응으로 일방적으로 강조된 집단적 남성 요소의 역동을 잠재운 것이다. 말하자면 과도하게 활성화 되어 폭력적으로 변해 버린 집단의식의 요구를 잘 분화된 정서 반응으로 재조정한 것이다.

　소설 ≪박씨 부인전≫에서는 오랑캐 장군 용울대(아우)가 우의정의 집이었던 박씨 부인의 피화당에 쳐들어 왔으나 몸종 계화에 의해 목이 잘리고 말았다. 이에 오랑캐 장군 용골대(형)가 아우의 원수를 갚으려고 군사들을 이끌고 박씨 부인의 피화당에 쳐들어 왔다.[189] 하지만 집안으로 들어갈 수 없게 천둥 번개가 내리쳤고, 할 수 없이 집에 불을 질러 없애려 했으나 성공할 수 없었다. 박씨 부인은 피화당에서 다른 사람들과 함께 머물면서 무사히 어려움을 극복하였다. 하지만 오랑캐 장수는 당시의 조선의 임금과 조정을 위협하여 굴욕적인 강화 조약을 맺고 왕비와 왕세자, 그리고 부인들을 볼모로 데리고 가려 했다. 박씨 부인이 주문을 외워 비와 눈, 우박이 쏟아져서 얼어붙게 하자 오랑캐 장군들은 박씨 부인에게 사죄를 하였다. 박씨 부인은 왕비는 두고 세자만 모셔 가도록 합의를 한 후 그들을 돌려보내면서, 돌아가는 길에 임경업 장군을 만나고 가도록 하였다. 이미 조약에 의해 싸우지 않기로 약속한 터라 임경업 장군은 그들을 그대로 놓아주어야 했다고 한다.

소설 ≪박씨 부인전≫에서는 역사적 사실을 매우 구체적으로 반영하고 있으며, 박씨 부인을 실제 역사적 인물만큼이나 생생하게 그리고 있다. 박씨 부인의 남편 이시백은 우의정으로 나라가 위태로워져서 왕이 남한산성으로 거처를 옮길 때 오랑캐를 물리쳤다고 묘사한다. 당시의 장군은 임경업으로 등장한다. 어쩌면 박씨 부인의 아니무스는 이시백과 임경업 등으로 간주될 수 있을 것이다. 하지만 역사적 인물로 그려짐으로써 그들에게서 아니무스적인 특징을 고려하기는 어려울 듯하다. 우리는 여기서 민담과 소설의 차이를 다시 한 번 확인할 수 있다. 소설은 역사적 인물을 활용함으로써, 민담의 인물상들이 보여주는 전형적인 심상의 상징적 특성이 배제된다. 민담의 인물상들은 역사적 인물과 결코 바꿀 수 없는 원형적 특성이 반영되어 있다. 그래서 민담에서 색시의 신랑이 나라를 구하는 역할을 하지 않듯이, 아니무스는 나라를 구하거나 왕위를 물려받는 남성 영웅의 역할로서 나타나지 않는다. 색시도 자

---

189 소설 ≪박씨 부인전≫에서는 아우 용울대가 먼저 박씨 부인의 피화당에 찾아왔고, 나중에 죽은 아우를 복수하러 형 용골대가 쳐들어 온다. 그러나 민담 ≪요술 쓰는 색시≫에서는 형이 먼저 색시의 집을 찾았고, 나중에 아우가 쳐들어 온다.

신의 집에 침입해 온 장군을 처치했지만, 나라를 구하는 일은 하지 않았다. 오히려 직접 나서는 것이 아니라 항상 자신의 위치에서 여성으로서 어떤 정당한 목소리를 내어야 하는지 알고 있는 것이다. 여성이 진정한 자기 인식의 주체가 되면, 사회적으로도 어떠한 역할을 해야 하는지 잘 알 수 있다. 여성의 아니무스는 남성의 사회적 입장과 역할로서 완전히 완수되지 못한 부분들을 보충 및 보완한다. 그것은 여성 의식의 힘을 통하여 간접적으로 반영되기 때문에 남성 인격의 직접적 사회적 참여 방식과는 다르다. 이상에서 살펴보았듯이, 색시는 중국에서 온 두 장군 형제를 성공적으로 극복하였다. 이러한 성공적 해결은 모두 개별 인격의 실체인 초당에서 이루어진다. 여기서 초당은 모성 자연 및 신성력이 살아 있는 장소이자, 동시에 개인 인격의 뿌리이며, 전(全)인격적 실현의 상징, 즉 '자기(Selbst)'의 상징이다. 그것은 외부의 어떤 힘에 의해서도 영향을 받지 않고, 삶의 순간순간을 온전하게 체득할 수 있는 실제적인 여성 인격의 전체성을 나타낸다.

맺는 말

소설 ≪박씨 부인전≫의 마지막에는 다음과 같은 간추린 구절이 있다.

박씨 부인이 시집올 때 추한 모습을 지녔던 것은 자신의 재주와 지혜보다는 겉모습에 유혹되는 사람이 있을까 걱정한 까닭이며, 나중에 미인으로 변한 것은 부부 사이에 화목하게 지내고자 함이었습니다. 피화당을 만들고 나무를 심은 것은 나중에 오랑캐를 방어하고자 함이었고, 오랑캐들이 왕비를 데려가지 못하게 한 것은 나쁜 일이 생기는 것을 미리 막고자 함이었습니다. 그러나 왕세자를 데리고 가도록 허락한 것은 하늘의 뜻에 순종하기 위함이었고, 오랑캐들로 하여금 의주를 거쳐 임경업을 만나도록 한 것은 영웅의 분한 마음을 풀게 하고자 함이었습니다.[190]

한국 민담의 여성상

우리는 민담에 등장하는 모든 인물상들을 주관 단계적으로 해석함으로써, 대부분 내면 세계와 관계하려는 성향이나 내면 세계에 속하는 원형적 특성으로 이해할 수 있었다. 이런 주관 단계의 해석에는 사회 문화적으로 적응하느라 외향화 된 자아의식의 일방적인 태도를 재고하면서, 내면 세계 및 본능적 세계와 조화로운 관계를 맺도록 하는 내용이 저절로 강조된다. 그래서 지금까지의 민담 해석에서 여성의 실질적인 사회 참여의 부분을 충분히 논의하지 못했다. 우리는 ≪요술 쓰는 색시≫ 혹은 소설 ≪박씨 부인전≫에서 여성의 사회적 참여에 대하여 다시 한 번 생각해 보게 된다. 민담에서 여성의 사회적 참여는 남성들과 나란히 직접적인 힘겨루기, 경쟁적 성취 등을 하는 것이 아님을 보여준다. 여성은 사회적 참여가 있기 전에 먼저 개별 인격의 확고한 중심잡기가 필요함을 알 수 있다. 여성 개인이 확고하게 인격의 중심에 뿌리를 두고 있다면 여성 고유의 역할은 저절로 정해진다. 이 경우 집단 사회의 제도는 여성의 참여를 억압하지 않을 것이다. 이는 민담에서 색시가 수놓은 조복을 입고 대궐로 간 이참봉의 모습에서 잘 드러난다. 여성의 사회적 참여는 사회 문화적 현장에서 전면적으로 자신을 부각하기보다는 남성 인물들이 자신의 역할을 완수할 수 있게 지지하고 돕는 것이다. 그래서 여성의 힘과 권위는 직접 자신을 드러내고, 전면적으로 주장하여 실현하는 것이 아니라, 자신에게 주어진 삶의 모든 순간들에서 성실하게 임할 때 완수된다. 그것은 대부분 환경이나 조건을 수용하는 힘으로 작용한다. 남성은 바로 그런 여성의 지지와 사랑의 힘에 힘입어 자신의 책임과 역할을 완수할 수 있다.

여성의 지지와 사랑은 지극히 개인적인 의미를 발휘하는 듯 보인다. 그것은 주로 딸로서, 누이로서, 아내로서, 어머니로서 발휘될 것이다. 그러나 여성 의식의 기초가 되는 모성 신성은 언제나 개인성을 넘어 집단적 가치를 환기시키는 원동력이 된다. 다르게 표현하면, 여성은 모성 신성에 뿌리를 두고 있어서 자신도 모르게 모성

---

190 주재우 지음(2007), 『박씨 부인전』, 145쪽.

의 사랑을 실천하게 된다. 딸로서, 누이로서, 어머니로서 개인성을 능가하는 수용력으로 주변을 돌보는 것이다. 이런 여성의 전폭적인 사랑과 지지를 받은 사람은 저절로 개인적 가치를 넘어 집단의 보편적 가치와 이념을 실현하는 역할을 할 수 있는 인물이 된다. 여성의 사랑은 모두 여성 인격 안에 내재한 모성 신성의 영향력이기 때문이다.

여성 아니무스의 역할에서도 여성 고유의 특성이 그대로 드러난다. 여성의 아니무스는 지성적으로 처리한 사고 내용을 외부에 강조하여 제시하기보다는, 오히려 주변 상황과의 관계에서 즉흥적이고 직관적으로 알아차리게 되는 창의적 응용력으로 빛을 발하게 된다. 그것은 가정의 울타리를 벗어나지 않는 듯하지만, 조용히 저류로서 가장 인간성에 부합하는, 보편적 진리만큼이나 설득력 있게 전달될 수 있는 것들이다. 색시의 초당은 여성 인격의 독립성을 보증하는 본능적 저력이자, 삶의 모든 필요를 해결해 줄 수 있는 여성 신성의 공간 상징이다. 그래서 그곳 자체가 여성 인격의 전체성의 상징이 된다. 이 집의 주인으로서 여성 인격은 외부 세계뿐 아니라, 내면 세계와 소통하면서 조화롭고도 지혜롭게 의식의 삶을 펼쳐 내게 될 것이다.

민담에서 여성 주인공의 아름다움은 여성 스스로 자신을 제대로 인식하고, 자신의 고유한 개별적 가치를 발견하게 될 때 드러난다는 사실을 알 수 있었다. 또한 그것은 아니무스와의 관계에서도 그대로 반영된다. 여성이 아름다움을 획득할 때 내면의 파트너를 만날 수 있다는 사실은 진정한 주체로서 관계할 수 있기 때문이다. 색시가 아름다움을 되찾은 것은 여성 신성의 회복에 해당한다. 여성의 신성력은 개인적 재능이 아니라, 모성 원형에 뿌리를 둔 것이다. 그것은 개인성을 넘어 보편적 가치로서 드러난다. 이런 의미에서 색시가 보여준 특별한 능력은 여성 모두에게서 실현될 수 있는 고귀한 보편적 이념에 해당한다.

한국 민담의 여성상

제10장
•
여성의 사랑

《춘향전》[191]

   민담에서 다루는 남녀의 문제는 여러 번 강조되었듯이, 실제 남녀의 관계가 아니라, 여성 의식과 아니무스, 혹은 남성 의식과 아니마의 관계로 간주된다. 오히려 실제 외부 현실의 남녀 관계는 여성의 아니무스나 남성의 아니마가 이성의 파트너에게 투사되어, 서로 어떤 영향력을 발휘하는 상태라고 할 수 있다. 기본적으로 여성은 남성의 아니마 투사에 의해 자신도 모르게 전형적 여성 역할을 강요당하고, 남성은 여성의 아니무스 투사에 의해 무의식적으로 전형적 남성 역할을 강요당한다. 또한 우리의 내면에는 이미 선험적으로 여성으로서, 남성으로서 어떻게 해야 하는지가 각인되어 있기도 하다. 이로써 인간 집단은 여전히 여성성과 남성성의 특성을 제각기 유지하고 있다.

   현대 집단의 삶은 사회적 역할 및 기능의 측면만 강조하기 때문에 남녀 관계를 어

---

191 여기서 다루어진 《춘향전》은 저자가 2016년 일본 교토에서 열린 국제 융학파 정신분석가협회(IAAP) 학술대회에서 기조 강연으로 발표했던 원고를 수정 보완한 것이다. 기조 강연 영어 발표문은 분석심리학연구소 홈페이지 e-book에서 참고할 수 있다.

렵게 만든다. 개별의 역할과 기능의 강조는 남녀의 구분을 사실상 부정하는 것이다. 또한 각 개인은 이미 역할과 기능이 강조된 페르조나(Persona)가 됨으로써 더욱 심각한 문제를 야기하고 있다. 왜냐하면 남녀의 관계의 어려움을 논하기 이전에 이미 자기 자신에 대한 근본적인 오해가 있기 때문이다. 자신을 전적으로 사회적 존재로 착각함으로써, 즉 자기 인식의 부재로 인하여 인간 관계를 제대로 맺을 수 없다. 자아의식은 진정한 객체를 알아볼 주체가 아니기 때문이다. 이 경우에 무의식적 내용은 외부에 투사되는데, 아니마, 아니무스도 예외는 아니다. 그래서 현대인의 아니마, 아니무스의 투사는 실제의 남녀 관계뿐 아니라 인간 관계 전체를 방해하는 요인이 되고 있다. 심지어 현대인의 아니마, 아니무스는 개개인의 심리적 성(性) 전환을 가져올 정도로 자아의식에 도착되어 있다. 이런 심리적 성 전환은 내면 세계의 인식 부족에서 비롯된 것이고, 또한 일방적으로 된 의식의 태도에 대한 무의식의 보상 작용에서 기인한다.[192] 이런 심혼의 분열은 자기 자신과 연결되어 있지 않기 때문에, 동일시와 투사로 인간 관계에서 지나치게 서로 가깝게 만들거나, 지나치게 멀게 만들고 만다. **융**은 현대 사회에서 심혼의 문제 때문에, 이혼 사례가 급증하고 있다고 하였다.[193] 심혼적 혼란 때문에 남녀 사랑의 문제가 본질적으로 제기되기 때문이다.

무엇보다 현대인의 심혼의 문제에서 실제적 희생자는 여성이다. 인간 의식의 분화 발전은 정신이 점차 지성화 및 남성화가 되는 과정이라 할 수 있다. 남성이 유력하게 활동하게 되는 가부장적 제도의 정착은 결코 우연히 생겨난 것이 아니다. 개별적으로든 집단적으로든 인간이 본능적 상태를 극복하고, 집단 사회의 조직화, 체계화를 이룩한 것은 일종의 남성화의 경향에 해당한다. 이런 남성화 된 제도권에서 성장하는 남성은 적어도 남성 심리학적으로 혼란을 일으키지는 않을 것이다.[194] 이에 반하여 그런 제도권 하에 있는 여성은 매우 혼란스러운 상태에 이른다. 집단 사회에서 여성성을 열등한 것으로 간주하여 억압하고, 남성의 의식 수준에 이르도록 요구하기 때문이다. 그래서 여성은 자신도 모르게 남성 인격 발달사를 함으로써 남성과 동등한 자격과 역할을 획득하게 된다. 이로써 여성은 자신도 모르게 자신의 여성성의 뿌리를 상실하고 만다. 남성과 여성 모두 어머니에게서 태어나듯이, 개별 인격은 모두 모성-본능에 기초한다. 남성의 경우는 모성성을 극복함으로써 상대적으로 남성성을 획득해야 하기 때문에 모성 본능에서 멀어지는 현대 사회적 상황이 그리 치명적이지 않다. 그러나 여성의 경우 모성 본능을 상실하고, 역할과 기능이 강조된 인격을 전면에 내세우게 된다면, 여성 자신의 개별 인격적 가치가 전적으로 무의식적이 되어 버린다. 현대 사회에서 여성이 교육을 받아 직업을 갖고, 결혼하여 가정을 꾸리고 아내와 어머니로서 살아가게 되더라도, 그런 생활은 더 이상 여성의 모성 본능에서 비롯된 것이 아닐 수 있다. 이런 의미에서 현대 사회의 여성은 대부분 일생동안 자신이 누구인지 모르면서 살아갈 수 있다. 자연히 현대의 여성들은 결혼 및 출산을 주저하게 된다. 또한 역할과 기능에 동일시 된 상태에서는 자신의 몸과 불일치를 경험하게 된다. 심한 섭식 장애, 자궁 근종과 같은 여성 생식기의 문제, 갑상선 항진증과 같은 호르몬 질환 등이 증가한다. 모성 본능은 바로 인간의 신체적 영역에 상응하는데, 이것이 주요 문제로 부각되는 것이다.

여러 번 강조되었듯이, 현대의 여성은 자신도 모르게 남성 인격을 활용하는 삶을 살고 있기 때문에 정체성의 혼란이 생겨난다. 이는 사춘기까지 크게 문제되지 않지

---

192 C.G. Jung(1928), "Die Beziehungen zwischen dem Ich und dem Unbewußten", G.W. Bd. 7, Par. 337.

193 C.G. Jung(1935/54), "Über die Archetypen des Kollektiven Unbewußten", G.W. Bd. 9/I, Par. 61.
"… 아니마(혹은 아니무스)는 대부분 투사를 통해서 정신 영역의 밖에 머물러 있기 때문에, 말하자면 단 한 번도 이전에 인간의 소유물이었던 적이 없는 심리적 사실임을 우리는 결코 잊어서는 안 된다. 아들의 아니마는 어머니의 압도적인 위력 속에 숨어 있다. 그것은 흔히 감상적 유대감을 평생 갖도록 하여 남자의 운명을 심각하게 침해하거나 대담한 행동을 하도록 그의 용기를 고무시켜 준다. 고대 그리스, 로마인에게 아니마는 여신 또는 마녀로 나타났다. 이에 반하여 중세 사람들에게는 여신이 성모 마리아나 어머니인 교회로 대체되었다. (…) 유럽 여러 곳의 이혼율은 미국을 능가하지는 않지만 이에 버금갈 정도가 되었다. 이것은 아니마가 주로 이성에 투사되어 있음으로써 관계가 복잡해지고 알 수 없게 되어 있음을 증명하는 것이다. 이 사실은 그 병적인 결과로 인해 현대 심리학이 생겨나는 데 적지 않게 기여했다. 프로이트식의 현대 심리학은 모든 장애의 근원이 성(性)에 있다는 생각을 신봉하고 있는데, 이 견해는 기초의 갈등을 더 심화시킬 뿐이다. 사람들이 원인과 결과를 혼동하고 있기 때문이다. 성적 장애는 결코 신경증적 문제의 원인이 아니다. 오히려 의식의 약화된 적응에서 유래하는 병적인 작용이다. 다시 말해 의식은 감당할 수 없는 상황과 과제에 직면하게 된 것이다. …"

194 물론 남성의 심혼의 분열에 대해서도 설명할 것이 많다. 예를 들면 남성들은 남성화의 강조로 여성 요소와 단절되거나, 반대로 보상적으로 여성 요소에 사로잡히게 된다. 다만 그것은 여성과는 다른 입장에서 해명되어야 한다.

만, 성숙한 성인기에 접어들면 보다 근본적으로 어려움이 생겨나게 된다. 그 어려움은 개별적으로 다양한 양상으로 주어질 것이다. 다음의 민담 혹은 소설 ≪춘향전≫은 남녀의 사랑을 다루고 있다. 민담에서 다루고 있는 남녀의 사랑은 언제나 심혼의 관계로서 이해할 수 있다. 사랑을 위한 여러 시련들은 심혼적 관계의 실제적 실현의 어려움을 나타내는 것이라고 볼 수 있다. 현대의 여성은 심리학적으로 춘향과 같은 처지에 있다고 할 수 있을 것이다. 이제 ≪춘향전≫을 통하여 현대 여성의 관점에서 어떻게 아니무스와의 관계를 회복할 수 있는지, 그리고 진정한 의미에서 어떻게 여성의 사랑을 실현해야 하는지를 살펴보자.

여기서 다루고자 하는 ≪춘향전≫[195]은 한국 사람이면 누구나 알고 있는 남녀 사랑의 이야기이다. 실제로 ≪춘향전≫의 무대가 된 남원의 광한루원(廣寒樓苑)에 가 보면, 그 곳은 선비들의 이상향이 반영된 공간임을 알 수 있다. 인공으로 조성한 호수 안에 삼신도(방장섬, 봉래섬, 영주섬)를 만들고, 그 옆에 광한루라고 부르는 누각을 지어 놓았다. 그곳에 완월정(玩月亭)도 있는데, "옛날 옥황상제가 계신 옥경(玉瓊)에는 광한전이 있으며, 그 아래 오작교와 은하수가 굽이치고 아름다운 선녀들이 계관의 절경 속에서 즐겼다"는 전설을 상기시키는 장소가 되도록 만든 것이다.[196] 선비들은 그 전설에 따라 천상의 광한전을 재현한 것이다. 완월정 및 광한루의 풍경은 현실의 삶에서 인간의 이념을 실현하기 위한 것이다. 광한루원에는 또한 견우와 직녀의 만남이 이루어지는 오작교가 있다. 이를 고려해 볼 때 선비들이 이상향으로 단순히 천상적인 피안의 세계를 꿈꾸고 있는 것이 아니라, 오히려 궁극 목적은 남녀의 사랑으로 그려지는 '대극의 합일'이라고 할 수 있다. 광한루원 전체가 '대극의 합일'을 위해 조성된 상징적 공간인 것이다.

≪견우와 직녀≫의 신화는 고대부터 동양인이 천상에 투사한 무의식적 정신의 내용을 엿보게 한다.[197] 원시 심성의 인류는 정신 활동을 전혀 개별적 정신 활동으로서 경험하지 못했으므로, 외부 대상에 투사하여 그것을 객관적인 것으로 경험하였다. 그래서 외부의 자연물은 물론이고 밤하늘에 펼쳐진 별들의 형상에서 생생한 신화적

인물상, 즉 원형상을 경험하였다. 그렇게 해서 천상의 두 남녀는 인간의 눈앞에 등장한 것이다. 아득한 천상의 세계에서 견우는 소를 풀어서 기르는 목동신이고, 직녀는 천을 짜는 처녀신이었다. 그들이 결혼을 하고 난 후 자신의 할 일을 제대로 하지 않아서, 옥황상제에 의해 직녀는 은하수 서쪽 끝으로, 견우는 은하수 동쪽 끝으로 각기 헤어져 있게 되었는데, 일 년에 한 번 7월 7일 날 만날 수 있었다. 한 번은 7월 7일이 되었지만 견우와 직녀가 만날 수 없게 되자 그리움에 한없이 눈물을 흘렸다. 그러자 까마귀와 까치들이 그들을 돕기 위해 하늘에서 다리를 놓아 주었다. 여기서 두 대극이 되는 존재의 만남이 이루어지도록 다리를 놓은 까마귀와 까치는 앞서 제비에서 언급했던 현조(玄鳥)이다. 까마귀와 까치도 역시 전체성으로 이끄는 모성, 자궁, 음의 기운, 밤 등을 나타내는 모성상의 하나이다. 이들을 매개로 마침내 견우와 직녀의 만남이 이루어진 것이다. 천상의 존재로 표상된 견우와 직녀는 '대극의 합일'을 유도하는 시지기 원형에 해당한다.

신화에서는 견우와 직녀의 만남이 이루어진 후, 다음 날 다시 헤어진다는 생각에 흘린 눈물이 새벽의 이슬이 되었다고 한다. 상징적으로 볼 때 이른 아침에 내린 이

---

195 여기서 인용된 이야기는 《춘향전》의 판본 중 《열녀 춘향 수절가》를 기준으로 한 『춘향전』(계림출판사)을 참고하였다. 판소리는 그 자체로 이야기를 들려주는 방식의 하나이므로 민담과 뿌리를 같이 한다. 다만 풍자와 해학이 가득한 공연문화적 요소가 가미되어 있어서 민담보다 훨씬 자세한 인물 묘사, 상황의 묘사가 돋보인다. 《춘향전》은 하나로만 정해진 이야기가 아니고, 이본만 120여종이 된다고 할 정도로 다양하면서도 그만큼 많이 알려진 이야기인데, 시대적 설정과 장소로 보아 남원 지역에 속한다.

196 이는 2015년 광한루원에서 받은 남원시의 광한루 관광 안내서에서 인용한 것이다.

197 C.G. Jung(1954), "Über die Archetypen des Kollektiven Unbewußten", G.W. Bd. 9/I, Par. 7.
"… 원시 심성에서는 외부의 감각 경험을 정신적으로 일어나는 것과 동화시키고자 하는 요청이 저절로 일어난다. 다시 말해 그의 무의식적 심혼이 그렇게 하고자 하는 억제할 수 없는 충동을 가지고 있는 것이다. 원시인은 태양이 떠오르고 지는 것을 보는 것만으로는 만족하지 않는다. 그러한 외적 발견은 동시에 정신적 사건이 되어야 한다. 즉 태양은 그 변환을 통해 근본적으로는 바로 인간의 심혼 속에 살고 있는 어떤 신이나 영웅의 숙명을 묘사해야만 하는 것이다. 여름과 겨울, 달의 변화, 장마철 등과 같은 모든 신화화 된 자연 과정들은 이러한 객관적 경험의 여유에 불과한 것이 아니라 오히려 내면적이고 심혼의 무의식적 드라마에 대한 상징적인 표현이다. 투사되는 동안에, 즉 자연 사건이 반영되는 과정에서 인간의 인식으로 파악할 수 있게 된 것이다. 투사가 너무나 철저해서 투사와 외부의 객체를 다만 어느 정도라도 분리시키기 위해서는 수천 년의 문화를 필요로 할 정도였다. …"

슬은, 그들이 다시 헤어짐을 생각하며 흘린 눈물이 아니라, '대극의 합일'에서 생겨난 결과의 결정체에 해당한다. 새벽에 내리는 이슬은 어둠을 극복하고 새로운 날이 밝았음을 알리는 징표이다. 그것은 정신적인 것으로 승화된 것의 결정체이면서, 동시에 여명이 지나면 나타나는 새로운 의식성의 출현을 알리는 상징이다. (견우와 직녀가 실제 인간이 아닌 것을 환기하라!)

좀 더 설명하면, 견우와 직녀의 만남, 대극이 되는 두 정신 요소의 만남이 있게 되면, 죽음을 의미하는 밤 및 어둠이 찾아온다. 그리고 그 죽음의 상태가 극복되면, 새로운 의식의 탄생을 알리는 아침이 도래한다. 대극의 두 정신 요소, 즉 의식과 무의식의 만남이 이루어지면, 무의식이 주도함으로써 의식의 수준이 그대로 유지될 수 없는 상태가 된다. "대극이 서로 하나가 되면 모든 에너지는 중단된다. 더 이상 아무런 낙차가 없는 것이다." 이런 정지 상태는 '죽음'에 비유될 수 있고, 시간적으로는 밤이다. 그래서 저녁 및 밤은 투사된 정신의 내용, 즉 배경이었던 무의식의 실체가 드러나는 것이며, 동시에 의식의 침하를 반영하는 것이다. 의식과 무의식의 합일에서 의식은 활동이 정지됨은 물론이고, 해체와 용해에 이르게 되므로, 이것은 죽음, 때로는 부패와 썩음으로 묘사된다. 이는 육체의 덧없음, 생명의 사라짐과 같은 상실, 소멸을 의미하는 것이 아니다. 오히려 이전의 의식 상태의 정지 및 변화를 의미하는 것이고, 근원적 무의식에 의하여 새로운 의식의 탄생을 준비하는 시기를 나타낸다. 그래서 연금술에서는 '대극의 합일'에서 나타나는 "파괴는 또 하나의 생성이다"라고 한다.[198]

연금술적으로 '대극의 합일' 과정에서 죽음에 이어서 혼의 상승이 야기된다. 말하자면 의식과 무의식의 통합으로 의식의 용해, 정화 등의 과정을 거치게 되면, 정신적 변화 및 탄생이 일어난다. 아침에 내리는 이슬은 정화된 정신, 하나로 통일된 정신에서 비롯된 "지혜의 물이라 할 수 있다. 또한 하늘에서 떨어진 이슬은 깨달음과 지혜의 은혜로운 선물"이다.[199] 말하자면 '대극의 합일'에 의해 새롭게 탄생한 인격은 신성을 획득한 것과 같다. 이때의 아침 이슬은 지혜와 영(靈)을 나타낸다. 인간의 개별 의식이 자신의 한계를 넘어 무의식적 정신 세계와 관계하고 소통하게 됨으로써, 심혼의 세계, 인간성에 내재해 있는 선험적 인식과 연결되기 때문이다. 이로써 한 개인은 신성과 연결되고, 경우에 따라서는 이전의 의식 수준을 넘어서, 무한한 정신의 지복함으로 나아가는 경험을 할 수 있는 것이다. ≪견우와 직녀≫의 신화에서 새벽에 맺히는 이슬은 두 신성의 슬픔에 대한 상징이 아니라, 시지기 원형이 제시하는 제3의 요소의 가능성을 상징하는 것이다. 그것은 정신의 통합으로 만들어진, 고통을 이겨낸 결정체, 조개 속에 자라난 진주와도 같이, 밤을 극복한 흔적이다. 그래서 영롱한 이슬이 맺힌 아침에는 유난히 찬란한 태양이 떠오르는 것이다.

그 밖에 견우와 직녀가 만나는 7월 7일은 7의 숫자가 중복된 날이다. 이러한 7의 숫자의 강조 및 중복은 새로운 시작이 고지되거나, 변화를 예고하는 시기가 왔음을 의미한다. 이미 앞에서 여러 번 살펴보았듯이, 7은 동양의 칠성(七星) 사상에 기초한 것이므로 우주 천체의 총체적 배경을 제시하는 한편, 달의 운행 주기에 해당하는 순환 과정이 끝난 상태이므로, 변화를 맞이하기 위한 준비가 되었음을 시사한다. 흔히 행운의 숫자 7(lucky seven)이라고 했던가. 긴 기다림의 시간이 지나서 마침내 무엇인가 드러날 수 있는 때가 된 것을 나타낸다. 그것도 절실한 필요에 부합하는 것이 드러나는 순간을 의미한다. 그래서 7월 7일은 서로 다른 요소들이 힘을 발휘할 수준에 도달한 것이고, 심리학적으로는 의식에 접근할 수 있는 상태로 배열된 것을 표시하고 있다. 천상 세계의 남녀의 결합은 모든 자연의 이치가 그러하듯이, '대극의 합일'을 통한 새로운 정신적 사건, 의식성의 생산, 성장적 도약을 고지할 수 있다.

신화나 민담, 이야기 등에서 다루는 남녀의 결혼도, 견우와 직녀의 만남처럼, 개별성인 남녀의 만남을 의미하는 것이 아니다. 이미 살펴보았듯이 의식이 개인 인격의 의식 수준에서 반응하지 않는 한, 남녀의 만남에서 정신의 사건은 외부에 투사되어, 천체 우주적 사건, 심지어는 금속 및 물질 등의 화학적 결합으로 묘사될 수 있다. 남녀의 쌍은 주로 해와 달, 금과 은, 왕과 왕비의 쌍으로 묘사된다. **융**은 특히 이에 대

---

198 C.G. Jung(1946), "Die Psychologie der Übertragung", G.W. Bd. 16, Par. 467.

199 C.G. Jung(1946), 같은 책, Par. 484.

해 인간의 정신의 형상으로 인식하는 경우, "여성의 능동적-남성성, 즉 아니무스와 남성의 수동적-여성성, 즉 아니마 사이에서 일어나는 왕의 놀이"가 된다고 하였다. 인류는 생물학적으로 짝짓기를 해 왔지만, 동시에 정신의 이념으로도 늘 심혼의 만남을 제시하고 있는 것이다. 이는 인간성의 궁극 목표로서, 더 높은 의식성, 보다 더 폭넓은 인간성을 실현하기 위한 것이다. 언제나 남녀의 사랑은 상징적으로 이중으로 분열된 정신의 통합을 의미한다. 그것은 "자연의 법칙에 반하는 작업이면서 동시에 자연, 인간 본성에 내재한 작업이다." 자아의식의 분화는 자연의 법칙에 반하는 작업에 해당하는 것이다. 정신을 분열시키고 대극적이게 만들기 때문이다. 그러나 자연은 분화된 자아의식으로 하여금 다시 통합이라는 과제를 제시한다. 분화가 이루어진 자아의식이야말로 자연 본성의 부름에 답할 수 있다. 어떤 의미에서 남녀의 생물학적 짝짓기조차도 전체성을 실현하려는 강력한 내면의 충동에서 비롯된 것이라 할 수 있다. 이것은 언제 어디에서든 진정한 남녀의 사랑을 실현하려는 주제로서 끊임없이 되풀이된다.[200]

광한루원이 무대가 된 ≪춘향전≫은 ≪견우와 직녀≫의 신화와 같은 맥락에 있다. ≪견우와 직녀≫는 남녀의 사랑, '대극의 합일'을 유도하는 시지기의 쌍으로 제시되어 있는 것이다. 이런 의미에서 ≪춘향전≫은 겉보기에 남녀 신분의 차이를 다루고 있어서 사회 문화적 가치에 기초를 둔 남녀의 사랑에 관한 것처럼 보이지만, 오히려 서로 관계를 맺을 수 없는 심혼의 상태를 반영한 것이다. 결국 광한루에서 펼쳐지는 남녀의 사랑 이야기는 인간의 심혼적 관계를 환기시키기 위한 것이다. 이로써 개별 인격의 전체성을 추구해야 하는 이념을 고취시킨다. ≪춘향전≫이 전형적인 집단 사회의 이데올로기를 담고 있는 듯하나, 인간은 사회적인 존재를 넘어서 진정한 의미의 개별 인격 및 인간의 이상(das Ideal, 理想)을 실현해야 한다는 사실을 제시하고 있다.

민담 요약

≪춘향전≫[201]

남원에 유명한 퇴기 월매(月媒)가 살고 있었다. 월매는 남원의 사또였던 성참판과의
사이에서 딸을 하나 얻었다. 그 딸의 이름은 춘향(春香)이었다. 춘향은 아름답고 품
행이 단정한 처녀였다. 한양의 양반 이한림이 남원의 사또로 부임하게 되었다. 이한
림에게는 이몽룡이라는 아들이 있었다. 하루는 몽룡이 남원의 경치를 구경하러 나
섰다가 그네를 뛰고 있는 성춘향을 보았다. 몽룡은 성춘향을 보자마자 마음에 들어
성춘향과의 만남을 시도하였다. 심지어 몽룡이 청혼을 하였는데, 춘향은 충신이 두
임금을 섬기지 않듯이, 열녀는 두 낭군을 섬기지 않는다고 답하고, 자신은 천한 신
분의 계집이므로 몽룡이 자신을 버릴 수 있음을 환기시키며 청혼을 거절하였다. 그
러자 몽룡은 월매에게 찾아가 춘향과 혼인을 하겠다고 청하였다. 월매는 "봉(鳳)이
나니 황(凰)이 나고, 장군이 나니 용마(龍馬)가 나는 법이므로 이화(梨花)가 아름답다"
고 하며 혼인을 성사시킨다. 그리하여 춘향과 몽룡은 백년가약을 맺고 행복한 시간
을 보내고 있었다. 몽룡의 아버지 이사또가 임기를 마치고 다시 한양으로 돌아가게
되면서 몽룡도 아버지를 따라 한양으로 돌아가야 했다. 몽룡은 춘향에게 장원급제
를 해서 돌아와 춘향을 데려가겠다고 약속을 하고서 떠났다. 남원에 새로운 사또가
부임하였는데, 그의 이름은 변학도였다. 변사또는 아름다운 춘향의 소문을 듣고 춘
향을 데려오라고 명령하였다. 변사또는 춘향에게 기생의 딸이므로 자신에게 수청을
들도록 명하였다. 이를 거절하자 변사또는 춘향을 옥에 가두고 심지어는 목숨을 위
협하였다. 한편 한양의 몽룡은 밤낮으로 글공부를 하여 장원급제를 하였다. 몽룡은

---

200 C.G. Jung(1946), 같은 책, Par. 469.

201 여기에 소개한 ≪춘향전≫은 남원시 광한루원의 자료와 계림 출판사가 〈열녀 춘향 수절가〉를 정리한
     ≪춘향전≫(2007년)을 요약한 것이다.

임금의 명을 받고 어사또가 되어 신분을 감추고 남원으로 돌아왔다. 남원으로 돌아온 몽룡이 월매를 찾아가니, 월매는 옥에 갇힌 춘향에게 몽룡을 데려다 주었다. 춘향은 몽룡의 초라한 행색을 보고 어머니 월매에게 잘 보살펴 달라고 당부하고 죽음을 각오하였다. 변사또의 생일날이 되었고, 이도령은 거지 선비의 모습으로 생일잔치에 나타났다. 잔치 상 앞에서 "금동이의 질 좋은 술은 만 백성의 피요, 옥 소반의 맛 좋은 안주는 만 백성의 기름이다. 촛불 눈물 떨어질 때 백성의 눈물 떨어지고, 노랫소리 높은 곳에 원망소리 높았더라"라며 변사또와 그의 일행들을 꾸짖었다. 마침내 몽룡은 어사또로서의 신분을 밝히고 변사또를 몰아내고 춘향을 옥에서 풀어주었다. 춘향이 풀려나 자유로운 몸이 되자, 몽룡은 자신의 신분을 밝히고 춘향과 함께 한양으로 떠났다. 그 후 춘향은 임금에 의해 정렬부인이 되었다.

민담의 해석

(1) 남원에 유명한 퇴기 월매(月媒)가 있었는데, 월매는 남원의 사또였던 성참판과의 사이에서 딸을 하나 얻었다. 그 딸의 이름은 춘향(春香)이었다. 춘향은 아름답고 품행이 단정한 처녀였다.

《춘향전》의 판소리 판본을 보충적으로 참고해 보면, 월매가 아기를 갖기 위해 지리산 반야봉에 가서 빌었는데, 그때 태몽을 꾸었다고 한다. 꿈에 선녀가 푸른 학을 타고 와서 자신이 광한전에서 신선을 만나 이야기를 나누다가 옥황상제에게 진상하려던 복숭아를 제 때에 가져가지 못하여, 벌로 내쫓겨서 인간으로 태어나게 될 것을 알렸다고 한다. 월매의 태몽처럼, 민담 및 전설 등에서 종종 천상의 존재인 주인공이 죄를 짓고 천상 세계에서 내쫓겨 인간으로 태어나게 되는 것을 설명하고 있다. 이런 주인공의 탄생과 관련된 묘사도 전형적으로 정신의 탄생을 다루는 내용이다. 천상의 존재가 죄를 짓고서 인간 세계에 태어난다는 것은, 심리학적으로 원형의 세계, 신성의 세계에서 감각적, 지각적 세계, 즉 가시적 세계로의 하강을 의미한다. 이것은 전체 정신 영역에서 의식화 되기 위해 부분적으로 떨어져 나오는 것을 형상적으로 묘사한 것이다. 전체 정신의 총체적 연결망을 상실하고 고립되는 부분 정신은 마치 벌을 받거나 타락한 천상의 존재에 해당한다. 월매의 태몽은 바야흐로 여성인격이 되기 위해서 일부의 정신이 분화를 시작하고 있음을 보여준다. 이처럼 심리학적으로 월매와 춘향은 실제적 개인으로 간주할 필요가 없다. 춘향을 임신한 월매는 새로운 여성 인격의 탄생을 도모하는 모성상의 상징인 것이다. 춘향은 새로 태어난 여성 인격의 인물상에 해당한다.

춘향이 월매의 딸이라는 점을 살펴보자. 월매는 딸을 데리고 있는 모성상이다. 모성상의 이름이 월매(月媒)라는 점이 흥미롭다. 월매라는 이름으로 보아 달의 속성을 갖고 있으며, 매개자, 중매자 역할을 한다는 의미이다. 모성상 월매는 여성 요소를 생산하고, 이 여성 요소가 의식성을 획득할 수 있도록 보호와 지지를 아끼지 않을 것임을 보여준다. 또한 남원 사또였던 성참판과의 관계를 시사함으로써 남성 요소를 배제하지 않고 언제나 전체성에 포함시키는 모성상의 특성을 미리 엿보게 한다.[202]

월매가 퇴기라는 측면을 이해해 보자. 기생은 예인(藝人)으로서 음악, 춤, 글을 알고 있는 여성들인데, '풍류(風流)'라고 하는 일종의 남성의 놀이 문화에서 특별한 역할을 한다. 풍류는 남성의 지식인들이 단순히 글만 익히는 것이 아니라, 시와 음악등 지성적 세계에 없는 감성, 감정 및 심미적 가치의 측면을 고려하면서, 고도의 정신적 가치를 추구하는 성인의 유희이다. (여기서 이 놀이 문화의 부정적 측면에 대해서는 논의를 제외하자.) 풍류에서 여성 예인들은 남성의 아니마적 요소를 끌어들이는 역할을 한다. 말하자면 그녀들은 남성의 정서적 향취를 높이고, 의식의 새로운 지평을 열게 한다. 궁극적으로는 '대극의 합일'로 인도하여 이념의 세계 및 인간성의 이상으로 나아가게 만든다. 풍류라는 인간의 놀이 및 예술은 광한루원의 풍경같이, 빼어

---

202 이로써 이야기의 인물들은 비개인적 특성이 그 자체 드러난다. 소설을 쓸 때조차도 작가들은 개별적 인간의 모습을 묘사하려는 것이 아니라, 오히려 이념에 상응하는 인물상을 내세우게 된다.

난 자연 경관과 어우러져 펼쳐져야 하는 것이다. 놀이나 예술 자체가 저절로 우러나오는 흥과 같은 본성적 리듬의 형상화, 그것의 언어화(詩)에 해당한다. 선비들이 향유하는 놀이는 개별적인 오락과 탐닉의 수준이 아니라, 오히려 인간 이성의 한계를 넘어선 상징적 세계의 환기를 목적으로 삼고 있다. 어떤 의미에서든 궁극적으로 '대극의 합일'을 추구하는 것이다.

춘향의 어머니를 굳이 전 사또의 부인으로 묘사하지 않는다는 점을 주목하자. 기생은 일종의 매춘녀로서 간주되는데, 이는 모성신의 특성에 해당한다. 매춘녀는 모성신 숭배 제의에서 해마다 아들신에 해당하는 새로운 남성 인물을 맞이하여 봄의 축제를 펼치는 존재이다. 일찍이 수메르 신화 ≪길가메쉬≫에서 우르크 왕 길가메쉬는 자신과 결혼하자는 모성신 이쉬타르에게 이미 수많은 남성들이 그녀의 배우자가 된 다음 희생된 것을 거론하며 매춘녀라고 비난하였다.[203] 또한 신들이 만들어 낸 원시의 인간 엔키두를 유혹하여 숲에서 인간 세계로 끌어들이는 매춘녀도 모성신이다. 모성신의 매춘은 낡고 의미를 상실한 남성 요소를 제거하고, 새로운 남성 요소를 끌어들여 의식의 삶의 주체로 내세우는 여성 신성의 행위이다. 모성신은 자연의 생명력을 관장하는 주체인 것이다. 모성신의 유혹에 이끌리는 남성은 아들신으로서, 그녀와 근친상간적으로 결합하여 수태시키고, 자신은 희생되고(결혼 후에 죽음을 맞이하는) 만다. 아들신은 모성신에 의해 재탄생되는데, 이처럼 아들신은 모성의 생산성을 삶 속에 드러내는 존재이다.

그 밖에 수많은 신화에서 보면 나라, 도시, 마을의 영역을 대지의 신인 모성신이 보호하고 있는데, 그곳에 사는 사람들은 전부 그녀의 자녀에 해당한다. 그래서 나라, 도시, 마을 심지어 배와 차 등의 탈 것에는 모두 여성 신성에 해당하는 이름을 부여한다. 이것도 모두 감싸고 보호하는 모성신의 특성을 반영한 것이다. 이런 의미에서 기생은 개별 인격의 여성을 지칭하기보다는 여성 인격의 익명성, 여성 신성의 측면을 나타낸다. 모성신은 한 지역을 통치하는 남성 인물들과 관계한다. 말하자면 지역을 수호하는 대지의 신, 모성신은 그 지역을 실제로 통치하고 관리하는 남성 지도자를 받아들이고, 돕기도 하지만, 동시에 그들이 부패하고, 타락하여 제대로 기능을 하지 못하는 경우 가차 없이 제거하는 영향력을 발휘한다. 신화 ≪외디푸스 왕(Rex Ödipus)≫에서 외디푸스가 아버지를 죽이고 어머니 요카스타와 결혼하게 된 경우도 같은 모성 신성 하(下)에서 아버지와 아들의 교체가 일어난 전형적인 신화적 주제가 된다. 어머니는 언제나 인간성을 지지하는 자연 모성의 영향력이 의인화 된 것이다. 우리는 몇몇 과거의 역사에서 기생들이 외국에서 침범해 온 장수들을 물리치기 위해 함께 목숨을 던졌던 무용담을 듣게 된다. 이것 역시 기생이 지역을 지키는 모성신으로서 자신을 희생한 전형적인 원형적 사건이 될 수 있다. 이런 의미에서 월매 또한 남원 지역의 모성신으로서 전직 사또와 어떤 관계인지 짐작할 수 있다.

남원에서는 춘향이 역사적 인물이 아니라 소설 및 민담의 주인공인데도 춘향제를 올리고 있다. 실제로 광한루원에는 춘향의 영정이 모셔져 있는 사당이 있다. 이는 춘향이 그 지역의 수호신으로서의 역할을 하고 있음을 나타낸다. 이런 의미에서 ≪춘향전≫은 모성신과 남원 사또와의 관계를 다루는 오랜 이야기로 간주될 수 있다. 남원의 광한루원에는 춘향의 사당도 있지만, 남원에 부임한 부사들의 공덕비가 여러 개 모셔져 있다. 이런 사실에서도 남원의 부사와 춘향 및 월매와의 관계는 모성신과 지역의 통치자와의 관계로 이해해 볼 수 있는 것이다. 남원에 떠돌고 있던 ≪춘향전≫으로 인하여 남원에 부임했던 사또들은 다른 어떤 지역의 사또들보다 자신들의 역할이나 임무를 암묵적으로 더 성실하게 완수하였을 것으로 여겨진다.

≪춘향전≫에서는 월매와 같은 기생이 사또를 맞이하는 것이 아니라, 사또와 월매의 사이에서 태어난 딸과 새로 부임한 사또의 아들이 사랑하는 내용을 다루고 있다. 딸 춘향은 기생이 아니다. 어쩌면 그녀는 모성신이 젊은 여성으로 갱신된 형상일 수 있다. 모성신은 매번 새로운 사또를 맞이하지만, 그냥 맞이하는 것이 아니다. 말하자면 인간의 의식의 변화에 따라 무의식적 정신도 그에 반응하며 변화하는 것이다. 때로는 무의식적 정신이 스스로 변화와 쇄신을 하면서 의식과 나란히 정신의 목적 이념을 실현한다는 것이다. 말하자면 상대적으로 영향력이 큰 모성신의 특성이 완

---

203 E. Neumann(2004), *Ursprungsgeschichte des Bewußtseins*, S. 64.

화되어, 남성의 아니마에 해당하는 처녀의 형상으로 변하는 것을 의미한다. 다만 여기서는 여성 심리학적으로 ≪춘향전≫을 다루게 될 것이기 때문에, 모성신의 특성보다는 춘향을 개별 여성 인격의 분화와 발전 및 성숙의 측면에서 살펴볼 것이다.

기생을 남성 심리학적 측면에서 보면 아니마적 측면이 부각되겠지만, 여성 심리학적으로 보면, 퇴기 월매는 엄밀한 의미에서 남성 세계 및 남성 요소와 관계를 맺게 하는 매개적 역할이 강조된 모성상이다. 앞서 이름에서 지적했듯이, 월매는 달의 기운, 음의 기운, 모성−여성의 권위와 전능으로 여성 요소를 지지하면서, 다른 요소와 연결하는 역할을 한다. 월매와 같은 기생의 역할은 사회 제도권의 신분적 제도에서 벗어나 보다 자유롭게 활동한다는 점에서 한 집단을 지배하고 있는 주도적 세력에 통제를 받지 않는다. 그래서 다른 세계와 관계할 수 있고, 그로부터 다른 새로운 것들을 유입시킬 수 있다. 물론 조선 시대에 기생은 사회 계급 중 하층민에 속하고, 그로 인한 천대와 괄시 및 비난을 피할 수 없는 존재였다. 이는 또한 집단의식과 동화될 수 없는 하위의 정신 영역을 반영하는 인물상의 특징이 된다. 퇴기 월매는 한 집단의 대표인 남원의 사또라는 인물과 관계를 갖고, 그와의 관계에서 딸을 낳음으로써 남성 요소와 더불어 살아갈 새로운 여성 인물상을 제시하고 있다.

여성 주인공은 월매의 딸로서 새롭게 여성 인격의 주체가 되려는 정신 요소이다. 춘향(春香)은 이름이 표현하고 있듯이 봄의 기운, 봄의 향기를 품고 있는 인물상이다. 춘향은 새로운 의식성, 새로운 정신 이념의 실현을 위해서 의식화의 여정에 들어선 여성 주인공으로 제시된다. 이런 춘향과 월매의 관계는 홀어머니가 기르는 딸의 모습으로 간주될 수도 있다. 퇴기 월매의 딸로 등장하면서 춘향은 저절로 기생과 같은 수준의 신분을 갖게 된다. 이는 장차 여성 인격의 주체가 될 정신 요소가 상대적으로 평가 절하되어 있거나, 다른 목적을 위하여 그러한 하위의 신분으로 등장한 것이라고 할 수 있다.[204] 여성 주인공은 의식의 삶을 살아갈 진정한 주체가 되기 위한 여정을 시작하게 된다. 첫 출발선에 있는 여성 주인공은 전혀 분화되지 못한 상태이므로, 저급한 신분의 상태나 비천한 출신으로 특징지어진 것이다. 춘향이라는 이름처럼 여성 주인공은 궁극적으로 집단의식의 수준에 상응하는 새로운 여성 의식의 수준에 이르게 될 것이다.

(2) 한양의 양반 이한림이 남원의 사또로 부임하게 되었다. 이한림에게는 이몽룡이라는 아들이 있었다. 하루는 몽룡이 남원의 경치를 구경하러 나섰다가 광한루원에서 그네를 뛰고 있는 성춘향을 보았다. 몽룡은 성춘향을 보자마자 마음에 들어 성춘향과의 만남을 시도하였다.

남원 지역에 새로 부임하는 사또에 대해 좀 더 살펴보자. 앞서 춘향의 아버지 성참판, 이제 다루게 될 이몽룡의 아버지 이한림, 그 후에 등장하는 변학도는 모두 남원에 부임한 사또들이다. 지금도 관광 목적이긴 하나 남원에서는 새 사또의 행차를 알리는 축제를 해마다 행하고 있다. 사또는 작은 집단의 대표자이지만, 왕과 같이 한 집단의 삶을 주도하는 지배원리를 나타내는 상징적 인물이다. 새로운 사또의 부임 행사는 지역민의 삶을 이끌어 갈 지배원리가 쇄신되는 의식인 것이다. 지역을 통치하는 사또의 교체는 집단의 삶에 매우 중요한 사안이다. 전국적인 소식을 쉽게 알 수 없었던 시절의 사또는 왕이 가지고 있는 정치 이념과 상관없이 직접 그 지역의 사람들에게 실질적인 권력을 행사하므로, 왕과 다름없는 존재이다. 어떤 사또인가에 따라 그 집단의 삶 전체의 수준이 좌우될 정도로 중요한 것이다. 그래서 사또의 부임은 그냥 이루어질 수 없다. 고을의 사또의 교체 또한 왕의 교체와 같이 상징적 변환으로 이루어져야 한다. 사또의 교체는 중앙의 권력자에 의해서 정해지는 듯하지만, 그 통치의 이념은 주어진 그대로 답습될 수 없는 것이다. 만약 부패한 정치 이념에 의해 교체가 이루어진다면, 집단의 삶, 집단의식의 수준 전체가 후퇴하고 마는 결과를 초래할 것이다. 아무리 훌륭한 통치 이념이라도 그대로 답습한다면 집단의 삶은 생기를 잃고 수준 저하 및 침체를 겪게 된다. 집단의 통치의 이념은 계

---

204 이는 여성 자신이 아직 개별 의식의 수준에 이르지 못하고 더 하위의 정신 영역에 속해 있는 상태를 의미하거나, 집단의식 자체가 여성에 대해 평가 절하하기 때문에 상대적으로 하위의 정신 영역에 속하는 것을 의미한다.

속적인 변화 및 성장을 가져와야 하는데, 그러기 위해서는 언제나 여성 요소가 함께 해야 하는 것이다.

그러나 여기서 우리가 시도하고 있는 민담의 해석은 집단의 삶에 관한 것이 아니라, 개별 여성의 인격을 고려하는 것이므로, 사또의 등장과 교체는 다르게 이해되어야 할 것이다. 여성이 개별 인격의 가치를 강조하지 않는다면, 그저 집단에 속한 일원으로 살아가게 될 뿐이다. 이 경우 여성 의식은 전혀 개인 인격의 의미를 모른 채, 가족의 구성원으로서 사회적 요구 등에 맞추어 살 수밖에 없을 것이다. 이때 집단의식이 개인 인격의 의식 수준을 대변하게 된다. 민담에서 남원으로 새로 부임한 한양의 양반 이한림이 사또로 등장한 것은 여성 인격이 전반적으로 새로운 국면을 맞이한 것을 의미한다. 새 사또의 부임으로 의식의 태도가 기본적으로 어떤 변화를 겪게 된 것이다. 부임한 이한림 사또에게 아들이 있는 것은, 이미 그 변화가 시작되었음을 시사한다.

이야기는 여성 주인공과 나란히 이한림의 아들 이몽룡(夢龍)을 등장시킨다. 그의 이름을 형상적으로 살펴보면 잠자는 용, 꿈꾸는 용이다. 용은 가장 강하고, 힘 있고, 여러 마술적인 힘을 가진 상상의 동물이다. 파충류처럼 생겼지만 대지 위로 기어 다니는 형상이 아니라, 천상과 피안의 세계를 넘나드는 존재, 대기를 가르며 솟아오르는 존재이다. 남성의 권능과 힘을 나타내기도 하는데, 예를 들면 왕을 용으로 표현하거나, 특별한 인물의 탄생을 용의 등장으로 묘사한다. 이것은 신체와 정신의 활력과 생동감을 모두 갖춘 신성한 동물적 형상을 나타낸 것이다. 용이 불을 뿜거나, 여의주를 물고 있거나, 승천한다는 등의 표현에서 보듯이, 그것은 천상과 지상을 매개하며, 또한 인간 본능의 생명력으로서 육체와 정신을 관통하는 자연의 신성력을 드러내고 있다. 남성 인물상이 꿈꾸는 용이라는 점에서 보면, 주도를 하기보다는 배후에서 가능성을 위하여 대기하는 역할을 하는 것이다. 여성 심리학적으로 보면 몽룡은 여성의 아니무스에 해당하는데, 남성 의식을 나타내지 않는다는 점에서 꿈꾸는 용이라는 이름이 적합한 것이다.

사또의 아들인 몽룡이 활동하기 시작한 것은 춘향이 단옷날 광한루에서 그네를 타고 있을 때였다. 단옷날 여성들이 창포물에 머리를 감고 단장하여 그네를 타면, 악귀를 몰아내고 한 해를 건강하고 풍요롭게 보낼 수 있다고 한다. 그네 타기는 공중에서 구르기를 하여 앞으로 멀리 도약을 시도하므로, 봄의 기운으로 피어나는 자연의 생명력을 몸의 활력으로 전환시키는 놀이이다. 특히 여성의 그네 타기는 몸과 정신의 활력을 개별적 특성으로 드러내도록 발산하는 기회가 된다. 그네 위에서 힘껏 구르면 공중을 날듯이 솟아올라 멀리 밖을 내다볼 수 있는 것처럼, 제약된 기존의 시선에서 벗어나서 의식의 지평을 더 넓게 펼치는 도약을 꾀할 수 있다. 이로써 여성 인격은 개인적으로 새로운 의식의 태도를 기약한다.

바야흐로 춘향이 열여섯 살이 되자, 몽룡이 등장하게 되었다. 16이라는 숫자는 4×4로서 4의 숫자를 강조한 것이다. 의식의 네 기능을 골고루 분화 발전시키는 태도를 보다 구체화 할 시기에 이른 것이다. 여성 주인공은 이제 막 기존의 태도를 넘어 어떤 의식적 도약을 하려는 순간이다. 몽룡 또한 춘향과 같은 열여섯 살이다. 여기서 여성 인격의 개별적 특성이 발현되기 시작하는 것과 여성의 아니무스의 등장이 동시에 이루어지고 있음을 확인할 수 있다. 이처럼 여성의 아니무스는 자아의식이 주도적이 되려고 할 때 나란히 형성된다. 몽룡이 광한루에 와서 춘향을 발견했는데, 이런 춘향과 몽룡의 만남은 아직 외부 세계를 제대로 경험하지 못한 여성 주인공이 처음으로 외부 세계를 발견하는 순간이라 할 수 있다.

춘향이 그네를 뛰고 있었던 것은 모성의 보호 장치를 넘어서 외부 세계로 도약을 꿈꾸는 것이다. 이와 관련하여 아니무스의 등장에 대해 좀 더 이해해 보자. 여성 자아가 모성상에서 떨어져 나와 홀로서기를 하는 순간, 외부 세계는 집단 사회의 한 구성원으로서 해야 할 역할을 요구하게 된다. 대부분 여성은 그런 요구에 부응하는 의식적 활동들을 독립적 인격으로 성장해 가는 길로서 간주한다. 한양에서 내려온 사또의 아들로 등장한 이도령은 한편으로는 집단의식의 특성을 제시하고, 다른 한편으로는 사또인 아버지와 다른 가치관을 제시할 수 있는 인물상이다. 말하자면 여성이 모성상에서 벗어나면서 아니무스가 내면의 인격적 요소임에도 외부의 적응을 위해 활성화 된 정신 기능으로 착각할 가능성이 있다. 아직 자아의식의 입장이 자기 주장적이지 않은 상태이므로 대체로 아니무스는 자아의식을 보조하거나 대신하는 콤플렉스로서 기능한다.

아니무스는 원래 여성 자아가 외부 환경에 적응하는 주체로서 기능하려 할 때, 자아에 상응하는 대극적 정신 요소로서 등장한 것이다. 아니무스는 전체 정신의 조절 장치에서 발휘되는 것이고, 궁극적으로 아니무스는 내면 세계를 매개하는 정신 요소이다.[205] 그래서 광한루에서 이도령이 춘향과의 만남을 시도하는 것이지만, 내용적으로는 여성 주인공이 실제적 주체가 되기 위한 출발 지점에 해당한다. 여성 주인공이 외부 세계에 대해 처음으로 눈 뜨게 되는 것은 춘향(여성 주인공)의 관점이고, 내적으로 자신에 대해 의식하게 되는 것은 몽룡의 관점이 될 것이다. 몽룡이 춘향을 사랑하게 되어 청혼을 하는 것은, 여성 인격이 비로소 고유한 자신의 모습을 되찾으려는 태도에 해당한다. 여기서 여성의 자각적 인식이 자아의식의 주체감에서 비롯되는 것이 아니라는 점에 주목할 필요가 있다. 오히려 아니무스, 즉 몽룡이 등장하자 개인적 인격의 가치에 눈 뜨게 되는 것이다. 바야흐로 여성 인격의 구체적 입장을 지지하기 위해 몽룡은 춘향에게 청혼을 하고, 춘향의 의향을 묻는다.

(3) 몽룡이 청혼을 하자, 춘향은 충신이 두 임금을 섬기지 않듯이, 열녀는 두 낭군을 섬기지 않는다고 답하고, 자신은 천한 신분의 계집이므로 몽룡이 자신을 버릴 수 있다고 하면서 거절하였다. 그러자 몽룡은 월매를 찾아가 춘향과의 혼인을 청하였다. 월매는 "봉(鳳)이 나니 황(凰)이 나고, 장군이 나니 용마(龍馬)가 나는 법이므로 이화(梨花)가 아름답다"고 하며 혼인을 성사시킨다.

몽룡이 춘향에게 청혼을 한 것은, 여성 자아에게 다른 정신의 요소, 또 다른 세계관을 제시하는 것에 해당한다. 특히 여성 자아가 전적으로 외향화 되어 있다면, 아니무스는 내면으로 눈을 돌릴 수 있도록 요구하는 것과 같다. 춘향이 자신의 의사를 밝히는 것은 개별적 가치를 추구할 수 있는 주체임을 그 자체로 나타낸다. 춘향은 몽룡의 청혼에 대하여, 신분 차이를 거론하며 청혼을 거절하였다. 춘향은 몽룡과 자신의 관계에서 서로 차이가 있음을 표명하면서 주체로서의 입장을 밝히고 있다. 심지어 거절은 가장 강력한 주체의 의지력을 나타내는 것이다.

춘향은 자신은 두 낭군을 섬기지 않을 것이지만, 몽룡이 여러 여성을 아내로 맞이할 가능성을 지적하였다. 아이러니하게도 더 하위의 신분에 있는 자신은 몽룡과의 약속을 끝까지 지킬 수 있지만, 오히려 더 상위의 신분에 있는 몽룡이 신뢰를 저버릴 가능성이 있다는 것이다. 말하자면, 신분이 더 높은데도 도덕적으로 더 타락할 수 있음을 지적한 것이다. 이로써 사실상의 어려움은 신분 차이뿐 아니라 도덕적 책임감의 차이도 있음을 강조한다. 물론 이런 내용은 모두 심리학적인 관점이 아니라, 사회 문화적 가치 평가에 따른 것이다. 이런 사회 문화적 관점은 일반 대중이 소설 ≪춘향전≫을 읽을 때 얻게 되는 교훈적 즐거움일 것이다. 양반들이 사회의 기득권을 누리는 계층인데도, 훨씬 부도덕한 태도를 취할 수 있음을 지적하고 있기 때문이다. 혹은 높은 교양을 갖춘 선비들이 인간의 신의를 저버릴 수 있다는 점을 꼬집은 것이다. 이는 아마도 춘향의 이야기를 이해하는 가장 널리 알려진 일반적 관점이 된다.

우리는 여기서 이미 춘향이 '일편단심(一片丹心)'을 표명하고 있음을 알 수 있다. 아직 몽룡을 남편으로 맞이하지 않았음에도 불구하고, 자신의 마음은 정해져 있는 것처럼 말한다. 말하자면 자신이 이몽룡을 남편으로 정한다면 그 마음이 변하지 않을 것을 밝히고 있다. 이는 일종의 정해진 법칙과 같은 것으로 받아들인다는 태도이다. 이러한 춘향의 태도는 여성 인격이 가진 전형적인 수용적 태도이면서 동시에 보수적 폐쇄성을 나타낸다. 춘향의 수용적 태도는 외부 세계든 내면 세계든 요구된 것을 받아들이겠다는 것이다. 다만 보수적 폐쇄성을 보이며 오직 하나의 세계만을 인정함으로써 다른 세계를 수용할 수 없을 것 같다는 것이다. 그것은 오직 모성상이 지지하고 보호하던 세계, 자연의 법칙이 지배하는 세계를 말한다. 그래서 낮

---

205 C.G. Jung(1928/66), "Die Beziehungen zwischen dem Ich und dem Unbewuβten", G.W. Bd. 7, Par. 369~370.

설거나 이질적인 것들은 고려할 수 없다고 하는 것이다. 또한 춘향이 두 낭군을 모시지 않을 것이라는 태도는 내면의 심혼적 관계로서의 아니무스를 지향하고 있음을 밝힌 것이다.

춘향이 신분 차이를 거론하며 청혼을 거절한 것은 어쩌면 아직 둘의 관계가 이루어지지 못한 것을 나타낸다. 심리학적으로 신분의 차이는 춘향이 갖게 되는 의식 수준이나 태도에 의해서 생겨난 것이다. 아니무스가 외향적으로 적용되면 될수록 둘의 간격은 커진다. 이것은 자아의식과 구분이 안 될 정도로 동일시 되면서(사로잡힘 상태), 동시에 서로 전혀 객관적으로 알아차릴 수 없는 상태가 되기 때문이다. 오히려 춘향의 결혼에 대한 거부는 둘의 실제적 관계 상황을 객관적으로 인식할 수 있는 계기를 마련한다. 춘향이 전적으로 결혼을 거부하는 태도는 모성상에 뿌리를 두고 있는 여성 인격 특유의 보수적 폐쇄성이 작용한 것이다. 이런 여성의 보수적 성향은 아니무스의 외향적 적용을 막을 수 있는 태도가 된다. 또한 내면 세계의 요구와 외부 세계의 요구를 구분할 수 있게 한다.

춘향과 몽룡의 관계를 위해서는 매개자가 필요하다. 몽룡은 바로 월매를 찾아갔다. 월매는 전체성을 위한 진정한 매개자이기 때문이다. 모성상은 여성 자아가 주체가 되도록 자아를 내세워 지지하고, 분화하게 만든다. 또한 전체 정신의 일부로서 나머지 다른 정신 영역과 관계를 맺도록 주선한다. 모성상이 남녀의 만남을 주선하는 것은 전체성을 목적으로 하는 것이다. 특별히 모성상은 여성 의식을 대극적 요소와 맺어질 수 있게 한다. 여기서 월매는 춘향과 이도령의 혼인을 허락하면서, 이를 "봉이 나니 황이 나고, …" 로 표현하였다. 봉황(鳳凰)은 닭과 같은 조류, 암수 한 쌍을 의미한다. 이는 실제로 자연계에 존재하는 생명체가 아니고, 용과 같이 정신의 자발적 형상화로 이루어진 상징적 동물이다. 수컷은 봉(鳳), 암컷은 황(凰)이라고 하는데, 이들의 존재는 왕과 왕비, 해와 달과 같이, 남녀 신성의 동물적 형상화에 해당한다. 월매는 춘향과 이도령의 만남을 대극의 한 쌍으로 인정한 것이다. 이러한 월매의 매개적 역할은 전적으로 시지기 원형에 뿌리를 둔 것이다.

월매에 의해 춘향과 이도령의 만남이 성공적으로 이루어졌지만, 이런 만남은 우선

한국 민담의 여성상

적으로 선취적 의미를 갖는 경우가 대부분이다. 대극의 한 쌍으로서 여성의 의식과 아니무스는 두 정신 영역의 대극적(gegensätzlich) 특성을 먼저 경험해야 한다. 대극적이라는 표현이 그러하듯이, 서로 양립할 수 없다는 것을 의미한다. 이들은 도저히 서로 합쳐지기 어려운 것인 만큼, 그 둘을 하나로 담아낼 그릇(매개)이 필요하고, 또한 둘 간의 조정이 필수적이다. 둘이 대극적임을 경험한다는 것은 주관 정신과 객관 정신을 구분한다는 것이다. 그래서 그 둘이 통합될 때 반드시 하나인 전체이자, 제3의 것이 생성된다. 만약 둘이 서로 무차별적으로 통합된 상태라면 동일시에 해당하므로, 제3의 것이 생성될 수 없다. 진정한 대극적 관계가 되기 위해서는 반드시 여성 의식이 주체적, 독립적 수준에 이르러야 한다. 월매의 매개에 의하여 미리 제시된 춘향과 도령의 관계는, 춘향의 개별적 인격의 경험에 의하여 구체화 될 것이다.

(4) 춘향과 몽룡이 백년가약을 맺고 행복한 시간을 보내고 있었다. 어느 날 몽룡의 아버지 이사또가 다시 한양으로 돌아가게 됨으로써 몽룡도 아버지를 따라 한양으로 돌아가게 되었다. 몽룡은 춘향에게 장원급제를 하고 돌아와 춘향을 데려가겠다고 약속을 한 후 떠났다.

앞서 언급했듯이, 신분 차이는 심층심리학적으로 남녀의 관계가 이루어지기 어려움을 반영하고 있다. 월매가 중매를 해서 맺어진 둘의 관계는 일종의 '대극의 합일'을 위한 전제, 즉 선취(Vornehmen)에 해당한다. 이야기에서 둘의 만남의 성공을 나타내는 백년가약, 즉 결혼은 여성 인격이 궁극적으로 자기 자신과 내적 관계를 맺을 것임을 시사하는 것이다. 이를 다르게 표현한다면, 월매가 둘의 결혼을 허락함으로써, 몽룡은 여성 인격의 구성 요소로서 인정을 받게 된 것이다. 혼례를 통하여 몽룡은 여성 인격의 전체성에 소속될 수 있게 된 것이다. 몽룡은 이제 본격적으로 여성의 아니무스로서 역할을 할 수 있게 된다. 몽룡의 아버지가 한양으로 돌아가게 되는 것도, 여성 인격이 주체가 되기 위한 변화가 반영된 것이다. 몽룡의 아버지나 몽룡은 한양으로 돌아가더라도 더 이상 집단의식의 일원으로서 기능하지 않는다. 여성 인격이 의식의 삶을 이끄는 주체로서 전면에 드러나자, 주변의 인물상들도 새롭게 배열된다.

많은 민담에서 여성 주인공은 남성 파트너를 만나서 결혼을 하지만, 그 후에 헤어지게 된다. ≪손 없는 색시≫에서도 혼인하고 나서 신랑은 과거를 보러 떠났고, 색시 혼자 아기를 낳는다. ≪구렁덩덩 신 선비≫에서도 구렁이 신랑이 혼인 후 허물을 벗었지만, 멀리 떠나고 만다. 이처럼 여성 주인공이 아니무스와 관계를 맺은 듯하지만, 오히려 결혼 후에 이별하는 형태로 드러난다. 둘의 헤어짐은 여성이 주체가 되는 순간이므로, 아니무스와의 동일시 및 사로잡힘에서 벗어나는 것을 의미한다. 또한 둘의 헤어짐을 통하여 둘의 관계를 위해 무엇이 구체화 되어야 하는지 드러나게 된다.

몽룡은 떠나면서 장원급제하여 다시 돌아올 것을 약속했는데, 이를 여성 심리학적으로 이해해 본다면 남성 주인공의 장원급제와는 다른 내용이 될 것이다. 말하자면 집단의식에 편승하기 위하여 과거 시험에 응하려는 것이 아니다. 원래 과거제도는 젊은 인재를 새롭게 등용하기 위한 것인데, 이 시험에서 합격한 사람은 새로운 가치관을 갖고 등장한 인물로 인정받는 것이다. 그렇게 뽑힌 인물들은 집단의식에서 통용되는 세계관을 그대로 답습하는 것이 아니라, 오히려 새로운 이념과 사상을 제시하여 시대 정신을 쇄신하게 된다. 특히 외부 세계에 속해 있던 외향적 아니무스의 경우라면, 기존의 사회적 이념과 구분하는 것이 필수적이다.

마찬가지로 여성 인격이 주도하고 있는 외부 세계의 가치관과 구분할 수 있을 때, 아니무스는 인간성에 내재하고 있는 객관 정신의 세계를 매개하는 내면의 인격이 된다. 몽룡이 한양으로 옮겨 가서 과거시험 준비를 한다는 것은, 지금까지 주도하고 있던 사회 문화적 가치관에 대하여 객관적으로 거리를 두려는 의도가 있음을 의미한다. 이는 동시에 여성 의식이 아니무스와 동일시 하지 않고 객관적으로 거리를 두려는 것에 해당한다. 이런 의미에서 이야기의 전개도 몽룡과 춘향의 등장이 교대로 진행되었다가, 몽룡이 한양으로 돌아간 후에는 본격적으로 춘향이 중심으로 진행된다. 이제 여성 인격의 주체가 구체적으로 드러나기 시작하는 것이다.

(5) 남원에 새로운 사또가 부임하였는데, 그는 변학도라는 양반이었다. 사또는 아름다운 춘향의 소문을 듣고 춘향을 데려오라고 명령하였다. 사또는 춘향에게 기생의 딸이므로 자신에게 수청을 들도록 명하였다.

새로운 사또는 춘향과 함께 했던 몽룡이 자리를 비우면서 등장하였다. 변사또는 전형적인 부성 세계 및 집단의식에서 강조하는 전통적 이념들을 요구한다. 변사또는 유교적 세계관에서 보이는 신분제도의 차이 및 가부장적 가치가 반영된 사회적 이념을 대표한다. 새 사또가 부임하여 춘향을 만나려 하는 것은, 남성 심리학적으로 보면 새롭게 등장한 여성 요소를 끌어들여 자신의 지배원리에 종속시키는 것에 해당한다. 그러나 여성 심리학적으로 보면, 새 사또의 요구는 여성 인격이 실제로 겪게 되는 외부 현실의 집단 이념에 해당할 것이다. 새 사또의 등장은 여성 자아가 주체감을 갖고 활동하려 하자마자 경험하는 외부 환경의 요구와 같다. 그래서 변사또의 수청 요구는 여성 자아에게 실제적인 외압처럼 경험되는 여러 요구 사항들이 될 것이다. 이로써 여성 자아는 외부 세계의 요구와 내면 세계의 요구 사이에 놓이게 된다. 이것은 춘향이 변사또와 몽룡 사이에서 선택을 위한 갈등을 해야 하는 상태로 그려진다.

춘향은 거듭 '충신불사이군(忠臣不事二君)', '열녀불경이부(烈女不更二夫)'를 주장하였다. '충신불사이군'은 여성의 아니무스에, '열녀불경이부'는 여성 의식에 적용될 내용인 것이다. 여성의 아니무스는 외부 세계에 대해 혼란스럽지 않도록 하나의 근원적인 질서와 원칙을 충실히 따라야 하는 것이고, 여성의 자아는 그러한 내향화 된 아니무스를 알아차리고 변함없이 그것과 관계를 맺어야 하는 것이다. 춘향이 변사또를 거부함으로써, 오히려 몽룡은 내면에서 객관적으로 기능하는 아니무스로서의 면모를 갖추게 된다.

정리해 보면, 우리는 춘향이 취하는 변사또 및 몽룡의 관계에서 여성의 아니무스의 전형적 모습을 살펴볼 수 있다. 여성의 아니무스는 사춘기 이후에 본격적으로 구체화 되기 시작한다. 그것은 주로 외부에 투사되어 이성에 대한 관심을 유도하는 효과를 발휘하기도 하지만, 외부 세계에 대한 편향된 관심의 확대 및 사회적 가치관에 사로잡혀 여성의 자아의식의 뿌리를 상실하게 만들 수 있다. 변사또에게 수청을 강요당하는 상태는 전형적으로 여성의 자아의식이 외부 세계에서 요구하는 것들에 응해야 하는 상황을 나타낸다. 오늘날과 같이 사회적 요구가 크게 강조되면, 이것이 바로 사또에 의해 일방적으로 수청을 강요당하는 상태와 같게 된다. 이런 의미에서 현대 여성들은 춘향이 처한 상황과도 같다고 할 수 있다. 특히 변사또가 춘향의 낮은 신분을 거론하며 수청을 강요하는 부분은 어쩌면 여성 인격의 주체가 상대적으로 취약한 수준에 있어서 영향을 받고 있는 것을 나타낸다. 혹은 변사또의 이러한 일방적 태도는 여성 인격을 폄하하는 현대의 사회 문화적 제도 장치의 특징이 될 수도 있다. 예를 들면 여성에게 서구화 된 사회 문화적 환경이 조성되었음에도 여전히 전통적인 여성의 역할을 강요한다면, 이는 수청과 같은 희생을 강요하는 것이 될 수 있다.

우리는 여기서 외부 세계의 요구가 어느 정도로 강력할 수 있는지를 어쩌면 춘향이 심한 매질이나 감옥에 갇히게 된 장면에서 이해해 볼 수 있다. 고문이나 매질 등은 외부의 강요가 견디기 힘든 지경에 이르렀음을 의미한다. 감옥에 갇히게 되거나, 심지어는 목숨을 내어놓아야 하는 것은, 개인 인격의 가치를 지키기 어려운 다급한 상황을 시사한다. 특히 사또의 일방적 명령으로 주어지듯이 사회 문화적으로 통용되는 가치라는 명분으로 강요하므로 개인적 비판이나 저항이 불가능해지는 것이다.

춘향이 '일편단심(一片丹心)'을 강조하면서 수청을 거부하는 것은 여성 심리학적으로 매우 중요하다. 외형적으로는 정숙한 부인의 정절을 지키는 것으로 보이지만, 이러한 태도는 단순히 남편이 있는 여성의 정조 관념에 관한 것이 아니다. 심리학적으로 보면, 이 태도는 외부 세계의 요구에 마음을 빼앗기지 않고 자신의 내면에 충실하려고 애쓰는 것을 나타낸다. 춘향이 변사또의 요구에 불응하고 이도령에 변함없는 마음을 지키겠다고 하는 것은 아니무스의 외향적 적용을 멈추고, 자신의 고유한 인격의 가치에 충실히 머물겠다는 것이다. 이는 아니무스를 위한 것이기도 하지만, 여성 의식의 개별적 분화를 위해서도 필수적이다. 여성 인격의 개별적 분화는 외부 세계의 요구를 그대로 따르는 것이 아니라, 자신의 본성적 요구에 귀를 기울여야 이루어지는 것이다. 월매가 주선하여 이몽룡과 백년가약을 맺었던 것은 여성 인격의 주체가 결코 흔들림 없이 내면 세계에 귀를 기울일 수 있게 만들기 위한 것이다. 몽룡과 백년가약을 맺지 않았다면 여성 의식은 그대로 고스란히 외부 세계의 요구를 받아들여야 했을 것이다.

앞서 미리 언급하였듯이, 춘향의 몽룡에 대한 '일편단심'은 원래 모성상에 속하던 여성의 보수적 성향에 의한 것이었다. 변사또가 등장하고, 그가 강요하게 되자 여성의 폐쇄적 보수성이 그대로 적용된다. 더욱이 변사또는 몽룡과 달리 외부 세계의 요구를 반영하는 남성 인물상이다. 변사또가 관계를 강요하게 되면서 이제 변사또는 외부 세계에, 몽룡은 내면 세계에 속하는 인물상으로 구체화 된다. 이야기는 춘향이 모성상이 중재한 몽룡에게 한결같이 관계를 유지하려는 태도를 취하겠다고 정하지만, 큰 갈등 상태에 이른 것이다. 춘향은 두 남성 인물상 중에 선택을 해야 하는 것이다.

다시 한 번 강조하지 않을 수 없는 것은 여성에서든 남성에서든 모성상은 언제나 내면에서 작동하는 본능적인, 본성적인 힘이자 저력이라는 사실이다. 이에 반하여 부성상은 언제나 외부에서 낯선 힘으로 작용하고, 외부 세계를 향하여 나아가도록 지지하는 힘이다. 모성상은 아동기에는 주로 보호와 지지를 아끼지 않지만, 성인기에는 대개 어둠 속으로 끌어당기는 힘, 외향화 된 의식을 환기시키는 본능적 충동으로 작용한다. 이러한 모성상의 영향력은 여성의 자아의식을 무기력감, 우울 등의 상태로 이끌 수 있다. 이와 같은 상태로 이끄는 본능적 충동은 반드시 목적의미가 있다. 오히려 그것은 의식의 외향적 관심과 태도를 조정하기 위한 것이다. 그런 순간은 본성에 귀를 기울이게 하고, 자기 자신으로 되돌아가게 만든다. 말하자면 그것은 내면에 집중하도록 하는 것이다. 이런 의미에서 부성상의 지배에 놓인 여성의 경우는 본성적 요구를 거부하게 되므로 내향화 하기가 어렵다. 부성-아니무스의 여성의 경우는 결코 아니무스를 내면적으로 적용할 수 없게 된다. 춘향이 변사또의 요구를 거절하고 몽룡과의 관계를 변함없이 지키게 되는 것은 모두 모성상에 기초한 보수성의 덕분이다.

(6) 한편 몽룡은 밤낮으로 글공부를 하여 장원급제를 하였다. 몽룡은 임금의 명을 받고 어사또가 되어 신분을 감추고 남원으로 돌아왔다. 몽룡이 남원으로 돌아와 신분을 숨기고 월매를 찾아가니, 월매는 옥에 갇힌 춘향에게 몽룡을 데려다 주었다. 춘향은 몽룡의 초라한 행색을 보고 어머니 월매에게 잘 보살펴 달라고 당부하고 죽음을 각오하였다.

몽룡이 밤낮으로 글공부를 하여 장원급제를 한 것은, 여성의 아니무스가 여성의 자아의식과 연결될 수 있도록 준비된 것을 의미한다. 몽룡이 하는 글공부는 여성 인격의 의식 수준에 상응하는 아니무스의 내면적 분화를 의미한다. 아니무스의 분화 발전은 동시에 여성 자아가 보다 더 분별력을 갖고 고유한 자신의 가치를 발견하는 것과도 같다. 여성 인격의 주체로서 자아의식은 외부의 사회적으로 통용되고 있는 이념과 내면 세계의 요청을 구분할 수 있게 된다. 나아가서 아니무스의 도움으로 내면의 인간성이 제공하는 보편적 가치를 인식하고, 그것을 오히려 외부 세계에 반영할 수 있을 정도의 수준에 이른다. 이로써 여성은 개별적으로 자신이 속한 사회의 일원으로서 참여하여 자유롭게 활동할 수 있게 된다.

몽룡은 왕명을 받아 어사또가 되었는데, 이로써 여성의 의식 수준이 실질적으로 사회적인 요구에 부응하게 된 것을 의미한다. 다만 여성 의식은 남성 의식과 달리 직접적으로 집단의식의 사회적 요구에 자신의 목소리를 반영하는 것이 아니다. 아니무스는 여성 자아로 하여금 인간성 속에 내재한 보편적 가치를 일깨워 간접적으로 집단 사회에 의견을 제시하게 만든다. 여성 속에 있는 남성성은 일부 여성 조상들이 갖고 있는 남성의 특징에 해당하므로, 그것은 인간 집단에 내재하는 보편적 이념에 뿌리를 둔 남성성이다. 그 남성성은 오히려 집단의식을 지배하고 있는 남성 원리에 보상적인 내용을 제시할 수 있다. 여성은 자신의 고유한 목소리를 내면서 집단의식에 주체로서 참여할 수 있으며, 동시에 집단의식에 대한 보상적 내용을 아니무스를 통해 제시할 수 있게 된다. 이런 의미에서 어사또가 된 몽룡과 남원의 변사또는 각기 다른 입장에서 맞서게 된다.

몽룡이 어사또가 되어 남원으로 돌아오는 것은 여러 의미를 내포한다. 여성의 자아의식이 외부 세계의 요구에 거리를 두게 됨으로써, 아니무스의 외향적 적용을 거두어들이고 본격적으로 내향적 적용을 하게 된 것이다. 이것은 여성의 개별 인격이 자기 자신을 중심에 두고 세상을 바라보는 상태, 즉 자신이 주체가 되어 주변 세계와 관계할 수 있는 경험에 해당한다. 여성의 자아의식은 자신의 본성에 귀를 기울일 수 있고, 이제 자신의 개별 인격을 보편적 인간의 가치에 이르도록 발전시키게 된다. 이는 결과적으로 자기 인식적 의식이 되게 만든다.

몽룡은 춘향과의 약속대로 남원으로 돌아오지만 자신의 신분을 숨겼다. 몽룡은 여성의 아니무스로서 더 이상 외부의 사회적 지위를 표방할 필요가 없다. 이미 여성의 자아의식의 진정한 대극의 쌍으로서의 위치가 확보되었기 때문이다. 소설 ≪춘향전≫에서 참고해 보면, 몽룡이 남원으로 돌아와 월매를 찾아갔을 때, 월매는 자나 깨나 몽룡이 장원급제하기를 기원하고 있었다. 몽룡은 자신의 성공이 월매가 매일 천지신명께 드린 정성스러운 기원에 의한 것임을 새삼 알게 된다. 여기서 다시 확인할 수 있듯이 월매는 여성 인격의 기초로서, 이 모성상이 여성의 아니무스를 지지하고 있음을 알 수 있다. 이로써 외향적으로 적용되는 아니무스와는 완전히 구분된다. 월매는 감금되어 있는 춘향에게 몽룡을 데려다 줌으로써 다시 한 번 둘의 만남을 주선하는 역할을 하였다. 이제 아니무스는 여성 인격의 전체성의 부분으로서 완전히 수용되는 것이다.

(7) 변사또의 생일날이 되었고, 몽룡은 거지 선비의 모습으로 생일잔치에 나타났다. "금동이의 질 좋은 술은 만 백성의 피요, 옥 소반의 맛 좋은 안주는 만 백성의 기름이다. 촛불 눈물 떨어질 때 백성의 눈물 떨어지고, 노랫소리 높은 곳에 원망소리 높았더라" [206] 라며 꾸짖고 어사또로 출두하였다.

몽룡은 어사또가 되어 변사또의 생일잔치에 나타났다. 몽룡은 내향적으로 적용되는 아니무스로서, 소위 집단의식을 대표하고 있는 변사또와 정면으로 대결하기에 이른다. 이것은 많은 여성들이 독립적인 의식적 입장을 유지하고 있지만, 사회 문화적, 집단적 가치에 노출이 되면 실제적으로 겪을 수 있는 상황이다. 변사또의 생일잔치에는 이미 갖추어진 가치관에서 만들어진 것들이 제공된 것이다. 그것들은 여성 주인공이 사회적으로 주어져 있는 가치관에 편승하면 누릴 수 있는 것이다. 대부분 집단의식을 이끌어 왔던 지배원리가 보증하는 것처럼 여기게 된다. 만약 춘향이 그것을 받아들이게 된다면, 이는 다시 여성 의식 전체를 지배하는 삶의 원리로 부상하게 될 것이다. 그렇게 되면, 변사또는 생일을 제대로 맞이할 수 있을 것이다.

몽룡은 변사또가 제공한 잔치 상이 백성들의 피와 기름을 짜낸 것이라고 지적하였다. 몽룡의 이러한 지적은 여성의 아니무스가 오랜 갈등에서 마침내 인식하게 된 내용에 해당한다. 변사또가 고수하는 것들은 일방적이어서 더 이상 의식의 삶에 유효하지 않음을 밝힌다. 그것은 오히려 인간성을 해치고, 개인 인격을 피폐하게 만든다는 사실을 폭로한 것이다. 여성의 아니무스는 인간의 심성 속에 내재해 있는 보편적 가치의 규범을 환기시키고, 지배원리에 새로운 생명력을 불어넣기 위해 어사또로서 등장하였다. 변사또의 편파적 통치 이념에 비해서 아니무스가 제공하는 것은 더 이상 논의할 필요 없이 의식의 삶에 유익한 것이므로 모든 갈등은 종식된다.

무엇보다 변사또의 폭압적 통치 이념의 폭로는 여성 인격에 얼마나 폭력적이고 강압적이었는지를 나타낸다. 그것은 모두 여성 인격이 실제로 겪었을 심혼적 어려움이다. 이런 것이 아니무스에 의하여 밝혀지게 된다는 점에 주목할 필요가 있다. 삶의 현장에서 여성의 심정은 아니무스에 의해 제대로 토로되는 경우가 많다. 여성 자아는 페르조나의 입장을 대변하느라, 마음 깊숙이 자리잡은 심정을 제대로 알아차리지 못하는 것이다. 또한 어사또로서 심혼적 어려움을 폭로한 것은 여성 인격이 비로소 자신이 처한 상태를 객관적으로 인식하게 된 것에 해당한다. 자신의 처지에 대한 객관적 인식이야말로 심혼적 갈등을 종식시킬 수 있는 치유적 통찰이다.

(8) 변사또를 몰아내고 어사또는 춘향을 옥에서 풀어주게 되었다. 춘향은 풀려나 자유로운 몸이 되었고, 몽룡은 자신의 신분을 밝히고 춘향과 함께 한양으로 떠났다. 그 후 춘향은 임금에 의해 정렬부인이 되었다.

　몽룡은 어사또로서 춘향을 자유로운 몸이 되도록 풀어 주었다. 앞서 이미 지적하였듯이 변사또는 여성 인격을 억압하고 강요하면서, 심지어는 의식의 삶 전체를 위협하는 힘이었다. 여성이 아니무스에 힘입어 내면에서 제대로 자신의 목소리를 낼 수 있게 됨으로써, 자연히 외부의 강압적 요구나 압력을 극복할 수 있게 된다. 여성의 아니무스는 개별 인간의 가치 추구는 보편적 인간 이념의 실현이지, 외부에서 강제로 주입되는 사회적 이념의 실천이 아님을 분명하게 일깨워 준다. 이로써 여성 자아는 집단 사회의 일원으로서 사회적 역할을 완수하게 된다. 이때의 사회적 참여는 능동적이고 창의적인 여성 의식의 태도로 발휘된다.

　변사또가 물러가고 어사또 몽룡이 자신의 신분을 춘향에게 밝힘으로써 마침내 여성 의식과 아니무스의 진정한 만남이 이루어진다. 임금은 춘향을 고귀한 신분으로 끌어올려 정렬부인으로 인정하였다. 춘향이 여성 인격의 주체로서 자신의 고유한 위치를 보증받는 것이다. 이야기에서는 이를 '이화춘풍(李花春風)'이라고 한다. '마침내 봄이 이루어졌다'고 하는 것이다. 춘향의 이름처럼 봄의 기운을 가져와 의식의 삶이 새롭게 펼쳐지게 되었다는 것이다. 이러한 표현은 모두 '대극의 합일'에 의해 인격의 통합이 이루어지고, 그에 상응하는 새로운 의식성이 획득된 것을 의미한다. 말하자면 인격의 통합으로 획득된 제3의 것은 봄을 맞이하듯이 한층 새로워진 의식의 수준으로 펼쳐지는 것이다. 춘향이 몽룡과 함께 한양에서 정렬부인으로 살아가

206　황혜진 지음(2007), 『춘향전』, 127쪽.
　　금준미주(金樽美酒)는 천인혈(千人血)이요,
　　옥반가효(玉盤佳肴)는 만성고(萬姓膏)라.
　　촉루락시(燭淚落時) 민루낙(民淚落)이요,
　　가성고처(歌聲高處) 원성고(怨聲高)라.

게 되는 것은 전(全)인격적 존재가 되었음을 나타내는 것이다.

맺는 말

이상에서 보듯이 사회 관습제도, 특히 신분제도가 있는 집단 사회의 외압에 시달리고 있는 춘향의 처지는, 현대의 집단 사회에서 살아가고 있는 여성의 입장과도 같은 것이다. 변사또의 요구는 현대 여성이 외부 세계에서 끊임없이 요구당하는 것들에 해당한다. 여성은 집단의식의 지배원리가 편파적으로 작용할 때 저절로 집단 사회의 제도권의 힘에 억압당하는 경험을 하게 된다. 그래서 춘향의 '일편단심'은 여성 심리에서 가장 핵심이 되는 주제이다. 이것은 모성성에 뿌리를 둔 여성이 자신의 고유한 입장을 주체적으로 지켜 나가는 것을 의미한다. 결국 '일편단심'은 여성이 자기 자신에 대한 믿음과 신뢰를 갖고 있음을 나타내는 것이다. 이런 태도로서 여성은 의식의 삶의 진정한 주인공이 되고, 나아가서는 아니무스와 관계를 맺을 수 있다.

다시 한 번 강조하면, 현대 사회에서 여성은 사회적 요구에 따르느라 자신을 상실할 위기에 처해 있다. 그래서 현대 사회의 여성은 저절로 부성-아니무스에 사로잡히게 된다. 부성-아니무스는 여성 자아를 외향적이게 하고, 페르조나와 전적으로 동일시 하게 만든다. 많은 경우 페르조나를 가꾸기 위해 자기 자신을 비판하는데, 이는 결국 자신도 모르게 여성성을 폄하하는 내용이 되고 만다. 여성 자아를 지지하는 것은 언제나 여성 인격의 뿌리가 되는 모성임을 잊어서는 안 될 것이다. 모성상은 사회적 기능과 역할에 부합하지 않는다고 하여 자기 자신을 폄하하거나 소외시키지 않는다. 외부에서 자신을 바라보듯이 평가하고 비판하는 시선은 결코 모성상에서 비롯된 것이 아니다. 여성은 언제나 내면에서 올라오는 소리에 귀를 기울이면서 외부 세계의 요구에 어떻게 반응해야 하는지 지혜로운 해결을 찾아내야 할 것이다. 여성의 사회적 역할은 남성과 경쟁적으로 쟁취하는 것들이 아니며, 오히려 본성에 기초하고 있는 것들, 결코 우리가 잊어서는 안 되는 것을 환기하는 데 있다.

마지막으로 우리는 ≪춘향전≫에서도 여성 신성(神性)의 특성을 강조할 수 있을 것이다. 이미 본문에서 밝혔듯이 광한루에 가면 춘향의 초상화를 그려 놓은 춘향 사당이 있다. 춘향은 역사적 인물도 아닌데도 초상화를 모셔 놓고 해마다 춘향제를 올리고 있다. 굳이 설명할 필요 없이, 이미 춘향은 여성 신성으로 알려져 있는 것이다. 춘향은 이름 그대로 봄을 알리는 여신 혹은 모성신으로 간주된다. 심리학적으로 그 봄은 매해 우리가 맞이하는 봄이 아니라, 의식의 개화, 새로운 의식을 맞이하게 하는 주체로서의 여신을 의미한다.

　여기에 더하여 여성의 사랑에 관하여 고려해 볼 수 있다. 여성의 사랑은 모성 원형에 뿌리를 두고 있으므로, 기본적으로 주변 사람들의 개별적 삶이 잘 펼쳐질 수 있게 보살피고 지지하는 힘으로 작용한다. 또한 사람들과의 관계를 지향하여 그 관계가 이끄는 궁극 목적을 제시한다. 관계로 이끌리게 되는 것은 대극적인 것인데, 여성은 그것을 수용하여 새로운 인간의 이념을 생산한다. 결국 사랑은 대극적인 것을 수용하여 인간성을 쇄신하고 이념을 실현하게 만든다. 그것은 언제나 각 개별 여성에게 주어져 있는 자연의 힘, 본능의 힘으로 작용하는 것이다. 그래서 춘향은 모든 여성에게서 발휘되고 있는 사랑의 또 다른 이름이다.

나가는 말

1. 민담의 여성상

여성 주인공의 민담들을 다루면서 자연스럽게 여성 인격의 발달에 관한 논의로서 해석하게 되었다. 민담의 여성 주인공들은 여성 인격의 개별적 가치를 실현할 수 있는 주체의 전형이 됨을 알 수 있다. 그리고 여성 주인공이 처한 상황은 개별 여성의 심혼적 문제와도 통하게 된다. 민담에서 심혼적 문제로서 드러난 주제를 대략 세 부류로 나누어서 이해해 볼 수 있을 것 같다.

    (1) 여성의 자아의식이 모성 원형의 영향 하에 있거나, 모성상과의 동일시에 의하여 개별 인격의 주체가 될 수 없는 상태

    (2) 여성의 자아의식이 부성 원형의 영향 하에 있거나, 부성상에 사로잡혀 있어서 개별 인격의 주체가 될 수 없는 상태

    (3) 여성의 자아의식이 아니무스와의 동일시 및 사회적 요구에 따르느라 개별 인격의 주체가 될 수 없는 상태

  (1)의 경우는 ≪손 없는 색시≫와 ≪콩쥐 팥쥐≫에서 전실 딸과 계모와의 관계로서 드러났다. 전 세계적으로 널리 퍼져 있는 계모 주제의 민담은 모두 여성 인격의 발

달사에서 가장 기본이 되는 문제, 즉 모성상과의 동일시에 대한 해결책을 다루고 있는 것이다. 여성 인격은 모성상과의 동일시로 인해 평생을 자기 자신에게 무의식적이 될 수 있기 때문이다. 부정적인 모성상은 여성 자아로 하여금 홀로서기를 할 수 있도록 만든다. 계모의 주제의 민담이 그토록 많은 것처럼, 여성의 개별 인격적 가치의 추구 또한 여성의 삶에서 반드시 실현해야 할 내용이다.

소위 '시집을 간다', 즉 결혼은 아동기의 보호 장치에서 벗어나 개별적 인격의 독립 및 분화를 실현하는 조건이 된다. 우리는 계모 주제의 민담을 통하여 시집살이도 일종의 인격의 변환 및 탄생과 관련된 두 어머니 주제에 상응하는 사건임을 알 수 있었다. 임신, 출산, 육아 및 가정의 일들의 어려움은 여성들에게 준 삶의 실질적 과제, 즉 자발적이고 적극적인 자세로 헤쳐 나가면서 독립적인 인격의 주체가 되도록 하라는 의미로 이해될 것이다. 현대 사회에서 현모양처(賢母良妻)는 전통적 가르침을 답습하는 것이 아니라, 실제적 삶의 현장에서 주체로서 주어진 여성의 과제를 수용하고 완수할 때 쓸 수 있는 표현이다.

그 밖에 계모 주제와 나란히 그림자의 문제가 함께 다루어졌다. 여성 주인공에게 경쟁적으로 작용하는 그림자도 모성상이 제공하는 것임을 알 수 있었다. 그림자는 여성 주인공의 개별적 인격의 특성이 드러날 수 있게 하기 위하여 언제나 주변에서 함께 움직인다. 그림자의 기능과 역할이 두드러질수록 여성은 자기 자신에 대해 무의식적이다. 그래서 민담에서 그림자는 여성 주인공의 역할을 대신하기도 하였다. 일상에서 여성들은 특별히 동성의 주변 인물들과 끊임없이 질투 및 갈등을 일으키며 살아가게 된다. 이는 모두 모성-그림자의 투사에 의한 경우인데, 그것은 상대를 통하여 사실상 자신을 경험하도록 만드는 현상이다. 말하자면 여성은 늘상 주변과의 관계에서 투사적 동일시를 시도하고 있기 때문에, 그림자는 끊임없이 동일시에서 벗어나도록 갈등을 유발하는 요인이 된다. 이와 같이 모성상은 여성의 그림자를 제공하여 개별적 삶의 실제적 가치를 추구하게 만든다. 이런 의미에서 모성상은 여성의 자기(Selbst)의 한 측면일 수 있다. 모성상은 어떤 경우든 여성 인격의 실현이라는 목적의미를 위해 작용한다.

(2)의 경우는 ≪심청전≫, ≪바리 공주≫에서 다루어졌다. 부성상의 요구는 딸인 여성 주인공을 집단 사회에서 가장 주목받게 만들거나, 가장 소외되게 만드는 영향력이 된다는 사실을 확인할 수 있었다. 왜냐하면 부성상은 주로 외부의 요구나 사회적 요구로 작용하기 때문이다. 긍정적 부성상의 경우 주변의 기대에 부응하여 원래의 자기 자신보다 훨씬 뛰어난 역할을 수행하기 때문에 칭송을 받을 수 있다. 그러나 정작 개인적으로는 유아적 의존성과 미숙함에서 벗어나지 못한다. 부정적 부성상의 경우에도 끊임없이 주변으로부터 고립되어 있음을 호소하거나, 주변의 비판과 평가에 괴로워하거나 원망하느라 자신을 돌보지 못한다. 이런 의미에서 부성상의 영향 하에 있는 여성은 긍정적이든 부정적이든 인격의 개별적 특성을 갖추기 어렵다.

　민담에서 배울 수 있었던 사실은 부성상의 요구를 자신의 운명으로 여겨 기꺼이 따르는 경우는 어쩔 수 없는 선택, 필연적 선택이어야 했다. 그것은 비록 우선적으로 자신을 희생하게 만드는 것처럼 보이지만, 오히려 부성상에서 벗어나 새로운 인격으로 거듭나게 하였다. 희생된 인격의 면모는 자신의 인격이 아니라 부성상에 상응하던 것이다. 그 희생을 통하여 자신의 고유한 인격을 회복할 수도 있다.

　무엇보다 주목하게 되는 것은 현대의 여성들은 대부분 사회적 요구 때문에 부성상의 영향 하에 있는 것처럼 느낄 것이다. 사회적 요구로서 작용하는 부성상과 한 개인의 운명으로 자리매김하는 부성상과는 차이가 있다. ≪춘향전≫에서 춘향은 부성 원형이나 부성상과 관계하는 인물이 아님에도 사회적 요구에 맞서 싸워야 하는 여성 주인공으로 부각되었다. 사회적 요구에 자신을 잃을 정도가 된 여성들은 종종 자신을 부성상에 사로잡힌 것으로 착각한다. 사회적 요구로서의 부성상은 여성으로 하여금 전적인 희생을 요구하지는 않는다. 하지만 부성 원형 및 부성상의 지배 하에 있는 여성의 경우는 심리 내적으로 훨씬 치명적인 희생이 요구된다. 그러므로 반드시 새로운 인격의 탄생에 해당하는 치유가 있어야 할 것이다. 민담에서 부성상에 희생된 여성은 부성상에서 벗어나 모성상의 품으로 되돌아와야 하는 것이 과제였다. 여성 인격의 뿌리는 언제나 모성상이기 때문이다.

(3) 여성은 모성과의 동일시 상태가 오랫동안 지속되기 때문에, 모성상에서 벗어나더라도 쉽게 또 다른 원형상과 동일시 될 가능성이 크다. 특히 모성상과의 결별 후에 주로 아니무스와 동화되는 경우를 어렵지 않게 볼 수 있다. 현대와 같이 사회적 요구에 부응하느라, 여성 자아가 페르조나와 동일시 되면, 아니무스는 외향적으로 적용되어 버린다. 이는 여성 자아가 아니무스에 사로잡히는 경우에 해당한다. ≪구렁덩덩 신 선비≫, ≪가믄장 아기≫에서 동물 신랑이나 집단 사회로부터 동떨어져 있는 배우자는, 여성 자아가 아니무스와 구분이 안 되는 심혼적 상태를 반영한 것이다. 여성 주인공이 그런 배우자를 인간의 수준으로, 집단의식의 수준으로 끌어올리는 작업은 자기 자신에 대한 무의식성을 극복하는 작업에 해당하는 것이다. 또한 여성 주인공은 아주 멀리 떨어져 있는 배우자를 찾아나서야 했다. 동일시 및 사로잡힘은 모두 관계를 불가능하게 만드는 심혼적 상태를 나타낸다.

민담에서 여성 주인공은 심혼적 관계를 위하여 배우자와의 관계를 회복하는 길을 제시한다. 우선 부모상에서 벗어나 자신의 고유한 입장을 표명할 수 있어야 한다. 이것은 아니무스를 객관적으로 인식하기 위한 기본 자세에 해당한다. ≪가믄장 아기≫, ≪박씨 부인전≫에서 보면 여성이 적극적으로 자신의 의사를 표명하면서 문제를 해결해 간다. 이를 위해서 자신에 대한 근본적 신뢰가 요구되는데, 그것은 모두 모성의 신성에 뿌리를 둔 것임을 알 수 있었다. 여성 신성에 힘입어 자신의 입장을 구체화 하게 될 때 아니무스는 오히려 여성 인격의 전체성 속에 편승될 수 있다. 여성의 신성은 한 개별 여성의 심혼적 관계에 이바지하고, 나아가서는 집단 사회에서 상실해 가고 있는 인간 본성의 뿌리를 회복하게 만든다. 모성 신성은 언제나 인간성의 본질을 환기시킨다. 모성 신성은 인간의 삶의 시작부터 끝까지 함께 하는 그 자체인 것이다. 우리는 이에 대해 민담에 드러난 할머니 형상에서 살펴볼 수 있었다.

2. 한국 민담의 여성상

　민담은 기본적으로 민족의 특성을 반영하는 것이 아니라 보편적인 인간 정신의 전형을 제시하고 있다. 그럼에도 한국 민담이라는 점을 고려하여 한국 여성의 특징을 찾아낼 수 있을지도 모르겠다. 저자가 한국 민담들에 관한 해석을 일본 **융** 연구원 세미나에서 몇 해 동안 발표했을 때, 일본의 수강생(심리학자)들의 반응은 한국 여성이 매우 독립적이고 지혜로운 것 같다고 자신들이 갖게 된 인상을 전해 주었다. ≪심청전≫에서 아버지를 위해 심청이 기꺼이 목숨을 내놓는 것이나, ≪바리 공주≫에서 바리 공주가 버림을 받았음에도 부모의 병을 고치기 위해 신약을 찾아 나서는 것이나, ≪가믄장 아기≫에서 자신의 뱃심을 믿고 배우자를 찾아 길을 떠나는 장면 등에서, 한국 여성이 일본 여성보다 훨씬 더 강인하며, 용기와 결단력을 갖고 있다고 칭송하였다.

　여러 민담들에서 여성 주인공이 고난과 시련을 통하여 성장하긴 하지만, 대부분 ≪손 없는 색시≫, ≪콩쥐 팥쥐≫처럼 어쩔 수 없이 어려운 상황에 처하게 되는 경우가 대부분이다. 일본 수강생들의 지적처럼, 한국 민담의 여성 주인공들은 기꺼이 자신의 운명을 선택한다. 그러한 운명적 요구를 적극적으로 수용하는 것이, 여성의 개별적 독립적 인격을 획득하는 길이다. 이 운명적 요구야말로 개인의 전(全)인격적 실현을 요구하는 내면의 요청이 되기 때문이다. 결국 한국형 여성이 따로 있는 것이 아니라, 오히려 운명 같은 요구를 기꺼이 선택하는 용기를 가진 여성들이 한국 민담에서 드러난 여성상이 아닌가 생각해 본다.

　한국 민담의 여성 주인공은 어떤 식으로든 한국 사회에서 살아가고 있는 여성에게 제공하는 삶의 전형이 된다. 민담을 읽으면서 저절로 주인공과 동화되어, 주인공과 같은 방식으로 삶의 여러 국면에서 자신의 목소리를 반영하게 되는 것이다. 한국 사회가 유교 전통에 뿌리를 둔 가부장 제도를 고수해 왔으므로, 여성은 남존여비와 같은 사회적 가치의 불평등을 경험해 왔다. 그렇게 사회의 전반적인 분위기가 여성에게 불리하게 여겨질지라도, 한국 민담의 여성 주인공들처럼 실제적 삶의 현장에서 자신의 개인적 가치를 인식하고, 집단 사회에서 자부심을 갖고 살아가는 여성들이 있을 것이다.

이런 의미에서 한국 여성상의 전형으로 ≪박씨 부인≫과 ≪춘향전≫의 주인공을 빼놓을 수 없다. 그들은 여성을 폄하하는 유교 전통 및 신분제도에서도 여성 인격의 가치를 가장 지혜롭게 실현한 인물상이다. ≪박씨 부인≫에서 보면, 모성 신성에 기초하여 개별 인격을 세우고 중심을 잡음으로써(피화당), 사회 문화적 영향에 따른 혼란을 극복하였다. 오히려 주어진 상황에서 능동적 태도로 자신을 표명하여 삶의 실제적 주인공이 되었다. 마찬가지로 ≪춘향전≫에서도 '일편단심'은 자기 자신에게 충실함으로써 사랑을 지킬 수 있었고, 궁극적으로는 개별적 인격을 완성하게 만드는 원동력이 되었다. 이상에서 보듯이 한국 민담은 높은 자긍심과 숭고한 여성 신성을 지켜 내는 용기 있는 여성상을 제시한다.

과거의 한국 사회를 돌아보면, 여성의 가치가 폄하된 것은 결코 아니었다. 여성들은 딸로서, 아내로서, 어머니로서 책임과 임무를 다하며, 성숙하고 독립적인 인격의 면모를 발휘하도록 지지되었다. 율곡의 어머니 신사임당이 5만 원권 지폐에 자랑스러운 한국인의 대표 인물로서 제시된 것은 결코 우연이 아닐 것이다. 신사임당은 아내로서, 어머니로서 그리고 개인적으로도 풍부한 삶의 내용을 누릴 수 있었을 것이다. 신사임당이 그린 그림을 보아도 어떤 세계관을 누릴 수 있었는지 알 수 있다. 신사임당의 〈초충도(草蟲圖)〉에서 묘사된 식물과 곤충의 아름다운 조화가 그러한 높은 의식 수준을 반영한다. 여성의 본능적 뿌리에 해당하는 자연-모성의 생명력이 저절로 의식에 펼쳐진 모습이 식물이라면, 그 생명력에서 비롯된 창조적 정신 활동의 상징적 모습은 곤충이다. 〈초충도〉에서 식물과 곤충이 조화롭고 생동감 넘치게 표현된 것처럼, 신사임당의 정신 세계는 언제나 삶을 제공하는 생명의 저력에 뿌리를 두고, 다른 한편으로는 인간 정신의 이념을 창의적인 생활의 지혜로서 삶 속에서 펼쳐 내었다고 할 수 있다. 이런 의미에서 여성의 정신 활동은 추상적 개념적 추론으로 나아가는 남성의 지성 활동과는 다르다. 그것은 감관적이자 직관적 사고로서 모든 정신의 현상이 궁극적으로 도달하려는 것을 따르고 밝히는 것이다. 이러한 여성의 로고스는 모성 자연에 힘입은 '자연의 빛(lumen naturae)'을 담아 그 자체 의식의 삶에 유익한 힘으로 작용한다.

이상에서 보듯이 민담에서 보여주는 다양한 삶의 조언들은 바로 여성의 정신 활동과 통하는 것이다. '옛날 옛날에 …' 라는 식으로 시작하는 민담은 우리에게 들려주는 할머니의 이야기처럼, 인간의 본성 안에는 인간 조상의 지혜들로 작용하여 인간으로서 살아가면서 무엇을 실현해야 하는지 제시하고 있다. 무의식적 정신의 목적이 인간의 의식의 삶에서 실현되려면, 반드시 여성의 개별적 참여가 있어야 한다. 결국 한국의 민담에서 나타난 여성상은 가슴 속에서 나오는 자신의 목소리를 낼 만큼 용기 있고 지혜로운 개별 인격이 되도록 이끄는 전형이다. 이는 현대의 한국 여성뿐 아니라, 여성 모두에게 유효한 것이다.

신사임당의 초충도

참고문헌

1. Carl Gustave Jung (1916), "Die transzendente Funktion", G.W. Bd. 8, Walter Verlag

2. C.G. Jung (1921), Psychologische Typen, G.W. Bd. 6, Walter Verlag

3. C.G. Jung (1927), "Die Frau in Europa", G.W. Bd. 10, Walter Verlag

4. C.G. Jung (1928), "Die Beziehungen zwischen dem Ich und dem Unbewußten", G.W. Bd. 7,
Walter Verlag

5. C.G. Jung(1928), "Allgemeine Gesichtspunkte zur Psychologie des Traumes", G.W. Bd. 8,
Walter Verlag

6. C.G. Jung (1936), "Über den Archetypus mit besonderer Berücksichtigung des
Animabegriffes", G.W. Bd. 9/I, Walter Verlag

7. C.G. Jung (1939), "Die Psychologischen Aspekte des Mutterarchetypus", G.W. Bd. 9/I,
Walter Verlag

8. C.G. Jung (1940), "Zur Psychologie des Kindarchetypus", G.W. Bd. 9/I, Walter Verlag

9. C.G. Jung (1940), "Psychologie und Religion", G.W. Bd. 11, Walter Verlag

10. C.G. Jung (1946), "Zur Phänomenologie des Geistes im Märchen", G.W. Bd. 9/I, Walter
Verlag

11. C.G. Jung (1946), "Die Psychologie der Übertragung", G.W. Bd. 16, Walter Verlag

12. C.G. Jung (1951), Aion, G.W. Bd. 9/II, Walter Verlag

13. C.G. Jung (1952), Symbole der Wandlung, G.W. Bd. 5, Walter Verlag

14. C.G. Jung (1954), "Theoretische Überlegungen zum Wesen des Psychischen", G.W. Bd. 8,
Walter Verlag

15. C.G. Jung (1954), "Über die Archetypen des Kollektiven Unbewußten", G.W. Bd. 9/I,
Walter Verlag

16. C.G. Jung (1958), "Ein moderner Mythus", G.W. Bd. 10, Walter Verlag

17. C.G. Jung (1968), Mysterium Coniunctionis, G.W. Bd. 14/I, Walter Verlag

18. C.G. Jung (1968), Mysterium Coniunctionis, G.W. Bd. 14/II, Walter Verlag

19. C.G. Jung (1971), Das Geheimnis der Goldenen Blüte, Walter Verlag

20. Ami Ronnberg, Editor-in-chief (2010), The Book of Symbols, Taschen

21. Brüder Grimm (1980/1987), Kinder-und Hausmärchen, Band 1&2, Reclam

22. Erich Neumann (1973), Amor and Psyche, Bollingen Series LIV, Princeton University Press

23. E. Neumann (2004), Ursprungsgeschichte des Bewußtseins, Patmos Verlag

24. Franz Carl Endres & Annemarie Schimmel (1951), Das Mysterium der Zahl,

                                        Verlag Fer dinand Schöningh

25. Herausgeben von Verlag Herder (1985), Herder Lexikon Symbole, Herder Verlag

26. J.C. Cooper (2000), Illustriertes Lexikon der traditionellen Symbol, Drei Lilien Verlag

27. Marie-Louise von Franz (1973), Problem of the Feminine in Fairytale, Spring Publication

28. M.L. von Franz (1972), The Feminine in Fairy Tales, Spring Publication

29. M.L. von Franz (1986), Psychologische Märcheninterpretation, Kösel

30. M.L. von Franz (2004), Der Goldene Esel, Verlag Stiftung für Jung'sche Psychologie

31. Otto Betz (1999), Die Geheimnisvolle Welt der Zahlen, Kösel

32. S. Birkhäuser-Oeri (2003), Die Mutter im Märchen, Verlag Stiftung für Jung'sche Psychologie

33. W. Bauer & I. Dümotz & S. Golowin (2004), Lexikon der Symbole, Fourier Verlag

34. 간보(干寶) 지음, 전병구 엮음 (1997), 〈백수 소녀〉, 『수신기(搜神記)』, 자유문고

35. 김헌선 엮음 (2011), 〈부록: 은하엄마 이상순 바리공주 구연본〉, 『서울 진오기굿』,

                                민속원

36. 김헌선 현대역 (1937), 〈바리공주(배경재본)〉, 『조선무속의 연구』

37. 서유원 지음 (1998), 『중국 창세신화』, 아세아문화사

38. 신화아카데미 지음 (2001), 『세계의 창조신화』, 동방미디어

39. 왕대유(王大有) 지음, 임동석 엮음 (1994), 『용봉문화원류(龍鳳文化源流)』, 동문선

40. 오세경 지음 (1998), 『한권으로 읽는 한국의 민담』, 석일사

41. 여동빈(呂洞賓) 지음, 고성훈·이윤희 엮음 (2011), 『태을금화종지』, 여강출판사

42. 원가(袁珂) 지음, 전인초·김선자 엮음 (1996), 『중국신화전설 I』, 민음사

43. 유증선 지음 (1974), 『영남의 전설』, 형설출판사

44. 이만기 엮음 (1997), 『한국 대표설화 상·하』, 도서출판 빛샘

45. 이상훈 엮음 (2003), 『세계민담 전집 2 러시아편』, 황금가지

46. 이유경(李裕瓊) 지음 (2008), 『원형과 신화』, 분석심리학 연구소

47. 이유경 지음 (2002), 『이시스-오시리스 신화의 분석심리학적 해석』, 심성연구

48. 이인경 지음 (2001), 『≪손 없는 색시≫ 설화의 신화적 성격과 심리학적 접근』,
　　　구비문학연구 제13집

49. 임석재 엮음 (1987), 임석재 전집 『한국 구전설화』, 평민사

50. 조희웅 지음 (1996), 『한국 설화의 유형』, 일조각

51. 주재우 지음 (2007), 『박씨 부인전』, 계림

52. 최근학 엮음 (1987), 『한국민속사전』, 문화출판공사

53. 최인학·엄용희 엮음 (2003), 『옛날이야기꾸러미 2』, 집문당

54. 최인학·엄용희 엮음 (2003), 『옛날이야기꾸러미 3』, 집문당

55. 최인학·엄용희 엮음 (2003), 『옛날이야기꾸러미 4』, 집문당

56. 하신(何新) 지음, 홍희 엮음 (1999), 『신의 기원』, 동문선

57. 황혜진 지음 (2007), 『콩쥐팥쥐전』, 계림

58. 황혜진 지음 (2007), 『춘향전』, 계림

59. 현용준 지음 (2005), 『제주도 신화』, 서문문고

인명

그림 형제 (Brüder Grimm, 1785-1863) : 독일의 형제 작가, 언어학자

레비−브륄 (Lucien Lévy-Bruhl, 1857-1939) : 프랑스의 철학자, 사회학자

샤를르 페로 (Charles Perrault, 1628-1703) : 프랑스의 동화 작가

아들러 (Alfred Adler, 1870-1937) : 오스트리아의 정신의학자, 개인심리학자

아리스토텔레스 (Aristoteles, B.C. 384-322) : 그리스의 철학자

아풀레이우스 (Lucius Apuleius, 123-170) : 로마의 소설가

안데르센 (Hans Christian Andersen, 1805-1875) : 덴마크의 동화 작가, 소설가

에리히 노이만 (Erich Neumann, 1905-1960) : 독일의 분석심리학자

융 (Carl Gustave Jung, 1875-1961) : 스위스의 정신의학자, 분석심리학자

칸트 (Immanuel Kant, 1724-1804) : 독일의 철학자

톰슨 (Stith Thompson, 1885-1976) : 미국의 민속학자

폰 프란츠 (Marie-Louise von Franz, 1915-1998) : 스위스의 분석심리학자

프로이트 (Sigmund Freud, 1856-1939) : 오스트리아의 정신의학자, 정신분석학자

찾아보기

한국 민담의 여성상

지은이 **이유경**(李裕瓊)

홍익대학교 대학원 미학과 석·박사과정 졸업했으며 〈신화의 형성과 해석에 관한 분석심리학적 연구〉로 철학박사 학위를 받았다. 스위스 취리히대학에서 철학, 민속학, 심리학을 공부했으며, 스위스 취리히 C. G. Jung 연구소를 졸업하여 국제 *융* 학파 정신분석가 자격을 취득했다(1995). *융* 연구소의 졸업 논문은 〈천도교 형성에 관한 분석심리학적 접근 (Zur Entstehung der koreanischen Religion 'Chon-Do-Gyo')〉이다. 현재 교육분석가로 활동하며, 분석심리학연구소를 운영하고 있다.

논문으로는 〈서양 연금술의 분석심리학적 의미〉(1996), 〈서양 중세 연금술에서의 안트로포스〉(1998), 〈프로이드 미학〉(1999), 〈신화의 심층심리학적 이해 및 해석〉(2000), 〈중국 연금술의 분석심리학적 이해〉(2000), 〈'이시스−오시리스' 신화의 분석심리학적 해석〉(2002), 〈분석심리학적 신화 읽기〉(2003), 〈민담 '손 없는 색시'를 통한 여성 심리의 이해〉(2006), 〈천도교 교조 수운 최제우의 원형적 체험과 치유적 수용에 관하여〉(2008), 〈적극적 명상〉(2012), 〈영성과 무아〉(2013), 〈Woman in Korean Fairytale "Chun Hyang"〉(2016) 등이 있다. 저서로는 《원형과 신화》(2008)가 있으며, 역서로는 *융* 전집 《연금술에서 본 구원의 관념》(제6권), 《영웅과 어머니 원형》(제8권), 《*융* 심리학적 그림해석》(2008), 《*융* 심리학적 모래놀이치료》(2009), 《의식의 기원사》(2010), 《민담에 나타난 모성상》(2012), 《황금꽃의 비밀》(2014)이 있다.

한국 민담의 여성상

1판 1쇄 인쇄   2018년 6월 8일
1판 1쇄 발행   2018년 6월 15일

지은이 이 유 경
펴낸이 이 유 경

펴낸 곳 분석심리학연구소
주소   150-040 서울시 영등포구 버드나루로 135
전화   (02) 2634-7599 팩스 (02) 2634-7598
홈페이지 http://www.jungclub.org
디자인 임성민

출판등록 2005년 7월 6일 제 318-2005-000116 호
ISBN 978-89-960833-5-1